KB194439

20세기 한국시인론

윤동주의 시는 저항시인가? – 윤동주론

비우는 것의 완성 – 박남수론

현실 극복의 휴우머니즘 – 정한모론

생활 철학으로서의 시 – 조병화론

우상의 가면 – 김수영론

무의미시의 정체 – 김춘수론

사랑의 플라토니즘과 구원 – 김남조론

장시(長詩)의 개념과 가능성 – 전봉건론

아득함의 거리 – 박재삼론

인생에 대한 따뜻한 성찰 – 김광림론

삶의 안과 밖 – 이형기론

픔, 사랑 그리고 죽음의 미학 – 이수익론

유년체험과 사랑의 제의 – 오탁번론

인생과 문학과 선(禪)의 향취 – 조오현론

장르실험과 전통장르 – 김지하론

사물과 언어와 존재 – 조정권론

적 세계관과 생명 존중의 시 – 송수권론

20세기 한국시인론

오세영

머리말

필자는 수년 전 각각 『20세기한국시연구』, 『한국현대시인연구』라는 제명의 저서를 간행한 적이 있다. 전자는 20세기 한국현대시사를 시기적으로 살펴본 일종의 문학사 연구서요 후자는 이 시기 한국의 대표시인들을 작품 중심으로 살펴본 일종의 시인 연구서였다. 그러나 후자의 경우 필자는 그 대상의 범위를 광복 이전의 시인들로 한정짓지 않을 수 없었다. 그런데 이번에 20세기의 나머지 후반에 활동한 시인들을 대상으로 한 본서 즉 『20세기 한국시인론』을 묶게 되니 그 미진했던 마음이 다소 가시는 것 같다.

한국의 근·현대시의 역사는 대개 백년이라 한다. 그러나 서력으로 칠 경우 한마디로 20세기 그 자체라 할 수 있다. 필자로서는 20세기 전반기의 시인들을 『한국현대시인연구』, 후반기의 시인들을 『20세기 한국시인론』으로 묶었으니 어찌 되었건 20세기 100년의 우리 근·현대시사의 대표시인들을 나름으로 일단 정리한 셈이다. 그러나 이 자리를 빌어 양해를 구할 사항도 없지는 않다. 이 '대표시인'이라는 용어가 『20세기 한국시인론』의 경우 꼭 정확하게 맞는 표현이 아니라는 점이다. 물리적인 조건 때문에 부득이 본서에서 누락된 분도 있고 수록 시인이라 하더라도 대부분 생존해 있어 미래의 활동이 불확실할 뿐만 아니라 사후 평가가 아직 남아 있기 때문이다. 지금 우리 문단에서 한 목소리로 높이 거론되고 있는 몇몇 시인들의 경우도 지금의 뜨거운 문학저널리즘의 열기가 다소 가시는 때를 기다려야 할 것이다.

통상적으로 '현대시' 혹은 '근대시'라는 명칭이 사용되고 있는 우리 학계에서 '20세기 한국시', '20세기 한국소설', '20세기 한국 문학' 등 '20세기'라는 용어는 어쩐지 생경하다. 그래서 그런지 책의 제목에서 이 후자와 같은 용어를 사용한 경우는 흔치 않다. 과문한 탓인지 모르겠지만 어떻든 그 첫 번째의 용례는 아마도 1989년에 간행된 필자의 『20세기한국시연구』가 아닐까 한다.

그러나 앞으로는 이 '20세기'라는 용어를 널리 보급해 써야 할 것 같다. 시간은 자꾸 흘러가는데 언제까지 근대시 혹은 현대시로 호칭할 수는 없기 때문이다. 뿐만 아니다. 이제부터는 한국문학의 전공도 단순히 고전문학과 현대문학으로 나눌 것이 아니라 통시적으로는 20세기 한국문학 전공, 19세기 혹은 17세기 한국문학 전공 따위로, 공시적으로는 문학 및 문학사 전공, 문학비평 전공, 문학창작 전공, 실용문 전공, 비교문학 및 문화 전공 등으로 나누는 것이 어떨까.

연말 연초의 바쁜 시간임에도 이처럼 좋은 책을 만들어주신 월인의 실무자 여러분과 경영의 부담을 감내하면서도 흔쾌히 출판에 응해주신 박성복 사장께 이 자리를 빌어 심심한 사의를 드린다.

2005년 이른 봄

청강(聽江) 오세영 씀

목 차

윤동주의 시는 저항시인가?

— 윤동주(尹東柱)론

1

윤동주 시에 관한 종래의 논의에는 상반하는 두 가지 견해가 있어 온 듯싶다. 첫째, 윤동주의 시를 의식의 분열과 좌절에서 오는 유희 공간으로 파악하는 경우고, 둘째, 철저한 저항시 또는 민족시로 규정하려는 경우다. 전자를 대표하는 글에 김열규의 「윤동주론」이 있으나[1] 대부분의 논자들이 후자에 동조해왔던 것은 다 아는 바와 같다. 가령 김윤식 · 김현 『한국 문학사』[2], 이상비 「시대와 시의 자세」, 백철 · 박두진 『하늘과 바람과 별과 시』 발문 등이 이에 속한다. 김현승, 홍기삼의 소론 역시 예외가 아니다.

그렇다면 과연 윤동주의 시는 저항시인가.

2

1974년 에 간행된 『한국 문학사』에서 김윤식, 김현이 윤동주에 대

---

1) 김열규, 「윤동주론」, ≪국어국문학≫ 27집, 1964.
2) 김윤식 · 김현, 『한국문학사』(서울: 민음사, 1974).

해 내린 평가는 중요는 의미를 지니고 있다. 이전의 문학사에서는 윤동주에 관한 언급이 아예 없었기 때문이다. 따라서 이제 필자는 이들의 견해를 예로 들어 윤동주 시의 한 특성으로 논의되어 온 그의 '저항성'이란 무엇인가 살펴보기로 하겠다. 우선 윤동주의 시에 대한 이들의 평가를 한마디로 요약하면 다음과 같다.

> 윤동주는 이육사와 함께 식민지 후기의 저항시를 대표한다.[3]

그러나 이 같은 전제는 바로 뒤에 이어지는 다음의 주장에 의하여 곧 부정되는 모순을 지닌다.

> 그는 식민지 치하에서는 단 한 편의 시도 발표하지 아니하였기 때문에 그의 시들은 해방 후에 유시(遺詩)의 형태로 『하늘과 바람과 별과 시』 속에 수록된다. ……그는 식민지 치하에서 단 한 편의 시도 발표하지 않았다는 행복한 이점을 또한 가지고 있다.[4]

식민지 치하에서 단 한 편의 시도 발표하지 않았기 때문에 얻어진 '행복한 이점'이 저항시와 무슨 관계가 있는지에 대해선 더 이상의 언급이 없지만, 이들의 주장이 사실이라면, 어떻게 발표되지 않은 시가 저항의 행위를 할 수 있는 것인지 이해하기 힘들다. 태중의 아이가 어떻게 밖에서 어머니의 젖을 빨 수 있겠는가.

작가 의식이나 시의 내용이 어떠하든 문학 작품에 있어서의 저항이란 그 작품이 발표된 시대적 상황과 분리해서 생각할 수 없다. 한

---

3) 김윤식 · 김현 「윤동주, 혹은 순결한 젊음」, 『한국 문학사』(서울: 민음사, 1974).

4) 위의 글.

작품의 궁극적 완성은 작품과 독자와의 결합에 의해서 이루어지므로 —전달적 언어 기능이 중요한 저항시에 있어서는 더욱 그렇다— 책상 서랍에 감추어져 아직 독자에게 발표되지 않은 시가 현실적 행동에 뛰어들 수 없다는 것은 너무도 자명하기 때문이다. (윤동주의 작품들은 해방이 된 1948년에야 비로소 세상에서 빛을 보았다.) 그것은 이렇게 정리된다. 첫째, 저항해야 될 시대가 지나간 이후에 발표된 시일 경우, 한낱 역사 기록의 수준을 뛰어넘지 못한다. 맞서 싸워야 할 상대가 사라진 상황에서 발표된 저항적 내용이란 사회 변혁에 아무 기여를 해줄 수 없기 때문이다. 둘째, 시를 쓴 시인 자신의 인간적 삶이 저항인이라는 이유에서 그가 쓴 모든 시를 저항시로 규정한다면 논리적으로 비약이 따르게 된다. 생활인으로서의 시인의 행적과 씌어진 작품은 별개이기 때문이다.

그렇다면 씨들을 오류로 이끌게 하는 것처럼 보이는 윤동주 시의 내용과 윤동주의 인간적 삶은 과연 저항적인 것이었을까.

3

윤동주의 작품이 시대상황과 동떨어진 시기에 발표됨으로써 저항과 무관한 것이라면 다음에 남는 문제는 그것을 오직 작품에 국한하여 살펴보는 일 뿐이다. 그러한 관점에서 이들의 주장을 살펴보면 다음과 같다.

그의 시는 그러나 그가 식민지 치하에서 옥사를 하였기 때문에 아름다운 것은 아니다. 그의 시는 한용운의 시가 슬픔을 이별의 미학으로 승화시켜 식민지 치하에 하나의 질서를 부여한 것과 같이, 식민지 치하의 가난과 슬픔을 부끄러움의 미학으로 극복하여 식민지 후기의 무질서한 정서에 하나의 질서를 부여한다.[5)]

윤동주의 시가 '식민지 후기의 대표적 저항시'가 될 수 있었던 이유가 그의 시의 어떤 '부끄러움의 미학'에 있다는 내용이다. 그렇다면 '부끄러움의 미학'이란 무엇일까? 그 내용은 이러하다. 윤동주에게 있어서 '부끄러움의 미학'은 자기 혼자만이 행복하게 살 수 없다는 아픈 자각의 표현이라는 것, 이는 '자신과 생활에 대한 애정 있는 관찰'과 '자신이 지켜야 할 이념에 대한 순결한 신앙과 시의 형식에 대한 집요한 탐구의 결과'에서 온다는 것, 그 구체적 양상은 '자신의 욕됨'과 '자신에 대한 미움'으로 표출된다는 것, 따라서 그와 카뮈의 소설 『페스트』에 등장하는 인물 랑베르의 행동은 동일하다는 것 등이다.

그러나 우리는 이상의 논의에서 다음과 같은 의문을 가져봄직 하다. 그 어떤 시인들이 '자신과 생활에 대한 애정 어린 관찰'과 '자신이 추구하고자 하는 이념에 대한 신앙' 또는 '형식에 대한 집요한 탐구' 없이 시를 쓸 것인가. 그 어떤 시인들이 '자기 혼자만이 행복하게 살고'자 시를 쓸 것인가. 이 세상에서 자기 홀로 행복하게 살고 싶어 하는 시인이란 물론 있을 수 없다. 설령 대부분이 그러하고 오직 윤동주만이 그렇지 않다하더라도 '자각'이라는 것 자체가—행동이 수반되지 않았음으로—저항이 될 수 없음도 물론이다.

따라서 저항과 관련하여 마지막으로 남는 그들의 주장이 있다면 그것은 다만 부끄러움의 한 양상으로 드러난다는 '자신에 대한 미움과 욕됨' 밖에 없다. 그럼에도 불구하고 씨들은 이러한 '부끄러움'이

---

5) 위의 글.

무엇으로부터 기인된 것이며 자신의 무엇을 미워하고 무엇 때문에 욕되는 것인지에 대하여는 분명한 해답을 주지 않고 있다. 다만 랑베르를 인용함으로써 독자들의 상상과 추측에 호소하고 있을 뿐이다.

그러므로 윤동주의 시가 저항시이기 위해서는 우선 다음과 같은 점이 해명되어야 한다. 첫째, 윤동주의 부끄러움이 랑베르가 자각한 그러한 종류의 부끄러움인가 즉 구체적인 행동성을 보여 준 부끄러움인가. 둘째, 그 부끄러움이 상황과 관련된 시대 의식의 표현인가.

'부끄러움'에 대한 자각은 그 자체로 저항일 수 없다. 의식과 행동은 다른 차원의 문제이며 저항이란 항상 행동을 전제로 하는 의사표현의 수단이기 때문이다. 그러나 이 경우일지라도 우리는 한 가지 전제를 더 붙여야 한다. 그 행동이 작가 자신의 외적 삶으로서가 아니라, 작품의 내용이 보여 주는 의미로서의 행동이어야 한다는 점이다.[6] 지금 우리는 '저항인'이 아니라 '저항시'에 대해서 이야기하고 있기 때문이다.

주지하는 바, 랑베르의 부끄러움이 저항적 일 수 있었던 것은 그가 그것을 구체적인 행동으로 보여주었다는 점에 있다. 죽음의 도시 오랑시에 취재 왔던 기자 랑베르는 페스트에 오염된 이 도시의 죽어 가는 사람들을 버리고 자신만의 생존을 위해서 외부로 도피한다는 것이 '부끄럽게' 생각된다. 그리하여 피신할 수 있는 기회를 스스로 포기하고 오랑시에 남아 죽어가는 사람들과 함께 공동 운명체의 한 일원으로 책임을 다하다가 결국 생을 마감하는 것이다. 따라서 그의 부

6) 그리고 이 경우 문학작품으로서의 행동이란 작품 그 자체가 현실을 지시하고 폭로하고 비판하고 선동하는 문자 그대로의 투쟁을 뜻한다. 가령 루카치는 문학의 사회적 행동성을 폭로(revelation), 선전(propaganda), 선동(agitation)의 3 단계로 나누어 설명한 바 있다. George Lukács, "Critical Realism and Socialist Realism", *Realism in Our Time*, George Steiner,(N.Y.: Harpe & Row, 1971).

끄러움은 삶을 버리고 죽음을 택할 만큼의 강렬한 내적 저항과 행동성을 보여 준 것이다.

그러나 윤동주가 그의 시에서 언급하고 있는 부끄러움은 이와 본질적으로 다르다. 랑베르의 경우 부끄러움은 그로 하여금 오랑시로 되돌아오게 하는 행동으로 실천되었지만 윤동주 시의 화자가 지닌 부끄러움은—그 부끄러움이 저항과 관련되어 있다 하더라도—자신이 그렇게 실천하지 못했던 행위에 대한 부끄러움 즉 시대에 저항하지 못했던 소시민적 삶에 대한 부끄러움이라 할 수 있기 때문이다.[7] 뒤에 언급될 터이지만 실제에 있어서 윤동주의 시의 부끄러움은 식민지적 현실과 거의 무관한 것이었다.

윤동주 시의 부끄러움은 이렇듯 마음 약한 식민지 인텔리가 보여주는 의식의 갈등과 그것의 내적 독백이라는 차원에서 머물고 있을 뿐 구체적 행동성이 결여되어 있는 부끄러움이다. 그것은 아이러니하게도 같은 『한국 문학사』의 저자의 하나이면서 윤동주의 시를 저항시로 규정한 김윤식이 그의 윤동주론에서 지적한 속죄양 의식(Scape goasts)이기도 하다.[8]

죽는 날까지 하늘을 우러러

---

7) 이 경우 자연인으로서의 윤동주의 행위—가령 그가 일제에 저항하다가 감옥에서 죽었다든가 하는 문제와 시는 별개이다. 윤동주의 죽음이 과연 독립운동과 관련이 있는 것인지도 아직은 분명치 않거니와 그 보다 우리는 자연인으로써의 윤동주가 아니라 그의 작품에 반영된 저항성에 대해 이야기 하고 있기 때문이다. 그것은 앞서 예를 든 카뮈의 소설 『페스트』의 경우 역시 마찬가지였다. 우리는 카뮈의 저항을 이야기한 것이 아니라 그의 소설의 주인공 '랑베르'의 저항을 이야기했기 때문이다. 따라서 우리가 윤동주의 시의 저항성을 이야기하기 위해 카뮈의 소설을 비유로 들어 작가가 아닌 그의 소설의 주인공에 대하여 이야기한다면 윤동주 경우 역시 자연인 윤동주가 아니라 그가 쓴 시의 화자에 대하여 이야기하는 것이 당연하다.

8) 김윤식, 「윤동주론의 행방」, ≪심상≫, 1975. 2.

한 점 부끄럼이 없기를
잎새에 이는 바람에도
나는 괴로워했다.
별을 노래하는 마음으로
모든 죽어가는 것을 사랑해야지
그리고 나한테 주어진 길을
걸어가야겠다.

오늘밤에도 별이 바람에 스치운다. <서시>

인용시는 김윤식・김현 양씨가 윤동주의 시에서 '부끄러움의 미학'이 가장 전형적으로 나타난 작품의 한 예라고 추켜세운 <서시>의 전문이다. 그들은 "1941년 일제 치하에서 이런 각오의 시가 씌어질 수 있다는 것은 하나의 기적"이라고 말했지만 편견 없이 작품을 대해 본 사람이라면 그 누구도 여기서 어떤 기적이나 각오 같은 것을 찾기는 힘들 것이다.

우선 시인이 무엇 때문에 괴로워하고 부끄러워하는지 그것을 역사적 상황과 관련시켜 설명할 수 없다. 직접적이든 암시적이든 시 자체로는 그 어떤 것도 일제 식민통치를 언급하고 있지 않기 때문이다. 다만 우리가 알 수 있는 것은 이 시가 시인의 어떤 바로 잡은 마음의 자세—양심에 대한 필요 이상의 결벽증, 무엇인가에 대해 속죄하고자 하는 마음, 순결하게 살고자 하는 의지와 같은 것들을 이야기해 준다는 것 뿐이다. 그런 까닭에 이 시의 '주어진 길'이 꼭 일제에 대한 저항으로서의 삶을 의미하는 것이라고 주장하는 논리는 성립하기 힘들다.

오히려 이 시의 '주어진 길'은 '일제에 대한 저항의 길'이라기보다

'인생을 걷는 구도의 길' 정도로 이해하는 것이 더 합리적이다. 시의 화자가 첫째, '죽는 날까지 하늘을 우러러 / 한 점 부끄러움이 없기를' 바라고 둘째, 또한 '모든 죽어가는 것들을 사랑해야'한다고 말하고 있기 때문이다. 이는 다음과 같이 해석된다.

첫째, '죽는 날까지 하늘을 우러러 / 한 점 부끄러움이 없기를 바란다'라는 진술은 어떤 특정한 시대적, 공간적 상황 즉 역사적 상황을 전제하고서 한 말은 아니다. 그것은 다만—오늘날도 그렇듯이—유교적 생활규범 속에서 성장한 당대의 한국인 모두가 하나의 삶의 지표로 삼고 살았던 성현의 가르침을 이야기한 것에 지나지 않다고 생각했기 때문이다.[9] 예컨대 맹자(孟子)는 '우러러 하늘에 부끄럽지 않고 아래로 굽어보아 사람에게 부끄럽지 않는' 삶의 도리를 이야기한 바 있다.[10] 따라서 이 진술은 무슨 사회적인 문제라기보다는 삶의 한 윤리적 태도에 관련되었다고 보는 것이 자연스럽다.

둘째, '모든 죽어가는 것들을 사랑해야지'라는 진술 역시 어떤 특정한 시대상황에 대한 저항의 뜻으로 해석할 근거가 없다. '죽어가는 것들'이라는 것 자체만을 놓고 보면 잔인한 폭력에 죽어가는 사람 들 → 일제에 죽어가는 사람들이라는 유추가 가능하겠지만 그 앞에 '모두'라는 한정어가 붙어 있음으로 해서 '죽어가는 것들'에 한국사람이나 미국사람, 일본 사람은 물론 전 인류가 포함되어 있기 때문이다. 아니 이 진술은—'죽을 수 있는 모든 존재'는 또한 역으로 '삶이 있는 모든 존재'가 되는 까닭에—인간을 포함한 이 우주의 전체 생명

9) 비록 기독교 신자라 할지라도 여기서 예외일 수는 없다. 이 같은 유교적 생활규범이란 종교적 차원을 떠나 당대 한국의 교양인이라면 누구나 일반 생활 혹은 삶의 한 양식으로 받아들였던 가치이기 때문이다. 더욱이 그것이 기독교의 가르침과 위배되지 않을 경우는 더 말할 필요도 없다.

10) 君子有三樂 而王天下不與存焉 父母俱存 兄弟無故一樂也 仰不愧於天 俯不怍於人 二樂也 得天下英才而教育之 三樂也 君子有三樂 而王天下不與存焉 「진심장귀(盡心章句) 상(上)」, 『맹자(孟子)』.

을 지칭하는 말이기도 하다. 따라서 이 시가 이야기하는 것은 무슨 저항의 문제가 아니라 생명에 대한 보편적 외경의 마음을 표현한 것이라 할 수 있다.

따라서 윤동주가 말하는 부끄러움은 이렇듯 일차적으로 '우러러 하늘에 부끄럽지 않고 굽어보아 사람에게 부끄럽지 않겠다'는 뜻의 부끄러움이며 이차적으로 모든 살아 있는 것들이 지닌 생명의 고귀함에 부끄럽지 않게 살겠다는 뜻의 부끄러움이다. 그것은 어떤 특정한 시대 상황이 아니라 보편적인 인간 삶의 도리에 관련된 문제인 것이다.

4

그렇다면 윤동주 시의 '부끄러움'은 과연 무엇으로부터 연유하며 '저항시'와는 또 어떤 관계에 있는 것일까? 이를 위해 우리는 그의 부끄러움을 보다 구체적으로 살펴볼 필요가 있다.

첫째, 그의 작품에서 보여주는 부끄러움은 시집 전체를 통해 일관된 뜻으로 제시되어 있지 않다.

(가) 죽는 날까지 하늘을 우러러
　　한 점 부끄럼이 없기를, <서시>

(나) 눈이
　　밝아

　　이브가 해산하는 수고를 다하면

무화과 잎사귀로 부끄런 데를 가리고
나는 이마에 땀을 흘려야겠다. <또 태초의 아침>

(다) 돌담을 더듬어 눈물짓다
쳐다보면 하늘은 부끄럽게 푸릅니다.

풀 한 포기 없는 이 길을 걷는 것은
담 저쪽에 내가 남아 있는 까닭이고,

내가 사는 것은, 다만,
잃은 것을 찾는 까닭입니다. <길>

(라) 나는 무엇인지 그리워
이 많은 별빛이 내린 언덕 위에
내 이름자를 써보고,
흙으로 덮어 버리었습니다.

딴은 밤을 새워 우는 벌레는
부끄러운 이름을 슬퍼하는 까닭입니다. <별 헤는 밤>

(마) 내 그림자는 담배 연기 그림자를 날리고
비둘기 한 떼가 부끄러울 것도 없이
나래 속을 속, 속, 햇빛에 비춰, 날았다. <사랑스런 추억>

(바) 인생은 살기 어렵다는데
시가 이렇게 쉽게 씌어지는 것은

부끄러운 일이다. <쉽게 씌어진 시>

(사) —그때 그 젊은 나이에
왜 그런 부끄런 고백을 했던가

밤이면 밤마다 나의 거울을
손바닥으로 발바닥으로 닦아 보자.

그러면 어느 운석(隕石) 밑으로 홀로 걸어가는
슬픈 사람의 뒷모양이
거울 속에 나타나 온다. <참회록>

그의 시에서 '부끄러움'이 등장한 7편의 작품 모두를 인용해 보았다. 그 하나하나를 살펴보면 다음과 같다.

(가)는 앞장에서 논의한 그대로이다. (나)는 단순히 신앙에 관한 자기 성찰이며[11)] (다)는 인생이라는 '길'을 걷는 시인이 잃어버린 자아를 찾아 방황하는 삶을 보여 준다. (라)는 자랑스럽지 못한 까닭에 '이름'을 버린 시인이 그 같은 자신의 행위를 부끄럽게 생각한다는 일종의 속죄 의식이 표현되어 있다. (마)는 자폐적 삶에 대한 고백을, (바)는 덧없는 인생에 대한 회한을, (사)는 무엇인가 모를 어떤 젊은 날의 사건에 대한 반성을 보여 준다. 이를 다시 정리하면 (가)는 소박한 휴머니즘, (나)는 신앙의 문제, (다)는 인생의 문제, (라)는 속죄 의

11) 윤동주는 기독교적 분위기에서 자랐다. 그럼에도 불구하고 그의 시 세계에는 반기독교적인 경우도 많다. 오세영, 「윤동주의 문학사적 위치」, 『현대문학』 1975. 4, 오세영, 「순결한 이념의 시인－윤동주론」, 『한국현대시인연구』 (서울: 월인출판사, 2003).

식, (마)는 자폐적 삶, (바)·(사) 역시 인생론적 참회에 관한 내용이다. 따라서 윤동주의 '부끄러움'은 일러 '미학'이라 지칭할 만큼 그의 전체시에서 일관된 메시지나 세계관을 반영하고 있지 않다.

둘째, 윤동주 시의 '부끄러움'을 시대 의식과 굳이 관련시키고자 한다면 물론 (라)의 <별 헤는 밤>과 (바)의 <쉽게 씌어진 시> 정도에서 그 가능성을 찾을 수 있을 것이다. 전자는 시에 등장하는 단어 '이름'을 조국의 은유 정도로 풀이할 경우 조국에 관한 소박한 속죄의식을 형상화한 것으로 후자는 식민지 지식인으로서 시대에 관한 자기 성찰 내지 고뇌가 암암리에 표현된 것으로 해석할 수 있기 때문이다. 그러나 그것을 '저항성'이라고까지 확대 해석할 근거는 없다. 전자에 진술된 '부끄러움'은 행동으로의 전환을 위한 부끄러움이 아니라 행동 그 자체를 포기한 데서("내 이름자를 써보고, / 흙으로 덮어 버리었습니다") 기인한 부끄러움이고 후자의 경우는 그 '살기 어려움'의 실상이 구체적으로 적시되어 있지 않아 인생론 혹은 존재론적 의미로도 해석할 수 있기 때문이다. (가)의 <서시>가 시대상황과 거리가 멀다는 것도 앞에서 지적한 바와 같다.

셋째, 시집 『하늘과 바람과 별과 시』의 부록으로 수록된 윤동주의 산문은 그의 '부끄러움'이 시대와 아무런 상관이 없다는 것을 그 스스로 증언해주고 있다. 시작 노트라 할 이 글에서 우리는 그의 관심이 일제의 탄압이나 시대적 비극이 아니라 꽃과 별과 바람과 같은 자연 그리고 도덕률에 있다는 것을 알 수 있기 때문이다.

> 나는 세계관, 인생관, 이런 좀더 큰 문제보다 바람과 구름과 햇빛과 나무와 우정, 이런 것들에 더 많이 괴로워해 왔는지도 모르겠습니다. 단지 이 말이 나의 역설이나 나 자신을 흐리우는 데 지날 뿐일까요. 일반(一般)은 현대 학생 도덕이 부패했다고 말합니다. 스승을 섬길 줄을

> 모른다고들 합니다. 옳은 말씀들입니다. 부끄러울 따름입니다. 하나 이 결함을 괴로워하는 우리들 어깨에 지워 광야로 내쫓아 버려야 하나요…….[12)]

인용된 글에는—'구름', '햇빛', '나무', '괴로움', '부끄러움' 등이 등장한다. 따라서 만일 이를 소재로 한 편의 시를 구상한다면, 우리들은 아주 자연스럽게 윤동주의 <서시>를 생각해 볼 수 있을 것이다. 김윤식・김 현 양씨가 '식민지 후기의 대표적 저항시'라고 말한 <서시>의 '부끄러움'은 사실 이에서 더 나아간 실체가 아니었던 것이다. 즉 그의 '부끄러움'은 세계관이나 인생관 같은 문제와는 관계없이 소박한 도덕주의 혹은 휴머니즘의 표현에 지나지 않았다. 윤동주가 시대와 상황에 별 관심이 없었다는 증거는 다음과 같은 그의 다른 진술에서도 다시 확인될 수 있다.

> 우리 기차는 느릿느릿 가다 숨차면 가정거장에서도 선다. 매일같이 웬 여자들인지 주룽주룽 서 있다.
>
> 제마다 꾸러미를 안았는데 예의 그 꾸러민 듯싶다. 다들 방년(芳年)된 아가씨들인데 몸매로 보아 하니 공장으로 가는 직공들은 아닌 모양이다. 얌전히들 서서 기차를 기다리는 모양이다. 판단을 기다리는 모양이다. 하나 경망스럽게 유리창을 통하여 미인 판단을 내려서는 안 된다.[13)]

> 내 괴로움에는 이유가 없다.

---

12) 윤동주, 「화원에 꽃이 핀다」, 『하늘과 바람과 별과 시』(서울: 정음사, 1972).
13) 윤동주, 「종시」, 『하늘과 바람과 별과 시』.

내 괴로움에는 이유가 없을까,

단 한 여자를 사랑한 일도 없다.
시대를 슬퍼한 일도 없다. <바람이 불어>

이렇듯 그의 산문에 비친 인간 윤동주에게 시대란 적어도 투쟁 혹은 저항과 같은 것과는 거리가 멀다. 오히려 그것은 마치 여수에 젖은 보헤미안이 차창 밖으로 내다보는 풍경의 수준에서 벗어나기 힘든 것들이었다. 굶주림에 지쳐 간도로 사할린으로 조국을 탈출하는 이농의 대열이 웅크리고 서 있을 간이역 플랫폼에서 그가 정작 본 것은 생활에 지친 소녀의, 그러나 아름다운 몸매였기 때문이다. 얼마나 아이러니한 풍경인가. 이에 비하여 실제로 윤동주가 항상 의식하고 있었던 것은 휴머니즘 혹은 도덕주의였다고 말할 수 있다. 다음과 같은 고백들이 있기 때문이다.

……일반(一般)은 현대 학생 도덕이 부패했다고 말합니다. ……부끄러울 따름입니다. ……박탈된 도덕일지언정 기울여……[14]

이것은 도덕률이란 거추장스러운 의무감이다.……
…………
휴머니티를 이네들에게 발휘해 낸다는 재주가 없다. 이네들의 기쁨과 슬픔과 아픈 데를 나로서는 측량한다는 수가 없는 까닭이다.[15]

이로써 볼 때, 윤동주에게 있어 부끄러움의 정체란 다음과 같이 요

14) 윤동주, 「화원에 꽃이 핀다」.
15) 윤동주, 「종시」.

약될 수 있다. ①시대적 상황과 아무런 관련이 없는 일종의 휴머니즘에서 오는 매저키스트적 속죄 의식의 표현이라는 점, ② 행동이 거세되어 있을 뿐만 아니라 오히려 행동을 포기하는 데서 기인된 심리적 반응이기 때문에 저항과는 아무런 관련이 없다는 점 등이다. 저항을 유발한 부끄러움이 아니라 저항하지 못한 데에서 오는 부끄러움이었을 뿐이다.

5

윤동주 시를 저항시로 규정한다면 우리는 다음과 같은, 그의 시의 언어적 특징에 대한 김윤식·김현 양씨의 견해를 간과할 수 없다.

> 그가 지켜야 할 이념이라고 생각하고 있는 것은 그(윤동주, 필자주)는 논리적으로 도식화시키지 않는다.
>
> 그의 문학적 승리는 그 이념을 그가 좋아하는 사물들로 환치시켜 놓은 데서 얻어지는 것이지만 그는 그가 가장 괴로워한 것을 바람과 구름과 햇빛과 나무와 우정이라고 고백한다.[16)]

잘 알려져 있는 것처럼 언어는 크게 전달적 기능과 존재론적 기능으로 구별된다. 그런데 이 양자는 상호 배타적인 관계에 있어 만일 존재론적 기능이 선택될 경우 필연적으로 그 전달적 기능은 약화 혹은 배제될 수밖에 없다. 시어의 본질을 사물의 언어로 파악한 사르트르가 시의 사회적 기능에 대해 회의를 가졌던 것도 바로 이 때문이

---

16) 김윤식·김현, 앞의 글.

다. 따라서 저항시나 참여시와 같이 대 사회적 기능에 강조를 둔 시는 필연적으로 언어의 전달적 기능이 강조되고 반면 존재론적 기능(사물의 언어)이 기피된다. 그런데 김윤식·김 현 양씨는 윤동주 시어의 특징이 이념을 전달하는 데 있는 것이 아니라 그것을 사물로 환치시키는 데 즉 존재론적 기능을 갖는데 있다고 한다. 곧 저항시가 될 수 있는 본질적 언어 기능을 부정한 것이다. 이 또한 윤동주의 시가 그 언어적 측면에 있어서도 저항시가 될 수 없음을 그들 스스로가 자인한 진술이라 할 수 있다.

그럼에도 불구하고 김윤식, 김현을 필두로 대부분의 연구자들이 윤동주의 시를 저항시로 주장하는 실제의 이유는 무엇일까. 여기에 바로 시인의 전기적 사실이 문제된다. 다 아는 바와 같이 윤동주는 독립 운동을 한 혐의로 피검, 후쿠오카 형무소에 죽은 시인이다. 그의 오촌 당숙 윤영춘의 확인에 의하면 그의 죄목은, ①사상 불온, 독립 운동, ②비일본 국민, ③온건하나 서구 사상이 농후한 것 등 3항목이었다고 한다.[17] 따라서 이러한 사실을 믿는 '소박한' 논자들이 윤동주를 독립투사 즉 저항인으로 우상화하고 저항인이 쓴 시는 당연히 저항시일 것이라는 결론에 이른 것이다. 그러나 여기에는 두 가지의 문제가 있다. 첫째, 윤동주의 독립운동설이 과연 진실인가. 둘째, 독립운동가 즉 저항인이 쓴 문학작품이라고 해서 모두 저항문학일 수 있는가.

첫째, 다 아는 바와 같이 윤동주는 1942년 3월, 일본의 릿교대학으로 유학을 와서 그 이듬해 즉 1943년 7월 귀향길에 오르기 직전 일경에 피검되어 옥중에서 사망하였다. 그러므로 무슨 독립단체의 특별임무를 띠고 파견된 요원이 아닌 한 이 짧은 체류기간—대략 1년

17) 김윤식, 「어둠 속에 익은 사상」, 『한국 근대 작가 논고』(서울: 일지사, 1974).

남짓한 기간—, 생면 부지의 땅 일본에서 그것도 대학생활에 적응하기 위하여 학교를 릿교대학에서 도시샤대학으로 옮기기까지 한 윤동주가 과연 대단한 독립운동을 할 수 있었을 것인가 필자로서는 의심스럽다.

뿐만 아니다. 만일 그가 독립 운동을 했더라면 친지들과의 교신이나 간수(교도관)의 입을 통해서 혹은 형무소 수감 후 옥사할 때까지 매일 보내 왔다는 엽서(아우 윤일주의 증언)의 어느 한 구절 속에서 그 편린이나마 알려지지 않을 수 없었을 것이다. 이 시집의 발문으로 붙은 친지들의 회고담이나 추도문 등 다른 여러 문헌들을 읽어볼 때에도 그의 독립 운동을 거론한 부분은 한 군데도 없다. 그의 독립운동설에 회의를 갖게 하는 정황들이다.

성격을 보더라도 윤동주는 독립 운동과 같은 과격한 투쟁 의식을 지닌 사람이 아니다.

> "그(윤동주, 필자 주)의 저항 정신은 불멸의 전형이다"라는 글을 읽을 때마다 나의 마음은 얼른 수긍하지 못한다. 그에게 와서는 모든 대립은 해소되었었다. ……그는 민족의 새 아침을 바라고 그리워하는 점에서 아무에게도 뒤지지 않았다. 그것을 그의 저항 정신이라 부르는 것이리라.[18)]

> 동주는 깊은 애정과 폭 넓은 이해로 인간을 긍정하면서도 자기는 회의와 일종의 혐오로 자신을 부정하는 괴벽한 휴머니스트다. 남에 대한 애정이 자신에 대한 자학으로 변모하는 그의 인생관이…….[19)]

---

18) 문익환, 「동주 형의 추억」, 『하늘과 바람과 별과 시』.
19) 장덕순, 「인간 윤동주」, 『하늘과 바람과 별과 시』.

이상의 글들은 어릴 때부터 윤동주와 가장 친근했고 또한 오랫동안 그를 지켜보았던 친우들의 증언인데 이러한 성격의 윤동주가 도일 후 갑자기 투철한 저항인으로 변신했으라고는 쉽게 상상할 수 없다. 오히려 그의 자학적인 성격, 휴머니스트로서의 애정, 바로 이러한 면이 그에게서 '잎새에 이는 바람에도 괴로워했던' 양심의 결벽증으로 표현된 것이 아닌가 한다.

따라서 일제에 의한 그의 죽음은—그 당시 한국의 의식 있는 지식인이라면 흔히 있는 일이었듯—소위 불령선인(不逞鮮人)으로 낙인찍힌 조선의 인텔리를 독립운동가로 조작하기 위해서 일제가 꾸민 음모의 한 제물이었을지도 모른다. 이는 상황이 그 보다도 훨씬 느슨했던 30년대 후반(1937)에, 일본어로 시를 쓰고 현실이나 사회에에 대해서 거의 무관심했던, 이상(李箱)과 같은 문인이 동경에서 같은 혐의로 피검되어 사망한 사실을 보아서도 알 수 있다. 따라서 윤동주에 대한 일경의 혐의가 어떻든 그의 독립 운동설은 허구일 가능성이 크다. 윤동주의 죽음, 그것은 불운한 식민지 지식인이 자신의 의사와 관련 없이 당한 역사 폭력의 한 희생제의였으리라 생각된다.

둘째, 저항인이라고 해서 그가 쓴 모든 작품이 저항문학일 수 없음도 굳이 설명할 필요가 없다. 그것은 저항인이라고 해서 그의 모든 생활이 저항과 관련되는 것은 아니기 때문이다. 가령 그는 저항과 아무 관련 없는 남녀의 사랑 행위에 몰두할 수도 있으며 심지어 원수의 딸을 사랑할 수도 있다. 뿐만 아니다. 시의 해석에 소위 '의도적 오류(intentional fallacy)' 혹은 '발생론적 오류(genetic fallacy)'라는 말이 있듯 작가와 작품 또한 별개이다. 하나의 작품을 해독함에 있어 그것을—작품 내적인 증거(internal evidence)에 따르지 않고—의도적으로 그의 인생 역정에 따라 풀어가려는 태도는 옳지 않은 것이다. 그렇다면 이처럼 인간적인 삶으로서나 작품 그 자체로서나 저항과는 거리가 먼 윤동주를 지금까지 굳이 저항 시인으로 만들고자 한 이유는 무엇일까. 그것은 다음과 같이 설명될 수 있다.

첫째, 윤동주의 옥사 사건을 추상적으로 미화시키는 데서 오는 의도적 오류라는 점이다. 즉 그는 독립 운동가임으로 독립운동가인 그의 모든 시는 일제에 대한 항거에 씌어진 저항시일 수밖에 없다는 논리이다. 이 같은 소박한 감상적 비평이 오류임은 앞에서 지적한 바와 같다.

둘째, 우리는 35년 간이라는 긴 세월 동안 혹독한 식민 지배를 받아 왔으면서도—한용운이나 이육사 혹은 심훈과 같은 소수의 시인을 제외할 경우—자랑스러운 저항 시인을 많이 가지지 못했다. 이것은 바로 한국 정신사의 수치이기도 하다. 따라서 우리에겐 저항 시인으로서의 우상이 필요했고 윤동주의 삶과 시가 바로 이를 충족시킬 가능성을 내포하고 있었다.

셋째, 윤동주의 유고 시집이 간행된 1948년부터 오늘에 이르기까지의 한국의 특수한 시대적, 정치적 상황과 부조리한 사회구조가 저항 시인을 요구했다는 사실이다. 이것은 저항 시인으로서의 윤동주가 학계에 크게 조명되고 문단의 일반적 분위기가 소위 참여 문학론으로 경도한 시기가 다 같이 정치적으로 유신체제가 등장한 60년대 후반이라는 점에서도 반증된다. 이러한 시대적 요청에 부응하여 우리 학계나 문단에선 저항시의 전형을 미화시킬 필요가 생긴 것이다.

그러나 문학이 우상일 수는 없다. 문학 연구는 엄밀한 객관성에 토대해서 이루어져야 할 어디까지나 하나의 과학일 뿐이다.

비우는 것의 완성

— 영역시집을 통해서 본 박남수(朴南秀)론

1

이 시집은 박남수의 선시집이다. 그러나 여기 수록된 시들은 '영어 번역'이라는 특별한 조건을 전제한 것이기 때문에 그의 전 생애의 작품들을 균형 있게 망라한 것 같지는 않다. 그의 초기작품들이 거의 없는 대신 후기작품들이 상대적으로 많은 분량을 차지한 것, 한국 문단에서 우수한 것으로 평가된 그의 중기 작품들이 다수 제외되어 있는 것 등이 그러한 예의 하나이다. 그것은 아마도 번역의 적합성이나 미국인들의 문화적 감수성을 고려한 때문이 아니었을까 한다.

박남수의 시적 생애를 돌이켜 보면 대체로 세 시기의 변화를 겪은 듯하다. 첫 번째는 그의 문단데뷔에서부터 한국 전쟁이 발발하기까지의 초기이다. 인간적으로는 그가 월남하기 전까지의 시기를 의미한다. (다 아는 바와 같이 그는 원래 북한 출신으로 해방 이후 공산정권 아래 살다가 한국전쟁 때 월남하였다.) 두 번째는 월남후 부산 피

---

* 이 글은 1995년 필자가 버클리대학에 체류할 때 강옥구 씨가 영역해 간행할 예정이었던 박남수 시집의 해설문이다.

란 시절부터 70년대 미국으로 이민을 하기 전까지의 중기이다. 세 번째는 그가 임종하기까지 미국에서 생활한 후기이다.

필자는 물론 이 시집의 수록 시들을 그의 생애에 맞춰 살펴볼 의도가 없다. 그러나 그의 시에 대한 포괄적인 이해를 돕기 위해 언급하자면 일반적으로 박남수는 초기에 향토적이고 토속적인 세계를 서경적으로 묘사하다가 중기에 들어 사물을 이미지즘적인 관점에서 관조하고 후기에는 인생론적인 의미를 탐구했던 것이 아닌가 한다.

2

박남수의 시는 부조리한 현실을 인식하는데서 출발하여 그것을 극복해 가는 한 인간의 순수한 삶의 모습을 보여준다. 그 과정은 보다 구체적으로 첫째, 부조리한 삶 혹은 비극적인 현실에 대한 인식, 둘째, 실존적 자아의 발견, 셋째, 인생론적 달관 등으로 설명될 수 있다.

다 아는 바와 같이 한국전쟁은 한국의 남북분단에서, 한국의 분단은 미국과 소련의 대립에서 기인하였다. 그 결과 외세에 의한, 강요된 한국의 분단은 20세기의 가장 참혹은 재앙들 중의 하나라 할 한국전쟁을 발발시켰고 한국 민중은 그들 5000여년의 긴 역사에서 유례를 찾아볼 수 없는 불행과 고통을 겪어야만 했다. 더욱이 이 시기 남한의 이승만 정권이—소련과의 냉전에서 승리를 거두기 위해 미국이 일방적으로 자신을 지원하는데 힘을 얻어—독재의 길로 치닫게 되자 전쟁으로 인해 피폐해질 대로 피폐해진 한국 민중의 삶은 더욱 가중된 고통 속으로 떨어졌다. 박남수는 누구보다도 그 자신 몸소 체험한 이 같은 한국 전쟁과 남한 사회의 부조리한 현실에서 삶의 비극성을 인식하였다.

박남수는 한국 전쟁 이전 북한에서 김일성 정권의 압제를 경험한 바 있으며 전쟁 중 월남하여 이승만 독재정권 아래서는 피난민의 고달픈 삶을 영위하였다. 그러나 보다 더 고통스러운 일은 그의 월남이 그에게 한 가지 더 이산가족의 슬픔을 안겨주었다는 사실이다. 그의 시 곳곳에 고향에 두고 온 어머니와 고향 그 자체에 대한 그리움이 남다르게 형상화되어 있는 것도 이 때문이다. 이와 같은 상황에서 이후 박남수가 뿌리뽑힌 나무로 남한에 정착을 하지 못하고 마침내 미국으로 이민을 결행하게 된 것은 어찌 보면 자연스러운 귀결이었을지 모른다.

현실에 대한 박남수의 이 같은 비극적 인식은 시에서 월남 피란민으로서 겪어야 했던 삶의 궁핍, 전쟁과 독재정권에서 기인된 사회적 모순과 인간성의 타락, 남북 분단과 그로 인해 야기된 가족들의 이산 등으로 표출되어 있다.

맨하탄 어물 시장에 날아드는
갈매기. 끼룩끼룩 울면서, 서럽게
서럽게 날고 있는 핫슨 강의 갈매기여.
고층 건물 사이를 길 잘못 들은
갈매기. 부산 포구에서 끼룩끼룩, 서럽게
서럽게 울던 갈매기여.
눈물 참을 것 없이 두보처럼
두보처럼 난세를 울자.
슬픈 비중의 세월을 끼룩끼룩 울며
남포면 어떻고 다대포면 어떻고
핫슨 강변이면 어떠냐. 날이 차면
플로리다 쯤 플로리다 쯤, 어느

비치를 날면서 세월을 보내자꾸나. <맨하탄의 갈매기>

미국 이민 시절에 쓴 것이지만 이 시에는 그 당시 그가 겪어야 했던 생활의 비참상이 정신적 상흔으로 내면화되어 있다. 이 시의 화자 그 자신과 동일화된 객관적 상관물 '갈매기'가 그것이다. 지금 화자는 뉴욕의 헛슨 강 부두에서 울고 있는 갈매기를 보고 있다. 그러나 기실 그것은 과거 부산 다대포에서 울고 있었던 갈매기이기도 하다. 이는 한국 전쟁 시 부산에서 피란 생활을 했던 자신이 지금은 미국으로 이민을 와 뉴욕에 살고 있음을 암시적으로 표현한 것이다. 그런데 그 갈매기는 고층 건물 사이 길을 잘못든 갈매기이자 서러운 갈매기이며 동시에 난세를 고달프게 살고 있는 갈매기이다. 이처럼 시인은 월남 피란민으로서의 그의 현실을 고통과 슬픔으로 인식한다.

철조망이 부끄러운 허리를
동이고 있기에 절망은
오히려 희망이 되는 시대에 살며
고향은 잃었어도, 잃었기에
오히려 그려보는 망향의 나날이
가슴에 밀물지는 생활을 살며
부정으로 만신창이가 된 조간이
아침마다
시멘트 바닥에 던져지기에
오히려 가슴 끓는 아침을 살며

동포여, 무쇠는 불 속에서 베루어진다.
동포여, 무쇠는 불 속에서 베루어진다. <무제>

고운 서정시인인 까닭에 그는 현실을 직접적으로 고발, 비판하거나 저항하지는 않았다. 그러나 인용시는 그의 현실관을 잘 암시해준다. '절망이 희망이 되는 현실'이라는 역설과 '부정으로 만신창이가 된 조간'이라는 말이 그것이다. 이 시는 물론 이 외에도 국토의 분단에서 오는 고통 즉 고향의 상실과 이산가족의 슬픔에 대해서도 언급하고 있다. 그러나 이를 보다 절실히 고백한 작품의 예는 다음과 같은 것들이다.

내가 어둠 속으로 띄운 새들은
하늘에 암장되었는가. 어머니를 향해
20년의 세월을 기도로 띄운
새들은 아직 돌아오지 않고 있다.
내 나이가 지금
헤어질 때의 어머니 나이가 되었지만
아직도 그 생사조차 모른다.
하늘이여, 이 불륜의 세월을 끊고
아들은 어머니의 무릎에
지아비는 지어미의 품으로
돌아가게 하라. 저들이 함께 웃고
저들이 함께 울도록, 하늘이여
무수한 사람이 띄운 새들이
이제는 귀소하도록 빛을 밝히라. <오랜 기도>

여기서 '새'는 맨하탄의 '갈매기'와 달리 인간의 '순결한 염원' 혹은 순수한 인간성 그 자체 즉 이념적 편견이나 논리 혹은 인위적인 가치를 초월한 어떤 절대적 또는 본원적인 가치를 뜻한다. 그것은 또한—새는 하늘을 나는 까닭에—신에게 띄우는 '기도'이기도 하다. 그렇다면 이 '기도로서의 새'란 무엇일까. 그것은 간단히 인간 존중을 암시하는 상징이라 할 수 있다.

한 생명으로 이 지상에 태어나서 아들이 어머니와 함께 살수 있는 권리는 물론 인간이 인간 됨에 있어서 가장 본질적이며 본원적 가치이다. 그런 까닭에 우리들은 이를 천륜이라 일컬어 휴머니즘의 출발로 믿는다. 그럼에도 불구하고 시인이 처해진 상황은—한국의 현실은 단지 정치 이데올로기가 다르다는 이유에서 지금까지 말살되어 왔다. 이 시가 이야기하고자 하는 것은 이처럼 천륜에 반해서 20여년 동안이나 어머니와 헤어져 살아야 했던 그 고통이다.

시인이 체험한 바 이 비극적 현실은—타협을 기도하지 않은 한—시인을 이 세계로부터 소외시킨다. 그것은 시인이 추구하는 이념의 순결성에 비해 현실이란 너무나도 타락한 공간이기 때문이다. 그리하여 현실과 타협할 수 없고 그렇다고 현실에 투쟁할 수도 없는 시인은 스스로 고독을 선택하며 그 고독 속에서 진정한 자아를 성찰하고 부조리한 현실을 내면적으로 초월하는 길을 택한다. 정치가가 아닌 시인이, 시인 가운데서도 섬세하고 고운 서정시인이 폭력적인 현실과 외적 행동으로 맞서 싸우기는 이미 이처럼 어려웠던 것이다.

> 나의 안 깊이에는
> 나보다는 빠르고 건강한 말이
> 한 마리 살고 있다.
> 샤갈의 말대가리 같은 말이 아니라
> 러시아의 벌을 건너질러
> 늦방울을 울리며 달려간 릴케의 말처럼
> 사납게 길들지 않는 말이

한 마리 살고 있다.
네 굽을 들고
나의 답답한 가슴을
꽝꽝 밟아 주기도 하고
세상 제일의 고독을 코 풀며
섧디 섧게 울기도 하는 말이
한 마리 살고 있다.
서러운 세상에 네 갈기를 쓰다듬으며 나는
한 사람의 말치기이면 그 뿐이다. <말 2>

인용시에서 시인이 자신의 내면에 키우고 있는 말(馬)은 진정한 자아라 할 수 있다. 그것을 실존의 시인이라 할 릴케의 말(馬)과 같은 것이라고 할 때 더욱 그러하다. 뿐만 아니다. 그는 그의 다른 시에서 "눈을 뜨고 현실로 호송되면 / 언제나 독방에서 만나는 것은 / 씁쓸한 고독의 찬 얼굴"(<독방 1>)이라고 말한 적이 있는데 인용시와 관련시킬 경우 이 역시 '말(馬)'은 시인의 '고독의 찬 얼굴'에 해당한다. 이렇게 시인은 모순에 차 있는 현실과 결별함으로써 오히려 고독 속에서 진정한 자아와 만난다. 현실의 거대한 폭력 앞에서 좌절하지 않고 순결한 이념을 지킬 수 있도록 자신의 존재를 확립하게 된 것이다.("서러운 세상에 네 갈기를 쓰다듬으며 나는 / 한 사람의 말치기이면 그 뿐이다.")

형광등에 부딪치며 벽을
받으며 나방이 한마리가 밀폐된
고통을 몸으로 비틀고 있다.

나방이가 그 고통을 생각하고 있었는지를
나는 모른다. 그래도
나방이는 거기에 있었다. 아마
그 때 나도 거기에 있었으리라. 내가
어느날 저 땅 밑에서 위대한 밀폐의 고통을
몸소 겪고 있을 때
그 때에도 나의 존재는 생각하고 있을까.

고로 내가 모른다는 것을, 지금
내가 모르고 있다. <존재>

그러나 모순의 현실에서 홀로 고독을 견디며 일상성을 초극하는 일은 결코 쉬운 일이 아니다. 그것은 방에 갇힌 나방이의 몸부림으로 비유될 수 있는 존재의 한 특별한 상황에 지나지 않을 뿐이다. 창틀에서 빠져 나온 나방이만이 오직 찬란한 비상을 감행할 수 있기 때문이다. 끝없는 인내와 극기와 고독을 통해 창틀을 빠져나온 나방만이 종국적으로 비상을 이루듯 시인도 그 자신 현실을 초월하고자 한다. 그러나 그가 도착한 지점이란 어떤 곳인가. 그것은 노자나 장자가 설파한 바 인생에 대한 어떤 달관의 경지라고 말할 수 있을 듯 싶다. 그의 시에 '스스로 버림으로서 자신을 완성하는 자'의 깨달음에 관한 이야기가 등장하기 때문이다.

물상이 떨어지는 순간,
휘뚝, 손을 기울며
허공에서 기댈 데가 없다.

얼마나 오랜 세월을
손은 소유하고
또 놓쳐왔을까.

*

잠간씩 가져보는
허무의 체적.

그래서 손은 노하면
주먹이 된다.
주먹이 풀리면
손바닥을 맞부비는
따가운 기원이 된다.

*

얼마나 오랜 세월을 손은
빈 짓만 되풀어왔을까.

손이
이윽고 확신한 것은
역시 잡히는 것은
아무 것도 없다는 것 뿐이다. <손>

박남수는 여러 다른 시에서 '비우는 것의 완성'이라는 노자의 가르침을 언급하고 있다. 예컨대 “어젯밤 꿈에 / 한 노승에게 꾸지람을 듣고 있었다. // ─모두 뱉아버려 속이 / 텅 빌 때까지”(<서글픈 암유 2>), “지금 빈 육신을 눕히고 / 눈도 코도 없는 / 살빛만 부드러운 접시 한 장이 / 스스로의 빛을 뿜어 올리고 있다.”(<백자 접시>) 등이다. 인용시에서 비유된 ‘손’ 역시 그러하다.

손은 물론 이 시에서 욕망의 상징이다. 그런데 욕망은 동시에 소유욕의 표현이며 대상에 대하여 욕망을 갖는다는 것은 ‘있음(유(有))’을 전제하는 행위라 할 수 있다. 따라서 손은 결국 있음의 세계에 대한 집착을 의미한다. 그런데 문제는 시인이 그 ‘있음’의 세계를 부인한다는 사실이다. 세계 그 자체가 아무 것도 ‘없음’ 즉 비어 있는 공간이라는 이 같은 인식은 분명 도가적(道家的) 존재관이라 할 수 있다.

박남수의 시가 노장적인 세계관을 반영하고 있다는 것은 단지 ‘비우는 것의 완성’이라는 이 시의 사상 때문만은 아니다. 그는 어떤 시에서 장자의 한 일화 ‘나비의 꿈’(“장자의 꿈속을 나는 / 나비는 살아서도 죽어서도 / 꿈속에 산다”<고조(古調)>)에 대하여, 다른 시에서는 노자가 가르친 바 ‘부드러움이 단단함을, 약함이 강함을 이기는’ 진리에 대하여 언급한 적도 있기 때문이다.

> 굳은 나무 등걸을 뚫고
> 세상에서 가장 여린 것이 밀고 나온다.
> …………
> 언제나 굳고 견고한 것은
> 썩어 속이 비지만
> 그 줄기를 뚫고
> 세상에서 가장 여린 것들이
> 밀고 나온다. <회귀 1>

박남수는 현실의 비극을 일상적인 삶에서 극복할 수는 없었다. 그렇다고 현실에 좌절하거나 타협하기는 더더욱 불가능했다. 그리하여 그는 현실이 모순에 찰수록 오히려 자아를 지키고 존재의 진정성을 확립하면서 내적으로 초월하는 길을 택하였다. 그 도달 지점이 바로 노장적 달관의 경지였던 것이다.

3

박남수 시에서 중요한 상징의 하나는 '새'이다. '새'는 특히 그의 중기 시에서 자주 등장하고 있는데 대개 인간 본연의 순수성을 형상화한 것으로 일상성 혹은 세속성과 대비되는 알레고리라 할 수 있다. 새는 항상 천상을 향해 나는 존재이기 때문이다.

그리하여 시인은 그가 사는 시대가 너무도 속되고 또 타락한 까닭에 새처럼 하늘로 비상하기를 꿈꾸며 그리하여 결국은 '현실로부터의 초월'이라는 박남수 시세계의 사적 상징이 된다. 시인은 푸른 하늘을 마음껏 솟아 오르고자 하는 것이다.

신의 몸김을
몸에 녹이면서
…………
하늘로 귀소하는 비들기. <신의 쓰레기>

—포수는 한 덩이의 납으로
그 순수를 겨냥하지만
매양 쏘는 것은

피에 젖은 한마리 상한 새에 지나지 않는다. <새 1>

포수는 비상하는 새를 겨누어 총을 쏜다. 그러나 그가 잡은 것은 '새'가 아니라 다만 '새의 시체'일 따름이다. 그 어떤 무기나 일상적 삶의 지배적인 힘도—비록 육신으로서의 인간 그 자체를 굴복시킬 수 있을지 모르지만—인간의 내면에 자리한 본연의 순수성까지 짓밟을 수는 없기 때문이다. 시인은 바로 이와 같은 '삶의 순수성'을 믿고 있는 것이다. 이제 우리는 이 대목에서 왜 박남수가 현실을 외적으로 저항하지 않고 내적으로 초월코자 하는지 아마 그 이유를 알 수 있을 것이다.

현실 극복의 휴우머니즘

— 정한모(鄭漢模)론

1

연보[1])를 따를 경우, 정한모(鄭漢模)가 최초로 창작시들을 발표하기 시작한 것은 1943년 전후이다. 그러나 이 무렵 그의 시들이 일본어로 쓴 일종의 습작에 지나지 않으며 그 자신 별다른 애착을 가지지 못했다는 것은 스스로 고백한 바와 같다.[2]) 그러므로 우리는 그의 등단시기를 그가 ≪백맥(白脈)≫지에 수 편의 시를 발표하고 이어 동년, 김윤성(金潤成) 등과 함께 해방 후 최초의 동인지, ≪시탑(詩塔)≫을 간행한 1946년으로 보아야 옳을 것이다. 이로써 그는 박인환(朴寅煥), 김수영(金洙暎), 조병화(趙炳華), 김춘수(金春洙), 김종길(金宗吉), 구상(具常), 김윤성 등과 더불어 해방의 세대를 대표하는 시인의 한 사람으로 등장하게 된다.

정한모는 지금 이순을 바라보는 나이 그러니까 그는 문학 외곬의 길을 묵묵히 30여년 걸어온 셈이다. 그 동안 그는 네 권의 시집—『카오스의 사족(蛇足)』(범조사, 1958), 『여백(餘白)을 위한 서정』(신구문

1) 정한모, 『아가의 방』(서울: 문원사, 1970), 「후기」.
2) 정한모, 『카오스의 사족』(서울: 범조사, 1958), 「후기」.

화사, 1959), 『아가의 방』(문원사, 1970), 『새벽』(일지사, 1945)—을 상재하였지만 강산을 세 번이나 변화시킨 연륜이 그의 시인들 외면할 리 없다. 따라서 이 30년의 문학 생애를 일별해 보면 그는 대체로 세 번의 변신을 겪은 듯하다.

제 1기는 ≪시탑≫ ≪백맥≫의 시대에서부터 제 1시집 『카오스의 사족』이 간행된 1958년까지이다. 현실에 대한 좌절과 절망으로 특징지워진다. 밤과 어둠을 노래하고 기다림, 동경에 목마른 시기이다.

제 2기는 1959년에서부터 제 2시집 『여백을 위한 서정』을 거쳐 제 3시집 『아가의 방』이 간행된 1970까지이다. 이 무렵의 그는 주로 가정과 아가에 집착하면서 현실을 떠나 유년의 환상으로 되돌아가고자 했다. 한마디로 모태회귀(母胎回歸)라 할 수 있는 이 시기의 문학 세계는 '방'의 이미지로 제시된다. 대표 시집은 『아가의 방』이다.[3)]

제 3기는 1971년에서 시작되어 아직 모색의 단계에 있는 것 같다. 확실한 것은 제 2기의 현실 부정에서 벗어나 점차 밝은 시야를 가지면서 현실에 대한 믿음과 긍정적 낙관주의를 보여준다는 사실이다. 제 3기를 대표하는 시집은 제 4시집 『새벽』이다.

정한모의 전 문학적 생애는 이렇듯 '현실 부정(제 1기)', '모태회귀(제 2기)', '현실 긍정(제 3기)'의 변화로 설명될 수 있는데 특히 제 4시집의 제명 '새벽'은 이러한 그의 현실 긍정주의가 밝게 승화되어 있는 명칭이라 할 수 있다.

---

3) 그것은 제 2기에 속하는 시집 『여백을 위한 서정』이 제 1기의 시집 『카오스의 사족』이 간행된 지 불과 일 년이 채 못 되어 상재되었을 뿐만 아니라 시인 자신이 후기에서 밝히고 있듯 이 시집에는 『카오스의 사족』 이전에 쓰여진 작품들(예컨대 제 3부의 '낙수첩(落穗帖))도 상당수 수록하고 있기 때문이다.

2

제 1기를 대표하는 시집 『카오스의 사족』이 현실에 대한 고통과 절망을 노래하고 있다는 것은 앞서 지적한 바와 같다. 그러나 정한모의 문학적 성취는 그가 그것을 다만 관념적으로 노래하지 않고 이를 미학적으로 제시한다는 점에 있다. 예컨대 그는 고통스럽고 암담한 현실을 '밤' 혹은 '어둠', 비전이 상실된 삶을 '고아'의 이미지로 형상화시킨다. 특히 모순된 상황과 그와 대결하는 자로서 주체의 설정은 정한모 문학을 떠받드는 두개의 축이라 할 수 있는 것으로, 이 같은 대조법은 물론 제 2기나 제 3기의 시세계에서도 예외가 없다. 따라서 『여백을 위한 서정』과 『아가의 방』 등 제 2기의 시집에 자주 등장하는 '방'과 '아가', 그리고 제 3기의 시집 『새벽』에서 발견되는 '새벽'과 '어른'도 같은 축에서 대응하는 이미지들이다. 이를 정리하면 다음과 같다.

작품세계 - 시기	제 1기	제 2기	제 3기
태도	현실 부정	모태회귀	현실 긍정
상황	밤(어둠)	방	새벽(빛)
주체	고아	아가	성인
의식의 변화	축소	응집	확대

우선 시집 『카오스의 사족』과 『여백을 위한 서정』의 제 3부에는 많은 어둠의 이미저리가 제시되어 있다. 예컨대 다음과 같은 것들이다.

밤새도록 어둠으로 씻기운 가슴에선 <늘>
무거운 어둠 속 멀리 한줄기 별빛으로 <얼굴>

어둠이 쌓이는 밤의 품안에서 <어둠이 쌓이는 밤의 깊이에서>
네 눈망울 속에 밀려드는 밤 <너는 서 있는가>
닫힌 문이 어둠 속에 가라 앉고 <아버지는 횡단하고>
너와 나의 어둠이었던 오늘날 <빙화(氷花)>
벌레가 울고 밤이 고이면 <밤에>
어두운 해면을 향하여 / 밤을 향하여 <해양시초>
어두운 산정에서 <바람 속에서>
꿈이 있기에 밤이 좋다는 <노래라고 불러보는 것이냐>
별빛 먼 어둠의 밤에도 <바람과 함께>
지긋이 어둠을 밀고 오는 <새 풀옷 마음 열리는 오늘도>
유월 그믐밤도 깊은데 <회망(回忘)>
밤의 이야기조차 잊어버리고 <먼 기억 속에서만>
밤의 암흑을 다스려가는 <밤에>

이 외에도 밤과 관련된 다른 이미지들—'일몰' '별' '죽음' '그늘' 등과 같은 것들을 합산한다면 그의 제 1기의 시 대부분이 어둠을 전제로 하고 있음은 쉽게 설명된다. 시인은 그가 살고 있는 상황을 어둠의 시대로 인식하고 있었던 것이다.

① 어둠이 쌓이는 밤의 품안에서
공백만이 남은 우리의 오늘들이 앉아서

서로의 공백을 공백으로 채워주면서
손보다 눈이 더 많이 어루만져주면서
<어둠이 쌓이는 밤의 깊이에서>

② 어둠에 밀려 오늘과 함께 닫히는
지친 가슴 위에
종말처럼 무거운 고리가 잠긴다.

또 다시
휘감기는 절망 속
기껏 오늘일 수밖에 없는
미래일 터인데

그래도 문은
어둠을 밀고 열리는
아침이 기다려져

<새 풀 옷 마음 열리는 오늘도>

①은 가중되어 오는 현실의 부조리와 그에 대한 시인의 허무 의식이, ②는 당대 상황에 대한 절망감이 담담하게 묘사되어 있다. 시인은 시대의 중압에 쫓기어 삶의 막다른 골목에 서며, '어두운 오늘 보다도 다를 바 없는 미래'를 예감하고 끝없는 좌절감에 사로잡힌다. 그렇다면 이처럼 어둠으로 상징되는 절망과 고통은 어디서 연유하는 것일까. 여기서 우리는 이들 시가 쓰여진 50년대적 상황에 눈을 돌리지 않을 수 없게 된다. 한국 전쟁으로 상징되는 비극적 현실이 바로 그것이다. 저 참담한 민족 상잔의 전란, 이에서 비롯된 정치적 사회적 비리 그리고 인간성의 상실 등 이 시대의 모순이 그것이다. 이는 다음과 같은 시행에 관련시킬 경우 더욱 분명해진다.

무너진 벽을 지나, 무너진 포대, 어두운 묘지를 지나서, 골목을 돌고

도시의 지붕을 넘어 <내 가슴 위에>

유기된 역사처럼 낡은 헝겊 조각들이 / 전쟁과 함께 피곤이 범람하는 지붕 위에 <프랑카아드>

불 속에서 끌어낸 몇 가지 옷이며 / 어린것들 기저귀 등을 꾸려 넣은 / 보퉁이를 나려놓고 앉아서 <고개머리에서>

초연 냄새 섞여 흐르는 기류 속 작은 가슴 비워 거슬러 높히는 고도 <제비>

이렇게 삶의 외적 상황이 절망과 부조리의 연속이었던 까닭에 이에 적응 혹은 타협할 수 없었던 시인은 그 자신을 현실로부터 단절된 자 혹은 버려진 자로 생각할 수밖에 없었다. 따라서 그의 시에는 또한 남다른 소외감 또는 상실감이 표출되어 있다.

저 유리창을 거쳐 계절은 파아란 소리도 없이 지나가는데, 지친 오후의 얼굴은 계절이 남기고 가는 유물처럼 그대로 앉아만 있습니다. <영상>

깜둥이 아이들처럼 어울리지 않는 바다 건너온 알록달록한 옷으로 파리한 어린 몸뚱이들을 감고 / 항상 그리움에 젖어 초점을 잃어버린 / 눈을 뜨고 서서 노래를 부른다. // 세상엔 아버지 어머니도 많기도 한데 / 외어볼 이름 하나조차 없는 너희들은 / 이렇게 너희들끼리 나란히 서서 노래라도 불러보는 것이냐. <노래라도 불러보는 것이냐>

잔혹한 역사의 시련은 나약한 지성인에게서 모든 것을 빼앗아가 버린다. 이제 희망도, 삶의 의미도, 신뢰할 가치도 인생관도…… 그 모든 것을 상실한 시인은 황량한 시대의 어둠 속에서 찬바람에 휩쓸리는 겨울 나무와도 같은 존재이다. 닫혀진 문("닫힌 창들만이 숨쉬는/바람이 몰려가는 낯설은 골목을 나는 가고"<아버지는 횡단하고>), 나목(裸木)("미루나무 나상(裸像)/모여드는 원경을 흔들어 줄 바람도 없이" <멸입>), 버려진 돌멩이("사태 무너진 비스듬한 언덕 옆구리 힘없이 던져진, 노란 저녁 햇살 속에 환히 타고 있는 차돌 하나" <석영>), 어린 상주("어린 상주는/대지팽이로 돌을 치며 논다" <전송>)는 바로 그와 같은 현실을 표상한 이미지들이라 할 수 있다. 그리하여 이 지상의 어둠 속에서 돌아갈 곳 없는 고아, 시인으로서는 이제 그 마지막 위안을 얻을 수 있는 것은 허공의 별뿐이라고 생각한다. 밤은 오직 별빛만이 밝힐 수 있기 때문이다. 그것은 시대의 부조리를 견디어 내는 지혜 즉 기다림의 철학이라 할 수 있다. 어둠이 지나면 아침은 하나의 순리로 오는 것이다.

어둠이 쌓이는 밤의 높이에서
스스로 불태우는 아득한 성좌,

마음을 하나의 입에 모으고
잠들어 깔리는 아슬한 지평에서
태양이 떠오르는 꿈을 이룬다. <어둠이 쌓이는 밤의 깊이에서>

3

제 2기 문학의 테에마는 퇴행의식(退行意識—유년 환상)과 재생의식(再生儀式—모태회귀)이다. 현실과의 싸움에서 패배하여 절망에 빠진 시인은 이제 생존이 시급한 문제로 남는다. 암흑 속에서 일깨운 지혜 즉 난세를 살아가는 비결은 기다림이며 그 기다림은 신명의 보존에 의해서만 의미를 지닌 까닭이다. 그리하여 그는 외부와의 관계를 일절 끊고 내면에 칩거하면서 삶의 영역을 최소한으로 축소시킨다. 그것은 일종의 모태회귀에 해당하지만 엄밀히 말하자면 자폐적 삶의 태도에 가까운 것이라 할 수도 있다. 자폐란 퇴행의 한 양상이며 퇴행의 궁극에 모태회귀가 있기 때문이다.

심리학적 설명을 빌면 '퇴행'이란 원래 소원 성취 욕구의 좌절에 대응한 자아의 심리적 방어기제defense mechanism의 하나라 한다. 그것은 자아가 자신의 능력으로써 감당할 수 없는 현실적 문제에 부딪힐 때, 패배로부터 오는 좌절과 두려움을 회피하기 위해 책임과 의무가 없고 대신 안식과 평화만이 존재하는 유년의 세계로 되돌아가고자 하는 심리현상이다. 정한모의 제 2기 문학에 지배적 이미지로 등장한 '아가'가 바로 이와 같은 유년 동경의 퇴행 의식을 상징하는 것이라 할 수 있다. 그러한 관점에서 그가 그의 제 2기를 대표하는 시집의 제명을 '아가의 방'으로 명명했던 것은 결코 우연이 아니다. '방'은 모태의 안식을 뜻하며, '아가'는 현실로부터의 단절과 퇴행을 상징하기 때문이다.

정한모 시에 있어서 아가의 이미저리는 시집『여백을 위한 서정』에 처음 등장하여(<가을에>, <태동>, <눈동자>, <바람이 부는데>, <일기>, <아가들에게> 등) 제 3시집『아가의 방』에 이르러서는 거의 모든 시편들에서 나타나기 시작한다.

문은 닫혀있었다,

거울 속에 우물을
우물 속에 하늘을
하늘 속에 아가를

아가는 <아가>와

살고 있었다.

…………

하늘에 머리 위에 빛나고 숲이 눈 아래서 그늘질 그 날이 온다.

눈은 감기지 않는 또 하나의 눈을 뜬다.

꽃은 아픔으로 피어나 향기를 갖는다. <서장>

『아가의 방』의 서시에 해당하는 앞의 시에서 시인은 아가는 '닫혀 있는 문' 안에 살고 있으며, 그가 숨쉬고 있는 공간은 우물 속에 갇힌 하늘, 또는 거울에 밀폐된 세계라고 말한다. 시인의 유년 동경이 현실로부터의 결별 혹은 퇴행의 방위기제라는 것을 암시적으로 설명해주고 있는 부분이다. 그리하여 그는 이 밀폐된 유년의 환상을 가장 아름다운 안식의 세계로 묘사하고 있다.

웃으면 드러나는 송곳니

반짝 빛나는 정도면 돼

가슴에 묻고 있는 머리카락

쓰다듬으며, 매만지며 듣는

멘델스죤, 아니면 브라암스

나직한 베이스의 볼륨

사이사이에 우아하게 도약하는

아가의 언어,

후두둑 떨어지는 새벽 가을비

잠을 깨는 꿈꾸는

아가의 방 <그저 댓 간쯤>

그렇다면 시인이 현실을 버리고 유년 시절의 환상으로 도피하려는 이유는 무엇일까. 나는 그것을 앞에서 막연히 시대의 폭력 혹은 고통 때문이라고 했는데, 구체적으로 6 · 25의 비극과 여기서 비롯된 삶의 비인간화를 가리킨 것이었다고 말할 수 있다. 현실적으로 무력하고 성격적으로 나약했던 지식인 정한모는 거대한 역사의 시련을 퇴행으로서밖엔 감당할 수 없었던 것이다. 그는 그것을 다음과 같이 진술한다.

한장의 검은 표지를 열고 들어서면 아비규환하는 화약 냄새 소용돌이

전쟁은 언제나 거기서 그냥 타고
연자색 안개의 베일 속
파란 공포의 강물은 발길을 끊어버리고……
아가야

오늘은 어느 사나운 골짜기에서
공포의 독수리를 만나
소스라쳐 돌아왔느냐 <나비의 여행>

윗시의 '화약 냄새', '강물' '독수리' 등은 6 · 25의 참상과 당대의 불합리한 현실을 은유적으로 표현한 것들임에 틀림없다.

그러나 비록 불행했던 50년대 말에 시작되었다 하더라도 정한모의 제 2기 문학은 그 시대에 내면화된 60년대의 저 희망적인 예감 즉 4 · 19의 고동소리를 외면할 수 없었다. 그리하여 그의 '유년에의 동경'은 이제 모태 회귀의 경험을 통해 다시 생명 체험과 재생의 의지로 나아가게 된다. 정한모의 제 2기 문학은 처음에 50년대의 비극적

현실로부터 출발하여 그것을 퇴행의식으로 형상했으나, 60년대의 희망적인 비전을 경험한 뒤엔 또 다른 변신을 시도하게 되는 것이다. 그것은 간단히 재생의 의지를 뜻한다. 이 경우 그의 시에 등장하는 '방'은 어머니의 자궁으로서의 모태를 암시하는데 그의 많은 시에 제시된 꽃과 화방 및 신방의 이미지들 역시 모두 이 같은 의미망 안에 자리하고 있음은 물론이다.

어둠이 씻어주는 이 순수한 공간에 누워
손꽃이나 장심에서
뜨겁게 살아나는 생명의 줄기에는
꽃이 열리고
너는 내 팔을
나는 네 가슴을 찾는다. <아름다운 부끄러움은>

신비의 문을 열고
들어선 깊은 밀실
달게 잠든 수면의 팔 안에서
고운 숨소리는 내 핏속을 돌고

마침내 하나의 영혼으로
바다에 잠기는 돌이 되어
그 풍요한 깊이 속에서 <돌의 노래>

앞의 시에서 '어둠이 씻어주는 순수한 공간' 혹은 '신비의 밀실'은 언뜻 퇴행의 장소인 것 같다. 그러나 보다 적극적으로 보자면 재생과 회임의 모태이기도 하다. 왜냐 하면 그러한 관점에서만 그 다음에 이어지는 탄생의 이미지 전개("생명의 줄기에는 꽃이 열리고 고운 숨소리는 내 핏속을 돌고……")가 설명될 수 있기 때문이다. 따라서 같은 '방'의 이미저리이면서도 앞에서 인용한 <서장>, <그저 댓 간쯤>, <나비의 여행> 등 시편의 그것이 퇴행의 공간을 뜻하는 것이라면, 이제 <돌의 노래>, <아름다운 부끄러움은>, <꽃체험> 1, 2, <그라지오라스> 등 시편의 그것은 재생의 공간을 상징하는 것들이라고 하겠다. 60년대의 희망적 예감은 시인에게 퇴행으로부터 벗어나 재생의 의지를 갖도록 만들어 주었던 것이다.

재생을 가능케 한 생명 체험은 본질적으로 사랑에 의해서만 가능하다. 사랑은 어두운 밤을 밝히는 따뜻한 불이며, 생명을 잉태시키는 원동력인 까닭이다. 그가 모태에의 회귀를 통해 깨달았던 것이 바로 이 사랑의 신비였다. 마치 『카오스의 사족』에서 시인이 절망적인 현실을 참고 견디는 지혜를 허공의 별로부터 배웠던 것처럼, 이제 그는 모태회귀에 의한 재생의 방법을 사랑의 탐구에서 얻을 수 있었다. 시인은 그것을 어둠을 밝히는 불의 이미지로 형상화시킨다. 그에게 있어 불은 이제 사랑의 표상이 되었던 것이다.

> 내 안에서 나래 접으며
> 젖은 눈을 뜨며 네가 살아날 때
> 따뜻한 등불이 다시 켜지듯
> 어둠은 다시 생명이 된다. <귀향>

4

제 1기의 문학에서 현실 부정을, 제 2기 문학에서 재생을 경험한

정한모는, 이제 제 3기 문학에 이르러 현실 긍정과 낙관적 미래를 노래한다. 나는 언제인가 그의 시집 『새벽』을 서평한 한 짧은 글에서 이 시기의 그의 시에 대하여 다음과 같이 언급한 적이 있는데 이 생각은 지금도 변한 바가 없다

> 정한모의 제 4시집 『새벽』은 밝고 건강한 그의 서정이 아름답게 노래되고 있다. 이 시집에서 가장 큰 비중을 차지하였으리라고 짐작되는 일련의 연작시의 제목이자 동시에 시집의 명칭이기도 한 어휘 '새벽'이 암시해주는 것처럼 여기 수록된 모든 작품들은 그 기본적인 발상을 현실에 대한 깊은 신뢰와 결코 배신되어질 수 없는 미래에의 희망에서 구하고 있다.
>
> 그의 희망이 결국 그의 신념으로부터 모반을 가져올 것인가. 그런 따위의 질문을 해명하는 데 우리 시간을 낭비하지 않도록 하자. 아놀드(M. Arnold)의 말을 빌리면 "세상에 흔들리지 아니하는 주의 신조가 없고, 회의를 부르지 않는 도그마가 없고, 허물어질 위험을 내포하지 않는 전통이 없다."
>
> 때문에 우리들의 현실은 대체로 좌절과 배신의 연속이었음이 사실이다. 그러나 이 '좌절과 배신'의 현실에서 정치가나 과학자가 아닌 시인이 할 수 있는 일이란 과연 무엇이겠는가. 다시 아놀드의 말을 빌리면 "시는 오직 이념만이 전부인 것"(I. A. Richards, *Science and Poetry*의 첫머리에서 재인용)이라고 한다. 그리고 이야말로 실천 윤리가 강요된 정치나 과학에 대하여 신념의 윤리를 본질로 하는 시가 구별되는 점이기도 하다.
>
> 이렇게 시를 신념의 표현이라고 볼 진대, 우리는 비록 우리들의 현실적 삶이 어둡고 황량하다 하더라도 시인의 신념(이념)조차 어두워야 할 하등의 필연성을 정당화시킬 수 없다. 역설적으로 삶이 어둡기 때문에

시인은 보다 밝은 미래를, 아니 밝은 미래가 오리라는 것을 노래할 수 있는 것이다.

어두운 시대에 살고 있는 시인 정한모가 밝고 건강한 서정을 노래하면서 미래에 대한 희망을 버리지 않은 까닭이 여기에 있다. 우리들은 그가 꿈꾸는 희망이 현실적으로 배신을 가져올 수도 있으리라는 사실을 잘 알고 있다. 그러나 그 현실이 어떠하든 자신이 시인이고자 원할 때, 그는 적어도 그의 신념에서조차 배신을 노래할 수는 없었다. 보다 우울한 현실로 하여 오히려 그의 미래는 밝게 승화되는 것이다.[4)]

이상 장황한 글은 시집 『새벽』으로 대표되는 제 3기 정한모의 문학이 어찌하여 현실 긍정과 낙관적 미래를 꿈꿀 수 있었던가를 설명하기 위해서 인용된 것이다.

제 3기에 와서 시인은 인간에 대한 끝없는 신뢰와 자연에의 친화력을 체험한다. 시인은 우리들의 삶이 고달프고 어두운 것이라고 생각하지만 궁극적으로 이러한 어두운 현실을 개선해 나갈 자도 바로 우리들 자신 이외엔 달리 아무도 없음을 잘 알고 있다. 그리하여 그는 우리들 즉 인간에 대한 깊은 신뢰와 애정을 시의 기본적 모티프로 삼는다. 한편 어두운 밤을 지새울 수 있는 일이 그의 인간에 대한 남다른 휴우머니즘에서 연유된 것이라면 어두운 밤이 지난 뒤에 밝음이 오리라는 확신 역시 그의 자연을 투시하는 통찰의 결과라 말해도 무방할 것이다.

흔히 시는 자연의 모방이라고 한다. 그런데 그 자연이 우리에게 가르쳐주는 바는 바로 생장과 소멸의 섭리와 그 질서이다. 겨울이 오면 봄은 머지 않은 것이요, 어둠의 시간이 지나면 여명은 어김없이 찾아

---

4) 오세영, 「빛과 어둠의 변증법」, 『현대시와 실천 비평』(서울: 이우출판사, 1983).

온다. 그리하여 그가 어두운 현실로 제시했던 겨울과 밤의 이미저리(제 1기) 이면에는 '봄'과 '새벽'의 변증법적 질서가 내포되어 있었다. 따라서 그의 시집 『새벽』엔 또한 수많은 '새벽', '빛'과 같은 이미저리와 더불어 '봄'의 이미저리가 등장한다. 이를테면 연작시 <새벽>과 <어머니 6>, <언제나 착한 아기인 우리에게>, <봄이 오려나>, <시야>, <그것은 바로 내것이다> 등은 새벽을 표상한 시편들이며, <어머니 3>, <아그배 나무>, <우리는 다시 미래 앞에 선다>, <예지의 기> 등은 봄과 생성의 이미지를 형상화한 작품들이다.

① 빛은
바다의 물결 위에 실려
일렁이며 뭍으로 밀려오고
능선을 따라 붙들며 골짜기를 채우고
용마루 위 미류나무 가지끝에서부터 퍼져내려와
누워 뒹구는 빛의 잔해들을 쓸어내며
아침이 되고 낮이 되지만 <새벽>

새벽 바다는
눈부신 비단꽃 길을 깔아
우리는 시선을
곧 바로 태양과 맺어주고
우리는 기대의 세계에
망원의 조리개를 맞춘다 <시야>

② 어두운 지열 속에서 봄이 눈을 뜬다.
네 손을 잡으면 우리의 팔은 수목

나무 그늘 무성한 깊숙한 숲
따스한 햇살 아래 익어갈 과원이여
부강한 지평이여, 바다여,

다시 실의할 수 없는
우리는 이렇게 다시 미래 앞에 선다.

<우리는 다시 미래 앞에 선다>

①은 새벽을, ②는 봄을 주제로 한 작품들이다. 어둠의 시대가 지나면 새벽이 도래하리라는 믿음이 엿보인다. 시인은 이제 밝고 긍정적인 생명력을 찬양하고 있는 것이다.

나는 앞서 정한모 제 2기 문학의 주인공이 아가였음을 지적한 바 있다. 그런데 제 3기에 들면 이제 그는 성숙한 어른이 된다.—정신분석학에 따를 때—아가는 생명력이 가장 충만한 존재임으로 순수한 생명력의 상징인 아가가 모태 회귀를 거쳐 거듭 난다는 것은 곧 재생일 수밖에 없고 이 경우 재생이란 물론 일종의 성년제의를 가리키는 말이다. 현실의 중압을 두려워하여 퇴행의 길을 걷던 화자는 이제 아가의 생명력과 모성체험에 의하여 어엿한 어른으로 성숙하게 되는 것이다. 일찍이 로젠버그(H. Rowenberg)는 그것을 일관성의 치환(Identity replacement)[5]이라는 말로 설명한 바 있다. 따라서 시집『새벽』이 많은 빛의 이미저리와 더불어 그 중심 테마로 성인의식(成人儀式)을 보여주는 것은 당연하다. 연작시 <어머니>의 6편, <설백(雪白)>, <우리는 다시 미래 앞에 서다>, <예지의 기>, <지혜의 별이여> 등의 시편이 그것이다.

---

5) Harold Rosenberg, "Character Change and Drama", *Perspectives on Drama*, Ed. J. L. Calderwood & H. E. Toliver(N.Y: Oxford Univ. Press, 1968).

슬기로운 젊은 대열
그 맨 앞장에 서서
언제나 바람탄 가운으로
휘날리는
예지의 깃발이여 <예지의 기>

어머니
지금은 피골만이신
당신의 젖가슴
그러나 내가 묻고 자란 젖꼭지만은
지금도 생명의 샘꼭지처럼
소담하고 눈부십니다. <어머니>

제 1기에서 '고아'였고 제 2기에서 '아가'였던 시인은 이제 성인이 되어 세계를 굽어 본다. 그는 예전처럼 현실을 두려워하거나 회피하지 않고 오히려 '젊은 대열의 맨 앞장에 서서 현실을 개척해나가는 기수'의 한 사람이 되어 있는 것이다. <어머니> 연작시에서 시인이 성숙한 어른의 자세로 어머니를 회상하고 인생의 결의를 다짐한 것은 그가 이제 더 이상 '아가의 방'의 세계에 안주하는 존재가 아님을 뜻하는 것이라 할 수 있다.

정한모가 보여주는, 세계와 인생에 대한 긍정적 신뢰 및 미래 낙관주의는 단순히 자기 위안의 카타르시스나 백일몽에서 비롯하는 것이 아니다. 그것은 투철한 세계관 및 주체의 확립에서 온다. 전자는 냉철한 현실 인식에, 후자는 성숙한 성인 의식에 기초한 것이기 때문이다. 그리하여 어른이 된 그는 현실을 두려워하기 전에 그것을 객관적이고도 구체적 실체로 파악하여 이를 자신의 이념 아래 두고자 한다.

이제 이념적으로 세계를 자아화시기려 하는 것이다. '불면' 혹은 '각성' 등과 같은 이미지로 형상화된 세계가 그러하다.(연작시 <새벽> 7편, <밤>, <불면의 눈>, <시야> 등).

어둠 속에서
어둠의 빛을 띠고
어둠을 응시하는
눈이여 <새벽 5>

어둠의 무게를 가늠하면서
불면의 눈들이
내 눈망울 안에서
하나씩 눈을 뜬다.

내 실체조차 분명치 않는
어둠의 포화
그 정점에서
너는
바늘 구멍 만한 빛으로 나타나
…………
대낮이 되고 아침이 되고 <불면의 눈>

어둠을 지켜보는 냉엄한 시선, 어둠과 야합하지 않으려는 불면의 의식, 그리고 세계와 현실을 조망하는 인식의 불꽃, 이야말로 시인으로 하여금 현실 긍정과 미래 낙관주의의 비전을 눈뜨게 한 힘이었다.

5

정한모 문학의 매 시기를 대표하는 시집들은 그들 시집의 제명이 지닌 상징성을 통해서도 시인의 내적 공간을 그대로 제시해주고 있다. 예컨대 '카오스'는 혼돈 즉 자연(自然)이 그 실체를 드러내기 이전의 암흑 상태를 뜻하므로 로고스적 질서가 붕괴된 50년대 현실을 암시하는데 적절한 상징이다. 따라서 현실 부정(어둠), 모태 회귀(방), 그리고 현실 긍정(새벽)이라는 그의 시의 각 시기 테마가 그의 시집에서 각각 『카오스의 사족』, 『아가의 방』 및 『새벽』을 시집의 제목으로 표현되었던 것은 결코 우연이 아니었다.

이와 같은 제목에 의해서 함축된 시인의 현실 대응 태도와 더불어 그의 시는 다음 차례로 시인의 의식 공간이 어떻게 변모되고 있는가를 또한 보여준다. 그것은 한마디로 축소・응집・확대의 세 과정으로 설명될 수 있는 어떤 것이다. 나는 제 1기의 정한모의 문학이 세계에 대해서는 현실 부정의 입장을 취하고 있으며, 상황으로서는 어두운 밤 그리고 그 주체의 성격은 고아임을 밝힌 바 있는데 한편으로 이는 밤과 고아가 모두 상실과 소멸을 뜻하는 원형 상징들이라는 점에서 축소지향을 의미하는 것이라고 말할 수도 있다. 예컨대 고아란 삶의 외적 상황과 모든 관계가 단절된 자이며, 밤은 생명체가 그 활동을 정지하는 시간이다. 동물들이 밤에 귀소하여 수면을 취하는 둥우리나 보금자리는 한 마디로 생활의 영역이 가장 축소된 공간이기 때문이다. 제 1기 문학에서 정한모가 보여주는 의식 공간은 바로 이 같이 축소된 영역이다.

이 발랄한 정신의 기구 안에서 더불어 여물어가는 조그마한 알맹이
고저 의지하는 것 <유월>

문득 머무는 내성의 고용한 일각
파문처럼 퍼져나갈
여운과 가능이 멈추는
이 생명의 핵심일 수 있는
동그라미 속에 자리하고
아늑히 웃고 있는
얼굴 <얼굴>

나의 생활을 출입시킬 문도
나의 사념을 호흡시킬 창도
나는 가지고 있지 않다.
…………
모든 운동은 여기에 와서 머문다. <바위의 의장>

소모된 체적을
나는 스스로 의식할 수가 없다. <소모>

인용된 시들은 시인의 의식 활동이 점차 위축되어 궁극적으로는 최소한의 생활의 장에 밀폐되고 있음을 보여준다. 시인은 '조그마한 알갱이'(<팔월>)나, '한정된 원'(<얼굴>) 혹은 폐쇄된 공간(<바위의 의장>)에 머물기를 바라거나 스스로 소멸하기를(<소모>) 원하고 있다. 이와 같은 의식의 축소화 현상은 현실에 대한 시인의 좌절감에서 비롯된다.

제 2기에 들어 의식의 축소화 현상은 절정에 다다른다. 이 파열 직전의 응축된 정신의 불꽃, 그것은 삶과 죽음의 동시적 체험이자, 존재와 무의 일원화라 할 수 있다. 그것은 가장 순수한 자아와의 대면을 통해 참답게 자신을 확립하는 순간이기도 하다. 나는 앞서 이를 재생이라는 신화적 술어로 설명한 바 있는데, 시인은 그의 시에서 그것을 '씨앗' '파열하는 꽃봉오리' 혹은 '불씨'와 같은 이미지로 형상화시키고 있다.

① 꽃씨 하늘로 터지는
가을과,
즐겁고 괴로웠던
젊은 날의 꽃밭을 지나서 <아름다운 부끄러움은>

자릿한 아픔으로 씨앗은 부풀고,
어둠 속에 자라나는
목숨의 소리 고동하는
봄의 새벽 <목숨의 소리>

② 치솟아 / 터지는 / 황홀 / 속에 / 잡히는 / 팽팽한 / 힘 <꽃 체험>

꽃봉오리같은 조그마한 내 존재에
내 마음 이렇게도 엄숙하고 <태동>

③ 달래알 만한 크기를 하고
아가는 보얀 진주의 밝음으로 <목숨의 소리>

지금 촉촉히 젖은 심지는
당신의 손
당신의 점화를 기다린다. <하늘의 깊이에서>

①의 시행들에는 씨앗으로 표상된 의식의 응결 현상이 나타나 있다. 씨앗이나 꽃봉오리, 불씨 등은 개체가 최소한의 생존 공간으로 축소된 상태이지만 잠재적으로는 생명의 무한한 가능성을 내포한다는 점에서 모두 공통성을 지녔다고도 할 수 있는 것들이기 때문이다. 그리하여 최소한의 공간 속에 우주의 실체를, 소멸의 극한점에 생성의 가능성을 지닌 씨앗의 이 같은 역설은 그대로 정한모 제 1기의 문학이 보여준 의식의 축소와, 제 3기 문학에서 제시된 의식의 확대 사이에 하나의 전환점을 이룬다.

이제 진정한 자아와의 대면에 의해 세계를 자신의 이념으로 재형성시킨 시인은 의식의 응집된 순수 공간을 뛰쳐나와 실천적으로 세계를 자아화시키고자 한다. 그의 이러한 비전이 형상화된 이미저리가 바로 '비상'이다. 그리하여 시집 『새벽』에서 그가 많은 비상의 이미지를 보여주고 있는 것 또한 우연이 아니다.

> 문득 눈뜨는 새벽
> 연보라빛 새벽 안개 저편에서
> 보일듯 나타날 듯 날으로 있는
> 한마리
> 새여 <새>
>
> 새의 비상을 꿈꾸며
> 번져오는 먹물을 외면하고
> 자꾸만 하얀 백지를 펼쳐간다. <시야>
>
> 봄의 첫 나비
> 기다려지는 새벽입니다. <조간신문>

어둠은 지상에서만의 존재이다. 저 비상의 공간, 하늘엔 어둠이 있을 수 없다. 그리하여 시인은 마침내 '빛'의 발견을 통해 새처럼 의식의 자유로운 지평을 날게 된다. '어둠'으로 대변된 정한모 제 1기 문학의 내적 공간이 '지상'이라면, '새벽'으로 상징된 제 3기 문학의 그것은 '하늘'인 것이다. 시인은 이제 세계의 자아화를 실천하기 위하여 그 의식의 불꽃을 공간으로 확대시켜 나아가고자 한다. '새'와 '비상'의 이미저리는 바로 이러한 의식의 확대화 현상을 암시해주는 표상들이라 할 수 있다.

정한모는 천성적으로 순수 서정시인이다. 그는 밝고 건강한 정서로 생명의 무구와 삶의 건강성을 노래한다. 그의 인간과 문학에 대한 신뢰, 자연에의 친화력, 그리고 미래 긍정적인 현실관은 밝고 아름다운 세계를 건설코자 노력하는 우리 시대의 삶에 분명 가치있는 비전의 하나가 될 것임이 틀림없다.

생활 철학으로서의 시
— 조병화(趙炳華)론

1

한국 현대시인 가운데 조병화(趙炳華)만큼 폭넓은 시세계를 가진 시인도 찾아보기 힘들 것이다. 우선 방대한 작품량에서 그 가능성을 예감하는 것이지만 그보다 실제 문학세계에서 드러나는 특징들 예컨대 그의 민중적인 언어, 다양한 소재, 보편적인 사유 그리고 그의 다감한 감수성 등이 그러하다.

익히 지적되어 온 대로 조병화의 시의 언어는 민중적이다. 그는 현대의 실험시들이 유행적으로 다투어 사용하는 뒤틀린 언어, 난해한 언어, 언어를 위한 언어의 사용을 거부한다. 흔히 쓰는 생활의 일상어를 가지고 그는—어느 평론가의 말을 빌면 말하듯이 시를 쓰는 사람이다. 물론 일상의 회화가 시일 수 없다는 점에서 일상어처럼 시어를 구사한다는 것은 결코 쉬운 일이 아니다. 시란 고도의 언어적 긴장과 극적인 의미의 함축 위에서 쓰여지는 예술이기 때문이다. 그럼에도 불구하고 말하듯이 시가 쓰여질 수만 있다면 얼마나 바람직하겠는가. 실로 조병화의 비범성은 그가 말하듯이 글을 쓰면서도 그것이 결국은 시가 된다는 사실에 있다.

이제 구체적으로 그의 시어의 특징을 살펴보자. 첫째, 그의 언어는 무엇보다 자연스럽다. 그는 언어를 인위적으로 조작하거나 의식적으로 분절 또는 조합해서 쓰는 사람이 아니다. 그에 있어서 시란, 누에가 실을 뽑으면 바로 고치가 되듯 자연스럽게 써지는 무엇이다. 그것은—조병화 자신이 밝힌 바 있지만—그의 로맨티시즘에서 연유하는지도 모른다. 왜냐하면 로맨티시즘의 가장 중요한 속성은 '자생성'(spontaneity)이고,[1] 시란 영혼의 울림으로부터 유로되는 목소리 그 자체이기 때문이다.

조병화는 이렇게 말한 바 있다. "로맨티시즘 없이 시가 성립할 수 있을까, 그것은 언어의 죽은 조합이 아닌가."[2] 그렇다. 조병화의 시의 언어가 자연스러울 수 있는 것은 그의 낭만성의 한 표현이기도 하겠지만 보다 그것이 살아 있는 언어 즉 생명의 목소리인데 그 소이가 있다. 말하듯이 글을 쓴다고 해서 어떤 시인의 글이나 시가 되는 것은 아니기 때문이다. 오직 생명의 살아 있는 소리, 삶의 원천적인 목소리에 귀를 기울이는 시인만이 그럴 수 있는 것이다. 그러므로 우리는 조병화의 시의 언어가 자연스럽다고 해서 결코 그의 시까지 쉽게 쓰여졌다고 생각하지 말자. 한마디의 자생적 언어가 유출된 그 배경엔 그가 체험하고 고민하고 사색한 생명의 갈등 즉 철학이 내재해 있었던 것이다.

둘째, 시어가 매우 개방적이라는 점이다. 그는 고답적인 지성어나 예술어로서의 시어만을 의식하지 않고 폭넓게 모든 계층, 모든 분야에서 통용될 수 있는 평범하고도 포괄적인 생활어를 즐겨 차용한다. 이러한 시어관은 다음과 같은 그의 진술에서 명백히 선언되고 있다.

---

1) Ruth Finnegan, *Oral Poetry*(London: Cambridge Univ. Press, 1973), P. 31.
2) 조병화, 시선집 『벼랑의 램프』(서울: 민중서관, 1967) 서문에서.

> 나는 또한 시의 해방을 위하여 노력을 해 왔읍니다. 다시 말하면 당신과 같은 군중의 숨은 가슴에 시를 완전히 해방시키려 했읍니다. …… 당신과 같은 선량한 군중들의 말(시)을 옹호하기 위하여 견디어 왔읍니다.[3)]

조병화의 시가 민중의 폭넓은 공감을 받는 가장 큰 이유는 아마도 그가 이처럼 언어(시)를 예술의 상아탑으로부터 해방시켜 생활로 끌어 내린 데 있을 것이다.

셋째, 구어체를 지향하고 있다는 사실이다. 이 말은 두 가지 뜻을 내포하고 있다. 하나는 그의 시가 대화체의 형식으로 쓰여진다는 점과 다른 하나는 항상 어떤 메시지를 전달한다는 점이다. 조병화의 시는 화자인 시인이 청자인 독자에게 소곤고곤 대화하듯이 진술하여 그 순간 독자들로 하여금 그의 친구 혹은 연인이 되는 듯한 착각에 들도록 빠트리는데 그 특징이 있다. 드라마와 달리 서정시가 일인칭 자기 고백체라는 사실에 비추어 보면 그의 이러한 2인칭 대화체는 확실히 개성적이다.

한편 그의 시가 메시지의 전달을 전제하고 있다는 것은 그가 이념 탐구에 몰두하고 있으면서도 항상 대화에 목말라함을 뜻한다. 우리는 그 '대화의 목마름'을 그의 존재론적 고독에서 해명할 수 있을 것이다. 시인은 이렇게 고백한 바 있다.

> 어차피 한동안 머물다 말 하늘과 별 아래
> 당신과 나의 회화에 의미를 잃어버리면
> 나는 자리를 걷우고 돌아가야 할 나. <생명은 하나의 소리>

---

3) 조병화, 『기다리며 사는 사람들』(서울: 성문각, 1958)의 서문.

대화가 없으면 시인은 이 지상에 살아 있을 의미를 잃어버리게 되는 것이다.

2

조병화의 시는 대부분의 소재를 생활에서 구하고, 하나의 사회를 구성하면서도 그러나 어쩔 수 없이 개인으로 남을 수밖에 없는 '전체 속의 개인'의 문제들을 모티브로 삼았다. 그러한 의미에서 그의 시의 민중성 혹은 서민성이라는 것은 일종의 소시민 의식을 가리키는 말이 될지도 모른다. 이를테면 어머니, 친구, 딸, 직장, 라디오 청취, 병실, 출퇴근의 에피소우드, 여행, 목욕탕, 서점, 골목길, 술집, 고속도로 등은 그가 즐겨 다루는 소시민적 생활의 소재들이다. 이러한 의미에서 우리가 또한 그를 생활의 시인이라 부른다 하여 잘못은 아닐 것이다.

그러나 조병화는 비록 감각적 현실, 일상적 생활을 소재로 시를 썼고 또 그의 시에 생활의 자족적 카타르시스가 전혀 배제되어 있다 할 수 없는 몇 편의 작품들을 남겼다 하지만 그 도달했던 곳은 보다 근원적이고 보편적인 삶의 문제였다. 조병화에 대한 편견을 불식시키기 위해서 우리는 바로 이 점을 주목해야 한다. 역설적으로 왜 그의 시는 생활의 시이면서 결국 생활을 초월해 있느냐 하는 바로 그 점이다. 조병화는 끊임없이 질문한다.

한마디로 말해 / 긴 내 인생은 무엇이었던가	<안개로 가는 길>
넌 저 세상에서 무얼 보았는가	<어느 존재>
서로 살아 있다는 게 뭔가	<소식>
이게 산다는 걸까	<나는 지금>

나는 왜 캄캄히 살아 오고 있는가　　　　　　<공동탕>

왜 사는가에 대한 물음, 인생이란 무엇인가에 관한 깊은 회의, 이야말로 조병화 시의 중요한 테마의 하나이다. 이에 이르러 우리는 누구도 그의 시가 단지 생활의 시였다고만 말할 수 없으리라. 조병화는 비록—구도자와 같이—삶을 버리고 지적출가를 결행한 사람은 아니라 할지라도 그의 내면엔 우리들의 감각 세계, 일상 생활에 대한 깊은 허무의식과 이를 극복하여 보다 완전하고 영원한 곳에 도달하고자 하는 어떤 형이상학적 갈망이 자리하고 있다.

따라서 그가 본 일상사의 사소한 사물이나 행위는 영원에 대한 그의 그리움을 일깨워 주고 자신의 삶을 성찰케 한다는 점에서 존재를 비추어보는 일종의 거울이라 할 수 있다. 그에겐 '안개 낀 길'(<안개 낀 고속도로>)처럼 미망에 가득 찬 인생을 밝게 비추어 주는, 달리 말해 진실로 자신이 가야 할 길이 어디인가를 가리켜 주는 거울이 필요한 것이다. 그리고 그는 그것을 친숙한 그의 생활의 단편들 속에서 발견해 낼 줄 알았다.

벗어도 벗어도
가릴 거 없는
이 많은 해후

같은 물에서
같은 세월을
같이 헹군다
…………

아직도 두려워하고 있는 게 있는가
아직도 버리지 못하고 있는 게 있는가
아직도 미련이 남아 있는 게 있는가

아직도 벗어나지 못하고 있는 게 있는가,

그분도 떠나고
그분도 떠나고
그분도 떠난 자리

컴컴한 새벽 공동탕 김 속에서
하얀이 혼자
나를 헹군다. <공동탕>

가령 윗 시에서 시인은 공동 목욕탕에 혼자 앉아 때를 밀면서도 삶의 영원한 어떤 실체를 생각하고 있다. 목욕탕과 이데아적인 실체의 대비 이 얼마나 아이러니칼한 상상력의 비상인가. 그러나 시인은 이 시의 상황 설정을 보다 극화시킴으로 해서 그가 노리고 있던 존재론적 질문에 소기의 효과를 거둔다. 우선 목욕탕이란 벌거숭이 맨 몸들끼리 만나는 장소이다. 그곳엔 어떤 허위나 가식이 있을 수 없다. 다만 인간 본연의 진실만이 적나라하게 드러나 있는 장소일 뿐이다. 더욱 목욕탕은 하나의 독립된 방, 밀폐된 소우주이며, 일상적 삶과는 단절된 일종의 존재론적 공동체로서의 공간이다.

시인은 이와 같은 운명체로서의 소우주에 앉아 홀로 삶과 죽음을 생각한다. 다음과 같은 경우이다. 어느 날 문득 돌이켜보니 목욕탕에서 자주 만나던 친구들이 보이지 않는다. 인간 본연의 모습—벌거숭이로 앉아 같이 때를 밀며 환담을 나누던 친구들이 어느덧 하나, 둘 사라져 버리고 이제 홀로 자신밖에 남지 않았던 것이다. 이 얼마나 소름끼치는 존재론적 고독인가, 시인은 우리 일상 생활의 이러한 단편들 속에서 삶을 돌이켜 보는 거울을 발견하고 그것으로 또한 자신을 비쳐보는 것이다.

결국 생활에서 출발한 그의 시가 그로부터 벗어나 도달하고자 했던 것은 보다 근원적이고, 보편적이고, 우주적인 삶의 문제였다. 그렇다면 그 근원적이고, 보편적이고 우주적인 문제란 무엇일까, 이 말로써 내가 뜻하고자 하는 것은 이렇다. 근원적이라 함은 그의 시가 지향하는 존재론적 세계를, 우주적이라 함은 그의 인식론적 세계를 지시하는 말이라는 것이다.

3

조병화의 시가 지닌 또 하나의 특성은 보다 근원적인 존재의 물음이다. 앞에서도 잠깐 언급했듯이 그는 꾸준하게 삶이란 무엇인가, 왜 사는가, 진정한, 영원한 삶이란 무엇인가 묻는다. 많은 사람들이 지적하고 있는 것이지만 그의 시가 삶과 죽음, 만남과 떠남, 사랑과 고독 따위를 주제로 삼고 있음이 바로 그러한 예이다. 그가 삶을 허망한 것, 고독한 것 그리고 절망적인 것으로 인식하고 있는 증거라 할 수 있다. 시인은 삶을 '덧없는 바람이며 바람이 남기고 간 빈 자리'(<1978년 가을>), 또는 '고독한 한 마리의 기러기'(<업>), '소멸하는 휴식'(<실내화>)으로 본다. 그리하여 그는 이 허상으로부터 초월하여 영원하고도 완전한 삶의 세계에 도달하는 길이 과연 무엇인가를 탐구하고자 하는 것이다.

언뜻 이러한 문제는 우리가 일상을 생활하는 실제 현실로부터 벗어나 무언가 고답적, 형이상학적 영역에 속해 있는 것 같다. 그러나 그렇지 않다. 조병화는 그것을 현실과 결별된 이념 혹은 관념의 상아탑 속에서가 아니라 바로 우리들의 생활의 장—같이 호흡하고, 같이 즐기고, 사랑하고 미워하는 바로 우리들의 실제 삶—을 통해 이야기하고 있기 때문이다. 그리하여 그는 그것을 때로는 여행을 하면서, 때로는 술을 마시면서, 때로는 목욕을 하면서, 때로는 편지를 쓰면서 마치 대화하듯 이야기한다. 시인과의 현상학적 거리를 상실한 독자가 그 뒤에 숨은 사상을 보지 못하고 다만 겉에 드러난 그의 생활만을 읽는 이유도 여기에 있다.

....
임재(臨在)와 부재(不在)를 왕래하며
덧없이 떠날 생각,
연습을 하며
연습을 하며
작별을 산다.

사람은 누구나
생과 사 한 몸에 지녀
한 몸에서
삶은 죽음을
죽음은 삶을 서로 돕다
몸 허무러지면 그 뿐
땅으로 하늘로
아, 이별

혼자서 보이지 않은 저 세상
그 곳으로 또 떠나는 거지 <어느 여행자의 독백>

여행하는 과정에 쓴 것들 중의 하나이다. 여행이란 항상 만남과 이별을 반복하는 것, 어제 만난 사람은 오늘 작별하고 오늘 밟은 땅은 내일 하직해야만 한다. 이러한 일정을 반복하는 가운데 시인이 문득 부딪히는 것이 죽음과 삶이란 과연 무엇인가 하는 질문이다. 그러나 이러한 회의가 존재론적 차원으로까지 성숙하게 되는 것은 그가 인간은 원래 '생과 사를 한 몸에 지닌' 존재라는 것, 삶과 죽음은 서로 대립되기보다 표리의 관계에 있다는 것("생과 사 한 몸에 지며 / 한 몸에서 / 삶과 죽음을 / 죽음은 삶을 / 서로 돕는다")을 자각한 결과이다. 지금 나는 무엇을 말하고자 하는 것일까, 그것은 조병화가 기독교 성서(聖書)를 소재로 하여 많은 시를 썼음에도 불구하고, 그의 시의 이면엔 불교적 허무주의 혹은 생의 무상감이 면면히 흐르고 있다는 사실을 지적하려는 데 있다. 확실히 그의 시에는 자각적이든 무자각적이든 삶에 대한 불교적 달관 혹은 무상감이 표상되어 있다.

생명이란 벌써 내 것이 아니었다.
아니 네가 낳기 전부터 그것은 내 것이 아니었다.
…………
다감한 생명을 빌려 태어난
한숨의 외로운 글 쓰는 짐승이 아니더냐 <나의 가슴에>

상실한다는 것은 현명해진다는 거다
포기한다는 것은 자유로워진다는 거다.

고독하다는 것은 풀려진다는 것 <밥의 이야기 15>

인생은 상봉이며 작별이며
변화무상,
저린 인연을 살다 가는 거라 하지만 <첫 작별>

임의로 인용해본 시 구절들이다. 시인은 현실 삶에 결코 연연하거나 집착하지 않는다. 죽음을 두려워하지도 않고 작별을 슬퍼하지도 않는다. 인생이란 원래 그런 것, 인연으로 만나서 인연으로 헤어지는 변화무상 이외에 아무 것도 아니며 죽음 역시 삶의 한 변형이라는 생각이다. 이러한 존재 인식은 결코 기독교적이 아니다. 조병화는 삶에 절망하기보다는 이렇듯 오히려 달관하는 쪽을 택하고 있는 것이다.

다음으로, 지적하고자 하는 것은 조병화의 윤리적 태도이다. 그 어떤 유미주의자라 하더라도 현실 삶에 대한 그 나름의 성찰은 갖는 법이니까 생활하는 사회의 한 구성원이라 할 시인의 경우는 더 말할 필요도 없다. 사르트르에 의하면 말라르메조차 앙가쥬망의 시인이라 하지 않던가. 하물며 조병화처럼 시의 소재를 생활에서 구하고 시를 민중의 것으로 해방시키려는 사람에게 있어서랴. 내가 보기로 조병화의 시에 일관된, 가장 중요한 특징은 그의 모랄 의식에 있다.

조병화의 모랄 의식은 보편적이다. 그의 제 11시집의 제목이 '공존의 이유'로 되어 있는 것은 그의 이 같은 윤리의식을 강하게 암시해 주는 것이지만, 그는 인간이란 공존하는 존재이며 그 공존은 인위적인 통치 윤리나 세속 법에 의해 움직이는 것이 아니라, 타고난 보편적인 삶의 질서 즉 하늘의 법이 움직인다는 신념을 지니고 있다.

그것은 눈에 보이는 구속의 행위에 대해서가 아니라 눈에 보이지 않는 자유에의 인식이다. 그는 인간이란 누구나—강자이든 약자이든 혹은 성자(聖者)이든 속인이든—이렇게 눈에 보이지 않는, 보다 차원 높은 하늘의 법에 따라 살아간다고 생각한다. 그는 그것을 시에서 '생(生)에 대한 외경'의 정신과 '휴우머니즘'으로 반영했던 것이다.

울타리도 칸막이도
경계도 없는
넓은 넓은 네 대륙이 되고 싶어라, 있는 건 오로지
생명, 희열, 영광, 무한 사랑과 신뢰 끝없이 피어 만발한
빛의 물결
네 그 대륙이 되고 싶어라 <남남>

하늘은 하나,
푸른 품에
만민의 인간, 사랑을 품고
마냥 넓지만 <천상과 지상>

아이야 그렇게 미워하질 마십시오
그렇게 마구 때리질 마십시오

낙엽이 솔솔 내리는 긴 숲길을
아무런 미움이 없이 나도 같이 갑시다.

어쩌다가 멋모르고 태어난 당나귀
나 한 마리
살고 싶은 죄 밖에 없읍니다. <당나귀>

인간이란 원래 살 권리를 지니고 태어난다는 신념, 따라서 그 어떤 명분으로도 생의 존엄성이 손상되어서는 안 된다는 생각은 조병화에게 있어서 단지 인간만이 아닌 동식물과 같은 미물에게까지도 적용되는 명제이다. 이 세상에서 가장 위대한 것은 존재 즉 '있는' 것(<낮은 목소리 81>)이며 자신은 태어나서 지금까지 단 한 번도 살생이라곤 해 본적이 없다는(<업>) 고백이 이를 말해 주고 있다. 그는 범인들이 예사롭게 지나치는 사소한 사건들 속에서도 생명의 고귀함과 그 의지를 본다. 예컨대 무거운 짐을 지고 시골길을 걷는 당나귀의 수고에서 같은 생명의 아픔을 함께 나누는 것 등이다. 생에 대한 그의 이 같은 외경의 정신은 일면 불교적 공동죄의식(Mitschuld)에 유사한 것이라고도 말할 수 있지만 한편으로 그가 눈을 돌려 인간 삶의 공동체적 자각으로서 휴우머니즘을 노래할 때, 그것은 분명 기독교적이다.

지금 나는 너의 광야 끝에 장막을 치고
떨어진 생명의 보따릴 베고 주야를 샌다.

그리운 사람아, 망설이는 사람아
지금 네가 찾고 있는 것은 뭐냐?

생명은 하나를 찾아 헤메는 것이라지만 먼 고향,
보이지 않는 곳에 네가 있다.

구름 기둥으로 나는 너를
불기둥으로 나는 너를
비치며 인도하며 서서히 가자.

멀지도 않고 가깝지도 않은 자리
서로 지켜서 가는 자리

캄캄한 밤이면,
손을 잡자

"생명은 밝으며 쓸쓸한 것"

지금나는 너의 광야 끝에
장막을 치고 발을 씻지 못한 채
떨어진 생명의 보따릴 베고
낮과 밤을 샌다. <구름 기둥, 불 기둥>

모세가 동족을 이끌고, 뒤쫓는 애급의 군사들을 피해 광야에서 방황하는「출애굽기」제 13장의 일화를 소재로 하여 쓴 시다. 짓밟히는 자에 대한 깊은 연민과 생명에 대한 긍휼 그리고 공동체에 대한 사랑이 감동적으로 그려져 있다. 그러나 무엇보다 주목할 것은 그의 대부분의 시에 짓밟히는 자가 지닌 증오나 투쟁 의식이 거의 나타나 있지 않다는 사실이다. 왼 뺨을 치면 오른 뺨을 돌려대는 기독교의 박애 정신이 표현되어 있다. 인생이란 어두운 광야의 엑소더스, 같은 생명의 보따릴 베고 밤을 지새우며, 서로 손잡고 인도하면서 걸어갈 일이다. 삶의 겸허한 수용, 만인에 대한 조건 없는 사랑, 원수에 대한 관용, 약자에 대한 긍휼 등 그의 윤리적 보편성이 기독교적인데 뿌리박고 있음을 보여주는 시편이다.

이제 마지막으로 나는 조 병화의 시에서 '우주적인 것'에 대해 언급하고자 한다. 근원적인 것이 존재론에, 보편적인 것이 윤리 의식에 해당된다면 우주적인 것은 그의 시의 인식론적 특성이 될 수 있기 때문이다. 그는 세계를 우주적인 흐름의 원리로 본다(질서라는 말은 어떤 규칙성 혹은 작위성이 내포되어 있는 까닭에 조병화의 시를 설명하는 데는 적합한 용어가 아닐 듯싶다).

그런데 우주의 흐름엔 어떤 필연성이나 동기, 목적 의식이나 이해관계가 수반될 수 없다. 다만 하나의 흐름이 스스로 변용하면서 끝없이 짓고 지울 따름이다. 시인은 인간 역시 마찬가지라고 생각한다. 서로 증오하고 사랑한다 하더라도 우주의 저 절대 흐름 속에서는 별개가 아니기 때문이다. 생사 또한 영원하지 않다. 맺고 풀고 나고 죽는 것이 자연의 이법이요, 인간 역시 그 이법을 좇아 흘러가는 한 작은 분자 이상이 아닌 것이다. 이와 같은 그의 세계 인식이 존재 탐구에 있어서는 불교적 달관이나 무상감으로, 모랄 의식에 있어서는 비투쟁적 박애주의로 나타나고 있는 것은 앞에서 살펴본 바와 같다.

조병화는 그의 시어가 그랬던 것처럼 결코 순리에 역행하는 삶을 살고자 하지 않았다. 인위적인 의지로 거스르려하지도 않았다. 모든 것을 이 대 자연의 큰 흐름에다 맡기고 하나의 우주적 화해 속에서 자신의 최선을 경주하고자 할 뿐이다. 따라서 그는 누구와 맞서 싸우기보다는 포용하고, 증오하기보다는 용서하고, 인사(人事)를 따르기보다는 자연을 따르고자 한다.

> 바다는 일체의 권위를 무시한다.
> 바다는 일체의 철학을 웃어 버린다.
>
> 바다는 일체의 만물을 동등하게 한다.
> 적자는 생존하는 것.
> 세상에 생겨난 것들은 모두 그저 사라져 버리는 것

인간이 할 수 있는 것이 있다면

서로의 숙명을 지닌 약한자들이 서로 소멸되어감에 있어 소멸하는 자끼리

서로 슬픔을 위안하기 위하여 같이 소멸해가는 사람에 엉겨 사랑할 뿐이다.

사랑은 약한자들의 최대의 보람이다.

사랑은 약한 자들의 최대의 저항이다.

충남의 남단 황해바다 대천 해안의 모래밭 조개껍질 깔린 바닷가에 인간의 아들들이 물개들처럼 재주를 넘는다. 시간에 구른다. 물을 헤치고 나가다 물에 밀려 되돌아 와 옹기 종기 햇살에 모여 앉는다.

바다는 일체의 철학을 웃어버린다.

바다는 일체의 권위를 무시한다. <소멸하는 것과 생존하는 것>

소멸하는 것과 생존하는 것, 이 모두는 자연의 이법이다. 따라서 그 절대성 앞에서 인간이 누리는 사회적 권위나 지적 오만은 한낱 웃음거리에 지나지 않는다. 인간은 결코 자연의 흐름에 역행할 수 없는("물을 헤치고 나가다 물에 밀려 되돌아와 옹기 종기 햇살에 모여 앉는다") 존재인 것이다. 따라서 자연의 흐름에 실려가는 한, 허무의 존재로서 인간이 할 수 있는 것은 다만 서로를 아끼고 사랑하는 일일 뿐이다("소멸하는 자 끼리 서로 슬픔을 위안하기 위하여 같이 소멸해가는 사람에 엉겨 사랑할 뿐이다").

다음으로 조병화가 자연의 인식을 통해 터득한 인생관은 겸허한

삶의 태도이다. 인간이란 이 광대 무변한 우주의 한낱 개미와 같이 미미한 존재임을 이제 깨달았기 때문이다. 그 결과 그는 분수에 벗어난 행동을 경계하고 자신에 합당한 직분을 좇아서 최선을 다하고자 하는 삶을 살고자 한다. 그것은 자연이라는 이 거대한 교향악의 한 작은, 그러나 꼭 필요한 파트를 즐겁게 맡으면서 그의 삶이 전체에 무엇을 기여할 수 있을까, 혹시 전체에 거스르고나 있지 않을까 끊임없이 성찰하는 태도라 할 수 있다.

무욕해질수록 가득 차가는 마음
바람에 집을 둔 마음
입김처럼 순한 이 외로움 <밤의 이야기>

넌 저 세상에서 무얼 보았는가
네,
터무니 없이 거대한
실로 거대한
꿈의 나무를 기어오르던
한 마리의 개밀 보았읍니다.

아래 뿌리로 보이지 않는
위 가지 끝으로 보이지 않는
좌우 넓이도 폭도 보이지 않는
거대한
실로 거대한 안개의 기둥같은
꿈의 나무를 기어오르던
한 마리 개밀 보았읍니다.

위로 아래로
옆으로
더듬더듬 더듬거리며
그 중천을 기어오르던
한 마리 개밀 보았읍니다. <어느 존재>

시인은 '무상해질수록 오히려 가득차는 마음'을 노래하면서 인간이란 중천(中天)을 기어오르는 한 마리의 개미에 지나지 않음을 고백한다. 그것은 그가 이 우주와 자연의 이법에 귀를 기울이는 데서 가능한 깨달음이다.

4

나는 지금까지 조병화의 시세계를 크게 세 가지 관점에서 살펴보았다. 존재론적인 측면과 윤리적인 측면 그리고 인식론적인 측면이다. 조병화의 존재 탐구는 삶의 근원적인 문제 즉 생과 사, 사랑과 고독, 만남과 이별 따위 실재가 무엇인가 하는 물음에서 시작되며, 그가 도달한 곳은 불교적인 무상 혹은 허무의식이다. 그의 윤리의식은 생에 대한 외경—슈바이처의 죽음에 바쳐진 두 편의 시(<아 영원한 사람 알버트 슈바이처>, <무수한 태양>)에서도 이는 분명하게 진술되어 있다.—과 휴우머니즘의 정신이다. 마지막으로 조병화의 세계인식은 자연의 수용에 의해서 개안된, 겸허하면서도 순리에 따르는 삶이다. 그것은 범우주적인 것이라 할 수 있다.

이와 같은 그의 시세계에는 어느 수준에 있어 종교적인 예지가 내면화되어 있는 듯하다. 가령 그의 '생의 외경' 정신에서 우리는 "들에

핀 백합이 솔로몬의 영광보다 더 고귀하다"는 그리스도의 가르침과 불교의 공동죄의식을 발견할 수 있다. 그러나 그의 휴머니즘 만을 떼어놓고 볼 경우 그것은 분명 기독교적이다. 그의 시에 반영된 '만인에 대한 사랑', '약자에 대한 긍휼', '원수에 대한 무조건적인 용서' 등의 정신이 바로 그것이다. 그럼에도 불구하고 그가 현실적으로 어떤 이념이나 체제를 옹호한다든지, 정치적 투쟁에 실천적으로 참여하지 않았던 것은 그의 휴우머니즘이 시대적 특수성보다 삶의 보편성에 보다 관심을 두었기 때문이 아닌가 한다. 따라서 한 마디로 그의 존재론은 주로 불교적 측면을, 그의 윤리 의식은 기독교적 측면을 드러내 보인다고 말할 수 있다.

그러나 조병화의 시에 내면화된 종교적인 예지는 어떤 특정 종교에 대한 신앙 고백은 물론 아니다. 그가 만일 자신의 종교적 신념을 선언하고자 했다면 이처럼 서로 이질적인 두 가지 사상을 동시에 보여줄 수는 없었을 것이기 때문이다. 따라서 그것은 다만 인간 정신의 어떤 보편적 경향이—종교란 인간 정신의 보편성에 기초해 있는 까닭에—자연스럽게 발로된 것이라고 해야 할 것이다.

이제 우리는 마지막으로 그의 언어(시어)의 특질이 문학의 내적 세계와 어떻게 관련을 맺고 있는지 살펴볼 차례이다. 사상과 분리된 언어는 존재할 수 없으며 궁극적으로 시는 언어의 예술, 언어가 그 전부이기 때문이다. 결론부터 말하자면 그의 시어가 지닌 세 가지 특징 즉 '자연스러움'은 그의 자연 인식에, '생활어'는 그의 '공동체의식' 즉 윤리학에 그리고 '구어체'로서의 속성은 존재론에 관련된 것이라 할 수 있다.

그의 시어가 자연스러움에 본질을 두고 있었던 것은 작위적인 것, 인위적인 것을 거부하고 자연의 순리에 따르고자 하는 인생관의 언어적 표현이다. 그것은 그가 우주의 교향악, 자연의 리듬, 생명의 원천적인 목소리에 귀를 기울이는 데서 가능했다. 뒤틀리고 변형되고 세련된 언어가 인간의 목소리라면—영감(靈感)에 사로잡힌 주술가에게서 볼 수 있듯 자연스럽게 진술되는 언어는 바로 우주의 목소리인 까닭이다.

그의 생활어로서의 특징은 공동체에의 자각 즉 휴우머니즘의 시적 표현이다. "군중(민중)에게 시를 해방시켜" 그들과 더불어 사랑과 연민을 나누고자 하는 사람이 고답적인 지성어(知性語)나 예술어(藝術語)를 동원할 수는 없을 것이기 때문이다. 생활에 뛰어들지 않는 휴우머니스트는 결코 진정한 휴우머니스트가 아니다. 그와 같은 관점에서 그의 '생활어'에 대한 애정은 바로 '생활'에 대한 애정이며, 같은 삶을 영위하고 있는 공동체에 대한 애정이라 할 수 있다.

그의 구어체로서의 시어의 특징은 존재 탐구와 관련된다. 우리는 앞에서 그의 구어체에 대화의 소통과 메시지의 송신이 전제되어 있음을 살펴본 바 있다. '대화에 대한 목마름' 그것은 바로 시인의 존재론적 고독의 한 표현이었던 것이다. 인간은 누구나 한 번은 죽기 마련이며, 그 죽음은 근원적인 허무를 자각시킨다. 나는 조병화가 삶과 죽음, 사랑과 고독, 만남과 헤어짐을 노래하면서 이처럼 대화를 갈구했던 것이 타인과의 관계 확인을 통해서 그 허무감을 극복코자 하는 그 나름의 노력이었을 것이라고 생각한다. 이제 이상 논의된 바를 간단하게 정리하면 다음과 같다.

세계관	존 재 론	불교적 무상	근원성→구어체	시어
	윤리의식	기독교적 휴머니즘	보편성→생활어	
	인 식 론	자연의식	우주성→자연스러움	

조병화의 시가 앞으로 도달할 지평을 나는 아직 분명하게 점칠 수

없다. 그러나 나는 그의 시가 이처럼 삶의 보편적인 문제에 질문하기를 게을리하지 않는 한 한 시대의 정신적 지향을 보다 밝은 곳으로 인도하리라는 것 만큼은 확실하게 믿는다.

우상의 가면
— 김수영(金洙暎)론

1

70년대 이후부터 오늘에 이르기까지 김수영(金洙暎)은 우리 시의 담론에 있어 항상 중심부의 자리를 지켜왔다. 그것은 공인되다시피 한 두 가지의 명제에 토대하고 있다. 하나는 그가 소위 현실참여 시인이라는 것과 다른 하나는 그의 문학적 성과가 해방 이후 우리 시단에서 최고의 수준에 다달아 있다는 평가이다. 전자의 경우는 김현승[1], 김우창[2], 김윤식[3] 백락청[4]과 임중빈[5], 염무웅[6], 김현[7], 김영무[8], 김명인[9]을 비롯한 한국 유수의 평론가들과 신동엽, 이성부, 조

1) 김현승, 「김수영의 시사적 위치와 업적」, 「김수영의 시적 위치」 『김수영의 문학』: 김수영전집 별권, 황동규 편(서울: 민음사, 1994).
2) 김우창, 「예술가의 양심과 자유」, 위의 책.
3) 김윤식, 「김수영의 변증법의 표정」, 위의 책.
4) 백락청, 「참여시와 민족문제」, 위의 책.
5) 임중빈, 「자유와 순교」, 위의 책.
6) 염무웅, 「김수영론」, 위의 책.
7) 김현, 「자유와 꿈」, 위의 책. 김수영의 「반시론」을 '60년대 시의 중요한 국면 중의 하나인 참여시론의 대표적인 예'로 들고 60년대에 들어 김수영이 '자유의 정체를 발견하여 혁명을 향해 가는 부단한 자기 부정의 시'를 썼다고 했다.

태일, 이시영 등 소위 민중시인들에 의해서 선도되었고 후자의 경우는 단적으로 지난 1998년 조선일보사가 특집 계획하여 한국의 대표적인 문학평론가 50인이 가려 뽑은 해방 이후 한국 대표시인 50인의 순위 매김에서 그가 첫 번째를 차지한 것[10]을 보아 알 수 있다.

그러나 과연 그런 것일까. 이 글은 우선 이와 같은 소박한 의문으로부터 시작하고자 한다.

2

<폭포>, <풀>, <눈>, <꽃2> 등 대여섯 편 사물 그 자체를 대상으로 한 예외적인 시들이 아주 없었던 것은 아니지만 김수영의 시는 대부분 인간을 대상으로 한 인간의 이야기—더욱 나아가서 인간이 주인공이 된 이야기를 시화하였다는 데 특징을 보여주고 있다. 그러므로 그의 시에 인간이 아닌 자연이나 일상 사물이 등장한다 하더라도 이는 항상 부차적이거나 장식적이다. 그것은 다만 담론의 핵심이라 할 인간 이야기의 소도구들일 뿐이다. 가령 같은 '꽃'을 노래한다 하더라도 박목월의 <산도화>나 조지훈의 <낙화> 혹은 서정주의 <국화옆에서>가 모두 시적 대상, 꽃이 지닌 의미를 형상화시키고 있는데 반해 김수영은 '꽃' 자체가 아니라 '꽃에 관련된 인간의 이야기'를 시로 쓴다.

---

8) 김영무, 「김수영의 영향」, 위의 책.

9) 김명인, 「급진적 자유주의의 산문적 실천」, ≪작가연구≫ 1998, 5 새미, "단연 우뚝 선 참여시인……"

10) ≪조선일보≫ 1998년 7월 31일. 참고로 그 순위를 살펴보면 1위 김수영, 2위 고은, 김지하, 서정주, 신경림, 6위 김춘수, 7위 정현종, 황동규, 9위 신동엽, 10위 박재삼, 11위 유치환, 황지우, 14위 박목월…… 등이다.

심연은 나의 붓끝에서 퍼져나가고
나는 멀리 세계의 노예들을 바라본다.
진개(塵芥)와 분뇨(糞尿)를 꽃으로 바꿀 수 있는 나날
그러나 심연보다도 더 무서운 자기 상실에 꽃을 피우는 건 신(神)이고

나는 오늘도 누구에게든 얽매여 살아야 한다.

도야지 우리에 새가 날고
국화꽃은 밤이면 더 한층 아름답게 이슬에 젖는데
올 겨울에도 산 위의 초라한 나무들이 뿌리만 간신히 남기고 살살이 갈라갈 동네 아이들……
손도 안 씻고
쥐똥도 제 멋대로 내버려두고
닭에는 발등을 물린 채
나의 숙제는 미소이다.
밤과 낮을 건너서 도회의 저편에
영영 저물어 사라져버린 미소이다. <꽃>

제목이 '꽃'이고 내용에 꽃이 등장한다. 그러나 이 시는 꽃 그 자체의 의미가 아니라 한 인간이 겪는 일상 삶의 고난을 꽃에 관련시켜 이야기하고 있다. 그것은 '꽃'은 더럽고 추악한 곳에서 오히려 새로운 생명의 싹을 틔우지만 우리 현실에 있어서 궁핍한 자의 삶이란 자신이 처한 상황으로부터 쉽게 벗어날 수 없다는 내용으로 요약된다. 따라서 이 시에 등장한 '꽃'은 시인의 이 같은 현실관을 강조하는 하나의 소도구—수사법으로서는 대조법—이상이 아니다. 이렇듯 김수영의 대부분의 시는 인간의 이야기가 중심이 되고 있다.

인간에 관련된 이야기는 물론 여러 측면에서 가능하다. 그러나 크게 수직적으로 존재론적인 것과 수평적으로 사회적인 것의 두 가지로 나눌 수 있지 않을까 한다. 가령 사랑이나 고독, 운명 혹은 탄생이나 죽음 등과 같은 문제는 전자에 속할 것이요 생활이나 정치 등 공동체의 삶에 관한 문제는 후자에 속할 것이다. 그렇다면 김수영이 그의 시에 담았다는 인간의 이야기란 무엇일까. 그것은 한마디로 사회적인 관심 그 중에서도 소시민의 생활을 말한다. 김수영의 시는——이 역시 물론 <거미>, <사랑> 등 존재론적인 문제를 다룬 서너 편의 예외적인 시가 없는 것은 아니지만——사회적인 것 그 중에서도 소시민의 생활을 내용으로 담은 것들이 대부분이다.

그런데 김수영의 소시민의 생활에 대한 시적 형상화는 다시 크게 두 부류로 나뉘어진다. 하나는 매우 난해한 상황묘사 차원의 시들이며 다른 하나는 사실적 서술 차원의 시들이다. 전자의 경우는 메시지 기능이 거의 없이 다만 의식상에 왜곡 재구성된 생활의 잔영 묘사를 지향하고 후자의 경우는 일상 삶에 대한 자신의 어떤 특정 의사를 독자들에게 전달코자 하는 목적을 지닌다.

㉡ 지구의(地球儀)의 양극을 관통하는 생활보다는
차라리 지구의의 남극에 생활을 박아라.
고난이 풍선같이 바람에 불리거든
너의 힘을 알리는 신호인줄 알아라.

지구의의 남극에는 검은 쇠꼭지가 심겨 있는지라——
무르익은 사랑을 돌리어 보듯이
북극이 망가진 지구의을 돌려라

쇠꼭지보다도 허망한 생활이 균형을 잃을 때
명정(酩酊)한 정신이 명정을 찾듯이
너는 비로소 너를 찾고 웃어라. <지구의(地球儀)>

전자의 한 예라 할 인용시는 매우 난해하여 설명이 거의 불가능할 정도이다. 그럼에도 불구하고 한 가지 분명한 것은 이 시가 적어도 인간의 존재론적인 문제를 언급하기보다는 일상 삶에 대한 시인 자신의 어떤 허무감 내지 좌절감을 왜곡된 의식의 스크린을 통해 보여주고 있다는 사실이다. 그것이 생활에 관련된 시라는 것은 본문에 "지구의(地球儀)의 양극을 관통하는 생활보다는" 혹은 "쇠꼭지보다도 허망한 생활이 균형을 잃을 때 / 명정(酩酊)한 정신이 명정을 찾듯이 / 너는 비로소 너를 찾고 웃어라. / 차라리 지구의의 남극에 생활을 박아라." 등의 시행을 통해서 짐작할 수 있다. 이렇듯 김수영의 소시민적 생활 시들은 그 상당 부분에 있어 거의 무의미에 가까운 언어조작을 통해서 형상화된다.

한편 후자는 다시 세 가지 유형으로 나뉘어지는데 하나는 생활에서 비롯된 울분 혹은 불만을 감정적으로 토로하거나 배설하는 경우요, 다른 하나는 '자유', '혁명'과 같은 용어에 빗대어 현실 개혁에 대한 추상적 당위성을 공허하게 절규하는 경우요, 또 다른 하나는 사회적인 문제들을 풍자하거나 비아냥대는 경우이다.

㉢ …………

여편네와 아들놈을 데리고
낙오자처럼 걸어가면서
나는 자꾸 허허…… 웃는다.

무위(無爲)의 생활의 극점(極點)을 돌아서
나는 또 하나의 생활의 좁은 골목 속으로
들어서면서
이 골목이라고 생각하고 무릎을 친다.

생활은 고절(孤絶)이며
비애이었다.
그처럼 나는 조용히 미쳐간다.
조용히 조용히…… <생활>

㉣ 푸른 하늘을 제압하는
노고지리가 자유로웠다고
부러워하던
어느 시인의 말은 수정되어야 한다.

자유를 위해서
비상하여 본 일이 있는
사람이면 알지
노고지리가
무엇을 보고
노래하는가를
어째서 자유에는
피의 냄새가 섞여 있는가를
혁명은
왜 고독한 것인가를

혁명은
왜 고독해야 하는 것인가를 <푸른 하늘>

㉤ 룻소의 <민약론>을 다 정독하여도
집권당에 아부하지 말라는 말은 없는데
민주당이 제일인 세상에서는
민주당에 붙고
혁신당이 제일인 세상이 되면
혁신당에 붙으면 되지 않는가
귀에 걸면 귀걸이 코에 걸면 코걸이가
제 2공화국 이후의 정치의 철칙이 아니라고 하는가
여보게나 나이 사십을 어디로 먹었나
8. 15를 6. 25를 4. 19를
뒈지지 않고 살아 왔으면 알겠지
대한민국에서는 공산당만이 아니면
사람 따위는 기천명쯤 죽여보아도 까딱도 없거든
(…중략…)
비수(匕首)를 써
인제는 지조랑 영원히 버리고 마음 놓고
비수를 써 <만시지탄은 있지만>

인용시들은 모두 인간의 이야기를 쓴 작품들이다. 그러나 그것은 우리가 꽃이나 별을 대하는 것처럼 하나의 존재 혹은 사물 그 자체로서의 인간이 아닌, 사건 혹은 행위의 주체로서 인간이다. 그러한 의미에서 인용시는—엄밀히 말하자면—인간을 대상으로 하기보다는 생활을 대상으로 한 시라고 말하는 편이 더 옳다. 여기서 그 '행위의 주체로서의 인간'은 물론 도시의 소시민이다. 따라서 김수영의 대부분의 시들은 또한 도시 소시민의 생활시라 할 수도 있다.

인용시들은 매우 사실적이며 이해하기 쉽다. 내용 역시 생활 속에서 겪는 체험이 주를 이루고, 거기에 반영된 메시지 또한 잘 전달된다는 점에서 공통된다. 그럼에도 불구하고 그 지향하는 바는 조금씩 다르다. 예컨대 ①은—그의 대부분의 시가 그러한 것처럼 이유가 무엇인지는 모르겠으나—생활에서 비롯된, 어떤 울분을 드러내고 있으며, ②는 혁명이나 자유 같은 거시 담론을 공허한 관념적 포즈로 노래하고 있으며, ③은 현실에 대한 불만을 풍자 혹은 비아냥대는 수법으로 토로하고 있다.

이상 김수영이 쓴 시들을 몇 가지 유형으로 정리하면 다음과 같다.

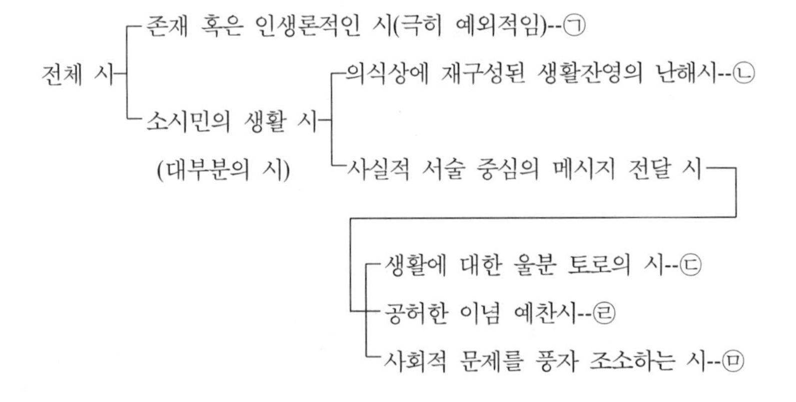

3

김수영의 시가 60년대의 대표적 참여시라는 주장은 필자로서는 좀 의아스럽게 생각된다. 여기에는 소위 '참여시'가 무엇이냐 하는 개념

정의가 전제되어야 하겠으나 상식적 차원에서 보아도 그의 시는—다음에 지적할 몇 편의 시를 제외할 때—엄밀한 의미로 사회적인 문제들을 시화했다기보다는 대부분 소시민의 생활의식을 사적으로 반영한데서 크게 벗어나지 못한 듯하기 때문이다. 그러한 관점에서 김수영이 생전에 쓴 네 가지 유형의 시들 중 비교적 사회참여적 성격에 가까운 것을 고르라 한다면 아마도 ㉤ 즉 '사회적인 문제를 풍자 조소 비아냥대는 시'들을 골라야 할 것이다. 몇 편 안 되는 그의 사물시(事物詩)나 존재론적인 시 즉 ㉠과 의식의 잔영을 묘사한 시 즉 ㉡은 아예 사회적인 문제와 거리가 멀며 그의 시의 대부분을 차지하는 소시민의 생활시 가운데서도 울분을 토로하는 시 즉 ㉢과 '혁명', '자유' 등 공허한 이념을 관념적으로 예찬한 시 즉 ㉣도 엄밀히 말하자면 구체적인 사회문제들로부터 한발 비켜 서 있다고 생각되기 때문이다.

물론 굳이 주장하자면 ㉢의 시에 사회의식이 전혀 배제되어 있다고 말할 수는 없다. 그러나 그것은 어디까지나 내면 혹은 간접화되어 있고 그 이야기하고자 한 '삶' 역시 추상적, 포괄적으로 그려져 독자들의 의식을 일깨우기에는 크게 미흡하다. 오히려 이들 유형은 사회보다 생활을 전경화하여 그 애환이나 갈등에서 빚어지는 감정을 자조적 울분으로 발설했다고 보는 편이 옳다. 한편 ㉣의 시들은 구체적 현실을 지시하지 않은 채 막연히 어떤 가상적 상황을 이념적인 어휘들로 빗대 호도하고 예찬했다는 점에서 사회적인 문제를 폭로 혹은 비판하는 내용과 전혀 관계가 없다. 거기엔 단지 이념에 대한 시인의 어떤 관념적 포즈가 하나의 멋으로 내비쳐 있을 뿐이다.

가령 인용시 <푸른 하늘>의 경우에도 시인은 그 진술의 전개에 있어 앞의 내용과 잘 연결되지도 않는 "혁명은 왜 고독한 것인가를……"라는 시행을 불쑥 덧붙이고 있지만—그의 시에서 흔히 발견되는 전략으로 그래서 그것이 마치 하나의 멋으로 보이지만—그 '혁명'이라는 이념적 어휘는 별 의미가 있어 보이지는 않다. 왜냐하면 <모르지?>라는 시에서 그는—그가 그처럼 예찬해 마지 않던—4 · 19 혁명을 좌절시킨 5 · 16 군사쿠테타 역시 '혁명'으로 호칭하고 있기 때문이다.[11] 쿠테타도 혁명이라면 그가 시에서 그렇게 자주 들먹거리는 '혁명'에 무슨 깊은 뜻이 있겠는가.

따라서 이들을 제외할 경우 '참여시'와 관련될 수 있는 시들은 '사회 문제를 풍자 혹은 비아냥 대는'ⓜ 이외에는 없다. 이들 유형의 시들만이 그래도 나름대로 사회적 문제들을 구체화하고 있기 때문이다. 시기적으로는 4 · 19 직후부터 5 · 16 직전까지 1년간에 쓰여진 <하…… 그림자가 없다>[12], <우선 그놈의 사진을 떼어서 밑씻개로 하자>, <기도>, <육법 전서와 혁명>, <만시지탄은 있지만>, <나는 아리조나 카보이야>, <가다오 나가다오>, <중용에 대하여>, <쌀 난리>, <4 · 19 시> 등 10편을 그 전부로 들 수 있다. 이 중에서 좀 적극적으로 사회 비판적인 내용을 담은 시들이 <하 그림자가 없다>, <우선 그놈의 사진을 떼어서 밑씻개로 하자>, <기도>, <육법전서와 혁명>, <만시지탄은 있지만> 등 5편이지만 <기도>는 행사시이고[13] <만시지탄은 있지만>은 앞서 인용한 바 있기 때문이다. 여기서는 <하 그림자가 없다>, <우선 그 놈의 사진을 떼어서 밑씻개로 하자>, <육법전서와 혁명>에서 비교적 표현이 과격하다 싶은 부분만을—미학적 형상화가 제대로 되어 있지도 않을 뿐만 아니라 내용 전개에 특별한 변화가 있는 것도 아니므로—인용해보기로 한다.

---

11) "…… / 모르지? / 오월혁명(五月革命) 이전에는 백양을 피우다 / 그 후부터는 / 아리랑을 피우고 / ……" <모르지?>

12) 창작 연대는 1960년 4월 3일이지만 발표는 4월 19일 이후에 이루어졌다.

13) 4 · 19 순국학도 위령제에 바치는 헌시임. 그 부제가 '4 · 19순국학도 위령제에 붙이는 노래'로 되어 있음.

① 우리들의 적은 늠름하지 않다.
우리들의 적은 카크 다글라스나 리챠드 위드마크 모양으로 사나웁
지도 않다
그들은 조금도 사나운 악한이 아니다.
그들은 선량하기까지도 하다.
그들은 민주주의자를 가장하고
자기들이 양민이라고도 하고
자기들이 선량이라고도 하고
자기들이 회사원이라고도 하고
전차를 타고 자동차를 타고
요리집엘 가고
(…중략…)
우리들의 전선은 눈에 보이지 않는다
(…중략…)
우리들의 싸움은 하늘과 땅 사이에 가득 차 있다.
민주주의의 싸움이니까 싸우는 방법도 민주주의식으로 싸워야 한다.
하늘에 그림자가 없듯이 민주주의의 싸움에도 그림자가 없다.
하………그림자가 없다.
(…하략…) <하…… 그림자가 없다>

② 우선 그놈의 사진을 떼어서 밑씻개로 하자
그 지긋지긋한 놈의 사진을 떼어서
조용히 개굴창에 넣고
썩어진 어제와 결별하자.
(…중략…)
협잡과 아부와 무수한 악독의 상징인

지긋지긋한 그놈의 미소하는 사진을—
(…중략…)
민주주의는 인제는 상식으로 되었다.
자유는 이제 상식으로 되었다.
아무도 나무랄 사람은 없다
아무도 붙들어갈 사람은 없다.

군대란 군대에서 장학사의 집에서
관공리의 집에서 경찰의 집에서
민주주의를 찾은 나라의 군대의 위병실에서 사단장실에서 정훈감실
에서
민주주의를 찾은 나라의 교육가들의 사무실에서
4·19 후의 경찰서에서 파출소에서
민중의 벗인 파출소에서
협잡을 하지 않고 뇌물을 받지 않는
관공리의 집에서
역이란 역에서
아아 그놈의 사진을 떼어 없애야 한다.
<우선 그놈의 사진을 떼어서 밑씻개로 하자>

③ 기성 육법전서를 기준으로 하고
혁명을 바라는 자는 바보다
혁명이란
방법부터가 혁명적이어야 하는데
이게 도대체 무슨 개수작이냐
(…중략…)

자유당이 감행한 정도의 불법을
혁명정부가 구 육법전서를 떠나서
합법적으로 불법을 해도 될까 말까한
혁명을—
(…중략…)
그놈들은 털끝만치도 다치지 않고 있다.
보라 항간에 금값이 오르고 있는 것을
(…중략…)
이래도
그대들은 유구한 공서양속정신(公序良俗精神)으로
위정자가 다 잘해줄 줄 알고만 있다.
순진한 학생들
점잖은 학자님들
체면을 세우는 문인들
너무나 투쟁적인 신문들의 보좌를 받고

아아 새까맣게 손때 묻은 육법전서가
표준이 되는 한
나의 손등에 장을 지져라
4.26혁명은 혁명이 될 수 없다 <육법전서와 혁명>

①은 우리 사회가 부조리나 모순에 빠져 있다는 것을 관념적으로 전제하고 그 원인 제공자라 할 미지칭의 그 누군가를 막연히 '적'이라 부르면서 그들과 '민주주의식'으로 싸워야 함을 이야기한 작품이다. 그러나 사회적 모순이나 부조리의 실상이 구체적으로 고발되어 있지 않을 뿐더러 '적'이라 불려지는 대상이 누구인지를 밝히지도 않

고 또 그와의 싸움이 '투쟁'이나 '저항'이 아니라 '민주주의식'으로 해결되어야 한다고 주장하는 점에서 진정한 사회참여시라 보기 힘들다. ②는 사회적 부조리나 불의를 혁파해야 한다는 관념적 주제를 설정하고 있으나 모순의 현실을 고발한 내용이 없고 다만 과거사에 대한 화자의 분노가 한풀이식으로 토로되어 있다는 점에서, ③은 어떤 미지칭의 대상에게 혁명에 대한 불만을 드러내고 있지만 그 어법이 야유하는 수준에 머물고 그 지향하는 바 관심 자체가 현재적이라기보다는 과거적이라는 점에서 역시 ①과 크게 다르지 않다. 그가 이 시들을 쓸 당시 혁명은 진행 중에 있었고 또 누구도 그것을 공적으로 반대할 사람은 없었음으로 혁명을 잘 해보자는 내용의 이 같은 시들은 그러니까 어떤 의미에선 어용시(御用詩)이기도 하다.

이처럼 김수영의 시 가운데서 참여시가 될 가능성이 있는 ㉤ 유형의 시 즉 '사회 문제들을 관념적 혹은 간접적으로 풍자하거나 비아냥대는 시'들은 진정한 의미 혹은 바람직한 의미의 참여시와는 거리가 멀다. 이제 앞서 이미 언급한 이유들을 다시 구체적으로 정리하면 다음과 같다.

첫째, 적극적으로 현실을 고발 비판하기 보다는 간접적으로 풍자, 야유 혹은 비아냥대는 수준에서 머물거나 과거의 울분을 한풀이 형식으로 푸념하는데서 끝냈다.[14] 물론 <먼지>, <만시지탄은 있지만> 등과 같이 어느 한계 안에서 현실을 고발한 작품이 전혀 없는 것은 아니다. 그러나 이들의 경우도 그 고발 내용은 구체적이거나 사실적이지 않고 관념적 추상적이다. 즉 이들 시에는 현실 그 자체의 고발

---

14) 백락청, 「참여시와 민족문제」, 『김수영의 문학』: 김수영전집 별권. 김수영을 참여시로 규정한 백락청 자신이 이렇게 말한 바 있다. "후배 시인의 지적대로 그의 시는 정치권력을 고발하고 공격하기보다 그러한 고발을 제대로 못하는 자신과 이웃의 소시민성을 풍자하는 일에 치중하였다."

이 아니라—구체적 고발 내용이 없으므로 독자들은 아직 모르는 어떤—현실에 대한 시인 자신의 주관적 감정과 소회가 울분의 형식으로 토로되어 있을 뿐이다. 따라서 독자들의 입장에선 김수영이 왜 이 같은 울분에 휩싸여 있어야 하는지 그가 증오하는 현실이 무엇인지 알 수 없다. 김수영의 사회시들이 진정한 의미에서 독자들의 공감을 획득하지 못하는 이유, 또 그것이 한낱 시인 자신의 울분 토로와 감정적 카타르시스 그리고 불분명한 비아냥과 조소로 끝났다고 보는 이유가 여기에 있다.

둘째, 언급하는 내용이 항상 관념적, 포괄적이다. 대상이 구체적으로 들어 나 있지 않다. 따라서 그의 시에는 삶의 원칙적 명제만이 막연하게 심정적으로 고백되어 있을 뿐 현실에 대한 긴장감이나 핍진감(逼眞感)이 부족하다.

셋째,—무엇보다 중요한 것으로—이 모든 시들이 4·19 직후부터 5·16 직전까지의 1년 동안만 쓰여졌다는 사실이다. 이는 이들의 시가 아무런 언론의 제약이 없었던 시기 즉 우리 정치사에서 단군 이래 가장 자유를 향유했던 시기에 쓰여졌음을 의미한다. 다 아는 바와 같이 4·19 혁명 직후부터 5·16 군사쿠테타까지의 1년은 우리 민족사에서 거의 방종에 가까울 만큼 자유가 넘쳐났고 4·19 정신으로 대변되는 민주주의 이념 또한 절대적 가치로 찬양되고 있었다. 그러므로 이 시기에 국한하여 민주주의를 찬양하고 과거사를 비판하며 혁명을 독려한 이 같은 내용의 시라면 당대의 시인 그 누구든 쓸 수 있는 것들이었다. 김수영의 이 같은 사회적 관심을 그 어떤 권력에 대항한 것이라기보다 오히려 당대의 시류에 편승한 행위[15]라 보는

15) 당시의 참여시가 당대 시류를 민감하게 반영하고 있었다는 것은 김수영 자신이 다른 논자의 견해를 빌어 인정하였고 그러한 시류성에 대해 그 자신도 나름대로 반성했다는 것은 다음과 같은 고백에서 알 수 있다.

이유가 여기에 있다. 말하자면 그의 시는 참여시이기에 앞서 어용시였던 셈이다.

그렇게 해석할 수밖에 없는 또 다른 논거가 있다. 그것은 그가 4·19 이전 그러니까 이승만 독재 정권이나 60년대 후반의 군사독재 시절에는 그나마 이 정도의 수준에 가까운 사회시일망정 단 한 편도 쓰지 않았다는 점 때문이다. 그가 만일 진정한 참여시인이었다면 자유로운 시대보다는 오히려 독재 권력하에 시달리는 시대의 민중의 삶을 고발했어야 하지 않았겠는가.

물론 5·16 이후에 쓰여진 그의 시 가운데 나름대로 사회의식이 표출된 시가 전혀 없었던 것은 아니다. 예컨대 <누이야 장하고나>, <제임스 띵>, <어느 날 고궁을 나오면서> 등 서너 편이 그러하다. 그러나 이들 시는 시기적으로 아직 군사독재가 본격화되기 이전에 쓰여졌으며—독자로서는 그 실상을 알 수 없는—현실의 어떤 막연한 울분을 과거사에 빗대어 자조하거나(<누이야 장하고나>), 생활 묘사에서 현시국에 대한 불분명한 불만을 소묘적으로 부분 삽입해 넣거나(<제임스 띵>), 소시민적 생활태도에 대한 자기성찰의 모습을 보여주는 (<어느날 고궁을 나오면서>) 수준으로 끝났다는 점에서 앞에서 분류한 ㉢의 '울분 토로의 생활시'의 범주를 크게 벗어나지 못한 것들이다.[16)]

"나의 월평이 게재된 같은 잡지에 소설평을 담당한 H씨의 글에 이런 말이 나와 있다. '……특히나 요즘처럼 작가의 정치색을 가장 날카롭게 작품 속에 구체화시킨 것이 하나의 유행처럼 되어 있을 때 이러한 유행을 의식적으로 회피한다는 것은 어쩌면 성실한 작가의 자세라고 봐야 옳을 것인지도 모른다.……'라는 구절이 있다. 이 글을 읽고 나는 '앗차!'했다." 김수영, 「시인은 정신(精神)의 미지(未知)」, 『김수영전집』 2 산문(서울: 민음사, 1982).

16) 유종호, 「시의 자유와 관습의 굴레」, 위의 책. 유종호는 김수영의 시의 특징을 지적하여 한마디로 '생활인의 설움'이라고 하였다.

한편 김수영의 시가 60년대의 참여시를 대표한다는 저간의 문단적 평가가 고착화되자 그의 사후 이를 추종한 대부분의 논자들은—앞서 살핀 바와 같이 그의 참여시에 많은 문제가 있는 까닭에—그래도 그의 수준에서는 비교적 완결성을 지녔고 그 같은 해석의 가능성도 또한 있어 보인다고 생각했던 그의 마지막 작품 <풀>에서 그의 참여 혹은 민중시의 전형을 찾고자 하였다. 그리하여 그들은 충분한 검토나 객관적인 분석 없이 문단적 바람 몰이식의 논리에 추수하여 이를 대표적인 민중시로 추켜세웠다.[17] 그러나 이는 의도적인 오류(intentional fallacy)에서 비롯된 잘 못된 해석으로서 실상은 전혀 다르다.

풀이 눕는다.
비를 몰아오는 동풍에 나부껴
풀은 눕고
드디어 울었다.
날이 흐려서 더 울다가
다시 누웠다.

풀이 눕는다
바람보다도 더 빨리 눕고
바람보다도 더 빨리 울고
바람보다도 먼저 일어난다.

날이 흐리고 풀이 눕는다.

---

17) 대부분의 비평가들의 견해이지만 중등학교 국어 교과서에 이 작품이 실리고 또 이 작품을 해설한 교사용 학습지도서의 내용이 대표적이다.

발목까지 눕는다.

발밑까지 눕는다.

바람보다 늦게 누워도

바람보다 먼저 일어나고

바람보다 늦게 울어도

바람보다 먼저 웃는다.

날이 흐리고 풀뿌리가 눕는다. 김수영의 <풀>

만일 우리가 인용시를 참여시(민중시)로 규정한다면 아무래도 '바람보다 빨리 눕는 풀'이라는 대목에서 문제에 부딪힌다. 참여 혹은 민중시의 가능성은 '바람'을 독재 권력이나 시대의 탄압으로, 풀을 민중으로 보는 알레고리에 있을 터인데[18] 문맥에 따를 경우 바람보다 '빨리 눕는 풀'은 독재 권력에 저항하거나 투쟁함이 없이 미리 알아 복종하거나 아첨하여 생존을 도모하는 민중이 되어버리기 때문이다. 물론 다른 해석 즉 사정이 여의치 않아 일단 복종하여 생존을 도모한 후 독재 권력이 물러나면 다시 일어선다는 식으로 풀이할 수도 있겠지만 이 역시 독재 권력에 대한 민중의 기회주의적 처세술을 고

---

18) 실제로 <풀>을 민중시로 해석하는 논거는 '정치가 무엇이냐'고 물은 계강자(季康子)에게 답한 다음과 같은 공자의 언행(『논어』「안연(顔淵)」편)에서 비롯한다. 여기서 공자는 군자 즉 지배자의 덕을 '바람'으로, 소인 즉 백성의 덕을 '풀'로 비유하여 '위로 바람이 지나가면 풀은 반드시 눕는다'고 했는데 대부분의 비평가들이 <풀>에서 바람을 압제세력으로, 풀을 민중의 패러디로 보았기 때문이다. 소위 '민초(民草)'라는 개념 또한 이에서 생겨났다는 것은 다 아는 바와 같다.

"대감께서 백성을 다스리심에 어찌 죽이는 방법을 쓰시려 하십니까. 대감께서 착해지려 노력하시면 백성들은 저절로 착해집니다. 군자(다스리는 자: 인용자 주)의 덕이 바람이라면 소인(다스림을 받는 자 즉 백성: 인용자 주)의 덕은 풀입니다. 위에 바람이 불면 풀은 반드시 눕습니다.(孔子對曰 子爲政焉用殺 子欲善而民善矣 君子之德風 小人之德草 草上之風 必偃)"

발하는 내용 이상이 될 수 없다는 점에서 건강한 민중의식을 그린 것이라 할 수 없다.

그 민중의 성격이야 어떻든 이 시를 굳이 참여시로 규정하고자 한다면 물론 풀은 '민초(民草)', 바람은 '독재 세력'의 알레고리가 되어야 한다. 그런데 문제는 여기서 '바람'이 과연 독재세력을 표상하는 알레고리가 될 수 있느냐 하는 것이다. 이 시에 등장하는 바람은 동풍 그것도 비를 몰고 오는 봄바람인데 어느 민족의 원형 상상력도 동풍을 파괴와 죽음의 바람이라고 말하는 예는 없기 때문이다. 파괴와 죽음의 바람이 북풍이나 서풍, 그것도 태풍이고 비를 동반한 봄바람 즉 동풍이 초목의 새싹을 움틔우는 생명의 바람이라는 것은 누구나 공인하는 바와 같다. 봄바람과 함께 내리는 비 즉 곡우(穀雨)는 그 절기의 이름과 같이 겨울이 휩쓸고 간 황무지에 새 생명을 잉태시키는 비인 것이다. 따라서 이 시의 전체적인 문맥으로 볼 때 비를 몰고 오는 동풍은 파괴와 살륙을 자행하는 바람이 아니라 새싹 즉 생명의 잉태를 점지하는 바람으로 해석해야 옳다.

이 시를 민중시로 규정함에 있어 이처럼 논리상 모순이 따른다면 차라리 다음과 같이 해석하는 것이 보다 합리적일지 모른다. 이 시에서 풀은 단순한 풀이 아니라 한발이 들어 시들어 가는 풀 즉 죽어가는 풀이다. 그러므로 그 풀에겐 소생을 위한 물(비)이 필요하다. 그런데 시방 하늘에서는 날씨가 흐려지면서 동풍이 비를 몰고 올 징조가 보인다. 따라서 오랫동안 비를 기다리던 풀은 너무나도 감사해서 눈물마저 나오며(눈물이 나올 만큼 감동적이다. "풀은 눕고 드디어 울었다".) 미리 누워 비 맞을 차비를 차린다. 빗물을 충분히 흡수하기 위해선 땅에 눕는 것이 효율적이기 때문이다. 그러나 이 풀의 누움은 죽음을 의미하는 것이 아니다. 오히려 지상을 뒹굴며 단비로 흠뻑 생명력을 흡수하자 금방 파릇하게 풀잎을 고추 세운다. 그러니 여기서 바람보다 빨리 누운 풀이 바람보다 빨리 일어날 수가 있는 역설이 성립하는 것이다. 우리는 그것을 생명력의 신비라고 말해도 좋으리라.

이 시를 이렇게 해석한다면 그것은 참여시나 민중시가 아니라—설령 훌륭한 시라 할 수는 없다 하더라도—절망에 이른 존재가 사랑의 단비를 통해 소생하는 이야기 즉 일종의 인생론적인 시라고 해야 할 것이다. 따라서 <풀>은 사회 비판이나 민중의식을 대변한다기보다 사랑이나 희망과 같은 인생론적 가치의 중요성을 언급한 작품이라 할 수 있다.

4

앞장에서 살펴본 바와 같이 김수영의 시는 참다운 의미의 참여시와는 이렇듯 거리가 멀다. 그럼에도 불구하고 그의 시가 대표적인 참여시 혹은 참여시의 대부로 추앙될 수 있었던 이유는 무엇일까. 필자는 그것을 세 가지 관점에서 설명할 수 있으리라고 생각한다.

첫째, 그의 시에는 참여시로 합리화할 수 있거나 합리화의 빌미가 될 수 있는 나름의 특성을 어느 정도 지니고 있었다. 그것은 다음과 같다.

① 3장에서 지적한 바와 같이—비록 4·19 직후의 시류에 편승한 어용시적 성격을 가지고 있다 하더라도—비교적 사회적 문제들을 건드린 시들 즉 '사회적 문제들을 풍자하거나 조소 혹은 비아냥대는 ㉤유형의 시들도 몇 편 썼다는 점이다.

② 역시 2장에서 지적한 것이지만 김수영이 대부분 시의 소재를 인간, 그것도 인간과 인간의 관계에서 빚어지는 이야기에서 구했다는 점이다. 그것은 그가 자연이나 사물과 같은 소재들과 존재 혹은 인생

과 같은 문제들을 외면하고 주로 생활 혹은 사회적인 내용을 시화했다는 것을 의미한다. 원래 사건 혹은 상황 속의 인간에 대한 이야기는 장르적으로 소설이나 드라마 양식에 보다 적합한 소재여서 이와 같은 시작 태도가 과연 시 그것도 서정시에서 본질적인가 하는 점은 추후 진지하게 논의되어야 하겠지만 결과적으로 그것이—인간과 인간의 관계에서 빚어지는 이야기임으로—자연이나 사물 그 자체 혹은 존재론적인 문제들을 탐구하는 시에 비해서 보다 사회성을 지향한다는 것만큼은 부정할 수 없다. 그의 시의 이러한 특성이 쉽게 그의 시를 참여시로 합리화하는 하나의 빌미를 마련해 줄 수 있었을 것으로 보인다.

③ 어떤 전략적 목적을 위한 의도적 기법인지는 모르겠으나 김수영은 그의 시에서 전체 내용의 필연성과는 별 상관없어 보이는—최소한 자연스럽게 느껴지지 않는 이념적인 단어들을 돌발적으로 불쑥 불쑥 던지는 버릇이 있다. 그 대표적인 것들이 '혁명', '자유', '적'과 같은 단어들이다. 필자는 이와 같은 시를 2장에서 '공허한 이념 예찬시'라 명명한 바 있는데 우선 '자유'가 등장하는 예를 들어보도록 한다.

"너의 자결과 같은 맹렬한 자유가/여기 있다."

<조고마한 세상의 지혜>

"헬리콥터여 너는 설운 동물이다"//—자유//—비애 <헬리콥터>

나는 자유를 찾아서 포로수용소에 온 것이고

<조국에 돌아오신 상이포로(傷病捕虜) 동지들에게>

자유는 이제 상식으로 되었다

<우선 그놈의 사진을 떼어서 밑씻개로 하자>

어째서 자유에는/피의 냄새가 섞여 있는가를 <푸른 하늘을>

물론 위의 인용문과 같은 경우를 흠잡자는 것은 아니다. <조고마한 세상의 지혜>는 폭탄의 폭발에 관해 쓴 것이어서 그 폭탄의 폭발이 '자결과 같은 맹렬한 자유추구의 행위'로, 헬리콥터의 비상 역시 자유의 의미로 상상되는 것은 하나도 이상스럽지 않다. 한국전 포로귀환 기념시(<조국에 돌아오신 상병포로 동지들에게>)와 4·19 행사시에서(<우선 그놈의 사진을 떼어서 밑씻개로 하자>) 자유를 찬양한 것 또한 당연하다. 다만 여기서 지적해야 할 것은 이들 시에 구사된 '자유'라는 단어가 김수영만이 아닌 다른 어떤 시인도 그 같은 문맥에서는 자연스럽게 구사해야 할 혹은 할 수 있는 어휘인 까닭에 그것이 오직 김수영만의 어떤 고귀한 정신세계를 표현한 것이라고 주장하는 논리는 성립될 수 없다는 사실이다. 문제는 다음과 같은 경우들이다.

> 무엇 때문에 부자유한 생활을 하고 있으며 / 무엇 때문에 자유스러운 생활을 피하고 있느냐 / 여름 뜰이여 / 나의 눈만이 혼자서 볼 수 있는 주름살이 있다. 굴곡이 있다. / 모오든 언어가 시에로 통할 때 / 나는 바로 일순간 전의 대담성을 잊어버리고 / 젖먹는 아이와 같이 이즈러진 얼굴로/ 여름 뜰이여/너의 광대한 손[手]을 본다. <여름 뜰>
>
> 뽐뿌의 물이 시원하게 쏟아져 나온다고 / 어머니가 감탄하니 과연 시원하고 / 무엇보다도 / 내가 정말 시인이 됐으니 시원하고 / 인제 정말 / 진짜 시인이 될 수 있으니 시원하고 / 시원하다고 말하지 않아도 되니 / 이건 시원하고 / 이 시원함은 진짜이고 / 자유다 <격문>
>
> 나는 한가지를 안 속이려고 모든 것을 속였다. / 이 죄에는 사과의 길이 없다 불란서에 가더라도 / 금방 불란서에 가더라도 금방 자유가 온다 해도 <거짓말의 여운 속에서>

문맥과 관련된 내용의 전달을 돕기 위하여 각 시행의 앞 뒤 부분을 덧붙여 장황히 인용해보았다. 필자로서는 <여름 뜰>에서 여름 뜰이 왜 자유 혹은 부자유와 관련되는지, <격문>에서 왜 굳이 '자유'라는 말을 삽입시켜야 하는지 알 수 없다. <거짓말의 여운 속에서>는 무엇인지 모를 '시인 자신의 어떤 정치의견을 아무도 믿지 않은 것'이 어떻게—이 역시 독자들로서는 그 내용을 전혀 알 길 없는—한 가지를 안 속이려고 모든 것을 속이는 행위로 발전하며, 또 그것은 왜 죄—그것도 죄가 아니라 '죄의 여운'이 되고, 하필이면 또 왜 그것이 불란서에 가거나 자유를 얻어도 사과할 길 없는 문제와 관련이 되는 것인지 전혀 이해가 되지 않는다. 다만 상상컨대 필자로서는 김수영이 무의미한 어법을 동원하여 독자들을 현혹시키려는 전략 즉 의도적으로 자신이 자유주의자라는 이미지를 독자들에게 각인시키려는 전략의 내용 없는 한 '포오즈'—그 자신의 용어를 빌어[19]—에서 비롯하는 것이 아닐까 한다. 그가 4·19 직후에 쓴 시들 속에서 즐겨 동원한 '적'이라는 단어 또한 그렇다.

> 우리들의 적은 늠름하지 않다. <하…… 그림자가 없다>
>
> 순사와 땅주인에서부터 과속을 범하는 운전수에까지 / 나의 적은 아직도 늘비하지만 / 어제의 적은 없고 / 더운 날처럼 어제의 적은 없고
>
> <적>

---

19) 문학 용어는 아니지만 김수영이 즐겨 썼던 말이다. 예컨대 "우리의 현대시가 겪어야 할 가장 큰 난관은 포오즈를 버리고 사상을 취해야 할 일이다. 포오즈는 시 이전이다. 사상도 시 이전이다. 그러나 포오즈는 시에 신념 있는 일관성을 주지 않지만 사상은 그것을 준다. 우리 시가 조석으로 동요하는 원인의 하나가 여기에 있다". 김수영, 「동요하는 포오즈들」 1964, 7 월평, 『김수영전집』 2 산문. "포오즈라는 것은 좋게 말하면 스타일로 통할 수 있는 것이다." 김수영, 「포오즈의 폐해」 1966, 6 월평, 위의 책. 그 외에도 김수영, 「젊은 세대의 결실」 1966. 3 월평, 위의 책에서도 여러 번 언급된다.

우리는 무슨 적이든 적을 갖고 있다. <적1>

제일 피곤할 때 적에 대한다 / 바위의 아량이다 / 날이 흐릴 때 정신의 집중이 생긴다 / 신의 아량이다. <적2>

김수영은 마치 어떤 투쟁적인 저항시나 쓰는 것처럼 매우 정치색 짙은 단어 '적'이라는 말을 시에서 불쑥 불쑥 던지곤 하지만 이 역시 실체 없는 매우 관념적이고 추상적인 뜻에 머물고 만다. <적 2>에 등장하는 적이 무슨 뜻인지는 전혀 요량할 길이 없다. 구체성이 없으니 물론 참여시나 저항시와 거리가 멀다. 실체 모를 대상을 적으로 몰아 싸운다는 것 자체가 모순인 까닭이다. <하……그림자가 없다>, <적>, <적1> 에 등장하는 적의 정체 역시 애매하다. 그러나 한 가지 분명한 것은 그 '적'이 민중의 압제 세력이나 독재 권력자가 아닌 순사나 땅 주인, 운전수(<적>) 혹은 '자기들이 회사원이라고도 하고 / 전차를 타고, 자동차를 타고 / 요리집엘 들어가고 / 술을 마시고 웃고 잡담하고 / 원고도 쓰고 치부도 하고 / 시골에도 있고 해변가에도 있고 / 서울에도 있고 산보도 하는 사람들'(<하……그림자가 없다>) 달리 말해 가엾은 소시민들을 가리키는 용어라는 것이다. 그러니 이들 용어가 어떻게 참여시의 의미망에서 작동할 수 있을지 의문스럽다.

'혁명'이라는 용어 또한 공허하긴 마찬가지다.

우리가 찾은 혁명을 마지막까지 이룩하자 <기도>

기성육법전서(旣成六法全書)를 기준으로 하고 / 혁명을 바라는 자는 바보다 <육법전서와 혁명>

대구에서 / 쌀 난리가 났지 않아 / 이만하면 아직도 혁명은 / 살아 있는 셈이지 <쌀난리>

물론 위에 인용한 시행들의 시는 4 · 19 혁명에 대한 시이거나 4 · 19 혁명을 기념하는 행사시이니 거기에 '혁명'이라는 단어가 등장하는 것은 자연스럽다. 문제는 별 상관없는 내용에 불쑥 '혁명'이라는 단어를 던져 독자들에게 어떤 선입관을 유발시키거나 자신의 시를 마치 정치 투쟁시나 되는 것처럼 착각케 만든다는 사실이다.

사랑이 이어져 가는 밤을 안다/ 그리고 이 사랑을 만드는 기술을 안다/ 눈을 떴다 감는 기술—불라서 혁명의 기술/ 최근 우리들의 4 · 19에서 배운 기술/ 그러나 이제 우리들은 소리치여 외치지 않는다

<사랑의 변주곡>

언뜻 보기엔 임종의 생명 같고/ 바위를 뭉개고 떨어져 내릴/ 한 잎의 꽃잎 같고/ 혁명 같고 <꽃잎 1>

혁명은/ 왜 고독한 것인가를 <푸른 하늘을>

<사랑의 변주곡>은 무의미한 언술의 나열로 되어 있어서 문맥의 연결이 매우 난삽한 작품이다.—그러니 또한 참여시와 같은 기능을 가질 수 없음도 물론이다.—그러나 그 여러 가지 형상화적 측면의 불구성에도 불구하고 필자가 보기에 이 시의 큰 주제는 인간은 사랑의 공동체를 이루어야 한다는 호소이다. 이같이 소박한 내용 전개로 볼 때—그것이 하나의 멋이나 '포오즈'가 아니라면—앞뒤의 문맥으로부터 비약해서 이 시에 과연 '프랑스 혁명'같은 거시 담론을 꼭 차용해야 할지 의문이다. <꽃 잎 1>에서 꽃잎이 떨어져 내리는 것을 굳이 혁명으로 비유시킨 것도 시인의 어떤 의도적 계산으로 보여진다. 그러나 그 어떠한 경우에도 김수영에게 있어서 '혁명'이라는 단어가 공허한 멋부리기에 지나지 않는다는 것은 앞에서도 지적한 바와 같이 5 · 16 군사쿠테타도 그가 혁명이라고 불렀다[20]는 사실에 있

다.

④ 마지막으로 한 가지 덧붙인다면 김수영이 그 전세대의 시인들에게는 거의 금기시 되어 있던 미군철수(<가다오 나가다오>)를 부르짖고, 시의 내용 전개에 별 필연성 없이—마치 '혁명', '자유'와 같은 단어들이 그랬던 것처럼—불숙 불쑥 소련이나 북한을 들먹거려 마치 자신이 민족주의자나 되는 것 같은 인상을 심어주려 애썼다는 점이다. 그러나 이 같은 내용의 시는 4·19혁명 직후, 언론의 자유가 거의 방종에 가까울 만큼 넘쳐 났을 때 일부 학생들이 통일을 하자며 휴전선너머 월북을 기도했을 정도의 사회적 분위기를 대변한 것이어서 그리 큰 의미를 지닌 것이라고 생각할 수는 없다.

둘째, 김수영이 그의 시론과 월평에서 참여시를 주장했을 뿐만 아니라 이를 두둔 혹은 격려했다는 점이다.

> 그리고 나는 지난달에도 이 달에도 시의 현실참여를 주장해왔고 내달에도 그것을 주장할 것이다. ……그렇지 않아도 나는 연 3회를 현실참여의 월평을 써 온 끝이라 또 다음 호에 똑 같은 논지를 내 세우는 것이 변화가 너무 없는 것 같아서 좀 의아한 생각을 품고 있던 참이다.[21]

> 나는 그런 의미에서는 참여시의 효용성을 신용하는 사람의 한 사람이다.[22]

위의 주장에도 불구하고 김수영은 체계 있는 '참여시론'을 밝힌 바

---

20) 주 11) 참조.
21) 김수영, 「시인의 정신(精神)은 미지(未知)」, 위의 책.
22) 김수영, 「시여 침을 뱉어라」, 위의 책.

없다. 따라서 우리는—그의 글쓰기의 수법이 항용 애매모호했던 것과 같이—그 참여시의 실상이 무엇인지 분명히 모른다. 확실한 것은 그 자신 참여시인인 것[23]을 공언했고 주로 시 월평을 통해 현실참여의 시를 격려했던 것만큼은 사실이라는 점이다. 이와 같은 그의 행적이 또한 그의 시를 참여시로 합리화시키는데 있어 일조했을 것임은 물론이다.

셋째, 당시 문단의 특정 그룹이 문학운동의 필요상 현실 참여 시인의 전형을 요구하였고 이에 부응한 시인이 김수영이었다는 사실이다. 이 시기 즉 60년대 후반의 한국 문단은 소위 참여문학과 순수문학의 상호 대립양상으로 전개되고 있었다. 그 중 전자가 후에 민족문학, 세3세계문학 내지 민중문학으로 발전하여 오늘에 이르렀다는 것은 다 아는 바와 같다. 이미 이 같은 미래에의 비전을 염두에 둔 민중문학그룹이 당시 혜성같이 등장한 비평가 백락청과 그가 발행하여 이미 절대적 영향력을 행사하게 된 계간 문학지 ≪창작과 비평≫을 중심으로 인적, 물적 조직을 완료한 후 문학운동을 실천하는 단계에 있어 무엇보다 절실하게 부딪혔던 문제가 문학사적으로 자신들의 법통을 확립, 그 정통성을 확보하는 일이었다. 백락청이 한국의 근대문학의 주류를 민중(시민)의 문학에서 찾은 비평문 「시민문학론」[24]을 발표하여 큰 파란을 일으켰던 것도 이 무렵이다.

---

23) "시에 있어서 모험이란 말은 세계의 개진(開陳)이다—나의 시론이나 시평이 전부가 모험이라는 말은 아니지만 나는 그것들을 통해서 상당한 부분에서 모험의 의미를 연습해 보았다. 이러한 탐구의 결과로 나는 시단의 일부의 사람들로부터 참여시의 옹호자라는 달갑지 않은 분에 넘치는 호칭을 받고 있다." 김수영, 「시여 침을 뱉어라」, 위의 책.

24) 이 글의 방법론은 George Lukács의 *Studies in European Realism*에서 도움받은 바 큰데 백락청이 그의 글에서 시인을 포함시켰음에 반해 루카치는 시인을 전적으로 배제한 채 오직 소설가만을 대상으로 다루고 있다는 것은 매우 시사적이다.

이 같은 상황에서 이 새로운 민중문학 그룹에 의하여 식민지 치하의 민중(시민)문학과 앞으로 전개될 민중문학의 연결고리로서 중요한 포스트를 갖는 시인으로 추대된 사람이 바로 김수영이었다. 그것은 김수영이 이 시기에 왕성한 문학활동을 하고 있었을 뿐만 아니라 앞서 지적한 것처럼 참여시인으로 합리화될 수 있는 여러 요인을 지닌, 그것도 특별히 생존해 있는 시인이었다는 점에서 그 이용가치가 충분했기 때문이다. 이러한 전차로 김수영은 당대 비평가들에 의해서 참여시인의 한 전형으로 우상화되고 이를 무비판적으로 답습한 후대 비평가들의 뒷북치기식 동조의 결과 오늘날과 같은 평가를 고착시킬 수 있게 된 것이다.

그러나 진정한 의미에서 현실참여의 시를 말한다면 우리는 김수영보다 오히려 유치환 같은 시인의 작품을 드는 것이 더 옳을지도 모른다. 앞장에서 이미 살펴보았거니와 김수영의 사회시들은 실제 참여시라 부르기도 어렵고 이 또한 4·19 직후, 언론의 자유가 방만하던 시기의 사회적 분위기에 편승한 감이 없지 않은데 유치환의 참여시들은 자유당 말기, 언론의 자유가 말살되고 독재의 서슬이 시퍼렇던 시절에 당대 정권을 강력히 비판했기 때문이다.[25] 그럼에도 불구하고

25) 유치환이 이승만 독재가 절정에 다랐을 무렵 한 신문에 발표한 시의 일부를 인용해 본다. 발표 시기도 그렇거니와 김수영의 그것과는 비교되지 않을 정도로 비판의식이 날카롭다.

“……거룩한 민주주의를 치례하며 / …… / 경무대가 보이누나 / 태평로 의사당이 보이누나 / 실크 햇트를 멋지게 쓴 홀(笏)을 든 무소불능공(公)이 가시누나 / 연지곤지 성적한 민의(民意)부인(夫人)들이 가시누나 / 그리고 그들을 한사코 얼려 시종드는 / 사기씨, 부정선생, 조삼모사 영감에 뭇 아유구용 주구배들이 / 요지경 속처럼 아련아련 뒤치닥거리누나 / 그러나 거기에 아예 나타나 보이지 않는 것이 있으니 / 그것은 진짜 악의 덩어리, 구더기, 그싯는 분노, 억눌린 눈물! / 시궁창은 땅 밑으로 뽑히고 / 동물은 밤중에 퍼내기에—/—소돔이 너보다 견디기 쉬우리라—” <화방(花房)에서>, ≪조선일보≫, 1959. 6. 9.

당대의 문학권력 집단에서 유치환이나 조지훈, 박두진 같은 시인을 제외하고 그 대신 김수영을 참여시인의 모델로 선택했던 이유는—아마 문단의 인맥과도 무관하지는 않았겠지만[26]—비록 그 사망년도는 비슷했다 하더라도[27] 전자보다는 후자가 상대적으로 젊어서 자신들의 세대와 교감을 나눔에 있어 공감대를 형성하기에 친숙했으며 문단적 참신성이라는 측면에서도 그만큼 이점이 있었기 때문이 아니었을까 한다.

5

자의건 타의건 김수영을 참여시인이라 하고 김수영 자신이 문학의 현실 참여를 주장했을 때 그 '참여시' 혹은 '문학의 현실 참여'란 무엇일까. 불행히도 우리는 이 무렵 수많은 주장과 논쟁이 있었음에도 불구하고—이에 동조하던 그룹이든, 반대하던 그룹이던—아직까지 이 용어에 대해 서로 합의된 개념을 가져본 적이 없었음으로 그 구체적 실체를 이야기할 수 없다. 다만 확실한 것은 이 용어가 사르트르(J. P. Sartre) 문학론의 술어 소위 '앙가쥬망(engagement)'의 번역어이고 원칙적으로 개념의 대부분이 이 용어로 대변되는 사르트르 문학론에 빚을 지고 있다는 사실이다.

앙가쥬망은 문자 그대로 '구속' 즉 어떤 상황에의 구속을 의미한다. 그것은 인간의 언어활동이란 언제나 '상황(situation)' 속에서의

26) 백락청은 물론 발행인이었지만 김수영, 신동문, 염무웅 등은 당시 ≪창작과 비평≫의 간행에 적극 관여하고 있었다.
27) 사망년도는 유치환이 1967년, 조지훈과 김수영이 각각 1968년으로 그 시기가 비슷하다.

행위인 까닭에 언어를 매재로 예술 역시 필연적으로 상황에 구속될 수밖에 없다는 뜻을 지니고 있다. 그러나 다 아는 바와 같이 사르트르는 같은 언어행위이기는 하나 산문가(산문)와 시인(시)의 그것을 엄격히 구분하였다. 그에 의하면 산문가는 말을 하나의 도구로 '사용하는' 사람이지만 시인은 언어를 하나의 '사물'로 인식하는 자이기 때문이다. 그리하여 그의 소위 '앙가쥬망의 문학'에서 그가 시만큼은 철저히 배제하였다는 것은 잘 알려진 사실이다. 산문문학의 앙가쥬망에 대한 그의 유명한 주장의 일부를 인용하면 다음과 같다.

> 이리하여 나(산문가: 주)는 말을 함으로써 내 상황을 바꾸려는 내 기도 자체로 해서, 변경하기 '위하여' 내 자신에게 그리고 다른 사람에게 상황을 폭로하는 것이다. 나는 상황의 한 복판을 명중시키고 그것을 꿰뚫고 그것을 안전에 고정시켜 놓는다. 그리하여 내가 말하는 한 마디 한 마디의 말로 상황을 처리하고 좀더 세계 안에 나를 구속(engager)한다.[28]

사르트르가 위의 인용문을 통해 보여준 그의 산문문학에 대한 앙가쥬망의 주장을 간단히 요약하면 다음과 같다.

첫째, 산문문학의 언어는 도구로 사용되는 언어이다. 즉 모든 산문문학은 메시지 전달의 언어이다.

둘째, 산문문학은 상황(혹은 사회)[29]을 폭로해야 한다.

---

28) J. P. Sartre, "Qu'est-ce Que la Littérature?", 김붕구 역(서울: 문예출판사, 1972), PP. 30~31.

29) 여기서 '상황(situation)'은 사르트르의 실존 개념과 맞물려 '사회'를 포함해서 인간 삶의 보다 본질적인 문제에 관련된 것이지만 편의상 '사회'라는 말과 동격으로 사용해 본다. 한국의 참여주의자들에게는 '사회'가 보다 관심의 대상이기 때문이다.

셋째, 산문문학은 상황을 변혁 개조하는데 본질이 있다.

넷째, 따라서 산문가는 필연적으로 상황(사회)를 떠날 수 없는 존재다. 즉 상황에 구속된 존재이다.

필자의 생각으로 한국의 참여문학 역시 이 원칙에서 크게 벗어나지 않으리라 생각한다. 왜냐하면 이 네 가지 원칙은 상호 인과관계를 지니고 있어 이 중 어느 하나를 배제하면 전체가 무너질 체계를 가지고 있기 때문이다. 문제는 그럼에도 불구하고 한국의 참여 문학론자들이 이와 같은 주장을 산문문학 만이 아니라 시에서도 강요했다는 점에 있다. 그러나 시에—산문문학에서 주장되는—이와 같은 앙가쥬망의 원칙을 적용하면 이미 시로서의 존재가치가 사라진다는 것은 두말할 필요가 없다 그것은 어떤 정치적, 사회적 목적 실현을 위한 도구로서의 가치는 살아 있을지 모르지만 문학적 가치로서의 존재의의는 상실된다는 뜻에서 그러하다. 이에 대한 사르트르의 견해는 다음과 같다.

> 시는 차라리 회화나 조각이나 음악의 편이다. 사람들은 내가 시를 싫어한다고 한다고 비난한다. 그 증거로 내가 주재하는 ≪현대≫지가 시를 거의 발표하지 않는다는 것이다. 이것은 실로 그와 반대로 우리가 시를 사랑한다는 증거인 것이다. 과연 그렇다. 어째서 내가 시를 구속하려 하겠는가. 시는 산문과 똑같은 방법으로 말을 사용하는 것은 아니다. 차라리 시는 전혀 말을 '사용하지' 않는다고 하는 편이 옳을 것이다. 오히려 시는 말에 '봉사한다'고 하고 싶다. 시인들은 언어를 '이용'하기를 거부하는 사람들이다.……사실 시인은 대뜸 '도구로서의 언어'와는 인연을 끊을 것이다 그는 단호히 말을 '기호'로서가 아니라 사물로 간주하는 시적태도를 선택한 것이다.[30]

그러므로 한국의 현실참여시는 다음 두 가지 중 하나를 선택해야 했을 것이다. 하나는 사르트르적 개념의 원칙을 고수하는 길이요, 다른 하나는 사르트르적 원칙에서 벗어나 어떤 한국적 개념을 확립하는 길이다. 그러나 이 두 가지는 다 딜레마에 부딪힐 수밖에 없다. 따라서 전자의 노선을 따른다면—사르트르가 지적한 바와 같이—본질적으로 문학적 성공을 거두기가 어렵고 후자의 노선을 따른다면 반대로 진정한 참여시가 되기 어렵게 된다. 전자는 오직 어떤 정치적 사회적 목적으로 희생시켜 시를 산문처럼 도구로 이용하는 경우가 되고 후자는—사르트르가 제시한 원칙을 순화시키거나 부분적으로 배제하는 것 이외에는 달리 방법이 없는 까닭에—문학적 성취 면에서 다소의 성과를 거둘 수 있을지 모르나 그와 반비례해서 현실 폭로 혹은 비판적 기능이 소멸되어 버리는 경우가 되기 때문이다.

그렇다면 김수영 자신이 주장하는, 시에 있어서—시와 산문을 구분해 논의해야 함으로—현실참여란 무엇인가. 이 역시 그가 구체적이거나 체계적인 언급을 한 적이 없음으로 정확히 파악할 수는 없다. 다만 이 용어가 사르트르에게서 차용되었다는 것을 염두에 두고 몇몇 시월평에서 그가 현실참여를 독려한 내용을 통해 추리해 봄으로써 막연히 그것이 사르트르적 개념에 가까울 것이라고 추측해 볼 수 있을 뿐이다.

① 그러나 전체적으로 이 시는 오늘의 우리의 생활현실을 담지 못했다. 이 세계는 어느 특수층에 속하는 나의 생활현실이지 우리들의 생화현실은 아니다.[31]

---

30) 위의 책, PP. 16～17.
31) 김수영, 「생활현실과 시」, 『김수영전집』 2 산문.

종교적이거나 사상적인 도그마를 시 속에 직수입하고 싶은 충동을 느껴본 적이 없다. ……어떻게 하면 생활을 더 심화시키는가 하는 것(이 중요하다).[32]

② 나는 소설을 쓰는 마음으로 시를 쓰고 있다. 그만큼 많은 산문을 도입하고 있고 내용의 면에서 완전한 자유를 누리고 있다. 그러면서 자유가 없다. ……'내용'은 언제나 밖에다 대고 '너무나 많은 자유가 없다'는 말을 계속해서 지껄여야 한다.…… 나는 그런 의미에서는 참여시의 효용성을 신용하는 사람의 한 사람이다. [33]

그(시인)는 언어를 통해서 자유를 읊고 또 자유를 산다. [34]

나의 시는 형식문제에 대해서는 지극히 등한한다. 나의 경험으로 비춰볼 때 형식은 '투신(投身)'만하면 간단히 해결될 수 있는 것이기 때문이다. ……실은 일반사회가 건전하고 소박해야만 시인도 색깔 고운 수건쯤 꽂고 싶은 생각이 들 것이다.[35]

③ 시인의 스승은 현실이다……. 부끄러운 것은 뒤떨어진 현실을 직시하지 못하는 시인의 태도다.…… 우리들에겐 현실에 정직할 수 있는 과단과 결의가 필요하다. [36]

④ 제 정신을 갖고 있는 사람은 없는가. 이것을 이번에는 좀 범위를

---

32) 김수영, 「시작 노우트」, 위의 책.
33) 김수영, 「시여 침을 뱉어라」, 위의 책.
34) 김수영, 「생활 현실과 시」, 위의 책.
35) 김수영, 「시여 침을 뱉어라」, 위의 책.
36) 김수영, 「모더니티의 문제」 1964. 4 월평, 위의 책.

넓혀서 시를 행할 수 있는 사람은 없는가로 바꾸어 생각해보자. 시를 행할 수 있는 사람이 있으면 4월 19일이 아직도 공휴일이 안된 채로 달력 위에서 까만 활자대로 아직도 우리를 흘겨보고 있을 이가 없다. 그 까만 19는 아직도 무엇인가를 두려워하고 있다.…… 신문은 감히 월남 파병을 반대하지 못하고 노동조합은 질식상태에 있고 언론 자유는 이불 속에서도 활개를 못 치고 있다. (…중략…) 지금의 가장 진지한 시의 행위는 형무소에 갇혀 있는 수인의 행동이 극치가 될 것이다.[37]

참여파의 평자(조동일 구중서 등)들은 현실극복을 주장하는데 까지는 좋으나 우리 사회의 암인 언론자유가 없다는 것을 과소평가하고 있고 예술파의 평자(전봉건 정진규 김춘수 등)들은 작품에서의 '내용' 제거만을 내세우지 작품상으로나 이론상으로 자기들의 새로운 미학을 제시하지 못하고 있다.[38]

사회상태가 동시(童詩)가 읽혀질 만큼 되기까지는 동시를 쓰느니 보다는 동시 무용론을 주장하고 있는 힘을 다해서 사회개혁을 위해 혈투해야 할 것이다.[39]

(≪한양(漢陽)≫지 평론가 장일우가 지적한 것처럼) 현실극복의 과제는 그것이 작품으로서 성공적으로 결정(結晶)되는 일이 사실상 너무나 당연한 일이면서 가장 지난한 일로 되어왔다. …… 신동엽(申東曄)의 <발>은 이를 정공법으로 그 목표에 도달한 최초의 작품이라고 평자에게는 생각된다.[40]

---

37) 김수영, 「제 정신을 갖고 사는 사람은 없는가」, 위의 책.
38) 김수영, 「변한 것과 변하지 않은 것」, 위의 책.
39) 김수영, 「일기」 1960. 7. 29, 위의 책.
40) 김수영, 「젊은 세대의 결실」 1966. 3, 위의 책.

앞 뒤 모순이 되거나, 구체적 현실성이 결여되어 있거나, 진술 그 자체가 애매모호해서 대체로 신뢰성이 부족한 부분이 많지만 김수영이 그의 산문에서 단편적으로 주장한 바 참여시론이라 할만한 언급들을 인용해 본 것들이다. 체계적인 시론은 아니라 하더라도 이 정도면 그의 참여시론의 원칙만큼은 드러나 있지 않을까 한다.

①은 그의 시적 관심의 대상이 자연이나 사물이 아니라 인간의 삶 그것도 생활현실, 더욱 더 나아가 사회('우리의 생활현실'이라 했음으로)에 있다는 것을 말해준다. 그의 대부분의 시가—이야기하는 방식이야 어떻든—존재론 혹은 인생론과 같은 문제를 떠나서 이처럼 생활과 사회에 관한 이야기로 되어 있다는 것은 앞장에서 지적한 바와 같다.

②는 그의 시어가 산문적 언어임을 고백한 것이다. 즉 그에게 있어서 시어는 메시지 전달의 언어이다. 산문과 시어의 근본적인 차이는 전자가 도구의 언어이고 후자가 존재의 언어(사르트르의 용어로 말하자면 사물의 언어)임에 있는데 그의 이와 같은 고백은 간접적이나마 그가 시를 어떤 이념이나 주장 혹은 내용 전달의 수단으로 생각하고 있음을 보여주는 증거가 되기 때문이다. 그러니 그로서는 시에서 내용이 보다 중요하고 형식이란—현대시론에서는 내용_형식과 같은 개념이 이미 지양되어 있지만—내용에 종속된 한낱 부수물에 지나지 않게 되는 것이다. 그가 시인을 언어를 통해서 '자유'를 읊는 사람으로 규정한 것도 같은 맥락이라 할 수 있다. 이 때 언어는 물론 '자유'라는 이념의 전달 수단이 되기 때문이다.[41)]

---

41) 문학을 이념의 도구로 생각하는 김수영의 견해는 다음과 같은 그의 진술에 의해서도 확인된다.

"혁명이란 이념에 있는 것이요 민족이나 인류의 이념을 앞장 서서 지향하는 것이 문학일진대 오늘날처럼 이념이나 영혼이 필요한 시기에 젊은 독자들에게 버림받는 문학인이 문학인이라고 할 수 있는가." 김수영, 「독

③은 시인의 임무가 일차적으로 현실을 보고 혹은 고발함에 있다는 것을 지적한 언급이다.

④는 문학행위의 궁극적 목적이—그의 실제 시작(詩作)이야 어떻든—이제 현실을 고발하는 차원을 넘어서 이를 극복 개혁하는 데 있다는 주장이다. 이 현실 개혁의 행위가 바로 '시를 행하는 행위'인 것이다. 그리하여 이제 그는 이에서 더욱 나아가 '시를 행하는 행위'의 진면목은 그 투쟁의 결과 시인이 '형무소'까지도 가야하는데 있음을 천명하게 된다. 사회주의자 리얼리즘(socialist realism)의 이론으로 이야기하자면 ③은 고발(research)의 차원이요, ④는 선전, 선동(propaganda, agitation)의 차원에 해당하는 것이라 할 수 있다.[42)]

따라서—그의 실제 시작이야 어떻든—참여시에 대한 이와 같은 김수영의 견해 즉 ① 생활, 사회 현실에의 구속, ② 도구의 언어로서의 문학, ③ 사회현실의 고발, ④ 사회현실의 개혁은—그 '생활 사회 현실'이라는 말을 조금 더 완화해서 '상황'이라는 말로 바꿀 때—앞서 지적한 사르트르의 앙가쥬망으로서의 산문문학에 대한 견해에서 크게 벗어나지 않음을 알 수 있다. 다만 다른 것이 있다면 사르트르는 이를 산문문학에 국한해 이야기했던 것을 김수영은—김수영을 비롯한 한국의 참여론자들은—시에서도 산문과 똑같이 실천하자고 주장했다는 점이다. 이로 볼 때 김수영은—적어도 사르트르의 관점에서는—시와 산문의 장르적 차이를 모르고 있었거나 그렇지 않다면 어떤 특정한 목적 의식 때문에 이를 의도적으로 무시한 것이라 할 수 있다.

그 결과 비록 김수영이 시 월평을 통해 당대 '참여시'가 부딪힌 문

자의 불신임」, 위의 책.

42) George Lukács, "Critical Realism and Socialist Realism", *Realism in Our Time*, Ed. George Steiner((N.Y.: Harper & Row, 1971).

제의 하나가 작품성의 결여에 있음을 지적하고 따라서 참여시의 최대과제는 우선 작품다운 작품을 완성하는 데 있는 것이라고 목청을 높였음에도[43] 불구하고 실상 공염불이 될 수밖에 없었다. 사르트르가 지적한대로 시 혹은 시의 언어가 산문처럼 이념 혹은 내용전달의 도구가 되면 그 즉시 시는 시로서의 존재가치가 사라지고 반대로 시가 사물의 언어를 지향하게 되면 사회참여의 기능이 소멸되는 까닭에 이 양자를 조화시키면서 동시에 사회참여의 기능을 살린다는 것은 거의 불가능하기 때문이다. 이것이 진정한 의미의 모든 참여시가—산문문학으로서의 앙가쥬망을 제외하고—문학적으로 성공할 수 없는 이유, 김수영의 시—특히 앞서 지적한 그의 ㉤ 유형 즉 '사회적인 문제들을 풍자 조소하는 시'들이 문학적 성취를 이룰 수 없는 이유라 할 수 있다. 이는 역으로 그래도 김수영의 시들 가운데서 <폭포>, <풀>, <눈>, <푸른 하늘>과 같이 비교적 사회적 이념 전달로부터 무관한 작품들이 왜 그나마 다소의 성공을 거둘 수 있었던가 하는 해답이 되기도 한다.

필자는 앞서 김수영의 시 가운데 비교적 사회적인 문제들을 적극적으로 거론한 ㉤ 유형의 시 즉 '사회적인 문제들을 풍자 조소하는 시'들이 그 나름의 참여시라 할 수 있는 것들이지만 사실은 진정한 의미의 참여시가 되기는 힘들다고 말한 바 있다. 그것은 물론 4·19 직후의 시류에 편승했다는 점에서도 그러하나 정작 이 유형의 시들

---

43) "현실극복의 과제는 그것이 작품으로서 성공적으로 결정(結晶)되는 일이 사실상 너무나 당연한 일이면서 가장 지난한 일로 되어왔다." 김수영, 「젊은 세대의 결실」1966. 3 월평, 『김수영전집』 2 산문.
"우리 시단의 경우 시의 현실참여니 하는 문제가 시를 제작하는 사람의 의식에 오른 지는 오래이고 그런 경향에서 노력하는 사람들의 수도 적지 않았는데 이런 경향의 작품이 작품으로서 갖추어야 할 최소한도의 예술성의 보증이 약했다는 것이 커다란 약점이며 숙제로 되어 있었다." 김수영, 「제 정신을 갖고 사는 사람은 없는가」, 위의 책.

의 내용이 실제에 있어서는 그의 이와 같은 시론이 선언한 바에 미치지 못했다는 점에서 더욱 그러하다. 그 결과 김수영의 시는 수많은 비평가들의 헛된 찬사에도 불구하고 정작 정직한 사회참여시도, 그렇다고 문학적 성취에 다다른 시도 되지 못한 채 문단의 논란거리만을 제공하는 수준에서 머무르고 만다. 그의 시가 왜 문단의 논란거리가 되는지에 대해서는 뒤에서 설명될 것이다.

6

참여시 논란을 제외할 때 김수영 시의 중요한 특징은 크게 세 가지로 정리될 수 있다. 하나는 시의 내용으로 사건 혹은 상황을 다룬다는 점이요, 다른 하나는 일부 시에 쉬르 레알리즘의 수법이 짙게 깔려 있다는 점이요, 또 다른 하나는 진술이 일상 구어체나 속어 비어 등을 과감하게 도입한 산문체라는 점이다. 이 세 가지 특징은 때로 중복되어 나타나기도 한다.

김수영의 시는 대부분 한 인간이 생활공간에서 부딪힌 어떤 사건 혹은 상황을 압축 제시하는 방식으로 쓰여진다. 그러므로 그의 이와 같은 유형의 시에는 항상 주인공이 등장하며 주인공 자신이 일으키거나 주인공의 시점에서 관찰된 어떤 사건이 삽화적으로 제시되기 마련이다. 소설론으로 이야기하자면 모두 일인칭 시점의 이야기라 할 수 있는 것인데 전자는 일인칭 즉 화자가 주인공이 되는 경우요 후자는 일인칭 즉 화자가 부차적인 인물로 등장하여 제 삼자인 주인공의 행위를 관찰하는 경우이다.

폴리호 태풍이 일기 시작하는 여름밤에

아내가 마루에서 거미를 잡고 있는
꼴이 우습다.

하나 죽이고
둘 죽이고
넷 죽이고
…………

야 고만 죽여라 고만 죽여
나는 오늘 아침에 서약한 게 있다니까
남편은 어제의 남편이 아니라니까
정말 어제의 남편이 아니라니까. <거미 잡이>

전화를 걸고 그는 떠나갔다.
공연한 이야기만 남기고 떠나갔다.
그의 이야기가 절망인 것이 아니라
그의 모습이 절망인 것이 아니라
그가 돈을 가지고 갔다는 것이 아니라
그가 범죄자이었다는 것이 아니라
더욱이나 그가 외국지 양복이나
지 아이 가리를 하고 있었다는 것도 아니라
그가 나갔을 때
양반반주곡(洋盤伴奏曲)이 감상적이었다는 것이 아니라
(…중략…)
이런 황혼에는 시베리아의
어느 이름 없는 개울가에서

들오리가 서투른 곳 앉음새로
병아리를 품고 있을지도 모른다.
심심해서 아아 심심해서 <황혼>

<거미 잡이>는 태풍이 불어닥친 여름 어느 날, 주인공 즉 일인칭 화자가 집안에서 부인과의 사이에서 겪는 생활의 한 에피소드를 내용으로 담았다는 점에서 전자 즉 화자가 주인공이 된 시의 경우요, <황혼>은 삼인칭 '그'로 호칭되는 주인공의 이야기를 일인칭 화자 즉 '나'가 관찰해 기술하는 형식을 취했다는 점에서 부차적 인물이 주인공의 행위를 기술한 시의 경우에 해당한다. 그러나 전반적으로 김수영의 시에서 후자의 유형에 속하는 예는 극히 제한되어 있다. 대부분은 전자 즉 일인칭 화자가 겪는 생활의 이야기이다.

그러나 필자는 지금 '화자가 겪는 생활의 이야기'라는 말을 쓰고 있지만—비록 그의 시에 주인공이 등장하고 어느 정도의 사건이 개입되어 있다는 점에서 그의 시에 서사적 요소가 없다고 단언할 수는 없지만—엄밀히 말하자면 그의 시에 내장된 '생활의 사건 혹은 에피소드'란 '서사적'(narrative)이라기보다는 '극적'(dramatic)이다. 왜냐하면 그의 시의 내용으로 차용된 사건은 계기성(sequence)이 전혀 없는, 그러니까 전후 인과관계로 발전되는 사건들의 집합이 아니라 단절된 단일 사건 달리 말해 하나의 장면 혹은 국면으로 한정된 사건이기 때문이다. 그러므로 엄밀히 말하자면 김수영이 시에 묘사해 보여주고자 하는 것은 서사 혹은 이야기의 서술이라기보다 '상황'(situation)의 제시라고 해야 옳을 것이다. 그것은 소설적이 아니라 극적이다. 모든 드라마는 어떤 특정한 상황(극적 상황)에서의 인간을 보여주는 문학 양식이기 때문이다.

인용시들의 경우에도 시에 묘사된 내용은 제한된 공간과 제한된 시간 즉 방이라는 한정된 공간에서 한두 시간에 일어난 사건들이다. 전자는 거미를 잡는 오직 한 순간의 국면을, 후자 역시 '그'라는 사람을 회고하는 하나의 장면을 단편적으로 제시하는 데서 끝나고 있기 때문이다. 따라서 후자를 만일 연극으로 상연한다면 무대상에 올려질 사건이란 부차적 인물이라 할 '나' 즉 화자가 방에 앉아 무엇인가 골똘히 회상하는 모습 그 자체일 뿐 이 시의 내용이 되는, '그'가 저지른 행적은 모두 '나'(화자)의 일인칭적 독백을 통해 간접적으로 관중들에게 알려질 것들이다. 그것은 마치 이오네스코의 일인칭 실험극 <마지막 테이프>를 연상케 하는 수법이다.

이렇듯 이 시에서 보여주는 바 제한된 공간과 제한된 시간 그리고 단일한 행동(주인공) 속에서 제시된 사건은 잘 알려져 있다 시피 드라마의 금과옥조라 할 소위 '삼통일의 법칙'에 해당한다. 이와 같은 관점에서 '생활에서 빚어진 사건 혹은 이야기'를 내용으로 한 김수영의 시는 엄밀히 말해 극적 상황에 처한 인간 제시의 시로 규정될 수 있다. 이는 그의 시가 결정적으로 드라마적 특성에 기대고 있음을 의미하는 것이다.

김수영의 시가 드라마적 특성을 지니고 있다는 것은 물론 앞에서 살핀 것처럼 시 자체가 웅변해준다. 그러나 그것만은 아니다. 그의 전기적 사실과 그 자신의 고백이 이를 뒷받침해 주고 있기 때문이다. 김수영은 식민지 치하인 1943년, 조선학병 징집을 피해 일본에 머무는 동안 안영일(安英一), 심영(沈影) 등과 연극활동을 했고 그후 1944년 만주로 건너갔다가 해방이 되어 1945년 귀국할 때까지는 이에 더 본격적으로 몰두한 바 있다.[44] 뿐만 아니라 그는 다음과 같이

44) 김수영, 「연보」, 『김수영전집』 1 시(서울: 민음사, 1982). 그 외에도 한 산문에서 자신의 처녀작 발표와 관련하여 이렇게 말한 바 있다. "그 때(처녀작을 발표할 무렵) 나는 연극을 집어치우고 혼자 시를 쓰기를 시작하고 있었지만

자신의 문학적 취향을 밝히기도 했다.

> 나는 오랫 동안 영시에서는 피터 비어레크(Peter Viereck)하고 불란서 시에서는 쥴 슈뻴비엘(Jules Supervielle)을 좋아한 일이 있었다. 두 시인이 다 얼마간에 연극성을 지니고 있는 것이 나를 매료한 원인이 되었을지도 모른다. ……이것이 작시법상 하나의 풍자로 되어 있는지 몰라도 하여간 나는 이 요염한 연극성이 좋았다.[45)]

> 연극(演劇)……구상(具象)……이런 것을 미워하기 시작하면서부터 나는 다시 추상을 도입시킨 작품을 실험해보았지만 몇 개의 실패작만을 내놓고 말았다. 그러고 보면 아직도 드라마를 포기할 단계는 못된 것같으나 되도록 자연스럽게 되고 싶다는 것이 요즈음의 나의 심정이다.[46)]

위의 인용문들은 김수영이 프랑스 시인과 영국 시인을 각각 하나씩 예로 들어 그가 왜 이들의 시에 매력을 갖게 되었는지 그 이유를 밝힌 글의 일부분이다. 모두 김수영 자신이 그의 시에서 '연극성'의 표현을 좋아한다는 고백을 담고 있다.[47)] 이로 미루어 우리는 앞에서 지적한 바 그의 시의 대부분에서 드러나고 있는 '사건의 장면 제시' 즉 극적인 요소가 결코 우연이 아니었음을 알 수 있다.

김수영의 시는 한마디로 드라마를 지향하는 시이다. 그것은 일종의 압축된 일인칭 모노드라마를 시적 호흡으로 표현한 것이라 할 수

발표할 기회가 전혀 없었고……"

45) 김수영, 「새로움의 모색」, 『김수영전집』 2 산문.

46) 김수영, 「새로움의 모색」, 위의 책.

47) 그의 연극 혹은 희곡적 글쓰기에 대한 집념은 1961년에 발표한 한 산문에서도 보여주고 있다. "장시를 쓸 바에야 희곡을 쓰고 싶다". 김수영, 「시작 노우트」, 위의 책.

있다. 나는 그것을 앞서 이오네스코의 일인칭 실험극에 가까운 형식을 취한 작품이라고 말했거니와 그런 까닭에 그의 시는 우리가 앞에서 살펴본 바 다음과 같은 특성들을 드러낼 수 있었다.

㉠ 인간에 대한 이야기이다.

㉡ 내용으로 사건이 차용된다. 따라서 거기엔 인물과 행위가 중심을 이룬다.

㉢ 그 사건은 단일한 국면 혹은 장면이면서도 생활의 한 특별한 의미를 보여준다는 점에서 극적 상황이다.

㉣ 대화체의 진술이 많이 등장한다.

㉤ 진술이 산문적이다.

㉥ 일상어, 구어, 속어, 비어 등이 무절제하게 구사된다.

이상에서 ㉠, ㉡, ㉢, ㉣이 드라마와 필연적인 관계가 있다는 것은 두 말할 필요가 없다. 그러나 ㉤, ㉥ 역시 드라마의 중요 특성이다. 드라마는 산문 형식의 문학이기 때문이다. 김수영의 시에 시의 본질적 요소라 할 이미지나 은유, 상징과 같은 비유법이 거의 배제되다시피하고 모든 진술이 평이하고도 전달적인 일상어로 된 이유 역시 여기서 찾을 수 있을 것이다.

7

김수영의 시에는 또한 쉬르 레알리즘의 기법이 짙게 깔려 있다.[48]

---

48) 본격적인 논의는 없으나 이에 대해서는 몇몇 연구자들이 단편적으로 지적한 바 있다. 앞에서 인용한 김현승의 「김수영의 시사적 위치와 업적」, 김현의 「자유와 꿈」 등, 김수영 자신도 자신에 대한 이 같은 평가를 알고 있었던 듯 다음과 같이 고백한 바 있다.

"내가 시에 있어서 영향을 받은 것은 불란서의 쉬르라고 남들은 말하고 있정도의 차이는 있겠으나 대부분의 시가 그러하다. 물론 ㉤ 즉 '사회적인 문제들을 풍자 조소하는 시'들만큼은 예외지만 그것은 사회를 폭로 비판하거나 어떤 특정한 이념을 전달하려는 시는 무엇보다 우선 쉬워야 하고 언어 역시 사실적, 전달적이어야 하기 때문일 것이다. 김수영의 쉬르 레알리즘에 대한 관심은 다음과 같은 그 자신의 고백에서도 암시되어 있다.

> 나는 슈르리얼리즘으로부터 너무나 오랫동안 떨어져 살고 있다. 내가 이제부터 앞으로(언젠가) 정말 미쳐버린다면 그건 내가 슈르리얼리즘으로부터 너무 오랫동안 떨어져 있었던 탓이라고 생각해다오. 아내여, 나는 유언장을 쓰고 있는 기분으로 지금 이걸 쓰고 있지만 난 살 테다.[49)]

인용문은 김수영이 원래 자기는 쉬르 레알리즘으로 시를 썼는데("나는 슈르리얼리즘으로부터 너무 오랫동안 떨어져 살고 있다") 지금(일기를 쓴 1961년 당대)은 그것을 멀리하고 있다는 뜻으로 해석된다. 그 말은 옳을 것이다. 왜냐하면 이 일기를 쓴 1961년 전후는 그가 1960년에 일어난 4 · 19 혁명의 영향으로 그 자신 주장한 바 소위 참여시(필자의 생각으로는 어용시적 성격이 강한 사회시)들을 쓰고 있을 때여서 시에 전달적, 사실적 언어를 구사하는 것이 중요했기 때문이다. 그러므로 위의 인용문은 또한 그가 원래 쉬르 레알리즘 시를 썼고 지금도 쓰고는 싶지만 참여시 창작을 위해서 일시적으로 이를 유보하고 있다는 고백일 것이다. 이렇듯 사회적 문제들을 풍자 조소하는 ㉤ 유형의 시를 제외할 경우 김수영의 대부분의 시는 그가 의식

는데 내가 동경하고 있는 시인들은 이마지스트의 일군이다." 김수영, 「무제」, 위의 책.

49) 김수영, 「일기」 1961. 2. 10, 위의 책.

했건 하지 않았건 다소간 쉬르 레알리즘에 영향 아래 쓰여진 것이 사실이다.

그렇다면 김수영의 시에 반영된 쉬르 레알리즘의 기법이란 무엇일까 그것은 간단히 무의식의 자동기술과 무의미한 진술의 구사라는 말로 요약될 수 있을 것이다. 시작에 있어서 '무의식'에 대한 그의 인식은 다음과 같은 주장에서도 드러나 있다.

> 그런데 여기서 중요한 것은 시의 예술성이 무의식적이라는 것이다. 시인은 자기가 시인이라는 것을 모른다. 그리고 그것은 시의 기교라는 것이 그것을 의식할 때는 진정한 기교가 못되기 때문에 그렇게 되는 것이다. 시인이 자기의 시인성(詩人性)을 깨닫지 못하는 것은 거울이 아닌 자기의 육안으로 사람이 자기의 전신을 바라볼 수 없는 거나 마찬가지이다.[50]

물론 인용문의 다음에는 곧 "그(시인: 필자 주)가 보는 것은 남들이고 소재이고 현실이고 신문"인데 이것이 곧 의식이며 이 '의식'을 정예화시키는 것이 '현대적인 시인'이라는—그의 글쓰기의 장기라 할—종잡을 수 없는 말을 하고 있지만 분명한 것은 예술의 본질이 무의식에 있다는 주장이다. 즉 그에 의하면 예술 혹은—그 내용이 무엇이든 간에—그것을 예술로서 형상화하는 것 자체는 최소한 무의식의 행위라 한다. 그런데 다 아는 바와 같이 정통적인 미학에 있어서 예술 행위란 본질적으로 '무의식'이 아니라 '의식'의 소산이다.[51] 왜냐하면 그것이 바로 본능 즉 무의식의 행위가 주도하는 '자

50) 김수영, 「실리(實利) 없는 노고(勞苦)」, 위의 책.
51) 칸트는 그의 『미적판단력비판(美的判斷力批判)』에서 예술은 '작위'(作爲 facere)의 소산이고 자연은 '행위'(行爲 agere)의 소산이라고 하였다. 그 결과

연'(nature)으로부터 '예술(art)'을 변별시켜주는 기준이 되기 때문이다. 아름다운 장미꽃이나 정교한 6각형의 벌집이 예술이 될 수 없는 이유도 여기에 있다. 그러한 관점에서 그가 말한 바 소위 '무의식의 예술'이라는 개념은 정통 미학과는 거리가 먼 일종의 실험 예술,—그 자신이 무의식의 표출이라 했으니—문자 그대로 무의식에 토대한 예술이라 할 쉬르 레알리즘의 입장을 천명한 것이라고 밖에 볼 수 없다.

이렇게 시를 무의식의 표출로 본 김수영은 그의 실제 시작에서도 자동 기술법과 무의미한 진술들을 적극 활용하고 있다. 가령 초기에 쓴 <아메리카 타임지>나 <공자의 생활난> 같은 경우는—수준 미달이고 일종의 시적(詩的) 사기(詐欺)여서 논란의 대상으로 삼는다는 것 자체가 우습지만—굳이 합리화시킨다면 나쁜 의미에서 쉬르 레알리즘적이다. 여기서 '나쁜 의미'라는 것은 쉬르 레알리즘적 기법을 빙자하여 아무 것도 없는 내용 그러니까 자신도 정리할 수 없는 우연의 어떤 연상을 황당무계한 말장난으로 표출시켜 독자들을 우롱한다는 뜻이며, '쉬르 레알리즘적'이라는 것은 이 '우연의 연상'이라는 것이 그래도 쉬르 레알리즘의 '자유연상' 혹은 '자동기술' 이외에는 달리 설명의 방법이 없다는 뜻이다.

꽃이 열매의 상부(上部)에 피었을 때
너는 줄넘기 작란(作亂)을 한다.

전자는 작품(opus)이 되지만 후자는 작용(effectus)이 된다. 예술작품은 본질적으로 이성에 토대한 의지력의 활동이 지배하고 자연은 이성적 사려가 없는 본능의 표현이기 때문이다. 즉 예술 작품은 작가의 의도가 중요하다는 말이다. 모든 형식은 이 의도에 의해서 결정되는 것이다.

나는 발산한 형상을 구하였으나
그것은 작전같은 것이기에 어려웁다.

국수—이태리어로는 마카로니라고
먹기 쉬운 것은 나의 반란성일까.

동무여 이제 나는 바로 보마
사물과 사물의 생리와
사물의 수량과 한도와
사물의 우매와 사물의 명석성을

그리고 나는 죽을 것이다. <공자의 생활난(生活難)>

흘러가는 물결처럼
지나인(支那人)의 의복
나는 또 하나의 해협(海峽)을 찾았던 것이다.

기회와 유적(油滴) 그리고 능금
올바로 정신을 가다듬으면서
나는 수 없이 길을 걸어왔다.
그리하야 응결한 물이 떨어진다.
바위를 문다.

와사(瓦斯)의 정치가여
너는 활자처럼 고웁다.
내가 옛날 아메리카에서 돌아오던 길

뱃전에 머리 대고 울던 것은 여인을 위해서가 아니다.

오늘 또 활자를 본다.
한 없이 긴 활자의 연속을 보고
와사(瓦斯)의 정치가들을 응시한다. <아메리카 타임지>

솔직히 말해서 이 두 편의 시는 그 어떤 부분도 자연스럽게 해석되지 않는다. 연과 연, 문장과 문장, 심지어 단어와 단어의 연결조차도 제대로 되어 있지 않다. 가령 <공자의 생활난>의 경우 우선 '너'와 '그'로 지칭되는 대상이 누구인지 아무도 알 수 없다. 제 1연의 꽃이 열매의 상부에 피는 것이—이 말의 뜻도 종잡을 수 없거니와—어떻게 '너'가 줄넘기 '작란'을 하는 행위와 관련되는지, 2연의 '발산한 형상'이란 무엇이며 그것을 구하는 것이 왜 그토록 어려운 것인지, 3연에서 왜 돌연 국수 먹는 이야기가 등장하며 먹기 쉬운 것이 또 어떻게 반란성—'반란성'이라는 말의 뜻도 모르겠다—인지 도무지 이해되지 않는다. 4연에서 돌연 진지하게 '사물을 바로 보겠다'는 결심의 표현과 느닷없이 죽겠다는 고백도 다소 희극적인 요소가 있기는 하지만 요령부득이다. 단 하나도 이해될 만한 것이 없다. 그러니 황당무계한 어떤 연상의 말장난이라고 밖에 말할 수 없지 않겠는가.

<아메리카 타임지> 역시 마찬가지이다. 제 1연에서는—비록 문장의 연결이 제대로 되어 있지는 않으나—억지로 화자가 '지나인의 의복을 입고 흘러가는 물결처럼 어느 해협을 찾아다'는 뜻으로 해석해두자. 그러나 제 2연에 오면 '기회와 유적과 능금'이 어떻게 등가적(等價的)으로 나열될 수 있고 또 어떻게 '길을 걷는' 행위와 관련되는지 그리고 그러한 행위의 결과 왜 '응결한 물'—이 말의 뜻도

이해가 안 된다—이 떨어지는 것인지 알 수 없다. '와사(瓦斯)'란 가스(gas)의 번역어인데 '와사의 정치가'란 또 무엇이며 그가 활자처럼 고웁다는 뜻은 무엇인지, 이들이 어떻게 연결될 수 있는지, 화자가 아메리카에서 돌아오던 길에 뱃전에서 울던 여인은 누구이고 그가 <아메리카 타임>지 혹은 <아메리카 타임>지를 읽는 행위와 어떤 관련이 있고, 왜 거기에 등장해야 하는 것인지 도무지 이해불능이다. 전체적으로 볼 때 이 시는 아마도 화자가 <아메리카 타임>지를 읽는 행위를 어떤 나그네가 '지나인의 의복을 입고 어느 해협을 향해 길을 떠나는 여정'에 비유하여 쓴 작품인 것 같은데 그 소재들의 연결이나 상상력의 발전이나 이미지의 조직이나 주제의 반영 등에서 어느 하나 연속된 것이 없다.

물론 억지로 해석하자면 위에서 필자가 <아메리카 타임지>에서 언급한 것과 같이 해석자의 주관적인 시나리오를 만들어 거기에 어떤 내용을 견강부회 짜 맞출 수는 있을 것이다. 그리고 그것은 특별히 김수영의 시에서만이 그럴 수 있는 것도 물론 아니다. 모든 난해시들을 그런 식으로 해석할 수 있고 또 그렇게 해석해온 경우가 종종 있었다. 그러나 별로 심오한 의미도 없고, 깊이 있는 철학도 없고, 그렇다고 독자의 심금을 울리는 감동이나 미적 형상화도 없고, 문제성도 없는 작품을 그렇게 작위적으로 해석해서 겨우 무엇인가 몇 자 설명이 된다고 한들 그 무슨 의미가 있을 것인가. 그러므로 우리는 이 작품을—평론가들의 우상화에 최면되어 그 안에 마치 어떤, 무엇이 있으리라는 선입관이나 환상을 버리고—사실 그 자체로 보아야 한다. 황당무계한 말장난 그것인 것이다. 사실이 그러하기 때문이다. 김수영 자신이 또 그렇다고 고백하지 않았던가.

『새로운 도시와 시민들의 합창』에 수록된 <아메리카 타임지>와 <공

> 자의 생활난>은 이 사화집에 수록하기 위해서 급작스럽게 조제람조(粗製濫造)한 히야까시같은 작품이고 그 이전에 나는 <아메리카 타임지>라는 같은 제목의 작품을 일본말로 쓴 것이 있었다. …병욱(秉旭: 김병욱)이가 이 때 내가 일본말로 쓴 <아메리카 타임지>를 우리말로 고쳐서 내주라고 했던 것 같다. 그래서 그에 대한 반발로 히야까시적인 내용의 작품을 히야까시쪼로 내준 것 같다. …그의 헛점을 찌르려고 황당무계한 내용에 <아메리카 타임지>라는 같은 제목을 붙여서 내게 되었는지 모르겠다. 좌우간 나는 이 사화집에 실린 두편의 작품도 그 후 곧 나의 마음의 작품목록으로부터 깨끗이 지워버렸다.[52]

그럼에도 불구하고 우상화에 최면된 일부 김수영 연구자들이—심지어는 대학의 석 박사 학위 논문에서 조차—이들 작품을 중요한 논의의 대상에 올려놓고 견강부회 해석을 시도하여 마치 무슨 심오한 내용이나 있는 듯 떠벌리는 것은 한편의 코미디를 보는 것 같다.

물론 필자가 여기서 이들 작품을 거론하는 이유는 다른 데 있다. 앞서 지적한 바와 같이 그의 이와 같이 황당무계한 진술들을 굳이 하나의 시학으로 합리화하자면 그래도 쉬르 레알리즘 이외에는 설명해 낼 도리가 없기 때문이다.

앞에서 살핀 것처럼 이 작품에는 우선 무의식의 자동기술이라 부를 만한 기법이 차용되어 있다. 예컨대 <공자의 생활난>의 경우 '열매의 상부에 피는 꽃' 그 자체도 그렇지만 '그 꽃 옆에서 줄넘기 장난을 하고 있는 그'와 '식탁 위에 놓인 마카로니 국수' 등을—이들이 시에서 상호 동시성으로 제시되어 있으니까—한 폭의 화폭에 모자이크시킨다면 시각적으로 마치 살바도르 달리나 클레 같은 쉬르

52) 김수영, 「연극하다가 시로 전향」, 『김수영전집』 2 산문.

레알리스트 화가들의 그림을 연상시키기 때문이다. 그것은 의식의 논리에서는 벗어난 초현실의 세계 즉 꿈이나 환상에서 볼 수 있는 어떤 불연속적 영상들의 무작위적 나열이라 할만 하다. <아메리카 타임지>의 경우 역시 마찬가지이다. 이 시에서 묘사되고 있는, 잡지의 활자들과 해협과 능금과, 응결된 물의 낙수(落水)와 뱃전에 머리를 대고 우는 여인의 얼굴과 그리고 지나인의 의복을 입은 화자 등은 아무런 연속성 없다. 다만 뜻 모를 이미지들의 부유(浮游) 만이 있을 뿐이다.

한편 이들 시는 또한 무의미한 진술들로 점철되어 있다. 일반적으로 무의미(nonsense)는 여섯 가지 유형으로 나뉘어지지만[53] 김수영

---

53) '무의미'의 언어 실현은 대개 여섯 개 형식으로 가능하다고 한다.
① 사실과 정반대의 이야기를 한다. 실제는 물이 끓고 있는데 물이 끓고 있지 않다고 말하는 경우. 소위 '담화체 무의미'(nonsense in colloquial sense)라 부르는 것이다.
② 전후 문맥과 아무 관련 없는 이야기를 불쑥 던진다. 물의 끓거나 끓고 있지 않음에, 아니 물 자체에 아무 관심 없는 담론 가운데 누군가 불쑥 물이 끓고 있다고 말하는 경우 즉 아무런 인용이나 관련 없이 엉뚱한 이야기를 개입시키는 경우. 소위 '의미론적 무의미'(semantic nonsense)이다.
③ 물이 끓는 현상을 두고 "물이 수고한다"고 말하는 경우. '수고하는' 행위는 사람이나 가축 등 생명을 지닌 자만이 할 수 있다. 그런데 '물'은 무생물이므로 그와 같은 범주(category)에서 벗어난다. 따라서 이 경우 '무의미'는 범주착오(category mistake)에서 비롯한 것이라 할 수 있다. 소위 현대 언어학에서 '반문장'(반쪽의 문장 半文章; semisentence)이라 부르는 것이다.
④ 의미 파라다임에 의한 통사론적 구조가 부재한 채 친숙한 단어들만의 끈을 만든 경우. 소위 '무의미의 끈(nonsense string).
⑤ 통사론적으로는 친숙한 구문인데(통사론적 질서는 지키고 있는데) 결정적인 부분에서 낯 설은, 그러니까 있지도 않은 단어(그러니까 화자 자신의 신조어)가 튀어나와 해석이 불가능한 진술. 소위 '어휘적 무의미'(vocabulary nonsense)라 부르는 것이다.
⑥ 친숙한 통사구문도 친숙한 어휘도 발견할 수 없고 그렇다고 의미론적 적합성이나 친숙한 범주 구분도 부재한 경우이다. 가령 "grillangborpfemstaw"와 같은 진술인데 여기에는 통사론적 질서나 사용 가능한 단어가 없다. 무슨 뜻인지 모를 화자 자신만의 신조어가 무질서하게 조합되어 있을 따름이다. 이 극단적인 무의미의 유형은 소위 '횡설수설 무의미'(nonsense gibberish)이

이 주로 원용하는 것들은 소위 의미론적 무의미(semantic nonsense)나 '반문장'(半文章 semisentence)이 대부분이다. 예컨대 <공자의 생활난>을 구성하는 다섯 개의 연은 각각 의미론적 무의미로 되어 있다. 앞뒤의 내용과 연관이 없는 진술들이 돌발적으로 끼어들어 있기 때문이다. 가령 "꽃이 열매의 상부에 피었을 때 / 너는 줄넘기 장난을 한다."와 "국수—이태리어로는 마카로니라고 / 먹기 쉬운 것은 나의 반란성일까"는 문맥상으로나 의미론상으로 아무 관련이 없다. 동문서답격이다. <아메리카 타임지>의 경우 제 2연에서 "기회와 유적 그리고 능금"이라는 시행과 "그리하야 응결한 물이 떨어진다"는 시행 그리고 제 3연에서 "내가 옛날 아메리카에서 돌아오던 길 / 뱃전에 머리대고 울던 것은 여인을 위해서가 아니다" 등의 시행 역시 마찬가지이다.

한편 <아메리카 타임지>의 '와사의 정치가'는 반문장의 무의미에 해당한다. 이 엇귀는 터너(원관념)라 할 '와사'와 비히클(보조관념)이라 할 '정치가'가 소유격에 의해 접속된 소위 '소유격형 은유'의 형식을 취하고 있지만 이 양자의 결합에서 범해진 범주착오(category mistake)의 정도가 이해할 수 있는 의미론적 차원을 벗어나 있기 때문이다. 즉 '와사'와 '정치가'는 같은 개념의 범주에 들 수 없고 이 두 어휘의 결합 또한 어떤 의미를 만들었다고 보기는 힘들기 때문이다. 설령 '어떤 의미'가 만들어졌다 해도 그것을 이해하기는 거의 불가능하다.

시에 있어서 '무의미'는 물론 본질적으로 쉬르 레알리즘의 언어적

다. 이 경우 의미 있는 것이라면 알파벳이나 음운조직 정도일 뿐이다. 'Nonsense', *The Encyclopedia of Philosophy*, Vol. 5, Ed. Paul Edward(N.Y.: The Macmillan Company & The Free Press, 1978). 이에 대한 자세한 논의는 본서 「무의미 시의 정체」—김춘수론을 참고할 것.

표현이다. 이에 대해서 한 문학사전은 다음과 같이 말한 바 있다.

> 확실히 무의미의 시와 쉬르 레알리즘 사이의 시행은 구분하기가 어렵다. 무의식이라는 프로이트의 이론과 자유연상이라는 아이디어에, 아키타잎 혹은 시 유형의 존재에 대한 염증으로부터 영향을 받아 20세기의 많은 예술가들은 무의미의 시에 매우 유사한 시들을 산출해 내었다…… 그리하여 무의미란 한편으로 위트와 유모어 사이의 좁은 영역에, 다른 한편으로는 쉬르 레알리즘에 주거한다.[54)]

이 중 앞에서 논의한 소위 '의미론적 무의미'란 30년대 한국의 쉬르 레알리스트들이 소위 '절연(絶緣)'이라고 불렀던 기법, 까루쥐(M. Carrouges)가 쉬르 레알리즘의 대표적 특성으로 지적한 '해체(disintegration)'라 부르는 기법이다. 그에 의하면 그것은 다음과 같이 설명된다.

> 초현실주의 시의 이미지들은 실재에 의하여 부여된 일상의 질서와 단절에 빠진다. 이 시적 이미지들의 무질서화(disordering)는 인위적 과정이 아니라 시인의 상상력과 삶으로 감수성의 무질서가 직접 투사된 것이라 하겠다.[55)]

필자는 지금 그의 초기시 두 편을 들어 그의 시가 본질적으로 쉬르 레알리즘에 깊이 경도되어 있고 그래서 또한 그의 시가 뜻 없는

---

54) 'Nonsense Verse', *Princeton Encyclopedia of Poetry and Poetics*, Ed. Alex Preminger et. al.(Princeton: Princeton Univ. Press, 1974).

55) Michel Carrouges, *André Breton and the Basic Concepts of Surrealism*, Trans. Maura Prendergast, S.N.D.(Alabama: The Univ. of Alabama Press, 1974), P. 75.

난해성의 미망에서 헤어나오지 못함을 지적하고 있거니와 이는 정도가 다를 뿐—사회적인 문제들을 풍자 조소한 ㉣ 유형과 그외 사실적인 묘사를 지향한 몇 편의 시를 제외할 때—그의 시 대부분에 베어 있는 특징이라고 말할 수 있다.

참음은 어제를 생각하게 하고
어제의 얼음을 생각하게 하고
새로 화장된 서울시 동남단 논두렁에
어는 막막한 얼음을 생각하게 하고
그리로 전근을 한 국민학교 선생을 생각하게 하고
그들이 돌아오는 길에 주막거리에서 쉬는 10분동안의
지루한 정차를 생각하게 하고
그 주막거리의 이름이 말죽거리라는 것까지도
무료하게 생각하게 하고

기적(奇蹟)을 기적으로 울리게 한다.
죽은 기적을 산 기적으로 울리게 한다. <참음은>

욕망이여 입을 열어라 그 속에서
사랑을 발견하겠다. 도시의 끝에
사그라져가는 라디오의 재잘거리는 소리가
사랑처럼 들리고 그 소리가 지워지는
강이 흐르고 그 강 건너에 사랑하는
암흑이 있고 3월을 바라보는 마른 나무들이
사랑의 봉오리를 준비하고 그 봉오리의
속삭임이 안개처럼 이는 저쪽 쪽빛

산이

사랑의 기차가 지나갈 때마다 우리들의
슬픔처럼 지나가고 도야지 우리의 밥찌끼
같은 서울의 등불을 무시한다.
이제 가시밭, 덩쿨 장미의 기나긴 가시가지
까지도 사랑이다.

왜 이렇게 벅차게 사랑의 숲은 밀려닥치느냐.
사랑의 음식이 사랑이라는 것을 알 때까지

난로 위에 끓어오르는 주전자의 물이 아슬
아슬하게 넘지 않는 것처럼 사랑의 절도(節度)는
열열하도다
간단(間斷)도 사랑
이 방에서 저방으로 할머니가 계신 방에서
심부름하는 놈이 있는 방까지 죽음같은
암흑 속을 고양이의 반짝거리는 푸른 눈망울처럼
사랑이 이어져 가는 밤을 안다.
(…하략…) <사랑의 변주곡(變奏曲)>

앞서 예를 든 작품들이 초기시였음으로 이제 임의로 후기시 두 편을 인용해 보았다. 두 편 모두 그 자체가 쉬르 레알리즘시라고 말하기는 힘들지만 적어도 쉬르 레알리즘의 기법을 원용해서 쓰여진 작품이라는 것만큼은 부인하기 힘들다. 먼저 <참음은>부터 검토하기로 한다.

첫째, 이 작품은 '해체' 혹은 '의미론적 무의미'라는 기법으로 쓰여졌다. 그것은 다음과 같이 설명된다. 전체 진술은 ㉠'참음은 …… 을 생각게 하고'와 ㉡'기적을 기적으로 울리게 한다'의 두 문장으로 성립되어 있지만 우선 ㉠의 경우 이 문장을 구성한 어절들—예컨대 "어제를 생각게 하고", "어제의 얼음을 생각게 하고", "국민학교 선생을 생각게 하고……" 등—사이에 단절이 있다는 점이다. 물론 '참음'이라는 주제에 관련된 여러 가지 이미지들을 자유롭게 집합해놓았다는 것은 일종의 자유연상이라고도 할 수 있겠으나 이 자체가 이미 쉬르 레알리즘 기법에 해당된다는 것은 굳이 설명할 필요가 없다. 그러나 그와 같은 의미론적 단절이 보다 심화되어 있는 것은 ㉠과 ㉡ 사이이다. 본문대로 하자면 "참음은 어제를 생각하게 하고 기적을 기적으로 울리게 한다"가 될 터인데 아무리 궁리를 해도 이 두 문장의 의미는 문맥상 연결되지 않기 때문이다. 소위 '의미론적 무의미'나 쉬르 레알리즘의 '해체'에 해당하는 기법이다.

둘째, 통사론적 질서가 깨져 있다. 통사적 질서란 이를 구성하는 단어와 단어(혹은 어절과 어절)들 사이에 인접성(contiguity)이 있어야[56] 가능한 것인데 "기적을 기적으로 울리게 한다" 또는 "죽은 기적을 산 기적으로 울리게 한다"의 경우 '기적(奇蹟)'과 '기적(汽笛)[57] 사이에는 아무런 인접성이 없다. 즉 통사론적 질서가 깨짐으로서 문장이 혼란에 빠져버렸다.(따라서 이 문장이 질서를 회복하기

56) Roman Jakobson, "Concluding Statement: Linguistics and Poetics", *Style in Language*, Ed. Thomas A. Sebeok(Cambridge: The M.I.T. Press, 1966).

57) 『전집』에는 이 두 번째 '기적'에 한자 병기가 없다. 따라서 필자는 '울린다'라는 서술어를 감안하여 그것을 '기적(汽笛)'이라는 뜻으로 해석해 본다. 그러나 물론 첫 번째 등장하는 '기적'(奇蹟)과 같은 단어로 읽힐 수도 있을 것이다. 이 경우는 '기적(奇蹟)을 기적(奇蹟)으로 운다'의 뜻이 될 터이므로 이 역시 황당무계한 말장난 이상을 벗어나기 힘들다. 소위 어휘적 무의미(vocabulary nonsense)에 해당한다.

위해서는 두 번째의 '기적'을 인접성이 있는 단어—예컨대 '일으켜' 정도의 단어—로 바꾸거나 첫 번째의 '기적'을 '자동차의' 혹은 '기차의' 정도의 단어로 바꾸어야 할 것이다.) 물론 시적 표현임으로 이와 같은 통사구문의 부조리 정도는 시에서 양해될 수 있다는 주장이 가능하다. 그러나 바로 그 '양해'라는 개념이 쉬르 레알리즘의 경우 일종의 '해체', 무의미의 경우 '무의미의 끈'(nonsense string)이라는 기법에 해당하는 것이다.

길이가 길어 앞 부분만을 인용해 본 <사랑의 변주곡> 역시 마찬가지이다. 예컨대 "산이 // 사랑의 기차가 지나갈 때마다 우리들의 / 슬픔처럼 자라나고 도야지우리의 밥찌끼 / 같은 서울의 등불을 무시한다 / 이제 가시밭, 넝쿨장미의 기나긴 가시가지 / 까지도 사랑이다."에서 우리는 우선 기차가 어떻게 사랑의 은유가 될 수 있는 것인지—'사랑의 기차'란 소유격형 은유임으로—이해하기 힘들다. 사랑과 기차 사이에 은유의 본질이라 할 '유사성'(similarity)이 전혀 없기 때문이다. 또한 이 시에서 '산'이란 무엇을 상징하며 '사랑의 기차'가 지나갈 때마다 왜 '산이 슬픔처럼 자라나는' 것인지, 어찌해서 이제는 '가시밭'과 '넝쿨장미의 기나긴 가시가지까지도' '사랑'되는 것인지 모르겠다. 전자는 '슬픔으로 자라는 산'—이 자체도 그렇거니와—과 '달리는 사랑의 기차'의 결합에 범주착오가 심화되었기 때문이요. 후자는 앞 뒤 문맥에 연속성이 없는 문장을 불쑥 삽입한 때문이다. 각각 소위 반문장의 무의미와 의미론적 무의미에 해당하는 경우라 할 수 있다. '사랑의 숲이 밀려온다', '사랑의 음식이 사랑이다', '간단도 사랑이다'와 같은 시행들도 앞서 든 예와 유사하다.

김수영의 시는 대체로 난해하다. 어떤 경우에는 전혀 해석이 되지 않는 부분도 많다. 그의 이 같은 특징은 바로 그가 말장난, 요설 등과 함께 이처럼 쉬르 레알리즘의 기법을 무분별하게 차용하여 독자들을 우롱한 데서 오는 결과라 할 수 있다. 그의 시를 결코 훌륭하다고 평가할 수 없는 이유들 가운데 하나이다.

8

김수영의 시가 훌륭하다는 평자들의 일반적 주장은 매우 의심스럽다. 그것은 아마도—앞서 지적한 바와 같이—특별한 목적의식을 지닌 평론가 집단이 한국 문학의 전통 가운데 참여시에서 민중시에 이르는 계보의 법통을 확립하려고 오랜 기간 그를 우상화시킨 결과이겠으나 필자의 생각으로 김수영의 시는 그저 평범한 시인의 평범한 작품일 따름이다. 이에 대한 필자의 견해는 다음과 같다.

첫째, 참여시라는 것은 문학적 가치 개념이 아니다. 그것은 모순에 처한 사회의 시인이 역사 의식에 입각, 하나의 도구로서 시를 통해 사회 모순을 고발 혹은 개혁하려는 문학적 경향의 하나일 뿐이다. 그러므로 참여시인 까닭에 그것이 문학적으로 훌륭하다는 논리는 성립할 수 없다. 뿐만 아니다. '사회참여의 도구'로 이용할 경우 시는(산문이 아니라) 이미 그 문학적 가치를 상실한다는—한국 참여문학의 이론적 근거를 제시한—사르트르의 앙가쥬망 문학론으로 볼 때도 오히려 참여시는 문학적으로 실패할 수밖에 없는 필연성을 지니고 있다.[58] 따라서 훌륭한 참여시이기 때문에 김수영의 시가 훌륭하다는 주장은 설득력이 없다. 하물며 그것이 진정한 참여시도 될 수 없었음에랴.[59]

---

58) J. P. Sartre, "Qu'est-ce Que la Littérature?", PP. 15～16.

59) 김수영의 참여시가 진정한 참여시가 될 수 없으며 오히려 당시의 시류를 편승한 어용시적 성격이 강하다는 것은 3장에서 지적한 바이다.

물론 한국 문단에서는 문학적으로 훌륭하다고 평가된 참여시도 적지는 않다. 그러나 이는 그 참여시라는 것이 사르트르의 그것과 다른 어떤 한국적 개념이든지(이 경우는 사르트르의 개념을 대폭 완화 혹은 희석시킨 것일 수밖에 없음으로 그와 같은 시에 진정한 참여의 기능 또한 있을 수 없음은 앞에서 살펴본 바와 같다. 실제는 참여시가 아닌 것이다.), 참여시가 아님에도 어떤 목적을 위해서 참여시인 것으로 호도한 것이든지, 그것도 아니라면 단순히 생활이나 사회를 소재로 한 시들을 편의상 그렇게 막연한 호칭으로 불렀던 것이든지 셋 중의 하나일 것이다. 이는 필자가 말하는 진정한 의미의 참여시가 아니다.

둘째, 위에서 잠깐 언급한 것이지만 한국의 일부 참여론자들은——시의 언어가 도구의 언어(사회고발의도구)로 이용될 경우 이미 문학적 가치를 잃는다는 사르트르의 앙가쥬망론 때문이겠으나——참여시의 개념을 매우 포괄적으로 확산시켜 단순히 인간과 인간의 관계 즉 생활이나 사회적인 이야기를 내용으로 한 것이면 시인에 따라 어떤 것이든 참여시라 부르는 경향이 있다는 점이다.(이 '시인에 따라'라는 말은 물론 문단 인맥이나 조직과 관련된 문제이다.) 그러한 의미에서는 자연이나 사물, 그리고 사랑이나 고독, 죽음과 같은 존재, 인생론적 문제들을 제외한 일체의 인간 이야기를 담은 시는 참여시가 될 터이다. 문제는 그들이 이와 같은 사회, 생활시만이 훌륭하고 그 외의 시들은 그렇지 않다고 주장한다는 점이다. 우리의 70, 80년대 비평에서 흔히 볼 수 있듯 산이나 꽃을 노래하면 '음풍농월'이라 하고 '사랑'이나 '고독'같은 명제를 시로 쓰면 '사랑타령'이라 하여 이를 극구 매도했던 것이 그 구체적인 예이다. 그 같은 맥락에서 그들은 인간의 이야기를 쓴 김수영의 시를 훌륭하다고 말할 수 있었으리라 생각된다.

그러나 그렇지 않다. 우선 참여시라고 해서 훌륭하다 할 수 없고 오히려 참여시인 까닭에 문학적 성취가 힘들다는 것은 앞서 지적한 바이지만 그보다 인간과 인간의 관계에서 빚어지는 이야기를 내용으로 담는다는 것이 시적 본질과 거리가 멀기 때문이다. 그것은 다음과 같이 설명된다.

고대이건 현대이건 원래 문학이 시(서정시), 소설(서사시), 드라마(극시)의 3대 장르로 되어 있는 것은 그가 모방코자 하는 대상이 각각 다른데서 연유한다. 세계 그 자체를 하나의 존재로서 모방한 문학 양식은 시다. 이에 대해서 인간의 행위를 대상으로 한 문학 양식은 소설(서사시)과 드라마(극시)이지만 전자는 그 행위 가운데서도 시간적 계기를 갖는 사건을 모방하고, 후자는—한정된 시간과 한정된 공간 속의—하나의 극적 상황(dramatic situation)을 모방한다는 점에서 구별된다. 따라서 소설이나 드라마는 그 어떤 것이라도 행위의 주체로서 인간을 모방하지 않은 경우란 없다. 즉 모든 인간 행위에 대한 문학은 소설(서사시)이나 드라마(극시)가 그 본령이지 시는 아니다.

이에 비하여 시가 모방코자 하는 것은 인간의 행위가 아니라—인간을 포함하여—세계 그 자체이다. 그는 세계가 갖는 존재 의미를 순간적으로 포착코자 한다. 그러므로 인간을 대상으로 할 경우에도 시는 그 모방의 대상이—소설이나 드라마와 달리—'행위하는 인간'이 아니라 '존재하는 인간'이다. 그것은 시인이 시를 쓸 때 대상으로서 마치 하나의 꽃이나 별을 보듯 인간 역시 하나의 존재로 본다는 뜻이다. 그러므로 시가 시인 이유, 시가 다른 장르보다 더 위대한 이유는 바로 꽃이나 별과 같은 자연이나 사물을 노래하는데, 그리고 인간을 하나의 존재로 보는 데 있다. 다른 장르 즉 소설이나 드라마에서는 이와 같은 대상의 인식이 불가능하기 때문이다.(꽃이나 별이 주인공인 소설 혹은 드라마는 있을 수 없다) 시에서조차 꽃이나 별과 같은 자연을 그 자체로 노래할 수 없다면 과연 어떤 문학장르가 그리할 수 있을 것인가. 그렇지 않다면 자연이나 사물은 문학적 대상이 아니라는 말인가. 그럼에도 불구하고 7, 80년대 한국의 참여론자들이 자연을 노래한 시를 음풍농월로, 사랑을 노래한 시를 사랑타령으로 매도한 것은 자신들의 어떤 특별한 목적을 위하여 시를 왜곡시키려 하는데서 혹은 시에 대한 무지의 소치에서 기인한 것일 뿐 다른 이유를 찾기는 힘들다.

그러므로 인간과 인간의 행위에서 빚어지는 이야기는 원칙적으로 시적 대상이 아니라 소설이나 드라마의 대상이다. 그것은 앞에서 지적했듯이 그들 문학장르의 본질이 그렇기 때문이기도 하겠으나 그와 같은 인간의 이야기는 시라는 양식보다 소설이나 드라마의 양식에 담아야 문학적 효용성을 극대화시킬 수 있기 때문에 그러하다. 달리 말하면 같은 내용이라 하더라도 인간의 행위에 관한 내용은 시보다 소설이나 드라마로 형상화시킬 때 더 큰 문학적 감동, 더 많은 독서대중의 확보가 가능하다. 그것은 커피는 접시에 담을 수도 있지만 컵에 담는 것이 더 합리적인 것과 같다. 따라서 인간과 인간 사이에 빚어지는 이야기를 소설이나 드라마에 담지 않고 하필 시에 담는 행위를 바람직하다거나, 가치 있다거나, 시의 본령에 해당한다고 말하기는 어렵다.

물론 본질적인 것에서 다소 일탈한다는 것은 경우에 따라 개성이 될 수 있다. 그러나 김수영의 경우 이 역시 두 가지 이유에서 별 의미가 없어 보인다. 하나는 이와 같은 내용을 담은 시의 유형이 우리 시사(詩史)에서는 이미 그 이전부터 시도되어 왔으므로 새삼스럽게 김수영에게서 문제가 될 수는 없다는 점이다. 예컨대 30년대의 백석이나 이용악 또는 오장환의 시들이 그 대표적인 예이다. 경향이 약간

다르고 이데올로기가 지나치게 강조되었다고는 하나 식민지 치하의 모든 프롤레타리아 문학도 이와 같은 유형에서 크게 벗어나지 않는다. 김기진이 주장하고 임화가 쓴 프롤레타리아 문학의 소위 '단편서사시'라는 개념도 마찬가지이다.

다른 하나는 김수영의 시가 시의 '개성화'라는 수준을 넘어서 거의 산문의 경지에 이르고 있다는 점이다. 예컨대 여성이 어느 정도 남성의 성격을 갖는 것은 개성적이다. 그러나 남성과 같은 행동을 하고, 동성애를 지향하는 여성을 바람직한 여성이라고는 물론 말할 수 없을 것이다. 그런데 김수영의 경우는 후자의 영역에 속한다고 할 수 있다. 그의 '인간과 인간 사이에 빚어진 이야기'의 시들이란 짧은 수필이나 일인칭 단막극에 해당하는 내용—그러니까 오히려 수필이나 단막극 혹은 콩트로 써야 할 내용—을 지나친 비약과 생략을 통해서 작위적으로 압축시킨 것에 지나지 않기 때문이다. 긴장이 사라진 감수성, 난삽한 문맥, 그러면서도 사실적인 묘사, 직접적인 주관의 토로, 소재 지향적인 이야기 등 시적인 것과는 거리가 먼 그 산문 수준의 시적 특성은 바로 여기서 기인한 것들이다.

따라서 그의 시에서 어떤 읽히는 재미가 있다면—평론가들의 우상화에 최면된 대부분의 독자들은 그것을 그의 시적 형상화에서 오는 것으로 착각하고 있지만—대체로 소재적 차원의 내용이나, 요설 속에 번뜩이는 어떤 단편적인 재치 혹은 센세이셔널한 언어의 의장, 그리고 앞 뒤 문맥과 별 관계 없이 불쑥 던지는, 무엇인가 멋있어 보이는 어귀 즉 "대한민국의 전재산인 나의 온 정신", "나의 주위에는 말짱 '반동'만 앉아 있어", "꾸르륵거리는 배에는 푸른색도 흰색도 적이다.", "혁명은 왜 고독한 것인가를", "영원의 행동", "욕망이여 입을 열어라. 그 속에서 사랑을 발견하겠다", "문명에 대항하는 비결은 당신 자신이 문명이 되는 것이다." 따위와 같은 진술에서 오는 것이지 시적 형상화나 상상력에서 오는 것은 아니다.

셋째, 김수영의 시의 언어는 거칠다. 그의 통사 구문은 부자연스럽고 아구 맞지 않은 것이 대부분이다. 시의 덕목이라 할 경제성을 지키지 않고 쓸 데 없이 언어를 남용하며 요설과 객담과 사적 사변을 무책임하게 늘어놓는다. 한마디로 언어의 압축과 정제와 밀도 같은 것의 인식이 부족하고, 또 언어를 섬세하게 절제하고 조탁하고 조직하고 변용하여 어떤 미적 가치를 창출해내는 기법을 모르는 것이다. 시란 일차적으로 언어의 예술이고 언어의 미적 가치를 획득함 없이 문학적 성취에 이를 수는 없는 까닭에 그의 그와 같은 시를 우리는 또한 결코 훌륭하다고 말할 수는 없다. 김수영의 시는 대부분 길이가 지나치게 길지만 그의 수준에서 비교적 성공을 거두었다고 평가되는 <푸른 하늘은>, <풀>, <폭포>, <눈> 등이 짧은 단시형으로 되어 있다는 것은 매우 시사적이다.

> 네 머리는 네 팔은 네 현재는
> 먼지에 싸여 있다. 구름에 싸여 있고
> 그늘에 싸여 있고 산에 싸여 있고
> 구멍에 싸여 있고
>
> 돌에 쇠에 구리에 넝마에
> 삭은 그늘에 또 삭아 부스러져
> 거미줄이 쳐지고 망각이 들어 앉고
> 들어 왔다. 튀어나오고
>
> 불이 튕기고 별이 튕기고 영원의
> 행동이 튕디도 자고 깨고

죽고 하지만 모두가 갱(坑)안에서
참호(塹壕) 안에서 일어난 일
(…하략…) <먼지>

50행에 가까운 시행들 속에서 앞의 12행만을 인용해 보았다. 별 내용이 없으면서 시가 이렇게 길어야할지 우선 의문이 간다. 언어의 경제성이 결여되어 있고 불필요한 진술들을 장황하게 늘어놓았다는 증거이다. 가령 1연의 경우 굳이 하지 않아도 될 말을 여러 차례 나열하고 있다. '그늘에 싸여 있다'는 시행은 어두운 삶의 상징적 표현이라는 점에서 이해가 가지만 탄광이란 의례 깊은 산중에 있을 터이니 산에 싸여 있다거나 구름에 싸여 있다는 말을 굳이 되풀이할 필요가 없다. 일종의 요설이다. 아마도 훌륭한 시인이라면 이 부분—막장의 갱부를 묘사한 1연의 내용—은 압축해서 두 행 정도로 처리할 수 있었을 것이다. 이와 같은 요설은 이 시의 대부분에서 드러나는 현상이다.

그의 수사적 표현 역시 그 수준에 있어서나 어법에 있어서 평범성을 벗어나기 힘들다. 첫째, '현재는 먼지에 싸여 있다', '망각이 들어앉고', '영원의 행동이 튕기고' 등에서 볼 수 있는 바 '현재', '망각', '영원' 등 추상어나 관념어의 무분별한 사용은 초보자라 할지라도 시적 형상화에서는 가능한 기피해야 될 것들이다. 시는 언어의 예술이고 예술의 본질은 감각성에 있기 때문이다. 둘째, 비유가 부적절하다. 가령 '구멍에 싸여 있고'에서—'구멍'이라는 말 자체가 관념어이지만—'갱' 즉 터널이 바로 '구멍'임으로 일종의 동의어 반복 이상이 아니다. 훌륭한 시의 기준을 시적 긴장(tension)에 두고 있는 신비평에서는 비유의 이와 같은 지나친 유사성의 효과를 소위 긴장이완(extension)이라 하여 저급한 단계로 취급하고 있다는 것은 다 아는 바와 같다.

둘째 연의 '넝마에 삭아'와 '거미줄이 쳐지고'는 문맥상 그 주어가 '네 머리' '네 팔', '네 현재'가 될 터인데 머리가 넝마에 삭는다는 문장도 의미론적으로 부자연스럽지만 '네 머리가 거미줄이 쳐지고'는 '네 머리에 거미줄이 쳐지고' 정도로 고쳐져야 하지 않을까 한다. '삭은 그늘에 또 삭아' 역시 그 뜻은 심정적으로 이해되나 비유가 매우 조악하다. '머리가 넝마에 삭은 것이 '그늘'이 되고 다시 그 머리가 그늘에 삭아 거미줄이 쳐진다' 했는데 머리와 넝마와 그늘 그리고 거미줄 사이에는 인접성이나 유사성이 거의 없다. 불쑥 던져진 '영원의 행동'이라는 말도 무슨 뜻인지 모르겠거니와 그것의 비유라 할 '튕길 수 있는 사물'과 어떤 유사성 내지 인접성이 있는지 알 수 없다. 그의 산문에서도 드러나는 것이지만 김수영의 이 같은 난삽한 언어는 자신의 고백과 같이 아마 그의 서투른 한국어에서 기인한 것일지도 모른다.

> 나는 한국말이 서투른 탓도 있고 신경질이 심해서 원고 한 장을 쓰려면 한글 사전을 최소한 두어 서너 번을 들추어보는데……[60]

넷째, 김수영의 시는 대분분 메시지 전달의 언어로 쓰여진다. 즉 언어를 시인 자신의 어떤 주장이나 이념 전달의 수단으로 이용하고 있다. 현실 참여를 부르짖는 그로서는 당연한 귀결일지 모르지만 그런 까닭에 이 같은 언어로 쓰여진 그의 시들은 문학적 성공을 거둔 것이 거의 없다.[61] 시와 산문의 본질적 차이는 전자가 존재 혹은 사

60) 김수영, 「시작 노우트」, 『김수영전집』 2 산문.
61) <풀>, <폭포>, <눈> 같이 그 중에서도 비교적 존재의 언어를 지향한 작품들이 그의 수준에서 다소 성공할 수 있었다는 것은 시사적이다.

물의 언어로 쓰여지는 문학임에 비해 후자는 도구 혹은 전달의 언어로 쓰여진 문학이어서 만일 시의 언어가 도구의 언어 혹은 메시지 전달의 언어로 타락하면—다른 어떤 목적 즉 사회적 정치적 목적 실현을 위해서는 도움이 될지 모르지만—이미 시는 시적 위상으로부터 벗어날 수밖에 없기 때문이다. 물론 위에 인용한 <먼지>도—어절이나 문장 차원에서 부분적, 장식적으로 존재의 언어를 지향하고자 노력한 흔적이 없는 것은 아니라 하더라도—갱부가 처한 현실 혹은 현실에 대한 시인의 어떤 울분을 독자들에게 보고 혹은 전달하고자 한다는 점에서 이 범주에 속한다. 다음과 같은 작품은 이 중에서도 아마 그 대표적인 예가 될 것이다.

> 이유는 없다
> 나가다오 너희들 다 나가다오
> 너희들 미국인과 소련인은 하루바삐 나가다오
> 말갛게 행주질한 비어홀 카운터에
> 돈을 거둬들인 카운터 위에
> 적막아 오듯이
> 혁명은 끝나고 또 시작되고
> 혁명이 시작되고 또 시작되는 것은
> 돈을 내면 또 거둬들이고
> 돈을 내면 또 거둬들이고 돈을 내면
> 또 거둬들이는
> 석양에 비쳐 눈부신 카운터같기도 한 것이니
> (…하략…) <가다오 나가다오>

이 역시 70행에 가까운 장시여서 앞부분만을 인용해 보기로 했다.

시인 자신의 주장이 직설적이다. 산문을 적당히 분절해서 행과 연을 구분 지운 것 이상이 아니다.

다섯째, 김수영의 생활시 혹은 사회시들이 대부분 전달적 언어를 차용함으로써 시의 본질이라 할 소위 '애매성'(ambiguity)을 상실하여 지나치게 산문화된 반면 그 외의 시들—특히 ㉡유형 즉 의식상에 재구성된 생활 잔영의 시들은 반대로 지나치게 난해하다는 점이다. 그 난해성이 쉬르 레알리즘의 기법, 특히 무의식의 자동기술과 무의미의 진술에서 비롯한다는 것은 앞장에서 지적한 바이지만 문제는 그가 그것을 시에서 무분별하게 구사하여 독자들을 당황케 하거나 혹은 전략적으로 독자들을 우롱한다는 데 있다. 난해하다는 것은 물론 시의 본질적인 특성 가운데 하나임으로 이를 전적으로 부정할 수는 없다. 그러나 불필요하게 난해하거나, 시적 형상화에 관계없이 난해하거나, 말장난으로 독자들을 속이기 위하여 난해하거나, 너무 지나쳐서 작품 해독이 거의 불가능할 정도로 난해한 작품이—어떤 문제성을 지녔다고 말할 수 있을지는 모르지만—결코 훌륭할 수 없음은 두말할 필요가 없다.

덮어놓은 책은 기도와 같은 것
이 책에는
신(神)밖에는 아무도 손을 대여서는 아니된다.

잠자는 책이여
누구를 향하여 앉아서도 아니된다.
누구를 향하여 열려서도 아니된다.

지구에 묻은 풀잎같이

나에게 묻은 서책(書冊)의 숙련—
순결과 오점이 모두 그의 상징이 되려 할 때
신이여
당신의 책을 당신이 여시오.

잠자는 책은 이미 잊어버린 책
이 다음에는 이 책을 여는 것은
내가 아닙니다. <서책(書冊)>

필자로서는 이 작품이 이야기하고자 하는 내용을 잘 모르겠다. 1연의 진술은 다소 이해가 되나 그것이 2연과 어떻게 연결이 되며, '잠자는 책'이란 무엇이며, 그것이 '덮어놓은 책'과 어떤 관련성을 가지며, 그것이 '누구를 향하여 앉아서도 아니 된다'는 뜻은 무엇이며. 또 왜 그것이 그리해야 되는지를 알 수 없기 때문이다. '지구에 묻은 풀잎'이라는 표현은 난해하기보다 차라리 문학청년 수준의 말장난에 속하고 '나에게 묻은 서책의 숙련'이란 '나의 손때 묻은 책'이라는 뜻의 유치하고도 작위적인 언어왜곡일 것이다. '순결과 오점이 모두 그의 상징이 된다'도 너무 지나친 관념적 진술인 까닭에 다소 재능이 있는 시인이라면 누구나 시에서는 아예 쓸 생각을 하지 않을 표현이다. '잠잔다는 것'은 흔히 '망각'을 뜻하는 행위로 비유되고 있다는 점에서 마지막 연의 "잠자는 책이 잊어버린 책"이라는 진술만큼은 이해되지만—잃어버린 책이 아니고—그 잊어버린 책 즉 망각한 책을 왜 내가 아닌 타인이 열어야 하는지는 모르겠다.

물론 견강부회해서 여러 가지 시나리오를 만들어 이 시의 큰 틀을 어느 정도 설명해 낼 수는 있을 것이다. 가령 '책'을 우주 혹은 세계의 알레고리로 생각해서 책을 빗대어 창조 이전의 우주를 이야기한 작품이라고 말하는 것 등이다. 그러나 그럴 경우에도 이 시의 불필요하게 난삽한 부분은 여전히 남는다. 예컨대 창조 이전이라면 이 시에 신과 대비하여 등장시킨 '나'는 누구이며 어떻게 그 책이 '덮어 놓은 책', '잊어버린 책' 혹은 '나의 손때 묻은 책'이 될 수 있는가 하는 점이다. '덮어놓고, 잊어버리고, 손때 묻은 책'이란 이미 누군가에 의해서 한 번 열려지고 소유된 책일 것이기 때문이다.

"순결과 오점이 모두 그의 상징이 되려고 한다"는 진술 역시 무슨 뜻인지 모르겠다. 그러한 관점에서 양적으로 이 시의 대부분을 차지하는 2, 3연은 독자들의 지적 호기심을 우롱해서 별 내용 없는 자신의 시를 호도코자 한 일종의 무의미한 진술들의 집합이거나 말장난이 아닐까 한다. 따라서 이렇듯 억지와 무리와 추측에 의해 겨우 하나의 시나리오로 짜 맞추어야 비로소 어렴풋하게 그 뜻이 드러날 수 있는 작품이라면 누구도 그것을 훌륭한 작품이라고 말하지 않을 것이다.

여섯째, 김수영의 시는 상상력이 빈곤하다. 그의 사회 지향시들은 거의 상상력이 부재하고 그 외 기타 난해시들은 상상력 이전의 어떤 정신적 혼란 상태를 무분별한 언어로 쏟아낸 것들이 대부분이기 때문이다. 필자는 이 '정신적 혼란 상태'를 앞서 무의미 혹은 무의식의 자동기술이라는 말로 설명한 적이 있다.

인간의 정신작용은 크게 이성과 상상력으로 나눌 수 있을 것이다. 그리고 이 때 이성이 과학의 세계를 지향한다면 상상력은 물론 예술 혹은 종교적 세계를 지향한다. 과학이 체험에 토대해서—이 체험의 대표적인 예가 실험인데 그 어떤 과학적 지식도 실험을 통해 입증되지 않는 한 참다울 수 없다.—사실을 추구하는 정신활동임에 반하여 문학이 상상력에 토대해서 진실을 추구하는 정신활동임도 이 때문이다. 그러므로 사실과 체험의 세계가 비록 문학에서 상상력을 작동시키는 계기를 마련해주고 나아가 문학 그 자체의 일부를 차지한다 하더라도 그것이 곧 문학의 본질일 수 없음은 물론이다. 문학의 수준을 결정짓는 것은 더욱 아니다. 만일 체험과 사실이 문학의 우열을 판단하는 기준이 된다면 가장 훌륭한 문학작품은 전기(傳記)나 다큐멘터리나, 역사기록이나 신문기사가 될 것이기 때문이다. 따라서 문학의 본질은 상상력에 있으며 훌륭한 상상력이 탐색해낸 진실이 위대한 작품을 만든다는 것은 두말할 필요가 없다. 이 경우 훌륭한 상상력이란 물론 새롭고 참신하고 가치 있고 아름답고 윤리적인 것을 말한다. 그러므로 한 시인에게 있어 상상력이 빈곤하다는 말은 곧 그의 작품이 문학적 수준에 있어 어떤 기대에 미치지 못한다는 말과 같다. 자타가 김수영의 대표작이라고 공인한 <풀>을 예로 들어본다. (시의 전문은 앞에서 인용한 바 있음으로 여기서는 생략키로 한다)

한국 평단에 의하면 김수영은 해방 이후 최대 시인이고[62] 이 <풀>이 바로 김수영을 대표하는 것이니 논리적으로 <풀>은 우리 문학사에서 해방 이후 최고 수준에 오른 작품이라고 말해야 할 것이다. 실제로 이 작품은 그러한 대접을 받고 있는 것도 사실이다. 예컨대 각급학교의 국어교과서에 수록이 되어 있다든지, 문단비평이나 학계에서 대표적인 참여시 혹은 민중시로 평가되고 있다든지, 많은 연구자들이 이 작품을 대상으로 작품 분석을 해 보였다든지 하는 것 등이다. 그러나 필자가 보기에 이 시는 그저 평범한 시인의 평범한 작품에 지나지 않을 뿐이다. 대중적인 평가와 달리 참여시나 민중시와도—참여시나 민중시라고 해서 문학적으로 훌륭하다고 말할 수는 없지만—거리가 멀다. 생명의 단비를 기다리는 풀을 묘사한 시라는 관점에서 이 시의 전체적인 분석은 앞에서 이미 시도한 바 있음으로

62) 주 10) 참조.

이제 여기서는 필자는 이 시가 수준에 미치지 못한 이유에 국한하여 이야기하고자 한다.

① 중심이미지(presiding image) 혹은 사적 상징이라 할 '풀'이 단순히 서술적으로 그려져 있다.[63] 그것은 풀이 사실의 서경적인 묘사 대상이거나 시인의 내적 심경을 전이시킨 객관적 상관물로 제시되었다는 뜻이다. 그러나 이 양자는 그 어떤 것도 수준 높은 시적 형상화를 이루는 데에 기여한 것 같지는 않다. 전자의 경우는 문자 그대로 풍경 묘사이니 말할 것 없고 후자의 경우는 시인의 내적 감정이 막연하고 불분명하며, 대상으로서의 풀도 풀 그 자체의 존재론적인 의미가 아니라 시인의 주관 속에서 이미 만들어진 어떤 생각이나 관념을 단순히 전달 매개하는 역할로 끝나기 때문이다.

② 앞서 언급했듯이 시와 과학의 차이는 상상력과 이성의 차이다. 그러한 관점에서 시의 우열은 상상력의 우열이라고도 할 수 있다. 그런데 이 작품의 상상력은 매우 옹색하다. 예컨대 "풀이 눕는다. / 비를 몰아오는 동풍에 나부껴 / 풀은 눕고 / 드디어 울었다."라는 시행에서 바람이 불면 풀은 의당 쓰러지기 마련임으로 이는 사실을 사실대로 기술한 것일 뿐이다. 다만 시가 될 수 있는 것처럼 보이는 부분은 풀이 '바람보다 더 빨리 눕는다'는 진술에서 발견된 일종의 전도된 사유이지만 조금 깊이 생각해보면 이 역시 사실 기술의 차원에서 벗어나지 않음을 알 수 있다. 가뭄에 시들어 죽어가는 풀에게 봄바람과 더불어 생명의 단비가 실려 오면 풀은 이에 감복해서 봄비를 보다 많

63) 대부분의 논자들은 이 시를 참여시로 보아 풀이 뜻하는 바를 '민초'(民草) 즉 민중으로 해석하고 있으나 이 시가 참여시가 아님은 앞서 지적한 바와 같다. 설령 그것이 참여시라 하더라도 풀=민초의 등식은 비유되는 것 즉 터너와 비유하는 것 즉 비히클의 관계가 의미적으로 1: 1의 관계를 형성시킨다는 점에서 유치한 단계의 수사적 차원에 머문다. 1: 1의 관계는 흔히 수사적 알레고리라 부르는 것으로 수사법에 있어서 가장 저차원의 단계에 있기 때문이다.

이 받기 위해 미리 눕는 것이 일반적이기 때문이다. 실제로 이른 봄의 시든 풀은 단비를 받기 위해 비오기 전부터 누워 있는 상태로 기다린다. '바람보다 빨리 일어난다'는 논리 역시 마찬가지이다. 봄비에 함빡 적신 비는 그 솟아오르는 생명력으로 곧 바로 잎을 고추 세우기 때문이다. 이는 무슨 상상력의 문제가 아니라 사실이며 과학이다.

③ 중심이미지라 할 '풀'이 그로부터 파생되는 이차, 삼차 이미지로 파급 확산되지 못하고 단순히 풀 그 자체로 끝난다는 점에서도 이 시의 상상력은 매우 빈약해 보인다. 즉 이 시에 등장하는 이미지는 너무 단순하다. '풀', '바람', '동풍' 등 한 문장으로 엮어지는 단 세 개의 이미지 이외에 다른 변용—예컨대 시학에서 자주 거론하는 '전도'나 '확장'64) 등—이 전혀 없는 까닭이다. 이와 같은 현상은 물론 이 시의 상상력이 저급한데서 연유하는 것이다.

대표작으로 일컬어지는 김수영의 다른 시 한편을 인용해 본다.

> 폭포는 곧은 절벽을 무서운 기색도 없이 떨어진다.
>
> 규정할 수 없는 물결이
> 무엇을 향하여 떨어진다는 의미도 없이
> 계절과 주야를 가리지 않고
> 고매한 정신처럼 쉴 사이 없이 떨어진다.
>
> 금잔화도 인가도 보이지 않는 밤이 되면
> 폭포는 곧은 소리를 내며 떨어진다.

---

64) Michael Riffaterre, "Text Production", *Semiotics of Poetry*(Bloomington: Indiana Univ. Press, 1978).

곧은 소리는 소리이다.
곧은 소리는 곧은
소리를 부른다.

번개와 같이 떨어지는 물방울은
취할 순간조차 마음에 주지 않고
나타(懶惰=나태 필자 주)와 안정을 뒤집어 놓은 듯이
높이도 폭도 없이
떨어진다. <폭포>

필자로서는 이 작품이 왜 시가 될 수 있는지 알 수가 없다. 아무런 상상력도 없이 그저 사실을 사실대로 기술했기 때문이다. 자연의 한 현상으로서 폭포의 낙하를 짤막하게 사실적으로 묘사해 보고자 한 것일까. 그렇다면 일종의 단편적 산문의 영역을 벗어날 수 없다. 아니라면 '폭포의 낙하'를 통해 어떤 암시적 의미를 제시하고자 한 것일까. 그렇다면—썩 좋은 시라 할 수는 없겠지만 그 '암시적인 어떤 의미'를 '폭포'라는 이미지로 대치시킨 나름의 상상력이 개재해 있는 까닭에—한 편의 시가 될 수는 있을 것이다. 그러나 아무리 궁리를 해보아도 그 '암시적인 의미'가 무엇인지는 분명히 알 수 없다. 물론 1연의 폭포에 대한 사실적 기술에 '무서운 기색도 없이'라는 수식어가 있고 2연에서 '고매한 정신처럼 쉴 사이 없이 떨어진다'고 한 진술로 보아 그 폭포가 단순한 자연의 폭포가 아니라 인간의 어떤 삶을 의인화한 폭포일 것이라는 생각은 막연히 든다.

그러나 그 의인화된 폭포가 과연 무엇을 말하고자 하는 것인지는 잘 모르겠다. 우선 '고매한 정신은 쉴 사이 없이 폭포의 낙하하는 물처럼 아래로 떨어져야 한다'는데 이는 무슨 뜻일까. 고매한 정신이란 구체적으로 무엇이며 왜 그것은 위로 상승하지 않고 아래로 떨어져야만 하는 것일까. 3연에서 '금잔화도 인가도 보이지 않는 밤이 되면/폭포는 곧은 소리를 내며 떨어진다' 했는데 그래야 할 이유는 무엇이고 그렇다면 '금잔화나 인가가 보이는 낮에는 폭포는 굽은 소리를 내며 위로 솟는다'는 뜻일까. '곧은 소리는 곧은 소리다 혹은 곧은 소리는 곧은 소리를 부른다'는 당연한 이야기가 아닌가.

따라서 이와 같은 의문이 풀리지 않는다면 이들 진술은 폭포의 묘사에 부가시킨—그럴 듯한 말로 독자들을 현혹하기 위하여—공허한 말장난 이상이 아니며 뒤에 남는 것은 오직 자연으로서의 폭포가 아래로 떨어지는 광경의 사실적인 묘사일 뿐이니 시적 상상력이란 거의 없다고 말해도 과언이 아닐 것이다. 물론 폭포를 의인화시킨 것을 상상력이라 주장할 수는 있다 그러나 이 정도의 상상력이라면 초등학생의 수준을 넘기도 어려울 발상일 것이다. 다 아는 바와 같이 의인법은—발생학적으로—가장 초보적인 수사법 그래서 흔히 동시(童詩)에 등장하는 수사법이기 때문이다.

이 시를 굳이 옹호하기 위해서라면 이 수수께끼 같은 진술 즉 '고매한 정신의 낙하'를 '정의로운 자의 비극적 파멸' 혹은 '신념의 수호를 위한 순교' 정도로 비약 과장해서 해석해 봄직하다. 그러나 이는 이 글을 시로 만들기 위하여 일부러 무리하고도 작위적으로 짜 맞춘 견강 부회의 결과이지 시 자체의 분석에서 자연스럽게 얻어진 결과는 아니다. 이를 뒷받침 해 줄 이미지나 진술이나 상상력의 논리를 그 어디에서도 찾아 볼 수 없기 때문이다. 그러므로 설령 이와 같은 해석이 우연히 맞아 떨어졌다 하더라도 그것은 작품 분석의 필연성에서가 아니라 봉사 지팡식 알아 맞추기에서 오는 우연이라고밖에 말할 수 없다.

삶은 계란의 껍질이
벗겨지듯
묵은 사랑이
벗겨질 때
붉은 파밭의 푸른 새싹을 보아라
얻는 다는 것은 곧 잃는다는 것이다.
(…하략…) <파밭 가에서>

김수영의 또 다른 대표작이라 할 <파밭 가에서>의 첫 연을 인용한 것이다. 이미 첫 행에서부터 잘못된 것을 알 수 있다. 봄에 파릇이 돋아나는 새싹의 생명 의지를 엉뚱하게 삶은 달걀의 벗겨지는 껍질로 비유한 것이 그것이다. 삶은 달걀이란 썩어 소멸하는 물질이므로 아무리 그 껍질을 벗겨도 새싹처럼 새로운 생명을 잉태할 수는 없기 때문이다. 즉 땅에 뿌려 썩는 파씨와 남녀의 결합에서 보는 사랑의 종말(성적 결합에 있어서 '남성'의 죽음)은 새로운 생명을 탄생시킨다. 그러나 그것의 비유라 할 삶은 달걀은 그저 삶은 달걀로 썩어 소멸할 뿐 다시 새 생명으로 거듭날 수는 없다.

그러므로 이 시는 그 첫 연에서부터 앞 뒤의 문맥이 맞지 않는 내용을 비유로 들어 의미를 혼란에 빠트리고 있는 셈이다. 김수영의 시의 대부분은 이와 같은 오도된 난해성에서 기인하고 또 난해하기 때문에 결과적으로 문제가 되고 있지만 실상은 이렇듯 그가 그의 상상력의 빈곤을 위장하기 위하여 꾸며낸 작위적 언어장난 이상이 아니다. 그가 시의 본질이라 할 은유의 제시에서 대부분 실패하고 한 걸음 더 나아가 사실적, 직설적 어법에 의존하고 있는 이유도 아마 여기 있을 것이다. 따라서 우리는 김수영이—이를 감추기 위하여—그 장황한 요설과 말장난을 동원해서 끊임없이 독자들을 현혹하고 있음에도 불구하고 그 상상력이 어떤 수준에 있는지 짐작할 수 있을 것이다.

9

그럼에도 불구하고 김수영의 시가 지금까지 우리 문단에서 이처럼 터무니없게 과대 평가되어왔던 이유는 무엇일까. 필자는 다음과 같은 이유 때문이라고 생각한다.

첫째, 앞장에서 지적했듯이 특수한 평론가 집단이 특수한 목적을 위해서 계획적이고도 장기적으로 꾸준히 우상화시킨 결과이다. 그 우상화의 핵심은 김수영의 시가 훌륭하며 대표적인 참여시라는 것, 참여시는 다른 어떤 시보다 훌륭한 것임으로 이 양자를 결합한 김수영의 시는 더욱 훌륭하다는 것 등의 논리로 요약된다. 이의 부당성에 대해서는 앞에서 충분히 논의한 바이다.

둘째, 김수영의 시집 발간과 관련된 일련의 출판사 발행 시집 시리즈의 영향이다. 김수영의 시집을 간행한 출판사들은 우리 출판 업계에서 이름 있는 문학 분야 출판의 메이저 그룹들이었기 때문이다.

셋째, 일단 비평계에서 김수영이 우상화되자──특히 문단 콤플렉스에 빠진──각급 대학의 연구자들이 맹목적으로 이에 추종하여 그의 시를 연구하기 시작하였다는 점이다. 대학에서의 문학 연구란──비평과 달리 학문이라는 것의 성격자체가 그러하듯──본질적으로 가치 평가와 같은 문제보다도 사실탐구 혹은 작품 해석을 지향하는 까닭에 더욱 그러했다. 그 결과 김수영의 문학 연구는 가치 평가에 대한 진지한 논의를 뒷전으로 한 채 의당 그는 훌륭한 시인이라는 전제 아래서 해가 거듭될수록 가열되었으며 그와 비례해 그에 대한 우상화 역시 가속화되었다.

넷째, 그 자신 의식했건 하지 않았건, 무식해서 그랬건 어떤 전략적 목적 때문에 그랬건 김수영의 시론에는 논란이 제기 될만한 문제성들이 매우 많았다는 점이다. 이들 문제성이 연구자들의 지적 호기심을 자극해서 그에 대한 논의를 확장시키는 결과를 초래했고 그럴 때마다 김수영 자신은 문제시인 혹은—문학 저날리즘의—스타 시인으로 각인되는 악 순환이 반복된 것이다. 그 문제성이란 다음과 같다.

①모순되는 주장을 빈번히 함으로써 독자들을 혼란에 빠트린다는 점이다. 물론 그 모순은 김수영 자신의 지적 혼란이나 무지에서 비롯한 것임으로 사실을 사실로 받아들이면 그 뿐일 터이다. 그럼에도 불구하고 문제는 대부분의 연구자들이—특별한 평론가 집단의 주장에 현혹 혹은 최면됨으로써—그 모순 속에 무슨 진실이라도 있을 것 같은 착각에 빠져 이를 해명 혹은 합리화하고자 끊임없이 공소한 노력을 기울이고 그러한 과성의 되풀이 속에 김수영이 우상화되었다는 점이다.

㉠ 일전에 평론을 쓰는 신동엽(申東曄)을 만났는데 그도 역시 내가 부연한 장일우(張一宇)[65]가 제시한 시의 방향과 같은 말을 한다. "우리나라의 시는 지게꾼이 느끼는 절박한 현실을 대변해야 합니다" 그러나 이러한 오늘날의 우리의 시단의 적지 않은 진지한 사람들이 느끼고 있는 커다란 갭—이 시를 쓰는 지게꾼이 나오지 않는 여러 가지 사회적 조건의 결여—을 인정하면서도—그것은 장구한 시간이 필요한 자유로운 사회의 실현과 결부되는 문제이기 때문에—나는 위선 우리 시단이 해야 할 일은 현재의 유파의 한계 내에서라도 좋으니 작품다운 작품

---

65) 일본에서 1960년대 간행된 좌파적 성향의 한국어 정기간행물 ≪한양(漢陽)≫지의 대표적 좌파 비평가. 현실고발과 비판을 강조하였다.

> 을 하나라도 더 많이 내놓는 일이라고 생각한다. ……≪한양(漢陽)≫지의 평론가가 말하는 것과 같은, 반드시 사회참여적인 것이나 민족주의적인 것이 아니라도 좋다.[66]

이상의 인용문은 김수영이 이어령의 「오늘의 한국문화를 위협하는 것」이라는 글이 '기성질서의 테두리 안에서'의 문학창작을 옹호하는 주장이라 하여 비판한 다음과 같은 자신의 평문과 완전히 모순되는 논리이다.

> 지난 20일자의 본지 ≪조선일보≫의 <문예시평>난에 게재된 이어령 씨의 「오늘의 한국문화를 위협하는 것」을 읽고 그가 근래에 주장하는 기성 질서의 테두리 안에서의 '순수한 문학적 내면의 창조력'이 어떠한 것인지 새삼스레 의아심을 자아내게 하는 문학과 자유의 관계에 대한 근본적인 오해가 있는 것 같아서 우선 그에 대한 주요한 몇 가지 점만을 지적해두고자 한다.[67]

㉡ 한편 문학의 사회 참여를 강조하면서[68] 당대 문학인의 최고 전범이—현실 투쟁의 결과—'형무소'에 가는데 있다고까지 주장한[69]

---

66) 김수영, 「생활현실과 시」, 『김수영전집』 2 산문.

67) 김수영, 「실험적인 문학과 정치적 자유」, 위의 책. 또한 김수영은 그의 사회참여 문학론에 비추어 당대의 문인들이 기성 체제에 안주해 있는 까닭에 "건방진 소리 같지만 우리 나라는 지금 시인다운 시인이나 문인다운 문인을 가지고 있지 않다는 것이 나의 지론이다."라고 말한 바 있다. 김수영, 「시의 '뉴 프론티어'」, 위의 책.

68) 5장 참조.

69) 5장과 다음과 같은 그의 주장을 참고할 수 있다.
"혁명이란 이념에 있는 것이요, 민족이나 인류의 이념을 앞장서서 지향하는 것이 문학인일진대 오늘날처럼 이념이나 영혼이 필요한 시기에 젊은 독자들에게 버림을 받는 문학인이 문학인이라고 할 수 있겠는가." 김수영,

김수영이 이와는 반대로 다음과 같은 언급을 보여준다는 것은 자가당착이다. 그가 말한 바 '형무소의 수인'으로 수감될 정도의 현실 비판적인 작품이란 그가 다음의 인용문에서 주장하듯 '끊임없는 창조 향상을 지향하면서' '순간' 속에 '진리와 미의 전신의 이행을 위탁'하는—'특정된 시간'이 아니라—어떤 보편적 문학성을 지닌 작품이 될 수 없기 때문이다. 그런 까닭에 문학의 현실참여를 주장했던 사르트르 자신도 시만큼은 현실참여를 거부했다는 것은 5장에서 이미 언급한 바 있다.

> 그러니까 쉽게 말하자면 제 정신을 갖고 사는 사람이란 끊임 없는 창조의 향상을 하면서 순간 속에 진리와 미의 전신의 이행을 위탁하는 사람이다. 다시 말해두지만 제 정신을 갖고 사는 사람이란 어느 특정된 인물이 될 수 없고 어떤 특정된 시간이 될 수도 없다. 우리는 일순도 마음을 못 놓은다. 흔히 인용되는 예를 들자면 우리는 '시지프의 신화에 나오는 육중한 바윗돌을 밀고 낭떠러지를 기어올라가는 사람들이다.[70]

「독자의 불신임」, 위의 책.

"나의 연상에서 진지란 침묵으로 통한다. 가장 진지한 시는 가장 큰 침묵으로 승화되는 시다. 시를 행할 수 있는 사람의 경우를 생각해 보더라도 지금의 가장 진지한 시의 행위는 형무소에 갇혀 있는 수인의 행동이 극치가 될 것이다. 아니면 폐인이나 광인. 아니면 바보. 그러나 이 글의 주문의 취지는 영웅대망론이 아닐 것이다". 김수영, 「제 정신을 갖고 사는 사람은 없는가」, 위의 책.

"한양지 평론가 장일우가 지적한 것처럼 한국시의 과제는 현실극복의 과제인데 그것이 성공한 예는 거의 없었으나 신동엽의 <발>은 이런 정공법으로 그 목표에 도달한 최초의 작품이라고 평자에게는 생각된다. 김수영, 「월평」 1966. 3, 위의 책.

70) 김수영, 「제 정신을 갖고 사는 사람은 없는가」, 위의 책. 한편 다음과 같은 진술들 역시 같은 문맥에서 이해된다. 참여문학은 현실 건너의 꿈 즉 로맨티시즘에 관한 문제가 아니라 바로 현실 그 자체 그러니까 리얼리즘이기 때문이다.

"그것은 두말할 것도 없이 문화의 본질이 꿈을 추구하는 것이고 불가능을

㉢ 다음의 인용문을 보면 김수영은 자신의 생각으로는 불온한 것이 아니지만 주위에서 그것을 불온한 것으로 단죄할까 보아서 자신의 작품을—발표하지 못하고—'설합' 속에 넣어두는, 심약한 시인이다. 그렇다면 우리는 당장 이런 질문을 던질 수 있다. 그가 그렇게 주장하는 사회 참여란—앞에서 살펴본 바와 같이—'형무소'까지도 갈 수 있는 내용의 현실비판이어야 하는데 하물며 발표조차 할 수 없는 마음의 자세와 발표되지도 않은 작품이 어떻게 현실참여의 행위 혹은 참여시가 될 수 있는가. 필자가 김수영의 문학론 혹은 참여시가 공연한 말장난에서 끝나고 그 연구자들 역시 이 같은 말장난의 미망 속에서 그를 우상화시키는 일에 일조하고 있다고 몰아붙인 이유가 여기에 있다.

> 혹시 그는 내가 말한 나의 발표할 수 없는 시를 가리켜서 말하는 것인지 모르지만 내가 발표할 수 없다고 한 나의 작품은 나로서는 조금도 불온하지 않다고 생각하는 작품이다. 다만 그것은, 불온하다는 의혹을 받을 수 있는 작품이기 때문에 발표를 꺼리고 있는 것이지, 나의 문학적 이성으로는 추호도 불온하지 않다. 내가 불온하다고 보여질 우려가 있어서 발표하지 못하고 있는 작품을 '불온하다'고 낙인을 찍으려면 우선 그 작품을 보고 나서 말을 해야 할 것이다.[71]

추구하는 것이기 때문이다."

김수영, 「실험적인 문학과 정치적 장유」, 위의 책.

"미국의 세력에 대한 욕이라든가. 권력자에 대한 욕이라든가 일제시대에 꿈꾸던 것과 같은 단순한 민족적 자립의 비전만으로는 오늘의 복잡한 상황에 놓여 있는 독자의 감성에 영향을 줄 수는 없다. 단순한 외부의 정치세력의 변경만으로 현대인의 영혼이 구제될 수 없다는 것은 세계의 상식으로 되어 있다. 현대의 예술이나 현대시의 출발점이 여기에 있다." 김수영, 「변한 것과 변하지 않은 것」, 위의 책.

71) 김수영, 「'불온성'에 대한 비과학적 억측」, 「반시론(反詩論)」, 위의 책. 등에서도 같은 취지의 발언을 하고 있다.

㉣ 현실 참여 문학이란 어떤 이념이나 사상을 실현하기 위해서 문학을 사회현실의 고발 혹은 비판의 수단으로 이용하는 문학일 것이다. 설령 그가 어떤 이념이나 사상에 대한 의식 없이 현실을 비판한다 하더라도 결과는 마찬가지이다. 즉 비판하는 내용 그 자체는 넓은 의미에서 사상이라 할 수 있다. 따라서 현실 참여시란 예술성이나 형식성에 앞서 사상성이 보다 중요한 문학이 된다. 현실참여문학의 대부라 할 모든 경향문학, 마르크스주의 문학, 사회주의리얼리즘이 그러했던 것도 이 때문이다. 우리는 그것을 1920년대 말 우리의 프롤레타리아 문학에서의 내용과 형식논쟁, 같은 시기의 소련에서 트로츠기와 형식주의자들의 그 유명한 논쟁에서 보았다. 그것만이 아니다. 김수영은 또한 '인류의 이념을 앞장서서 지향하는 것이 문학'이라고 주장한 바 있음으로[72] 그가 다음과 같이—'믿을 수 있는 작품을 쓴다는 자각이 곧 사상으로 통한다'는 그 다음의 문장은 그의 글쓰기의 장기라 할 종잡을 수 없는 내용이지만—사상보다도 작품의 우선을 강조한 것은 분명 그의 참여문학론과 정면으로 위배되는 것이라 하지 않을 수 없다.

> 믿을 수 있는 작품! 사상은 그 다음이다. 그러나 이 믿을 수 있는 작품을 쓴다는 확고한 자각이 설 때 이 자각은 곧 사상으로도 통할 수 있다.[73]

---

72) 주 40) 참조. 그 외에도 다음과 같은 진술들을 참고삼을 수 있을 것이다.
"내가 보기에는 우리 시단의 시는 시의 언어의 서술면에서나 시의 언어의 작용면에서나 다같이 미숙하다. ……이 두 가지 시가 통할 수 있는 최대 공약수가 있다면 그것은 사상인데 이 사상이 어느 쪽에도 없으니까 그럴 수밖에 없다. 김수영, 「생활 현실과 시」, 위의 책.

73) 김수영, 「생활현실과 시」, 위의 책.

ⓜ 김수영은 그의 산문 여러 곳에서 분명하게 민족주의를 거부하고 있다.[74] 그 자신 세계주의자임을 은연중에 과시하고 있는 것이다. 그럼에도 불구하고 그는 다음의 인용시에서 보는 것과 같이 시에서 자신이 마치 민족주의자인 것 같은 '포오즈'를 가끔 보여준다. 백락청은 나름대로 이 부분을 노치지 않고 지적하고 있지만[75] 대부분의 현실참여론자—후의 민족문학 혹은 민중문학의 계승자들은 이 대목을 애매하게 처리하거나 의도적으로 간과하면서까지 그를 자신들의 편에 끌어넣으려는 노력을 게을리 하지 않았다.

> 이유는 없다—
> 나가다오 너희들은 다 나가다오.
> 너희들 미국인과 소련인은 하루바삐 나가다오.
> (…중략…)
> 너희들이 피지도(島)를 침략했을 당시에는
> 그의 아버지들은 아직 젖도 떨어지기 전이었다니까
> 명수 할아버지가 불쌍하지 않느냐
> (…중략…)
> 서푼어치 값도 안 되는 미(美) 소인(蘇人)은
> 초콜렛, 커피, 페치코오트, 군복, 수류탄
> 따발 총……을 가지고
> 적막이 오듯이
> 적막이 오듯이

---

74) "이 점에 보아서도 민족주의 시대는 지났다. 요즘의 정치풍조나 저어널리즘에서 강조하는 민족주의는 이것과 다르다.—우리들의 실생활이나 문화의 밑바닥의 정밀경으로 보면 민족주의는 문화에는 적용되어서는 아니 된다." 김수영, 「시작 노우트」, 위의 책.

75) 백락청, 「참여시와 민족문제」, 『김수영의 문학』: 김수영전집 별권.

소리 없이 가다오 나가다오
다녀오는 사람처럼 아주 가다오! <가다오 나가다오>[76]

이 작품이 민족주의 관점에서 이해될 수 있음은 미국을 은연중 제국주의 국가로 몰아붙인 "너희들이 피지도를 침략했을 당시에는"이라는 시행 때문이다.

② 김수영의 산문은—그의 고백처럼 한국어가 서툴러서 그런지 혹은 다른 목적이 있어서 그런지는 모르나—대체로 요령부득이다. 매우 애매모호하다. 산문의 기본 정신이라 할 논리성과 명증성이 결여되어 있을 뿐만 아니라 그 뜻이 무엇인지 종잡을 수 없는 경우가 대부분이다. 그 결과 그의 산문은 논자에 따라서 각각 다르게 해석되었고 이 '거듭되는 논란'이 역설적으로 또한 김수영을 우상화시켰다. 그의 대표적 시론이라 할, 그래서 끊임없이 문제가 되어왔던 「시여 침을 뱉어라」에서 핵심에 해당되는 부분을 한 번 인용해본다.

시를 쓴다는 것—즉 노래—시의 형식으로서의 예술성과 동의어가 되고 시를 논한다는 것이 시의 내용으로서의 현실성과 동의어가 된다는 것도 쉽사리 짐작할 수 있는 것이다…… 똑 같은 말을 되풀이하는 것이 되지만 시를 쓴다는 것이 무엇인지를 알면 다음 시를 못 쓰게 된다. 다음 시를 쓰기 위해서는 여직까지의 시에 대한 사변을 모조리 파산을 시켜야만 한다. 혹은 파산을 시켰다고 생각해야 한다. 말을 바꾸어 하자면 시작은 '머리'로 하는 것이 아니고 '심장'으로 하는 것도 아니고 '몸'으로 하는 것이다. '온몸'으로 밀고 나가는 것이다. 정확하게 말하자면 온몸으로 동시에 밀고 나가는 것이다.

---

76) 그 외에도 월북한 친구이야기를 그린 <영전현차랑(永田絃次郎)>, <만주의 여자>, <전향기>. <거대한 뿌리> 등도 같은 뉴앙스를 풍기는 작품들이다.

> 그러면 온몸으로 동시에 무엇을 밀고 나가는가. 그러나—나의 모호성을 용서해준다면—'무엇을'의 대답은 '동시에'의 안에 이미 포함되어 있다고 생각된다. 즉 온몸으로 동시에 온 몸을 밀고 나가는 것이 되고 이 말은 곧 온몸으로 바로 온몸을 밀고 나가는 것이 된다. 그런데 시의 사변에서 볼 때 이러한 온 몸에 의한 온몸의 이행이 사랑이라는 것을 알게 되고 그것이 바로 시의 형식이라는 것을 알게 된다.[77]

어떻게 보면 너무 뻔하고 또 어떻게 보면 알쏭달쏭해서 무슨 뜻인지 종잡을 수 없는 말이다. 대충 짐작해서 큰 틀로 보면 아주 당연해서 하나마나한 이야기 같은데 정작 과학적 엄밀성으로 문장 하나 하나를 따져 보면—문장 자체도 어법이 제대로 맞지 않거니와—무슨 말인지 모르겠다. 말장난이 너무 심한 것이다.

첫 문장을 우선 검토해보기로 한다. 본문대로 하자면 '시를 쓰는 행위'는 '노래'이면서 '형식으로서의 예술성'이고 '시를 논한다는 것'은 시의 '내용'으로서의 '현실성'이라는 뜻이다. 그런데 이 같은 전제는 다음과 같은 의문을 불러일으킨다. ㉠ 시작(詩作) 그 자체는 내용과 형식의 구분 없이 이 양자가 혼연일체가 되어 동시적으로 이루어지는 행위이다. 그런데 '시를 쓰는 행위'는 형식에만 국한되고 내용과는 관련이 없다니 이 무슨 뜻인가. ㉡ '시를 논한다'는 것은 비평행위를 가리키는 말일 터인데 비평 즉 '시를 논한다는 것이 '내용으로서의 현실성'이라는 표현이 과연 성립되는 문장인가. 백번 양보해서 이 말을 '시를 비평한다는 것은 내용이 지닌 현실성을 이야기하는 것'이라는 정도의 뜻으로 이해한다 하더라도 '현실성'이란 무슨 뜻이며 왜 시 비평은—더욱이 내용 전달이 핵심이 되는 산문도 아

---

77) 김수영, 「시여 침을 뱉어라」, 『김수영전집』 2 산문.

니고 오히려 사물의 언어인 시의 경우에—'내용' 그것도 '현실성'을 지닌 내용만이 그 대상이 되어야 하는가. 아니 '내용'과 '형식'은 구분될 수 있는 개념[78]인가. 현대시 분석에서 보다 중요한 것은 구조 분석이나 상상력의 탐구 같은 것인데 이와 같은 문제들을 비평의 대상에서 제외해야 할 이유는 무엇인가. ㉢ '시를 쓰는 행위'가 '노래'라는 것은 무슨 뜻인가. 시에는 음악성 이외에도 회화성=이미지가 있지 않은가. 운문으로부터 자유로워진 현대시에서는 오히려 회화성이 더 중요한 것이 아닌가. ㉣ 도대체 문장이 되어 있는가. 아마도 이 첫 문장은 "시를 쓴다는 것—즉 노래—이 시의 형식으로서의 예술성에 관한 문제이고 시를 논한다는 것이 시의 내용으로서의 현실성에 관한 문제가 된다는 것도 쉽사리 짐작할 수 있는 것이다."라는 정도로 고쳐야 제대로 되는 것이 아닌가.

두 번째 문장의 경우도 무슨 뜻인지 종잡을 수 없다. 두 가지 이유 때문이다. 하나는 ㉠에서 이미 지적한 것처럼 '시를 쓴다는 것'의 뜻이 명확하지 않다는 점이요 다른 하나는 왜 '시를 쓴다는 것'(무슨 뜻인지 모르겠으나)을 알게 되면 다음 시를 쓸 수 없는 것인지에 대한 설명이 전혀 없다는 점이다. 세 번째 문장 역시 마찬가지이다. 이 문장의 키 워드라 할 '사변(思辨)'이 무엇을 의미하는 단어인지 분명치 않고 왜 다음 시를 쓰기 위해선 그 '시에 대한 사변'을 파산시켜야 하는지 논거가 없다. 다만 하나의 힌트가 있다면 다음에 이어지는 '시작(詩作)'은 '머리'로 하는 것이 아니고 '심장'으로 하는 것도 아니고 '몸'으로 하기 때문이라는 문장인데 필자로서는 아무리 궁리를 해도 이 양자의 연결고리를 찾기 힘들다.

이 부분의 문맥은 이렇게 정리된다. 시는 '머리'로 하는 것도 '심

---

78) 현대문학론에서는 내용과 형식의 구분이 불가능하다 하여 오히려 구조와 재료라는 개념을 사용하고 있기 때문이다.

장'으로 하는 것 아닌 '몸'으로 밀고 나가는 것임으로 '시를 쓰기 위해서는 여직까지의 시에 대한 사변을 모조리 파산시켜야 한다'는 것이다. 유치한 멋을 부리기 위해서 사용한 것일지는 모르나 시작(詩作)을 '몸'으로 밀고 나간다는 비유만큼은—애매한 언어용법으로 뻔한 내용을 마치 무슨 독창적인 주장이나 되는 것처럼 은폐시키고 있지만—어느 정도 이해할 만하다. '머리'는 지성 혹은 이성을 뜻하는 것 정도의 비유로, '심장'은 '감성' 혹은 '사랑'을 뜻하는 것 정도의 비유로 해석할 수 있으므로 이 양자를 결합한 '몸'이란 지성과 감성 혹은 이성과 사랑의 결합을 뜻하는 말이 되어 결국 '온몸으로 밀고 나간다'는 것은 지성과 감성이 결합된 시 혹은 이성과 사랑이 결합된 시를 쓰자는 말로 설명이 되기 때문이다.

그러므로 이 부분의 뜻은 이렇게 정리될 것이다. '시는 지성이나 이성만으로 쓰여지는 것도 아니고 감성이나 사랑만으로 쓰여지는 것도 아니다. 시란 이 양자의 결합으로 쓰여지고 또 그렇게 써야 한다'. 그러나 비록—우리가 앞서 살펴보았듯—난삽하고 장황하고 현학적인 요설을 통해 독자들을 현혹하고 있다 하더라도 김수영의 이와 같은 주장은 너무도 상식적이다. 이 세상의 시인들 가운데 시 쓰기가 그렇지 않다고 생각하는 사람, 또 그렇지 않게 시를 쓰거나, 그렇지 않게 쓰려고 노력하는 사람이 어디 있겠는가. 하물며 그것이 시에만 국한되지 않는 문제임에랴. 이 세상의 모든 정직하고 성실한 사람은 자신이 하는 일을 모두 '온 몸'으로 밀고 나아가고자 한다. 청소부는 청소하는 일을 온 몸으로 밀고 나가고자 하며, 선생님은 가르치는 일을 온 몸으로 밀고 나가고자 하며, 대통령은 정치를 그의 온몸으로 밀고 나가고자 한다. 그것이 바로 사람이 사는 정도인 것이다. 그러한 의미에서 김수영은 너무나 뻔한 주장, 너무도 당연한 이야기를 마치 자신만의 전매특허나 되는 양 애매모호한 문장과 난해한 어법을 빌려 독자들을 우롱하고 있는 것이다.

그러나 이 부분에서 더 문제가 되는 것은 왜 지성과 감성으로 시를 쓰는 데는 지금까지의 시에 대한 사변을 모조리 파산을 시켜야 되는가 하는 점이다. 이 역시 물론 '시작이란 끊임 없는 실험 행위이자 창조 행위인 까닭에 시인은 항상 그 전의 작업에 얽매이지 않고 앞으로 나아가야 한다'는 것 정도의 뜻으로 해석할 수 있다. 그렇다면 이 역시 너무 상식적인 이야기가 아닌가. 필자는 이런 상식적인 이야기를 하기 위해서 그가 이처럼 난해하고 장황하고 관념적인 요설을 늘어놓았다는 것이 문제라는 뜻이다.

두 번째 단락이 '지성'과 '감성'이 결합된 시 쓰기 즉 '온 몸으로 밀고 나아가기'의 중심에 '사랑'이 있다는 것 정도의 뜻을 이야기하고 있다는 것만큼은 어렴풋이 짐작이 간다. 그러나 왜 그것이 바로 '형식'이 되는지는 이해불능이다. 더욱이 그 앞서 "그러면 온 몸으로 동시에 무엇을 밀고 나가는가 그러나—나의 모호성을 용서해 준다면—'무엇을'의 해답은 '동시에'의 안에 이미 포함되어 있다고 생각된다. 즉 온몸으로 동시에 온 몸을 밀고 나가는 것이 되고, 이 말은 곧 온 몸으로 바로 온 몸으로 밀고 나가는 것이 된다"에 와서는 그가 무슨 말을 하고 있는지 도무지 종잡을 수 없다. 아니 문장부터가 제대로 되어 있지 않다.

김수영의 산문은 이렇게 애매모호한 문장, 과대 포장된 독자 속임수의 요설 속에 상식적인 수준의 이야기를 마치 무슨 고답적인 주장이나 되는 것처럼 은폐시키고 있다. 문제는 이러한 요설에 사로잡힌 대부분의 논자들이 그를 논란의 대상으로 부각시킴으로서 그들 스스로 우상화의 전열에 서고 있다는 사실이다.

③ 지나치게 독단적이고 단정적인 진술을 불쑥 던져 독자들 놀라게 하거나 센세이셔널할 효과를 노린다는 점이다. 이러한 그의 어법

이 그를 개성적인 시인 혹은 주목 받는 시인의 이미지로 굳히는데 크게 기여했을 것임은 틀림없다. 여기에는 세 가지 유형이 있는데 첫째, 아무도 동의하기 힘든 자신만의 어떤 주장, 둘째, 전혀 사실 무근인 주장, 셋째, 공허한 일반적 주장이거나 요령부득의 진술 등이 그것이다.

㉠ 김춘수도 모른다. 이 역설의 현대적 의미를 아는 사람은 우리 평단에 한 사람도 없다.[79)]

우리는 문학을 해 본 일이 없고 우리 나라에는 과거 십 수년동안 문학작품이 없었다.[80)]

도대체가 시인은 자기의 시를 규정하고 정리할 필요가 없다. 그것이 그에게 눈꼽재기만한 플라스도 되지 않기 때문이다. 그는 언제나의 시의 현시점을 이탈하고 사는 사람이고 또 이탈하려고 애를 쓰는 사람이다. 어제의 시나 오늘의 시는 그에게는 문제가 되지 않는다.[81)]

자유가 없는 곳에 무슨 시가 있는가 이것은 진리[82)]

누구도 동의하기 힘든 자신만의 주장이다. '역설의 현대적 의미를' (오직 자신을 제외하고) 이 나라에서 그 누구도 알 수 없고, 우리 나라에서는 과거 수십 년 동안 문학을 해본 일이 없다는 주장에 대해서는 언급할 가치가 없으리라 생각한다. 그러나 시인이 자신의 시를 규정하고 정리할 필요가 없다는 말은 무슨 뜻일까. 김수영이 전가의 보도처럼 자주 인용한 엘리어트도 '역사 의식'이라는 개념을 통해 이의

79) 김수영, 「시작 노우트」, 『김수영전집』 2 산문.
80) 김수영, 「창작 자유의 조건」, 위의 책.
81) 김수영, 「시인의 정신은 미지」, 위의 책.
82) 김수영, 「나의 신앙은 '자유의 회복'」, 위의 책.

필연성을 이야기하지 않았던가. 그는 또 자유가 없는 곳에 시가 있을 수 없는 것이 진리라고 단언했지만 그 자신의 문학론으로 말하자면 자유가 없기 때문에 시의 현실참여가 필요하지 않던가. 세계문학사를 보더라도 오히려 비극적인 시대에 더 훌륭한 문학작품이 쓰여졌다는 것은 누구나 알고 있는 사실이 아닌가.

ⓛ 소설 기술에서 대화를 별도 단락으로 다루는 것이 세계조류에서 벗어나는 것.

소위 모더니즘 시인 중에는 명료한 사상을 명료한 형태에 넣는다는 현대시의 가장 초보적인 명제를 실천한 시인이 없고……[83]

(모더니티)그것은 시인이—육체로서—추구할 것이지 시가—기술면으로—추구할 것이 아니다.[84]

소설 기술에서는 대화를 별도로 다루지 않는 것이 세계조류라는 것은 금시초문이다. 편집 기교상 설령 그런 경우가 있다 하더라도 이는 한낱 시류에 불과한 것이지 세계 조류 운운할 만큼 중요한 일도 아니다. 모더니즘이 명료한 사상을 명료한 형태에 넣는다는 것도 있을 수 없는 일이다. 아방가르드는 오히려 정반대의 세계를 지향하며 영미의 이미지즘도 이미지에 의한 순간적 의미 파악에 본질이 있기 때문이다. 모더니티란 서구 문명사의 종말의식에서 비롯된 일종의 문명사적 이념인데 그것을—정신으로 탐구하지 않고—육체로 추구한다는 말은 또 왜 말인가.

ⓒ 문제는 한국시단에 '자유회복'에 둔감한 시인이 너무나 많다는 사

83) 김수영, 「즉물시의 시험」 1954. 5 월평, 위의 책.
84) 김수영, 「모더니티의 문제」 1964. 4 월평, 위의 책.

실이다. 내가 시를 본는 기준은 이 '자유회복'의 신앙이다.[85]

모험은 자유의 서술도 자유의 주장도 아닌 자유의 이행이다. 자유의 이행에는 전후좌우 설명이 필요 없다.[86]

도대체 시라는 것은 그것이 새로운 자유를 행사하는 진정한 시인 경우에도 어디엔가 힘이 맺혀 있는 것이다.[87]

스타일도 현대적이고 말 쏨씨도 그럴 듯 한데 가장 중요한 생명이 없다. 그러니까 작품을 읽고 나면 우선 불쾌감이 앞선다…… 이러니까 우리 나라는 진정한 혁명을 못하고 있고 진정한 혁명을 할 자격이 없다고 단정할 수밖에 없다…… 그보다 몇 천 배 중요한 것은 생명을 가려내는 일이다. 한 마디로 말해서 우리 나라 시단은 썩었다.[88]

시에 있어서 모험이란 말은 세계의 개진(開陳)이다—나의 시론이나 시평이 전부가 모험이라는 말은 아니지만 나는 그것들을 통해서 상당한 부분에서 모험의 의미를 연습해 보았다.[89]

김수영은 그의 산문 곳곳에서 자유의 중요성을 언급하고 자유가 문학의 본질임을 웨치고 있다. 따라서 어떤 논자들은 그를 가리켜 '자유인의 초상'이라는 말까지 만들어 미화하고 있지만 창작(창조 즉 자유)이 본분인 시인—나아가 예술인 치고 그 누군들 자유의 소중함을 모르는 자가 있을까. 이는 너무나 당연한 것이어서 아무도 공언하지 않을 뿐이다. '대낮은 밝다'라는 말은 아무도 하지 않는 말이다. 그렇게 말하는 사람이 우습기 때문이다. 문제는 문학의 본질이 자유라는 것을 언급함에 있는 것이 아니고 문학에서의 자유가 무엇이며

85) 김수영, 「나의 신앙은 '자유의 회복'」, 위의 책.
86) 김수영, 「시여 침을 뱉어라」, 위의 책.
87) 김수영, 「시인의 정신은 미지」, 위의 책.
88) 김수영, 「세대교체의 연수표(延手票)」, 위의 책.
89) 김수영, 「시여 침을 뱉어라」, 위의 책.

그것의 실천은 어떻게 하며, 그 자신이 과연 그 같은 실천을 보여주었는가 하는데 있다. 그런데 김수영이 말하는 자유에는 이런 문제들이 하나도 언급되어 있지 않다. 그의 '자유에 대한 찬송'이 공염불인 이유가 여기에 있는 것이다.

시에는 '힘'과 '생명'이 있어야 한다는 말도 무슨 뜻인지 종잡을 수 없다. '힘'과 '생명'이 지닌 뜻과 그것이 구체적으로 시적 형상화에서 어떻게 구현되는지 아무런 설명이 없기 때문이다. '시에 있어서 모험이라는 말은 세계의 개진이다'라는 잠언적 진술 역시 공염불이다. 왜냐하면 그 다음에 곧 '산문이란 세계의 개진이다'라는 주장이 있어[90] '시에 있어서의 세계의 개진'과 '산문에 있어서의 세계의 개진'이 어떻게 다른지 그 변별성을 이야기하지 않은 한 시를 해명하는데 아무런 도움을 줄 수 없기 때문이다.

그러므로 우리가 이러한 생각을 갖게 되는 것도 무리가 아니다. 즉 그의 시론은 그가 자신의 문학을 문단의 논란거리로 부상시키기 위해 쓴 일종의 전략적인 말장난 혹은 독자 속임수일지도 모른다는 사실이다. 실제가 그렇지 않은가. 김수영은 또한 이렇게 고백한 바 있다.

> 나는 형편 없는 저능아이고 내 시는 모두 쇼우이고 거짓이다. 혁명도 혁명을 지지하는 나도 모두 거짓이다.—혹은 일본말의 속에 살고 있는 건지도 모른다. 그래서 나 자신은 지극히 정확하다고 생각하고 있는 이 문장도 어딘가 약간 부정확하고 미쳐 있다.[91]

---

90) "산문이란 세계의 개진이다. 이 말은 사랑의 유보로서의 '노래'의 매력만큼 매력적인 말이다. 시에 있어서의 산문의 확대작업은 '노래'의 유보성에 대해서는 침공적이고 의식적이다." 김수영, 「시여 침을 뱉어라」, 위의 책.
91) 김수영, 「일기」 1961. 2. 10, 위의 책.

다섯째, 김수영의 시가 주는 문제성이다. 이에 대해서는 앞장에서 충분히 논의하였음으로 다시 부연하지 않기로 한다. 다만 그의 시의 난해성과 무의미가 그의 문학을 논란거리로 만드는데 크게 기여했으리라는 추측만큼은 다시 한 번 지적해두고 싶다. 시의 진정성을 떠나서 별 의미 없는 난해성이 이처럼 별 의미 없는 시의 문젯거리가 되는 것은 분명 아이러니이지만…… 그러한 관점에서 김수영은 60년대 한국시의 한 해프닝이라고 말할 수 있을 것이다.

무의미시의 정체
— 김춘수(金春洙)론

1. 머리말

비록 작품상으로는 50년대에 쓴 <꽃>이 성공을 거두어 그를 대표하고 있기는 하지만 김춘수를 일약 한국 문학사의 문제 시인으로 부상시킨 것은 60년대 이후부터 그 자신 일관성 있게 주장한 소위 '무의미의 시론'과 그에 입각해서 쓴 '무의미의 시'였다. 그러므로—사석에서 가끔 고백하듯 그가 그의 문학적 경쟁자로 생각했던 동시대 시인 김수영과의 대타의식에서 비롯했든 혹은 그의 시론에서 밝힌 바 언어에 대한 절망에서 기인했든[1]—이제 '무의미의 시론'은 김춘수

---

1) 김춘수는 사석에서 그의 무의미의 시론이 그가 문단의 라이벌이라고 생각했던 김수영의 메시지 위주의 시에 대한 대타적 개성의 확보라는 차원에서 굳이 추구하였다는 요지의 말을 한 적이 있다. 이는 그의 시론에서도 언뜻 비친다. 다른 사람—가령 필자와 같은—의 경우에는 별 문제가 되지 않을 김수영의 시에서 기교파들이 '감담이 서늘할' 정도의 충격을 받았을 것이라고 지레 짐작을 하고 그의 영향으로 그 자신도 한 동안 붓을 꺾었다고 고백하고 있으니 그리 짐작한 김춘수의 내심 또한 그럴만 할 수도 있었는지 모르겠다.

"이 무렵 국내 시인으로 나에게 압력을 준 시인이 있다. 고 김수영 씨다. 내가 <타령조> 연작시를 쓰고 있는 동안 그는 만만찮은 일을 벌이고 있었다. 소심한 기교파들의 간담을 서늘케 하는 그런 대담한 일이다. 김씨의

의 문학을 이야기함에 있어 피할 수 없는 주제 담론이 되어 버렸다.

김춘수의 소위 '무의미의 시'의 시론을 해명하기 위해서는 물론 일차적으로 그의 '무의미'에 대해 검토하지 않으면 안 된다. 그러나 그가 말하는 바 '무의미'란 대단히 애매하고 불분명해서 독자들이 쉽게 받아들일 수 있는 명제는 아니다. 그것은 그의 시론이 지닌 세 가지 특징 때문인데 첫째, '무의미'라는 말을 개념 규정 없이 사용하고 있다는 점, 둘째, '무의미'를 논함에 있어서는—'무의미'가 '의미'에서 비롯함으로—무엇보다 의미에 대한 개념 정립이 전제되어야 하는데 실제는 그렇지 않다는 점, 셋째, '무의미'라는 말이 언급된 그의 진술들 사이에 서로 모순되는 경우가 많아 독자들을 혼란에 빠트리고 있다는 점 등이다. 그리하여 그의 무의미의 시론은 예나 지금이나 논자들을 미망에 사로잡히게 만들었고 그럴수록 그 와중에서 주창자 김춘수는 논쟁의 중심으로 부각되었던 것이 사실이다.

이제 필자는 이를 염두에 두고 김춘수가 이 애매한 수사적 전략 밑에 감추고자 했던 진실이 무엇인가를 탐색해보도록 하겠다.

2. '의미'의 의미

'무의미'가 무엇인가를 알기 위해선 먼저 '의미'에 대해서 알지 않으면 안 된다. '무의미'는 '의미'와의 상관관계 아래서만 해명될 수

하는 일을 보고 있자니 내가 하고 있는 시험이라고 할까 연습이라고 할까 하는 것이 점점 어색해지고 무의미해지는 것 같은 생각이었다. 나는 한동안 붓을 던지고 생각했다.……나는 여기서 크게 한 번 회전을 하게 되었다. 여태껏 해온 연습에서 얻은 성과를 소중히 살리면서 이미지 위주의 아주 서술적인 시 세계를 만들어 보자는 생각이다. 물론 여기에는 관념에 대한 절망이 밑바닥에 깔려 있다" 김춘수, 『전집』 2 시론(서울: 문장사, 1982), 351쪽.

있는 명제인 까닭이다. 예컨대 들뢰즈(G. Deleuze)에 의하면 의미는 무의미에서 생산된다고 한다.[2] 그러나 아직까지 김춘수는 '의미'와 '무의미'에 대해 직접적이거나 체계적인 언급을 분명히 한 적이 없어 다음과 같은 한두 개의 간접적이고도 애매한 노트를 통해 어렴풋이 짐작할 수 있을 따름이다. 인용하면 다음과 같다.

대상이 없을 때 시는 의미를 잃게 된다. 독자가 의미를 따로 구성해볼 수는 있지만 그것은 시가 가진 의도와는 직접의 관계는 없다.[3]

그러니까 이 경우에는 '무의미'라는 말의 차원을 전연 다른데서 찾아야 한다. 다시 말하면 이 경우에는 반 고흐처럼 무엇인가 **의미를 덮어씌울 그런 대상**이 없어졌다는 뜻으로 새겨야 한다. (왜 이런 일이 생겼는가는 나중에 언급하기로 하고 여기서는 잠시 접어두기로 한다) 대상이 없으니까 그만큼 구속의 굴레를 벗어난 것이 된다. 쉼 없는 연상의 파동이 있을 뿐 그것을 통제할 힘은 아무 데도 없다. 비로소 우리는 현기증 나는 자유와 만나게 된다.[4]

언어에서 의미를 배제하고 언어와 언어의 배합 또는 충돌에서 빚어지는 음색이나 의미의 그림자나 그것을 암시하는 제 2의 자연 같은 것으로 말이다(이런 시도를 상징파의 유수한 시인들이 조금씩은 하고 있었다) 이런 일들은 **대상과 의미를 잃음으로써 가능하다**고 한다면 '무의미시'는 가장 순수한 예술이 되려는 본능에서였다고도 할 수 있을른지 모른다.[5]

---

2) Gilles Deleuze, *Logique Du Sens*, 이정우 역(서울: 한길사, 2003), P. 150.
3) 김춘수, 『전집』 2 시론, 372쪽.
4) 『김춘수시전집』(서울: 민음사, 1994), 514쪽.
5) 위의 책, 515쪽.

위의 인용문들은 이렇게 정리된다. 즉 무의미란

① 의미를 배제한 언어

② 그러니까 다른 말로 대상이 없는 언어

③ 언어와 언어의 배합, 충돌에서 빚어지는 음색이나 의미의 그림자나 그것을 암시하는 제 2의 자연 같은 언어

④ ③과 같은 특징의 현현이 다만 쉼 없는 연상의 파동으로서만 가능할 뿐 이를 통제할 수 있는 그 어떤 힘도 없는 언어.

여기서 ①과 ②는 결국 같은 말이다. 김춘수에 의할 때 이 양자는 표리의 관계에 있기 때문이다. 일반의미론에서도 의미는 대상과의 관계에서 발생한다는 것이 통설이다. ④역시 대상 혹은 의미 상실과 관련되어 있다. 문장 차원의 것이든 텍스트 차원의 것이든 ③과 같은 특징들의 통합 혹은 질서화는 의미에 의해서만 가능하기 때문이다. 그러한 관점에서 인용문의 '통제할 수 있는 힘'이란 바로 '의미'를 지적한 말이기도 하다. ③이 뜻하는 바는 확실치 않다. 그러나 그것이 '의미' 밖의 어떤 언어적 요소를 가리키고 있다는 것만큼은 분명하다. 따라서 여러 장황한 표현을 빌리고 있음에도 불구하고 김춘수가 주장한 소위 '무의미'의 언어란 한마디로 '의미'가 배제된 언어라 할 수 있다. 문제는 그 '의미'가 무엇이냐 하는 점이다.

그러나 우리는 불행하게도—그 자신의 언급이 없는 까닭에—김춘수가 뜻하는 바의 의미가 무엇인지 분명히 알 수 없다. 다만 앞서의 인용문을 통해 추리가 가능하듯 두 가지 관점에서 살펴볼 수는 있을 듯하다. '의미'는 대상으로부터 발생한다는 것과 그 '의미'라는 말이 매우 모호하고 포괄적이라는 것 등이다. 예컨대 의미란 영어로 'meaning', 'significance', 'sense' 등으로 분류될 수 있는데 김춘수의 경우 그 어느 것을 가리키는지 분명치 않다.

첫째, 김춘수의 '의미'는 대상으로부터 발생한다. 즉 의미는 대상

에 구속되어 있다. 그런데 이와 같은 의미의 개념은 일반의미론(general smantics)과 최근에 대두한 후기구조주의—들뢰즈의 의미론에 가까운 것이 아닐까 한다. 일반의미론, 현상학적 의미론, 기호학적 의미론, 들뢰즈의 의미론 가운데 '의미'를 대상에서 파악하고자 하는 태도는 일반의미론과 들뢰즈의 의미론 이외엔 없기 때문이다.[6)]

일반의미론에서는 '의미'를 대상의 지시(désignation) 혹은 지칭(indication) 작용으로 본다. 유명한 오그덴(C. K. Ogden)과 리챠즈(I. A. Richards)의 의미 삼각도에 의하면 의미란 지시물(대상, referent), 지시(reference 혹은 생각(thought), 기호(symbol)의 삼요소로 이루어지는 언어실현의 과정에서 주체가 기호(언어)를 통해 대상을 지시(refer to 혹은 designate)하는 작용이다. 이 때 대상에 대한 지시는 인과 관계(causal relation)에 따른 상호 적합성(adequate) 유무로서 결정되니까[7)] 의미는 또한 '그것은 (다른 것이 아니고 저것과 구별되는 것으로서의) 이것이다'와 같은 형식을 지닌 것 즉 대상에 대한 사유(thought 혹은 reference)를 가리키는 말이라 할 수 있다.[8)]

한편으로 김춘수의 '의미'는 후기 구조주의 특히 들뢰즈가 주장하

---

6) 들뢰즈에 의하면 지금까지 의미에 대한 이론은 세 가지가 있어왔다고 한다. ①은 실증주의 철학에 입각한 지시 작용으로 보는 견해인데 일반의미론이 여기에 속한다. 즉 한 기호(언어)의 의미란 그것의 지시대상이며 이 때 기호는 세계로부터 일정한 대상을 개별화해 지시해주는 기능을 지니고 있다. ②는 현상학에서 규정하는 의미론으로 '현시작용'에 기반하는 이론이다. 의미란 기본적으로 주체 또는 의식에 의하여 구성되는 것이며 이 때 언어란 주체의 신념이나 욕구를 드러내는 존재이다. ③은 구조주의 철학에 입각한 의미론으로 의미란 기호작용으로 이루어진다는 이론이다. 이에 따르면 의미는 기호들 사이의 차이 즉 기호들의 분절(articulation)에 의해서 만들어진다. 이 때 기호들은 한 체계를 형성하는 요소들이다. Gilles Deleuze, Op. Cit., PP. 62~98. 위 번역서에 수록된 이정우, 「들뢰즈와 사건의 존재론」.

7) C. K. Ogden & I. A. Richards, *The Meaning of Meaning*(N. Y.: A Harvest / HBJ Book, 1923), P. 11.

8) Gilles Deleuze, Op. Cit., P. 63.

는 의미의 개념과 관련될 가능성도 있다. 그것은 다음과 같이 설명된다. 들뢰즈는 스토아 학파의 입장에 서서 '비물체적인 것(asômata)'은 물체적인 것의 표면효과라고 보았다. 예컨대 '보름달이 둥글다'고 할 때 '둥그럼' 즉 비물체적인 것은 플라톤처럼 달의 질료(물체)에 구현된 하나의 형상(이 경우 '비물체적인 것'은 물체의 저 건너에 있는 하나의 본질 혹은 실재 달리 말해 이데아라 할 수 있다) 이 아니라 달의 질료가 일정하게 배치됨으로써 생기게 된 표면이다. 따라서 플라톤의 경우 달이 변해도 둥그럼의 형상 자체는 변하지 않지만 스토아학파의 경우 달이 변화하면 둥그럼 자체도 변한다.

들뢰즈가 의미를 해명하기 위해 제시한 '사건' 역시 이와 같은 일종의 표면효과라 할 수 있다.[9] 사건이란 비물체적인 것과 같은 '비실재성' 달리 말해 시뮬라크르(simulacre)[10]로, 물질적 차원의 운동에서 파생하여 문화적 차원의 가장 원초적인 층위—자연과 문화의 경계를 이루는 사물의 형이상학적 표면—에서 일어나는 일종이 가변적 현상이기 때문이다. 의미는 바로 이 사건을 가리키는 말이다. 예를 들어 철수의 입에서 나오는 소리는 물체적 차원의 표면에서 떠오르는 일종의 음파이지만 그 음파는 문화라는 장(場)을 향해 퍼져나가는 순간 하나의 의미를 지니게 된다고 한다.[11]

---

9) 이정우, 「들뢰즈와 사건의 존재론」, Ibid.
10) 그리스어 'phantasma'에 해당한다. 플라톤은 이 세계는 형상계(이데아)의 그림자 즉 'eidôlon'으로 보았는데 이는 '그림자', '이미지', '복사물' 등을 뜻하는 말이다. 그런데 플라톤은 다시 두 가지 종류의 'eidôlon'을 구분하였다. 하나는 형상(모델 本)을 받아들이는 'eikônes'이며 다른 하나는 형상을 받아들이지 않는 'phantasma'이다. 전자는 비록 형상은 아니라 하더라도 형상을 모방하여 그와 비슷하게 되려고 노력하지만 후자는 형상을 전적으로 거부한다고 한다. 현대철학에서는 이 'phantasma'를 일반적으로 'simulacre'로 부르고 있다. Ibid., P. 45.
11) 이정우, 「들뢰즈와 사건의 존재론」, Ibid.

들뢰즈는 '의미'를 '명제 안에 존속하는 순수 사건'이라고 정의한다. 여기에서 순수사건이란 잠재적인 사건, 아직 현실화되지 않은 사건이다. 다시 말해 '떨어뜨렸다', '떨어뜨릴 것이다', '떨어뜨릴 수 있다' 등등이 아니라 '떨어뜨리다'라는 부정법으로 표현되는 사건이다. 이 순수사건이 현실화되면 그 사건은 명제로 표현된다. 이때 순수사건은 사라지는 것이 아니라 명제 안에 존속하게 된다. 들뢰즈는 이 명제 안에 존속하는 순수사건이 바로 의미라고 본다.[12)]

이처럼 들뢰즈의 의미는 대상으로부터 비롯한다. 비록 일반의미론에서 말하는 고정된 사물로서의 대상이 아닌 동적(動的)인 것이라 하더라도 들뢰즈가 의미 파생의 원천으로 들고 나온 소위 '사건'이라는 것은 그 자체가 현존하는 객체라는 점에서 넓은 의미의 대상에 포함될 수 있기 때문이다. 따라서 들뢰즈의 의미는 현상학처럼 주체가 구성하는 것도, 구조주의처럼 기호 배열에서 만들어지는 것도 아닌 대상 그 자체에서 비롯하는 것이라 할 수 있다. 다만 그 대상이, 고정된 사물이 아닌 동적(動的)인 사건이라는 점, 그 의미생성이 '대상의 지시'에서가 아니라 존재로부터 솟아오른다는 점이 일반의미론의 그것과 다를 뿐이다.

둘째, 언어 철학에서 의미란 'meaning', 'significance', 'sense'로 나누는 것이 보편적이다. 그런데 김춘수는 그의 의미가 이 중 어떤 것인지를 밝히지 않고 국어사전적 차원의 상식적인 뜻으로 사용하는 듯하다. 원래 기호학에서는 'meaning'과 'significance'를 구별한다. 전자는 '미메시스(miesis: 모방)의 차원에서 텍스트에 의해 전달되는 정보'를, 후자는 기호작용(semiosis)의 차원에서 이 'meaning'이 우회

12) 이정우, 「들뢰즈와 사건의 존재론」, Ibid.

적 변용을 통해 보다 높은 수준으로 통합되는데서 만들어지는 그 이상의 어떤 것을 가리키는 말이기 때문이다. 리파테르(M. Riffaterre)가 지적한 바와 같이 시의 경우, 기호들의 작용에 의하여 일어나는 이 우회법의 대표적인 세 가지가 치환, 왜곡, 창조이다.[13] 그리하여 텍스트는 'meaning'의 관점에서는 일련의 연속적인 정보의 단위가 되지만 'significance'의 관점에서는 단일한 의미론적 단위가 된다. 여기서 '단일한'이라는 용어는 물론 텍스트 전체의 의미론적 통일성을 가리키는 말이다.

한편 'significance'와 'sense' 또한 구분된다. 들뢰즈에 의하면 전자는 기호를 공유하는 사람들 사이에 임의적으로 약속된, 명시적이고도 규약적인 의미, 후자는 기호 그 자체에 의해 감싸여 있을 뿐만 아니라 기호 안에 함축되어 있어 해석자가 기호로부터 해석해낸 어떤 의미이기 때문이다.[14] 그러나 논자에 따라서 용어의 뜻이 다를 수 있음으로 들뢰즈의 'significance'가 앞서 언급한 기호학의 용어와 동일하다고 말할 수는 물론 없다. 아니 들뢰즈의 이 'significance'는 오히려 기호학의 'meaning'에 유사한 개념이기도 하다. 따라서 '대상의 지시'라는 뜻으로서 일반의미론의 의미는 리파테르의 경우 'meaning'에, 들뢰즈의 경우는 'significance'에 해당한다.

이 여러 가지 개념들 가운데 김춘수가 사용하고 있는 '의미'란, 필

13) 치환(置換 displacing)이란 은유나 환유에서와 같이 한 단어가 다른 단어를 대신할 때, 하나의 기호가 다른 기호로 의미를 전이시킬 때를 말하며, 왜곡(歪曲 distorting)이란 애매성, 모순, 무의미(nonsense)가 일어날 때를 말하며, 창조(creating)란 텍스트의 공간이 다른 방식에 의해서는 더 이상 의미를 만들어 낼 수 없는 언어학적 항목으로부터 기호를 만들기 위해서 조직의 원리로 봉사할 때(예컨대 대칭, 압운, 또는 한 연(聯) 안에서 위치의 상동성(相同性)들 사이에 만들어진 기호학적 등가성 등이다.)를 말한다. Michael Riffaterre, *Semiotics of Poetry*(Bloomington: Indiana Univ. Press, 1978), P. 2.

14) Gilles Deleuze, *Proust et les Signes*, 서동욱 · 이충민 역(서울: 민음사, 2004), P. 41.

자가 생각하기로, 기호학의 'significance'나 현상학적 개념을 제외한 나머지 일체를 막연히 지칭하는 것이 아닌가 한다. 그것은 앞서 살펴보았듯 그가 '의미'를 단순히 대상에서 비롯한다고만 말할 뿐 그 이상의 어떤 부연 설명도 해주지 않아 들뢰즈의 'significance'와 'sense'의 양자를 막연히 지칭한 것인지 혹은 그 중 어느 하나만을 지칭한 것인지 우리로서는 알 수 없기 때문이다. 그러한 관점에서 김춘수의 '의미'는 최소한 현상학적 개념의 의미와 기호학의 'significance'를 제외한, 일반의미론과 기호학의 meaning, 들뢰즈의'significance'와 'sense'를 애매하게 포괄적으로 부르는 말인 듯 싶다.

애매하다는 지적이 나왔으니 의미와 관련하여 한 가지 더 언급할 내용이 있다. 그것은 김춘수가 기호학에 대해 크게 오해하고 있다는 사실이다.

> '무의미'라고 하는 것은 기호이론이나 의미론의 그것과는 전혀 다르다. 어휘나 센텐스를 두고 하는 말이 아니라 한편의 시 작품을 두고 하는 말이다. 한편의 시 작품 속에 논리적 모순이 있는 센텐스가 여러 곳 있기 때문에 무의미하다는 것이 아니다. 그런데가 한군데도 없더라도 상관 없다(그러니까 '무의미'에는 실제로 논리적 모순이 있는 센텐스가 더러 끼여 있다.) 그러니까 이 경우에는 '무의미'라는 말의 차원을 전연 다른데서 찾아야 한다. 다시 말하면 이 경우에는 반 고흐처럼 무엇인가 의미를 덮어 씌울 그런 대상이 없어졌다는 뜻으로 새겨야 한다.[15]

이 글은 두 가지의 오류를 범하고 있다. 기호학의 의미작용은 대상을 전제하고 있으며 그 또한 하나의 어휘나 센텐스의 차원에 국한되

15) 『김춘수시전집』, 514쪽.

어 있다는 견해이다. 그러나 사실은 그렇지 않다. 첫째, 기호학에서는 의미가 대상과 독립하여 기호 자체의 배열과 분절에서 발생한다. 이는 앞에서 설명한 바와 같다. 둘째, 기호학의 의미 작용은 하나의 어휘나 센텐스에 국한하여 이루어지는 것이 아니라 오히려 전체 텍스트를 아우르는 통합된 체계(구조) 안에서 발생한다.

> 텍스트를 통해 독서가 진전되어 감에 따라 독자는 그가 금방 읽은 것을 기억하고 또 지금 해독하여 깨달은 바에 의해서 그것에 대한 이해를 수정하게 된다.…… 그는 구조적 해독을 수행중인 것이다. ……텍스트는 결국—주제적이든 상징적이든 혹은 그 무엇이든 간에—한 구조의 전조(轉調)와 변조(變調)에 있으며 한 구조에 대한 이 같은 지속적 관계가 의미(significance)를 구성한다.—이것이 바로 meaning(미메시스(mimesis)적 차원의 의미: 번역자 주)의 단위들이 단어나 어절 혹은 문장들임에 반해 significance(세미오시스(semiosis)적 차원의 의미: 번역자 주)의 단위들이 텍스트인 이유이다.[16)]

김춘수 시론에 대해서 지금까지 서로 다른 논의들이 우후죽순처럼 제기되어 그를 문제 시인으로 만들아 낼 수 있었던 비밀의 하나는 이 같은 그의 시론의 애매성과 오류 혹은 모순에서 기인한 바 적지 않은 듯싶다.

---

16) Michael Riffaterre, Op. Cit., P. 6.

3. 비대상의 허구

김춘수는 그의 소위 '무의미'의 시론에서 '무의미의 시'란 시적 대상을 잃어버린 시라고 한다. 그의 경우 '의미'는 대상에서 비롯하는 것이니 대상이 사라질 때 의미 역시 사라진다는 주장은 그의 논리에서 물론 타당하다. 그리하여 김춘수는 이상(李箱)과 그에서 비롯한 자신의 시가, 다른 시인들의 시와 구분되는 변별성은 시에서 대상이 있고 없음에 있다고 하였다.[17]

> 시에는 원래 대상이 있어야 했다. 풍경이라도 좋고 사회라도 좋고 신이라도 좋다. 그것들로부터 어떤 구속을 받고 있어야 긴장이 생기고 긴장이 있는 동안 이 세상에는 의미가 있게 된다. 의미가 없는데도 시를 쓸 수 있을까? '무의미시'에는 항상 이러한 의문이 뒤따르기 마련이다.[18]

> 대상이 없을 때 시는 의미를 잃게 된다. 독자가 의미를 따로 구성해 볼 수는 있지만 그것은 시가 가진 의도와는 직접의 관계는 없다.[19]

그러나 '진정한' 의미에서 대상이 없는 언어 혹은 시는 가능한 것일까. 그것은 물론 인식론에 관련된 문제가 된다. 왜냐하면 언어든 시든—시 역시 궁극적으로 언어의 한 형식이니까—그 본질은 주관이나 객관에 대한 인식 내용으로 되어 있는데 이 경우 주관이나 객

---

17) "이 후자(대상을 무화시킨 시－인용자 주)가 30년대의 이상을 겨쳐 50년대 이후 하나의 경향으로 나타나게 된 무의미의 시다." 김춘수, 『전집』 2 시론, 376쪽.
18) 『김춘수시전집』, 514쪽.
19) 김춘수, 『전집』 2, 372쪽.

관은 바로 의식의 대상 그 자체가 되기 때문이다. 일반의미론에서는 고정된 사물로서의 대상(referent)에 대한 인식이며, 들뢰즈의 경우는 '순수 사건'에 대한 인식이다. 현상학이나 기호론의 경우 역시—의미가 대상 자체의 인식 내용은 아니라 하더라도—최소한 대상을 전제한 주체 혹은 기호 체계 속에서 형성된다. 그러한 관점에서 시는 어떤 태도를 취하든 결과적으로 대상 없이 쓰여질 수는 없다.

데카르트의 코키토처럼 대상을 각각 존재자(Das Seiende) 혹은 실체(realité)로 보는 입장이든, 오늘날의 현상학처럼 존재(Das Sein), 현존재(Dasein)로 보는 입장이든 모든 인식은 기본적으로 의식과 주체(주관)와 대상(객관)의 세 요소를 전제함으로써 성립한다. 그런데 의식은 항상 '지향성(intentionalité)으로서의 의식' 즉 '……에 대한 의식'임으로 진정한 의미에서 대상이 없는 인식 혹은 사유란 불가능하다. 대상의 부재는 곧 의식의 부재를 뜻하는 것이다.

따라서 만일 대상 없이 발생한 언어 혹은 시—또는 '의미'라고 불러도 좋다—가 있을 수 있다면 그것은 주체도 의식하지 못한 상태에서 작동한 우연 혹은 본능의 소산일 수밖에 없다. 가령 전신이 마취되거나 과음으로 의식을 잃은 상태에서 지껄이는 횡설수설과 같은 따위의 언어행위 등이다. 엄밀히 말하자면 이는 무의식의 표현이겠으나 이 경우에도 간과해선 안 될 것이 하나 있다. 이러한 언어행위를 단순히 말로 끝내지 않고 하나의 담론으로 기록하고자 할 경우—의식을 되찾은 주체가 추후 그것을 기억해서 기술하는 방식을 택하든, 현장에 동석한 제 삼자가 동시적으로 그것을 받아 기록하는 방식을 택하든—이 역시 의식 활동을 빌지 않고 불가능하다는 사실이다.

따라서 그 어떤 무의식 상태의 '횡설 수설'이든 그것을 문자화하려는 과정에선 필연적으로 명료한 의식의 대상이 될 수밖에 없다. 만일 그렇지 않다면 글쓰기 자체가 성립되지 않을 터이니 시작이란 불가능해질 것이기 때문이다. 그렇지 않고 만에 하나 그런 유의 무의식의 글쓰기가 가능하다고 해도 그 쓰여진 내용이 시=예술(art)이 될 수는 물론 없다. 예술이란 바로 주체의 의식활동 혹은 주체의 의도가 반영된 결과물을 가리키는 말이기 때문이다. 정교하게 잘 구조된 팔각형의 벌집 혹은 아름다운 장미꽃을 예술이라 하지 않고 자연(nature)이라 일컫는 이유가 여기에 있다. 김춘수 자신도 쉬르 레알리즘의 소위 '자동 기술법'에 대해서 다음과 같은 회의를 표명하지 않았던가.

> 그런데 이 자동기술이란 것을 액면 그대로 믿을 수가 없다. 무의식이란 전연 감추어진 세계고 그것이 어떻게든 말로써 기록되는 이상은 의식의 힘을 입게 된다는 것이 프로이트 이후의 정신분석학이 밝혀준 상식이다(물론 우리는 과학이고자 하는 정신분석학 자체의 그 동안의 성과에도 의심을 품을 수가 있긴 하지만) 이 상식에 따라 말하자면 글자 그대로의 자동기술이란 없다고 해야 하겠다.[20]

'무의식'의 언어는 무의미의 언어(이에 관해서는 후술될 터이다)인데 그것을 시로 쓸 경우 필연적으로 의식의 도움을 받지 않을 수 없다 하였으니 아이러니하게도 대상을 부정한 김춘수 자신이 결과적으로 대상의 존재를 인정한 발언이라 하지 않을 수 없다. 앞서 언급한 것처럼 그 어떤 의식이든 대상을 전제하지 않은 의식은 없기 때문이다.

그럼에도 불구하고 김춘수가 시종일관 자신의 '무의미의 시'는 대상을 버렸다 하고 그를 추종한 이승훈이 '비대상'의 시를 쓴다 함은

---

20) 『김춘수시전집』, 517쪽.

무슨 뜻인가. 이 역시 엄밀한 의미에서 대상이 없다는 뜻이라기보다는 대상에 대한 자신들의 '어떤 견해'를 전략적으로 표현한 수사어가 아닐까 한다. 즉 독자들에게 자신들의 시론이 독창적이라는 인상을 주기 위하여 일종의 지적 속임수를 썼다는 이야기이다. 그것은 다음과 같이 설명될 수 있다.

앞서 언급한 것처럼 모든 시는 의식의 산물인데 의식은 항상 대상을 전제한다. 문제는 그 대상이 주체 밖에 있을 수도 있고 주체 안에 있을 수도 있다는 점이다. 다른 동물과 달리 인간은 사유하는 동물—더 나아가서는 자기 반성적 사유가 가능한 동물인 까닭에 그는 주체 그 자체를 의식의 대상으로 삼을 수도 있기 때문이다. 우리는 주체 밖의 대상을 객관(object), 주체 안의 대상을 주관(subject)이라 부른다.

그러므로 주체는 ①객관을 대상으로 삼을 수도 있고, ②주관을 대상으로 삼을 수도 있다. 모든 의식활동이 대상을 전제하고 있음에도 불구하고 그 의식활동의 하나인 시작(詩作)에서 김춘수가 감히 '대상이 없는 시'를 쓴다고 주장할 수 있었던 억지가 여기서 가능하다. 그는 ①이 아니라 ②의 태도에서 쓰는 시의 한 유형을 편의상 '무의미의 시'라 불렀던 것이다. '무의미' 혹은 '무의미의 시'도 '의미' 혹은 '의미의 시'와 같이 본질적으로 이처럼 대상을 전제한다는 것은 '무의미'에 대해 한 권의 저작을 남긴 '들뢰즈' 자신이 강조한 내용이기도 하다. 그것은 이렇게 설명된다.

의미란—앞서 인용한 바와 같이—'명제 안에 존속하는 순수한 사건'으로 그 의미 실현은 그것이 다른 사건과 더불어 문화의 장(場: field) 안에 계열화됨으로써 가능하다. 그런데 만일 그렇지 않고 물리적 변화만으로 끝나거나 계열화를 이루지 못한다면 우리는 그 사건 즉 단순사건이 '무의미'의 상태에서 머물다 말았다고 말할 수밖에 없다. 물론 이 과정에서 사건이란 비록 계열화를 이루지 못한 '단순 사건'이라 할지라도 그 자체가 하나의 대상이 된다는 것은 설명할 필요가 없다. 그것 즉 단순사건에 대한 의식의 지향이 없다면 그들의 상호관계라 할 '계열화' 다시 말해 의미의 성립 자체가 불가능해지기 때문이다. 따라서 '무의미' 역시 본질적으로는 '대상'을 전제할 수밖에 없게 된다.

그럼에도 불구하고 김춘수가 '무의미'에 대상이 없다고 말할 수 있었던 것은—상식적인 차원에서—대상이란 주체 밖에 있는 사물을 가리키는 말로 오해해왔던 즉 '객관'과 '대상'을 혼동해 왔던 우리들의 편견 혹은 관습 때문이다. 김춘수는 바로 이와 같은 상식인의 오해에 기대어 그 같은 표현을 구사할 수 있었던 것이다. 그러한 관점에서 그의 '대상 없이 쓰는 시'라는 말은 '주관을 대상으로 하여 쓰여지는 시'라는 말의 편법이자 전략적으로 자신의 시론을 돋보이게 하려는 애매성의 수사법이라 할 수 있다.

그러나 김춘수의 '무의미의 시'는 그의 주장과 같이 모든 '대상이 없는 시' 즉 모든 '주관이 대상이 되는 시'를 가리키는 말은 물론 아니다. 그의 '무의미의 시'는 실제에 있어 '대상이 없는 시' 즉 '주관을 대상으로 한 시' 가운데서 어느 특별한 시의 한 유형을 가리키는 말이기 때문이다. 이는 다시 다음과 같이 설명될 수 있다.

의식 혹은 인식의 주체(시인)는 대상 그 자체와는 별도로 대상에 대한 일정한 태도를 지니고 있다. 달리 말해 대상을 어떤 자세로 바라보느냐 하는 것에 따라 이 또한 두 가지 유형으로 나뉜다. 하나는 대상 그 자체를 사실 그대로 받아들이고자 하는 객관적인 태도요 다른 하나는 대상에 주체를 반영 혹은 개입시키고자 하는 주관적 태도이다. 의식 혹은 인식의 주체(시인)가 보다 적극적인 감정 작용, 직관, 상상력 등에 의존하는 경우는 후자의 한 예가 될 수 있을 것이다. 이를 도식으로 정리하면 다음과 같다.

①은 주관을 대상으로 해서 그것을 객관적으로 의식한 내용을 담는다. 주체의 이념이나 주장과 같은 것을 하나의 메시지로 표출하는 경우로 **김춘수의 어법을 빌면 관념을 표출하는 시이다.** 낭만주의 시가 여기에 속할 것이다. ②는 객관을 대상으로 해서 그것을 객관적으로 의식한 내용을 담는다. 리얼리즘의 글 쓰기가 대표적인데 사물이나 세계를 있는 그대로 묘사해 보여준 경우이다. 리얼리즘 시와 더불어 **김춘수가 말한 바 소박한 사생적 묘사의 시** 즉 서경시도 이에 속할 것이다. ③은 주관을 대상으로 해서 그것을 주관적으로 의식한 내용을 담는다. 주체의 주관적인 느낌이나 비논리적인 의식 내용을 표출하는 경우이다. **김춘수의 소위 무의미의 시**가 여기에 해당한다. 물론 이 극단에는 무의식의 자동기술 즉 쉬르 레알리즘이 있다. ④는 객관을 주관적으로 의식한 내용을 담는다. 세계나 사물에 대한 주관적 해석 혹은 그 느낌을 제시한 경우이다. 시에서는 인상주의 혹은 이미지즘시가 여기에 속할 것이다.

이 네 가지 유형의 시쓰기에서 김춘수의 어법으로는 ①과 ③이

'대상이 없는 시'이고 그 중에서도 ③이 '무의미의 시'에 해당한다. 그러므로 김춘수 자신은 '대상이 없는 시'가 곧 '무의미의 시'라 말했음에도 불구하고 엄밀히 말하자면 '무의미의 시'란 그가 주장하는 바 '대상 없는 시' 가운데서 주관을 주관적으로 표출한 시 즉 ③을 가리키는 말이라 할 수 있다. 김춘수는 이를 이상의 시 <꽃나무>의 분석을 통해 '심리적인 어떤 상태'라는 말로 표현한 바 있다.

> 30년대의 <지도>나 40년대의 <불국사>는 모두 외부의 장면들의 감각적 인상만을 배열하고 있다. 그러나 이 시(이상의 시 <꽃나무>)에서의 '꽃나무'는 관념은 아니지만, 심리적인 어떤 상태의 유추로서 쓰이고 있는 듯하다. 심리적인 어떤 상태를 이렇게 밖에는 말할 수 없을 때 그것은 이미 이미지 그 자체가 되어버린 심리적인 어떤 상태인 것이다. 그런 뜻으로 이 시(이상의 <꽃나무>)의 이미지는 서술적이라고 할 수 있다. 같은 30년대의 <지도>(정지용의 시)와 비교하면 이미 그 사생적(寫生的) 소박성을 잃고 있다. 40년대의 <불국사>(박목월의 시)와 비교해보더라도 사정은 마찬가지다. 같은 서술적 이미지라 하더라도 사생적 소박성이 유지되고 있을 때는 대상과의 거리를 또한 유지하고 있는 것이 되지만 그것을 잃었을 때는 이미지와 대상은 거리가 없어진다. 이미지가 곧 대상 그것이 된다. 현대의 무의미의 시는 시와 대상과의 거리가 없어진데서 생긴 현상이다. 현대의 무의미 시는 대상을 놓친 대신에 언어와 이미지를 시의 실체로서 인식하게 되었다고 할 수 있다. 그 가장 처음의 전형을 우리는 이상의 시에서 본다.[21]

이 글의 논지는 이러하다. 이상(李箱)은 '심리적인 어떤 상태'를

21) 김춘수, 『전집』 2 시론, 369쪽.

빌어 시를 썼다. 그 결과 그의 이미지는 사생적 소박성을 잃고 대상을 무화(無化)시켜 이미지가 곧 대상인 시 즉 무의미의 시가 되었다. 그런데 '심리적인 어떤 상태'는 시인의 주체 안에 내재하고 있다는 점에서 물론 주관이지만 어떤 분명한 의미로 통합 혹은 형태화 되어 있지 않았다는 점에서는 '관념'이나 '이념'과 같은 뜻의 주관은 아니다. 그것은 주관은 주관이되 다시 그 주관을 주관적으로 해체한 어떤 정신 상태 즉 주관을 주관적으로 인식할 때 드러나는 인식내용이라 할 수 있다. 다음에 논의될 것이지만 그것은 한마디로 무의식의 기술 혹은 쉬르 레알리즘적 글쓰기라는 말로 요약된다.

물론 김춘수는 시작(詩作)의 처음부터 대상이 아예 없다고 말하지는 않았다.

> 같은 서술적 이미지라 하더라도 사생적(寫生的) 소박성이 유지되고 있을 때는 대상과의 거리를 또한 유지하고 있는 것이 되지만 그것을 잃을 때는 이미지와 대상은 거리가 없어진다. 이미지가 곧 대상 그것이 된다. 현대의 무의미시는 시와 대상과의 거리가 없어진데서 생긴 현상이다. 현대의 무의미시는 대상을 놓친 대신에 언어와 이미지를 실체로서 인식하게 되었다고 할 수 있다.[22)]

무의미의 시가 처음부터 대상 없이 쓰이는 것이 아니라는 말이다. 그렇지 않다면 '대상과의 거리를 없앤다'든가. '대상을 놓친다'든가 하는 진술이 있을 수 없다. 그러니까 그의 무의미의 시는 처음에 대상을 전제하고 그 대상의 서술적 이미지를 좇다가 나중에 그 대상을 무화시킴으로서[23)] 이미지 자체가 대상이 되는 시인 것이다.

---

22) 위의 책, 376쪽.
23) 위의 책, 375쪽. "(무의미의 시란-인용자 주) 대상을 잃음으로서 대상을 무

그러므로 그의 주장을 다시 정리하면 ①무의미 시는 처음에 대상을 전제해서 바라보고 그 다음 ②대상을 없앰으로써 이제는 이미지 그 자체를 대상으로 하여 쓴 시이다. 대상이 없는 시가 아니라 어떤 형식이든 대상을 전제하여 쓴 시라는 것이다. 그러므로 그가 그의 무의미의 시에서 언필칭 '대상이 없다' 혹은 '대상을 잃었다'고 주장하는 것은 한낱 언어의 유희에 지나지 않은 것이 된다. 김춘수 자신이 엄밀한 의미에서의 자동기술이란 있을 수 없다고 말한 바[24] 있듯 어떤 형태의 무의식(혹은 무의식의 언어)이든 최소한 그것이 글 쓰기의 행위로 들어갈 경우 의식의 도움 없이는 불가능하기 때문이다. 하물며 이미지에 있어서랴.

그러나 '대상이 없는 시' 혹은 '비대상'이라는 것은 김춘수 자신이 개발한 용어도 김춘수만의 독창적인 시론도 물론 아니다. 그것은 현대에 들어 아방가르드(avante garde)나 이를 계승한 영미 포스트모던한 예술의 본질을 지적한 일반적 언급일 따름이다. '예술에 대상이 없다'는 것(그러나 실은 우리가 앞서 살펴보았듯이 대상이 없는 것이 아니라 '주관을 대상으로 하여 그것을 주관적으로 인식한 내용') 이야말로 아방가르드 미학이 그렇지 않은 기존 예술 미학과 구분되는 가장 두드러진 특성이기 때문이다. 그런 의미에서 다다이즘이나 쉬르 레알리즘, 표현주의, 입체파의 모든 예술은 '대상'이 없는 예술에 속한다.[25] 구라파 아방가르드를 계승한 최근 영미 포스트 모더니

화(無化)시킨 결과 자유를 얻게 된 그것이다."

24) 주 20) 참조.

25) Malcolm Bradbury and James McFarlane, 'The Name and Nature of Modernism', *Modernism*, Ed. Malcolm Bradbury and James McFarlane (Harmondsworth: Penguin Books, 1976), P. 27. "모더니즘(아방가르드 역자 주)은 모든 실재(all reality)를 주관적 허구(subjective fiction)로 돌린다." P. 47, "모더니즘이란 주체를 대상화(self-object)한다는 점에서 일차적으로 낭만주의에 맥이 닿아 있다." P. 48. "주관을 대상화하여(objectify the subjective)

스트들이 자신들의 예술적 특성을 소위 '자기반영적(self reflexion)' 언급에서 찾고 있는 것 역시 이음동의어적(異音同義語的) 반복이라고 말할 수 있다.[26] 따라서 김춘수는 서구 아방가르드 미학의 일반적 특징을 그 용어나 내용면에서 마치 자신만의 독창적인 시론인양 차용했다는 혐의를 피하기 힘들다. 그것은 글쓰기의 윤리에 속하는 문제이다.

4. '무의미'의 문제

그렇다면 김춘수가 말하는 '무의미'란 무엇인가. 이 역시 그의 모호한 일반 어법이 그렇듯 선명하게 이해할 수 있는 개념이 아니다. 그의 글 어떤 곳을 뒤져보아도 '무의미' 자체에 대한 진술은 거의 없다. 글의 대부분이 '무의미'가 아니라 '무의미'를 만드는 방법에 관한 것으로 채워져 있기 때문이다. 가령 우리 알고 싶은 것이 '화성(火星)'이

내심의 들을 수 없는 대화를 듣게 하거나 지각케 하는 것."
Robert Short, 'Dada and Surrealism.' Ibid., P. 292. "쉬르 레알리즘이란 우연에의 유용성에 의해 특징을 지니고 무의식적이거나 내적인 충동에 자극을 받는, 그리고 자생적으로 일어난 것들을 수용하는 자로서의 예술가들의 새로운 이미지에 자리하고 있다."
기본적으로 모더니즘과 아방가르드는 서로 다른 문학 사조이다. 그럼에도 불구하고 영미의 문화적 패권주의자들은 자신들의 모더니즘과 아방가르드를 한가지로 묶어 모더니즘이라는 명칭으로 통합하고 있다. 위의 저자들 역시 같은 태도를 취하고 있는데 이는 분명 잘 못이라고 생각한다. 따라서 인용문에서 맥팔레인이나 브래드버리가 '모더니즘'이라고 지칭하는 것은 실은 좁은 의미의 모더니즘이 아니라 '아방가르드'이다. 이 문제에 대해서는 오세영, 『문학과 그 이해』(서울, 국학자료원, 2003) 참조.

26) 김성곤, 『탈모더니즘 시대의 미국문학』(서울: 서울대학교 출판부, 1989), PP. 49~50. Terry Eagleton, "Capitalism, Modernism and Postmodernism", *Modern Criticism and Theory*, Ed. David Lodge(N.Y.: Longman, 1988).

라고 할 때 그는 '화성' 그 자체에 대하여는 이야기한 바가 없다. 다만 어떻게 하면 화성에 갈 수 있는지를 논할 뿐이다. 그러므로 독자들은 그의 '무의미'를 그의 '시작품'이나 그가 시론에서 언급한 바 '무의미를 만드는 방법'을 통해 간접적으로 혹은 상상적으로 이리 저리 유추해 짐작해 볼 수 있을 따름이다. 사정이 그러하니 그 '무의미'의 정체에 대한 해명 역시 논란에 논란을 거듭할 수밖에 없다.

김춘수에 의하면 시에서 무의미는 다음과 같은 절차로 만들어진다.

① 시는 이미지의 언어로 쓰여지는 예술이다. 그런데 이미지는 관념 전달을 목적으로 한 비유적 이미지와 순수하게 이미지 그 자체만을 보여주는 서술적 이미지의 두 종류가 있다.

② 서술적 이미지는 다시 두 가지로 나뉜다. 대상을 순수하게 이미지만으로 그려 보여주는 '소박한 서술적 이미지(소박한 사생적(寫生的) 이미지)'와 대상 자체가 사라진 서술적 이미지(이미지 그 자체가 대상이 된 이미지)가 그것이다. 이 후자는 앞에서 살펴본 바와 같이 대상과의 거리를 버리거나 대상 그 자체를 무화(無化)시킬 때 성립한다고 한다. 물론 이중 무의미한 시는 후자에 의해서만이 쓰여질 수 있다. 김춘수는 그것을 대상 없는 시쓰기라 부른다.

③ 따라서 무의미의 시는 당연히 의미 혹은 관념이 배제된다. 관념이나 의미는 모두 대상과의 관계에서 생성되기 때문이다.

이런 절차에 의해서 시가 '무의미'에 도달하게 되면 그 결과 다음과 같은 특성을 드러낸다고 한다.

① 언어는 본질적으로 의미에 구속되어 있으므로 시에서 바로 그 관념이나 의미가 사라지게 되면 결과적으로 시(언어)는 시(언어)로부터 해방되는 것이 필연적이다. 그것은 허무를 의미한다. 의미가 사라진 무의미한 세계는 구속될 대상도, 어떤 가치도 지니지 못한 무(無)의 세계 바로 그것이기 때문이다.

② 따라서 시는 이 허무의 공간에서 즐기는 하나의 게임이며 유희이다. 목적이 없는 노동은 그 자체가 하나의 유희에 지나지 않기 때문이다. 그 유희는 물론 생활로부터의 해방이자 역사나 현실의 억압으로부터의 자기 구원이기도 하다.[27]

이와 같은 그의 시론을 통해 '무의미'가 무엇인지를 해명하기는 어렵다. 그러나 다행히도 한 가지 힌트는 있다. 들뢰즈가 그의 『의미의 논리』에서 언급한 바 의미와 상관관계에서의 '무의미'를 추측해 볼 수 있는 가능성이다. 김춘수의 의미는 들뢰즈의 그것과 유사하다고 생각되기 때문이다.

그런데 우리는 여기서 먼저 묵계된 사실 하나를 공인하지 않으면 안 된다. 일반의미론의 차원이든, 들뢰즈의 의미론의 차원이든 '무의미'라는 것이 문자 그대로 '의미의 없음'을 뜻하는 말은 아니라는 사실이다. 언어란 어떤 형식의 것이든 존재하는 것들의 이름이고 존재가 의식되는 것은 그 자체가 이미 의미의 영역 안에 드는 것임으로 진정한 뜻에서 '무의미'라면 이미 언어 이전의 차원이 될 수밖에 없기 때문이다. 그러한 관점에서 '무의미'는 의미의 대타 개념이라기보다 그 생성원천을 가리키는 말이라 할 수 있다. '무의미'라는 것 자체가 '의미'의 일종인 것이다. 즉 의미란 무의미에서 발생한 어떤 것이다.[28] 다만 전자가 논리적인 의미라면 후자는 논리로서는 해명이 불가능한 어떤 황당무계한 의미일 뿐이다. 이는 무의미를 뜻하는 영어의 'nonsense'를, 상식을 뜻하는 'common sense(불어 commun sens)'와 비교할 때 쉽게 이해될 수 있다. 이 경우 'nonsense(불어 non-sens)'란 '비상식'이라는 뜻을 지닌 말도 되기 때문이다.

그런데 여기서 김춘수가 의도했던 '의미'가 만일 이렇듯 일반의미

---

27) 김춘수, 「의미와 무의미」, 『전집』 2 시론.
28) Gilles Deleuze, Op. Cit., P. 150.

론의 의미라면 '무의미'는 간단히 사전적인 뜻이 될 수밖에 없다. 모든 사전적 의미는 지시적 의미(referential meaning)이고 이 지시적 의미가 바로 일반의미론의 의미이기 때문이다. 그러므로 이 때의 무의미(nonsense)란 사전의 뜻풀이에 따라 '객적은 소리', '어리석은 생각', '황당무계, 얼토 당토 않은 말'[29] 정도의 뜻에 지나지 않게 된다. 이렇듯 일반의미론의 관점에서 무의미의 시는—그 시작과정이야 어떻든—결과적으로는 이와 같은 의미 내용이 오로지 서술적 이미지에 의해서 형상화된 시를 가리키는 용어 이상이 될 수 없는 것이다.

한편 들뢰즈의 개념으로 파악하자면 김춘수의 '의미'는 'sense(불어 sens)', 무의미는 'nonsense(불어 non-sens)'에 해당한다. 따라서 이 경우 '무의미'는 다음과 같이 설명될 수 있다.

들뢰즈는—앞서 살핀 바와 같이—'sense'를 '명제 안에 존속하는 순수 사건'이라 하여 그 실현은 그것이 '문화의 장 안에서 다른 사건들과 계열화'를 이룸으로써 비로소 가능해진다고 보았다. 예컨대 벼랑에서 돌이 굴러내린 사건이 있다고 할 때 그 돌멩이의 변화나 역학적 움직임 자체는 아직 의미가 아닌 단순한 사건에 불과하다. 그런데 지나가는 행인을 덮쳐 그가 병원에 입원을 하게 되었다면 이제 그것은 단순한 한 사건에 머물지 않고 문화의 장안에서 다른 사건과 계열화를 이룬 것이 된다. 들뢰즈는 이 때 전자를 무의미, 후자를 의미로 보았던 것이다.[30]

---

29) "의미를 가지지 않거나 의미가 아닌 어떤 것", "정상적인 의미에 모순되거나 부조리하게 말되거나 쓰여진 어떤 것", 여기서 전자는 언어 이외의 것을 가리키며 후자는 언어적인 '무의미'를 가리킨다. 'Nonsense', *Webster's Third New International Dictionary of the English Language*(Springfield: G&C. Merriam Company, 1981). "무의미한 말, 객쩍은 소리, 어리석은 소리 황당무계한 말" 'Non sense', *The New World Dictionary*(서울: 시사영어사, 1973).

30) 계열화를 이루는 방법으로 들뢰즈는 종합(connexion), 분리(disjonction), 결합

계열화를 이루는 각개의 사건은 특이성을 지니고 있다. 그런데 이 특이성의 공간은 사건이 아직 단순 사건에 머물러 있을 경우는 잠재적으로 다방향성을 지니지만 다른 사건과 계열화를 만들어 의미를 생성할 경우는 하나의 방향성을 지니게 된다. 즉 의미는 사건의 특이성이 지닌 다방향성이 하나의 방향성으로 정리되는 것의 지칭이다. 계열화란 각개 사건들이 잠재된 다방향성 가운데 한 가지 방향을 선택하여 상호 관련(종합, 분리, 결합 등)을 맺는 작용을 가리키는 말이기 때문이다. 따라서 사건은, 아직 단순사건에 머물러 계열화를 이루지 못할 경우 다방향성(多方向性)을 지니지만 계열화를 이룰 경우 하나의 방향성으로 고정되기 마련이다.(불어로 '의미' 즉 'sens'가 동시에 '방향(方向)'이라는 뜻도 지니고 있음은 시사적이다.)

그리하여 들뢰즈는 전자를 의미, 후자를 무의미로 불렀다. 따라서 의미는 하나의 방향성을 지닌 사건들의 계열을, 무의미는 다방향성의 상태에 머문 단순 사건을 가리키는 말이라 할 수도 있다. 그런데 동시에 다방향성을 지니고 있다는 것은 그 안에 모순이 함께 한다는(가령 +와 −가 동시에 성립하는) 뜻과도 같으므로 이러한 관점에서 의미란 '한가지로 정립된 의미', 무의미란 상호 모순, 단절, 분열, 미지각의 의미를 가리키는 말이 되기도 한다.[31] 들뢰즈가 무의미의 핵심을 특정한 신조어(neology)[32], 부조리, 역설 등으로 설명했던 이유가

(conjonction)의 세 가지를 들었다. 종합이란 작은 계열이 모여 큰 계열을 이루는 방식이며, 분리란 흩어져 확산하는 방식이며 결합이란 수렴하는 방식이다. 이 계열화의 체계가 구조이다. 이정우, 「들뢰즈와 사건의 존재론」, Gilles Deleuze, Op. Cit.

31) Ibid.

32) 의미를 내포한 신조어가 아니라 'cela', 'chose', 등과 같이 무엇이라 이름할 수 없는 것의 미지칭. 그리고 'Snark'(소위 무의미의 시의 대표적인 작가 Lewis Carroll의 *The Hunting of the Snark*에 등장하는 신조어로 알 수 없는 (무의미한) 동물을 이름한 것)와 같이 실체 미궁의 것을 가리키는 식의 신조어를 말한다.

여기에 있다.

그 외 '무의미'에 관한 현대철학의 대표적인 견해들을 소개하면 다음과 같다.

첫째, 현상학이다. 현상학에서는 현상(phenomenom)을 넘어서 물(物)안에 이를 발현시키는 존재로서의 어떤 실체(reality)가 있다는 견해를 부인한다. 다만 우리가 알 수 있고 확증할 수 있는 것은 지각일 뿐이며 무엇인가 독립적 존재 혹은 실체가 있다고 믿는 것은 이 지각의 집합이라 할, 주체의 의식 안에서 이루어진 의미 이상이 아니다. 물론 여기에는 '환각'이라는 것이 있을 수도 있다. 그러나 그것은 존재와 다르다. 존재는 지각의 집합이 총체적인데 환각은 부분적이기 때문이다. 즉 환각이란 지각의 결핍된 집합을 일컫는 말이다. 따라서 물(物)은 오직 현상 그 자체이며 현상을 벗기고 안으로 들어가면 마치 파뿌리와 같이 아무 것도 있지 않게 된다. 바로 무(無) 그 자체인 것이다. 세계는 현상으로 머물 뿐 실체는 무의미하다.

둘째, 모든 형이상학을 거부한 논리적 실증주의(logical positivism)이다. 그들은 경험적 과학주의를 제외하고 이 세상에서는 그 어떤 것도 배울 것이 없으며 이에 근거하지 않고는 그 어떤 존재도 확인할 수 없다고 한다. 그들의 유일한 인식 방법은 검증의 원리(principle of verification)인데 그것은 한마디로 관찰과 경험에 의한 진위(truth or falsity) 판단이라 할 수 있다. 그런데 이 검증의 원리로 확인할 수 없는 것 가운데 유일하게 존재하는 두 가지가 있다. 수학과, 가치판단의 진술이 중심이 되는 윤리학이다. 그러나 이는 문제되지 않는다. 전자는 '순수한 선험적 이성'에 의해서, 후자는 언어적 규약과 관습(convention) 그리고 느낌의 참다운 표현 즉 정서주의(emotivism)에 의하여 보증되기 때문이다. 이와 같은 관점에서 수학과 윤리학을 제외하고 그 외 검증의 원리로 판단될 수 없는 모든 것은 '무의미'이다.

형이상학은 물론 그 대표적인 경우에 속한다.[33)]

셋째, 불교 존재론이다. 불교에서는 우주의 실상은 그 자체가 무(無)이며 공(空)이라 한다. 다만 집착과 미망으로 인해 없는 것이 있는 것처럼 보일 뿐이다. 그러므로 참다운 깨달음에 이르면 이 세계는 무 그 자체이다. 이 경우 무란 물론 유의 대립 개념이 아니라 유와 무를 동시에 지양한, 따라서 '무'라는 언어로 부를 수도 없는—언어란 있는 것의 이름이니까—어떤 절대적인 경지를 가리키는 말이다. 그러한 관점에서 우주의 실체는 '무의미'이다. 깨달음의 경지를 노래한 선가(禪家)의 선시(禪詩)들, 그 중에서도 특히 개오시(開悟詩)나 오도송(悟道頌)이 무의미의 언어로 쓰여진 것도 이 때문이다.

그러나 이상 살펴본 현상학과 논리적 실증주의 그리고 불교존재론의 '무의미'는 김춘수의 무의미 시와 관련될 가능성이 거의 없어 보인다. 앞장에서 살펴본 바와 같이 김춘수에게 있어 의미의 문제는 현상학적 관점과 전혀 다르고, 논리적 실증주의에 있어서 무의미란 너무나 포괄적인 개념이어서—특히 김춘수와 같은 개별 시인의 시론에 국한하여—시에 적용하기에는 별 의의가 없으며, 김춘수가 지향하는 내적 세계와 불교 역시 전혀 상관없기 때문이다.

따라서 김춘수의 '무의미'는 그의 '의미'의 개념과 마찬가지로 일반언어학이나 들뢰즈의 개념에 가까운 것이라 할 수 있다. 상식적 차원의 '무의미'라는 개념은 일반언어학적 개념에, 대상을 상실한 채 시에서 대상 그 자체가 된 이미지, 상호 분열, 차단된 이미지들이라는 개념은 들뢰즈가 말한 바 '순수사건의 다방향성'이라는 개념과 유사하기 때문이다.

---

33) 'Western Philosophical School and Doctrines', *Encyclopedia Britanica.*

5. 시에서 드러난 무의미

한 철학 사전에 따를 때[34] '무의미'의 언어 실현은 대개 여섯 개 형식으로 가능하다고 한다.

① 사실과 정반대의 이야기를 한다. 실제는 물이 끓고 있는데 물이 끓고 있지 않다고 말하는 경우. 소위 '담화체 무의미'(nonsense in colloquial sense).

② 전후 문맥과 아무 관련 없는 이야기를 불쑥 던진다. 물의 끓거나 끓고 있지 않음에, 아니 물 자체에 아무 관심 없는 담론 가운데 누군가 불쑥 물이 끓고 있다고 말하는 경우 즉 아무런 인용이나 관련 없는 엉뚱한 이야기를 개입시키는 경우. 소위 '의미론적 무의미'(semantic nonsense).

③ 물이 끓는 현상을 두고 "물이 수고한다"고 말하는 경우. '수고하는' 행위는 사람이나 가축 등 생명을 지닌 자만이 할 수 있지만 무생물인 '물'은 그 같이 말할 수 있는 범주(category)에서 벗어나 있다. 따라서 이 경우의 '무의미'는 범주착오(category mistake)에서 비롯한 것으로 현대 언어학에서 소위 '반문장'(半文章; semisentence)이라 부르는 것에 해당한다. 그러나 범주착오도 상황에 따라서는 물론 완벽한 의미가 될 수도 있다. 가령 물이 물방아를 돌리고 있을 때와 같은 경우에 사용되었다면 무의미가 아니라 의미이다.

범주착오의 상당부분은 환유나 은유 같은 문채언어(文彩言語 figurative language)가 차지하고 있으나 물론 이 모두를 무의미라고 말할 수는 없다. 따라서 범주착오에 있어서 의미가 되는 경우와 무의미가 되는 경우는 그것을 논리적으로 설명해 낼 수 있느냐 없느냐 하

---

34) 'Nonsense', *The Encyclopedia of Philosophy*, Vol. 5, Ed. Paul Edward(N.Y.: The Macmillan Company & The Free Press, 1978).

는 차이에 달려 있을 뿐이다. 이 때 무의미란 물론 논리적 설명이 불가능한 경우이다. 그것은 설명할 수 없는 어떤 심오한 존재론적 진리를 함의한 것으로 보인다.

④ 의미 파라다임에 의한 통사론적 구조가 부재한 채 친숙한 단어들만의 끈을 만든 경우. 예컨대 "Jumps digestible indicators the under"("소화가능한 표시를 아래로 뛰어넘기"? 그러나 이러한 해석 자체가 성립된다면 무의미가 될 수 없다. 인용자 주)라는 문장이 있을 때 여기에는 두 가지 원칙이 있다. 첫째, 통사론적 질서가 없다는 점이요, 둘째, 단어들 사이에 관통하고 있는 의미의 파라다임이 사라졌다는 점이다. 따라서 이 문장에는 관계없는 단어들의 무원칙한 나열만이 있을 따름이다. 소위 '무의미의 끈(nonsense string)'이라 부르는 것이다.

⑤ 통사론적으로는 친숙한 구문인데(통사론적 질서는 지키고 있는데) 결정적인 부분에서 낯설은, 있지도 않은 단어(그러니까 화자 자신의 신조어)가 튀어나와 해석이 불가능한 진술. 무의미 시는 대체로 이 경우의 일종이다. 류이스 케롤(Lewis Carroll)의 시에서 "All mimsy were the borogoves"라는 시행은 구성성분들 상호 간에 가능케한 통사론적 인접성은 가지고 있지만 'mimsy', 'borogoves'라는 있지도 않은 신조어(neologism)로 인해 문장 전체를 완벽하게 무의미하게 만든다. 소위 '어휘적 무의미'(vocabulary nonsense)라 부르는 것이다.

⑥ 친숙한 통사구문도 친숙한 어휘도 발견할 수 없고 그렇다고 의미론적 적합성이나 친숙한 범주구분도 부재한 경우이다. 가령 "grillangborpfemstaw"와 같은 진술은 통사론적 질서도 사용 가능한 단어도 없다. 뜻모를 화자 자신만의 신조어가 무질서하게 조합되어 있을 따름이다. 이 극단적인 무의미의 유형은 소위 '횡설수설 무의미'(nonsense gibberish)이다. 이 경우 의미 있는 것이라면 다만 알파

벳이나 음운조직 정도일 뿐이다.

이와 같은 여섯 가지 무의미의 언어 형식 가운데 일반적으로 ①의 담화체 무의미는 시에서 별로 활용되지 않고 지시 대상을 확인하기도 힘들다. 설령 그 확인이 가능하다 하더라도 일종의 아이러니에 해당한다는 점에서 특별히 시의 장르적 특성이라고 말하기는 어렵다. 따라서 무의미의 시는 ①을 제외한 나머지 다섯 형식의 무의미 언어로 형상화된다고 말할 수 있다. 김춘수의 시에서는 이 중 ④, ⑤, ⑥의 본격적인 무의미 그러니까 '무의미의 끈', '어휘적 무의미', '횡설수설 무의미' 등이 전혀 나타나지 않고 단지 ②와 ③에 해당하는 수준의 무의미들이 발견될 뿐이다. 이제 김춘수 시에 나타나고 있는 ②와 ③의 무의미 형식을 살펴보도록 하겠다.

(가) ②의 즉 '의미론적 무의미'가 제시된 시들

(a) 아우슈비츠,
그 날부터 아무도 서정시는
쓰지 못하리

(b) 르완다에서는 기린이 수천 마리나
더 이상 뻗을 곳이 없어
모가지를 하늘에다 묻었다고 한다.

(c) 올 여름
서울은 비가 오지 않아
사람들은 너나 없이
남의 사타구니만 들여다 본다.
지리고 고린 그 살 냄새가

어디서 나나 하고 <메시지>

인용시는 크게 세 부분으로 나뉘어져 있다. 이 중 (a)와 (b)는 각각 아우슈비츠 게토의 이야기와 르완다의 기린이야기이므로 표면적 의미(mimesis 차원의 의미)의 차원에서는 서로 단절되어 있는 듯 보인다. 그러나 시적 의미(semiosis적 차원의 의미)에서는 다르다. 르완다의 기린 이야기가 실은 르완다 내전의 인간 살육을 메타포라이즈 한 것이어서 아우슈비츠의 유태인 학살과 함께 인간의 야만성을 고발한 내용이라고 말할 수 있기 때문이다. 그러나 (c)는 전혀 엉뚱한 이야기이다. 서울에서는 비가 오지 않아 서로 남의 사타구니를 들여다보며 살 냄새의 악취를 맡고 있다는 이 부분의 내용이 그 앞의 이야기와 거의 절연되어 있기 때문이다. 물론 우리는 그것을 인간이 지니고 있는 '본능적 야수성'(사타구니의 지리고 고린 살냄새)을 훔쳐본다는 식으로 다소 무리하게 해석할 수는 있다. 그러나 작위적으로 시의 논리를 뜯어 맞춘다는 비판을 모면키 어렵다.

(a) 남자와 여자의
아랫도리가 젖어 있다.
밤에 보는 오갈피나무,
오갈피나무의 아랫도리가 젖어 있다.
(b) 맨발로 바다를 밟고 간 사람은
새가 되었다고 한다.
발바닥만 젖어 있었다고 한다. <눈물>

인용시에서 제 3행의 오갈피 나무는 1행의 남자와 여자를 은유화 했다는 점에서 같은 의미를 공유하고 있다. 예컨대 '아랫도리가 젖은 남자와 여자' '아랫도리가 젖은 오갈피 나무'는 소위 디아포(diaphor)를 형성하여 같은 내용을 병렬적으로 반복시킨 것이다. 그러므로 (a)의 진술들은 미메시스적 차원에서는 의미가 다르다고 하나 세미오시스적 차원에서는 동일하다. 그런데 (b)의 진술들에는 앞의 의미와 전혀 다른 엉뚱한 내용이 개입되어 있다. 물론 아랫도리는 '생의 깊숙한 자리 즉 본연의 자리'를 뜻하는 것이라 보고 이 본연의 자리를 경험한(바다를 밟고 간)자가 가장 높은 차원의 존재로 성숙할 수 있다는 식의 해석을 무리하게 전개시킬 수 있다. 그러나 그 같은 해석은 아무리 궁리를 해 보아도 자연스럽지 않다. (a)와 (b) 사이에 연결고리가 없기 때문이다.

(a) 날이 새면 너에게로 가리라.
　시인이 되어 나귀를 타고
　너에게로 가리라.
　새는 하늘을 날고
　길가에 패랭이꽃은 피어 있으리
(b) 보라.
　미크로네시아의 젖은 입술,
　보라.
　미크로네시아의 젖은 허리,
(c) 너에게로 가리라.
　시인이 되어 나귀를 타고
　날이 새면　　　　　　　<죽도에서>

인용시에서 (c)는 (a)의 내용을 요약 반복하고 있으니 전체적으로 (a)와 (c)는 연속된 이야기라고 할 수 있다. 그러나 (b)는 전혀 다른 진술이다. 앞뒤의 문맥에 비추어 볼 때 미메시스적 차원이든, 세미오시스적 차원이든 전혀 연결이 되지 않기 때문이다. 가령 미크로네시아는 태평양에 산재된 일군의 섬들을 지칭하는 지리학적 용어이니 표면의 의미대로 보자면 태평양의 섬들의 입과 허리가 물에 젖어 있는 것과 화자가 시인이 되어 나귀를 타고 '너'라고 불리우는 존재에게 가는 행위와 어떻게 관련이 되는지 풀길이 막막하다.[35] 그러한 관점에서 (a), (c)와 (b) 사이에는 무의미의 관계가 성립한다. 즉 의미론적 무의미이다.

(나) ③의 반문장(半文章)의 무의미가 제시된 경우

반문장의 무의미는 본질적으로 '범주착오'를 전제로 하지만 그렇다고 해서 모든 범주착오가 무의미가 되는 것은 아니다. 무의미의 시든, 의미의 시든 시의 근본 요소라 할 은유나 환유, 제유 등 대부분의 비유법은 범주착오에 토대하고 있기 때문이다. 그러므로 반문장의 무의미는 앞에서 살펴본 바와 같이 범주착오의 진술 가운데서도 의미의 논리로 해명할 수 없는 것들만을 가리키는 말이라 할 수 있다.

김춘수의 시에는 많은 범주착오의 진술들이 등장한다. 그러나 다음과 같은 경우는 비록 난해해서 무의미한 진술처럼 보이지만 사실은 무의미라고 할 수 없다. 의미의 시에도 통용될 수 있는 은유나 환유의 영역에 머무르고 있기 때문이다.

올해 여섯 살인 죠의 눈에서 / 여름의 나발 꽃 채송화가 지는 / 저녁

---

35) 이 역시 작위적이고 의도적으로 미크로네시아의 젖은 입술을 '고독과 우수에 젖은 존재'로 파악하여 시인이 된다는 것은 고독과 우수를 좇는 삶이라는 정도의 해석을 할 수도 있다. 그러나 이 같은 해석은 부자연스럽다. 그리고 설령 이러한 해석이 가능하다 하더라도 무의미시란 의미로 해석될 수 없는 시이니까 그 즉시 무의미시로부터 벗어난다.

나절 <가을>

사랑하는 나의 하나님 당신은……젊은 느릅나무 잎새에서 이는/연둣빛 바람이다 <나의 하나님>

바다가 너울거리는 녹음이 있다. <시 3>

서촌 마을은/시들 시들 앓아 눕는다/바다는/시들어 낙엽이 진다.

<서촌(西村) 마을의 서부인(徐婦人)>

여황산아 여황산아 네가 대낮에/낮달을 안고 누웠구나 <낮달>

노을이 제 이마에 분꽃 하나를 받들고 있다. <청마가시고, 충무에서>

흙이 야위고 <바꿈노래, 망개알>

아이들의 목덜미는 모두/눈에 덮인 가파른 비탈길이었다.

<처용단장 1부>

<가을>에서 눈물을 채송화로 환치한 것은 범주착오에 해당한다. 그러나 이는 무의미가 아니다. '눈물'과 '지는 채송화 꽃잎' 사이에는 슬픔 혹은 애수라는 공통의 의미가 형성되어 있기 때문이다. <나의 하나님>에서 '하나님'을 '연두빛 바람'이라 한 것 역시 범주 착오이다. 그러나 이는 하나님이 생명의 원동력이라는 뜻의 은유임으로 무의미하지 않다. <낮달>의 경우도 무생물인 산이 인간처럼 달을 안는다는 점에서는 범주착오이지만 동시에 의인법이다. <시 3>은 '나뭇잎이 너울거리는 녹음'을 '바다가 너울거리는 녹음'이라고 표현하고 있다. 나뭇잎을 바다로 환치했으니 이 역시 범주착오에 해당한다. 그러나 바람에 흔들리는 나뭇잎새들의 모습과 바다에서 이는 파도 사이에는 여전히 의미(생명력이라는)의 연관성이 있다.

<서촌 마을의 서부인> 또한 마찬가지이다. '마을'은 생물이 아니다. 시들거나 낙엽이 질 수 없다. 그러므로 이는 분명 범주착오이다. 그러나 여기서 '시들다'는 '황폐해진다' 혹은 '쇠락한다' 정도의 뜻을

함축한 은유인 까닭에 분명 의미 있는 진술이다. <청마 가시고, 충무에서> 노을이 받들 수 있는 것은 '구름'과 같은 무기물임으로 생명체인 분꽃을 받든다는 것 범주착오이다. 그러나 '분꽃'이 어떤 '아름다운 가치'의 은유로 제시되어 청마의 죽음을 아름다움의 가치 실현으로 해석케 한다는 점은 의미 있는 시행이라 할 수 있다. <망개알>의 '흙이 야위고' 역시 범주착오이다. 무생물이 생물처럼 야월 수는 없기 때문이다. 그러나 이 또한 '야위고'가 '지력이 쇠하고' 정도의 은유인 까닭에 무의미하지는 않다. <처용단장 1부>도 '목덜미'와 '비탈길'은 서로 범주가 다른 개념이지만 가난과 궁핍으로 삶이 비참해진 아이들이라는 해석이 자연스럽다.

그러나 다음과 같은 시행들은 반문장이나 혹은 그에 가까운 무의미의 예들이다.

> 연필향 허리까지 / 땅거미가 와 있다. / 바람이 어디론가 떠나고 있다. / 골목 위 하늘 한켠 낮달이 사그라지고 있다. <봄이 와서>
>
> 물또래야 물또래야 / 하늘로 가라 / 하늘에는 주라기의 네 별똥이 흐르고 있다. / 물또래야 물또래야 / 금송아지 등에 업혀 하늘로 가라
> <물또래>
>
> 죽음을 죽이는 바다는 고혈압의 코피를 흘린다. <금송아지>
>
> 영산홍 일 만개의 모가지가 밤을 부수고 있다. <대지진>
>
> 언젠가 아라비아 사람이 흘린 눈물, / 죽으면 꽁지가 하얀 새가 되어 / 날아간다고 한다. <리듬1>
>
> 네 모발은 바다를 건너 / 더욱 깊이 내 잠 속으로 오리라. <네 모발>
>
> 다보탑도 석가탑도 모과나무 제일 낮은 가지에서 눈을 감는다.
> <고도에서>
>
> 먼저 나온 별 하나가 지상의 내 귀싸대기를 치며 울고 있다.

<바꿈의 노래, 그>

<봄이 와서>의 "연필향 허리까지 / 땅거미가 와 있다"에서 땅거미가 와 있을 수 있는 위치는 들이나 산, 강과 같은 지상이지 연필 향일 수는 없다. 즉 범주착오이지만 의미의 논리나 상상력의 질서로서는 해석이 거의 불가능하다는 점에서 소위 반문장 무의미의 대표적인 예이기도 하다. <물또래>의 "물또래[36]야 하늘에는 쥬라기 네 별똥이 흐르고 있다"도 '네'라는 이인칭 소유격으로 인해 범주착오가 성립한다. 물또래의 배설물과 별똥별은 같은 범주에 있지 않아 물또래의 별 똥이란 있을 수 없는 사태이기 때문이다. <금송아지>에서 바다는 물질계에 속하므로 인간과 같이 코피를 흘릴 수 없다는 점에서 범주 착오가 된다. 더욱이 '죽음을 죽인다'는 말은 죽음의 부정 즉 살린다는 뜻의 말이 되어 무엇인가를 살리는 바다가 고혈압의 코피를 흘린다는 것은 이해하기 힘들기 때문이다.

<대지진>에서 지진이란 모든 지상의 것들을 파괴하는 자연현상이다. 따라서 인용된 시구가 이 파괴의 이미지를 표현하고 있다는 것쯤은 미루어 짐작할 수 있다. 그러나 모가지가 밤을 부순다는 표현의 디테일은 아무래도 설명이 되지 않는다. 밤을 부술 수 있는 것은 천체물리 현상과 같은 것임으로 이 시에서 이를 영산홍으로 표현한 것도 범주착오이다. <리듬 1>에서는 하늘에서 가득히 자작나무 꽃이 필 때 왜 눈물이 새가 되는지, 그것도 왜 아라비아 사람이 흘린 눈물만 새가 되는지 이해하기 힘들다. 이 시의 '눈물이 날아간다'는 것과 (눈물은 지상으로 떨어지는 물질이니까) '눈물이 새가 된다'는 것 역시 범주착오인 것이다. 이는 물론 수사법상 은유에 해당되나 전혀 해

36) 강도랫과에 속하는 곤충.

석이 되지 않는다는 점에서 반문장의 무의미라고도 할 수 있다.

<네 모발>에서 모발이 바다를 건너 내 잠 속에 들어온다는 말은 범주착오(바다를 건널 수 있는 것은 물고기나 선박 같은 것들이지 모발은 아니다)이면서 의미전달이 불가능한 표현이다. 모발은 자라기도 하고 탈모할 경우 땅에 떨어질 수 있지만 바다를 건널 수는 없기 때문이다. <고도(古都)에서>의 석가탑, 다보탑이 나무 가지에서 잠든다는 진술 역시 범주착오이다. 가지에서 잠들 수 있는 것은 새 등 특별한 생명체 밖에 없기 때문이다. 이 역시 다만 어떤 환영을 시각적으로 그려 보여주고 있을 뿐 해석이 불가능하다. <그>에서 "별이 지상의 내 귀때기를 치며 울고 있다"도 이해하기 어렵다. 굳이 직관적인 느낌으로 말하자면 무리하게 해석하지 못할 것도 없으나 이와 같은 방식이 이 시의 보편적 의미를 해독해 주리라 기대는 불가능하다. 물론 그것은 오직 인간만이 할 수 있는 일이기에 별이 귀싸대기를 치는 행위 역시 범주착오에 해당한다.

이상에서 살펴본 바와 같이 김춘수 시에 있어서 무의미한 진술은 극히 제한되어 있다. 그것은 간단히 김춘수의 시가 ②의 '의미론적 무의미'와 ③의 '반문장 무의미'를 다소 활용하고 있을 뿐 그 외 다른 형식의 무의미 진술은 거의 배제한다는 말로 요약될 수 있다. 그런데 무의미시의 본질을 이루고 있는 것은 ②의 의미론적 무의미나 ③의 반문장 무의미가 아니라 오히려 ④의 무의미의 끈, ⑤의 어휘적 무의미[37], ⑥의 횡설수설 무의미와 같은 것이므로 이상과 같은 김춘수 시의 특징이 무의미 시의 요건을 충족시키기는 것과 거리가 멀다는 것은 두말할 필요가 없다.

실제에 있어서 김춘수 시의 무의미는 시인 자신의 장황한 주장에

---

37) 무의미의 시는 대체로 ⑤의 어휘적 무의미로 쓰여진다. 'Nonsense', *The Encyclopedia of Philosophy*.

도 불구하고 문예학적 무의미의 시와는 매우 다르다. 이상(李箱: 그 역시 순수한 무의미의 시인은 아니지만)과 같은 시인의 경우와 비교해 보아도 그러하다. 그러므로 정확히 말하자면 김춘수의 시는 예외적으로 아직 저차원의 무의미를 지향하는 요소가 다소 있다 하더라도 그 대부분은 의미의 시라 할 수 있다. 그것은 정도의 차이가 있을 뿐 '주관을 주관적으로' 기술한 한국의 다른 시인들의 시와 크게 다를 바 없음을 의미하는 것이다.

6. '무의미 시'의 실체

서양의 문예학에선 일찍부터 '무의미의 시(nonsense verse, nonsense poem, nonsense poetry)'[38]라는 용어가 널리 통용되어 왔다.[39] 몇 몇 문학 사전에 따르면 무의미의 시란 다음과 같이 정의된다.

> 무의미의 시란(nonsense verse, nonsense poem)란 간단히 의미(sense)를 만들어내지 않은 시의 한 유형이다. 겉으로 분명해 보일지라도 일반

---

38) 『프린스턴 시학사전』에서나 『부리테니카 대 백과사전』 및 다른 문예학 사전에서는 일반적으로 'nonsense verse'라는 용어를 사용하고 있으나 'nonsense poem' 혹은 'nonsense poetry'라는 용어도 병용하고 있다. 이 후자의 경우 전자는 시작품을, 후자는 시 장르를 가리킨다.

39) 무의미의 시는 대체로 어린이들을 위해서 19세기부터 쓰여졌다. 그 결정적인 시기는 『무의미의 책(*The Book of Nonsense*)』이 출판된 1846년이라고 할 수 있다. 그것은 미술가 레어(Edward Lear)에 의해 장정이 꾸며지고 만들어진 희시(戱詩 limerck) 시집이다. 그는 더비(Derby)백작의 아이들을 위해 1830년 처음으로 이들을 창작하였다. 그 뒤를 이어 류이스 케롤(Lewis Carroll)이 1865년에 쓴 소설 <이상한 나라의 엘리스(*Adventure in Wonderland*>와 1872년에 쓴 <거울을 통과해서(*Through the Looking-Glass*)>는 대표적 무의미 저서들이다. 특히 후자에 삽입된 '자버로키(*Jabberwocky*)'는 전형적인 무의미 시로 알려져 있다. 'nonsense verse', *Encyclopedia Britanica*.

독자나 무의미의 시의 사화집 편집자 자신 모두에게 그 이야기가 부조리 혹은 불가능하며 엉뚱한 압운들과 신조어(neology)들과 극도로 과장된 패러디의 사용으로 만들어진다는 점에 그 본질이 있다.[40)]

무의미의 시란 그 어떤 합리적 혹은 알레고리적인 해석에도 저항적이라는 점에서 여타의 희시(戱詩comic verse)와는 다른 휴모러스하거나 기상천외한 일시적 기분의(whimsical) 시이다. 그것은 의미 없는 단어들의 주조에 의해서 만들어지지만 그 단어의 소리값을 어떤 목적의식으로 운용한다는 점에서 압운이 미흡한 어린이 의식용(儀式用) 횡설수설과는 다르다.[41)]

그러므로 무의미의 시란 문자 그대로 의미가 없는 시 그러니까 어떤 방식으로든 합리적이거나 알레고리컬하게 해석될 수 없는 시를 일컫는 용어이다. 무의미 시는 리메릭(희시(戱詩 limerick)의 일종)과 클레리휴(자서전적 4행 희시 clerihew)를 포함한, 소위 '가벼운 시'(light verse)[42)]와 매우 유사하지만 후자가 위트, 풍자와 같은 것에 의존함에 비하여 순수하게 불합리, 무의미를 지향한다는 점에서 다르다. 그러

---

40) 'Nonsense Verse', *Princeton Encyclopedia of Poetry and Poetics*.

41) 'Nonsense Verse', *Encyclopedia Britannica*.

42) 가벼운 시(light verse)란 구조상으로는 형식적이고 그 내용적으로는 가볍고 하찮은, 즐기기 위하여 구상된 시이다. 그것은 리메릭(희시(戱詩 limerick: 예전에 아일랜드에서 유행했던 일종의 유희시로 긴 3행과 짧은 2행의 aabba의 압운을 지닌 5행시)과 클레리휴(clerihew: 자서전적인 4행 희시)와 패러디와 기타 휴모러스한 요소들을 포함한다. 오든(W. H. Auden)의 가벼운 시의 사화집은 대중적 퍼포먼스를 위해 쓰여진 시들을 포함하고 있는데 그 내용은 그 시대 일상의 사회적 삶과 보통 사람으로서 시인의 경험이다. 무의미의 시는 에드워드 레어(Edward Lear)의 시들과 자장가에 의해서 재현된 '일반적 호소'(general appeal)를 지닌다. Babette Deutsch, 'Light Verse', *Poetry Handbook*(N.Y.: Harper & Row, 1974).

나 레어(Edward Lear)나 케롤(Lewis Carroll)의 리메릭 가운데 어떤 것은 무의미로 되어 있어서 경우에 따라 무의미시의 개념과 중복되는 것도 사실이다. 또한 레어의 어떤 수순한 무의미의 시는 온전히 음성만으로 되어 있는데 이는 추상시(abstract poetry)[43]에 근접한 것이라고 할 수도 있다.[44] 다다이스트들이 실험했던 소위 '음향시' 같은 경우도 넓게는 무의미의 시의 범주에 속한다.[45]

이제 앞에서 인용된 내용을 중심으로 무의미시의 특징을 정리하면 다음과 같다.

첫째, 의미를 지양한 시다. 따라서 그것은 합리적인 해석이나 알레고리칼한 해석이 불가능하다. 극단적인 예는 모든 표현이 신조어로 되어 있거나 통사구문의 질서가 깨져 뜻 모를 단어들이 무질서하게 나열되어 있는 경우이다. 따라서 논리적인 뜻으로 해석되는 시가 있다면 그것은 진정한 의미의 무의미시가 아니다.

둘째, 무의미는 독자나 작가(시인) 양자 모두에게 통용되어야 한다. 독자들에게는 무의미로 비쳐지는데 작가의 경우 어떤 의도를 숨기고 있다면 이 역시 진정한 뜻의 무의미시가 될 수 없다.

셋째, 논리적인 의미를 전도시켰다고 해서 무의미한 시가 될 수도

---

43) Ibid.

44) 프랑스 상징주의시인 수자(M. R. Suza) 등이 전개했던 소위 순수시(poésie pure) 운동에서 시를 하나의 주문 혹은 영혼의 무의식적 표현으로 보았던 것도 이와 유사하다.

45) 예컨대 유고 볼(Hugo Ball)의 <대상(隊商) *KARAWANE*>이라는 시는 제목만이 의미 있는 단어이고 시의 전문은 오직 음향으로만 되어 있다. 이와 같은 특징은 무의미시와 동질적인 것이지만 이 음향들이 대상의 말발굽 소리를 의성어적으로 나타냈다는 점에서 순수한 무의미 시라고 말할 수는 없다. 의성어도 일종의 대상에 대한 의미 반영인 까닭이다. 그 몇 줄만 인용하면 다음과 같다.

jolifanto bambla ô falli bambla / grossiga m'pfa habla horem / egiga goramen / higo bloiko russula huju……

없다. 전도의 일관성 혹은 체계적인 전복은 뒤죽박죽(topsy-turvydom)의 불합리 대신 그 시의 배면에 작가의 어떤 기대나 의도가 숨어 있어 그 나름의 합리적 지성을 작동시키기 때문이다. 즉 순수한 무의미는 대부분의 사람들이 논리적이라거나 정상적이라고 생각하는 바를 거부하는 정도의 것과 전혀 다르다. 그것은 차원이 다른 우주의 관습을 받아들이는 것이다.

넷째, 패러디 역시 무의미시가 될 수 없다. 패러디란 패러디하는 시인이 패러디의 대상이 되는 작품을 자신의 어떤 의도나 의미의 반영을 위해 과장 혹은 왜곡시키기 때문이다. 여기에는 크든 작든 작가의 의미 혹은 의도가 개입되어 있다.

다섯째, 순수한 무의미의 시는 자율적이다. 그것은 자신의 원리에만 따라 작동하는, 온전한 정신의 소유자들은 침투할 수 없는 세계이다. 예컨대 전형적 무의미시라 할 류이스 케롤의 <자버로키(*Jabberwocky*)>가—이 시가 삽입된—<거울을 통과하여(*Through the Looking Glass*)> 제 5장의 험티덤티(Humpty Dumpty)의 주석 없이 어떤 해석이 가능할 수 있을지는 의문이다.

여섯째, 진정한 의미에서 무의미의 시는 독자들의 정서적 참여가 제한된다. 왜냐하면 내용 자체가 우리의 상식세계와는 절연된 공간임으로 매우 낯설기 때문이다. 그리하여 가령 <자버로키>에서 자버로키가 잔혹하게 살해된다 하더라도 독자들의 정서나 감수성은 크게 흔들리거나 충격을 받지 않는다.

일곱째, 무의미 시의 언어 실현은 앞장에서 제시한 6가지 형식 가운데 주로 ④, ⑤, ⑥의 형식에 의존한다.

여러 논자들에 의하여 무의미시의 전형으로 제시된 작품의 예는 다음과 같다.[46]

'Twas brillig and the slithy toves
Did gyre and gimble in the wabe;
And mimsy were the borogroves
And the mome raths outgrabe L. Carroll, '*Jabberowcky*'

인용시는 ⑤의 유형 즉 '어휘적 무의미'라고 부르는 형식을 빌려 쓴 무의미시이다. 특별한 극소수의 어휘(예컨대 gyre)를 제외할 때 접속사와 전치사, 대명사, 계사, 관사, 조동사 등 의미를 지니지 않은 단어들과 알 수 없는 신조어들로만 쓰여졌다는 점, 나름대로 통사론적 질서를 지키고 있다는 점 등이 이를 말해준다. 그러나 이 시조차도 진정한 의미에서는 무의미의 시라 할 수는 없다. 극단적인 무의미의 시는 전혀 알 수 없는 단어(신조어)와 함께 통사적 질서도 사라진 ⑥의 소위 '횡설수설 무의미'로 쓰여져야 하기 때문이다.

그렇다면 김춘수의 무의미시는 어떠한가.

(가) 한쪽 젖을 짤린
그 쪽겨드랑이의 임파선도 모조리 짤린
아내는 마취에서 깨지 않고 있다.
수술실까지의 긴 복도를

46) 인용시는 번역이 불가능하다. 대부분의 어휘가 신조어로 되어 있어 의미 그 자체가 없기 때문이다. 따라서 엄밀히 번역하자면 발음만을 한국어 표기로 바꿀 수밖에 없을 것이다.
이 외에도 가령 케롤의 다른 시들 <스나크 사냥(*The hunting of the Snark*)>(1876)은 영어로 쓰여진 시들 시들 가운데 가장 길고 가장 성공적인 무의미의 시이다. 벨록(Hilair Belloc)의 저작 <짐승들에 대한 불량아동의 책(*The Bad Child's Book of Beasts*)>은 영국 무의미 시의 고전 가운데서 유명하며 미국에서는 탁월한 동화작가 리챠즈(Laura E. Richards)의 <티라 리라(*Tirra Lira*)>(1932)가 레어의 작품들과 비견된다.

발통 달린 침대에 실려
아내는 아직도 가고 있는지,
지금
죽음에 흔들리는 시간은
내 가는 늑골 위에
하마를 한 마리 걸리고 있다.
아내의 머리맡에 놓인
선인장의
피어나는 싸늘한 꽃망울을 느낄 뿐이다. <새 봄의 선인장>

(나) 저만치 겨우
내 알리바이가 보인다.
몸피가 소미(小米)만 하다고
나는 어디선가 말한 일이 있다.
뒤 본 뒤 손을 씻는데
바다가 왜 필요할까,
어느 날 그러나
내 알리바이는 바다로 가더니
제 혼자 호젓이 섬이 된다. <섬>

인용된 두 편의 시는 김춘수가 쓴 무의미시의 전형들이다. 그러나 자세히 보면 (가)와 (나)는 나름의 차이를 보여준다. (나)는 해석상 막힌 바가 없지만 (가)는 부분적으로 해석 불가능한 돌발적인 진술, 9행과 10행이 개입하고 있기 때문이다. 즉 "내 가는 늑골 위에 / 하마를 한 마리 걸리고 있다."의 경우 그 자체만으로는 소위 범주착오에서 기인한 '반문장의 무의미'에 해당하며(늑골에는 '하마'를 걸릴 수 없고 그 은유적 의미를 보편적인 상상력의 논리로는 해석이 거의 불가능함으로), 앞뒤 문맥으로는 연속되지 않은 엉뚱한 진술이라는 점은 '의미론적 무의미'에 해당한다.

그럼에도 불구하고 전체적으로 볼 때 이 양자는 해석이 불가능하지가 않다. (가)는 아내의 수술을 보며 죽음에의 공포와 소생에의 희망 사이에서 느껴지는 화자의 어떤 심리적 불안이 여러 형태의 이미지로, (나)는 화자의 내면 의식에 숨어 있는 어떤 '죄의식'이 섬의 이미지로 형상화된 작품이라는 해석이 가능하기 때문이다. 이 경우 물론 전자의 '선인장의 꽃망울'은 절망을 딛고 일어서는 생명의 의지(풍토가 다른 추운 기후의 한국에서 피는 꽃이기에)를, (나)의 '바다'는 '섬'으로 제시된 죄의식의 정화를 뜻한다(뒤를 본 뒤 그곳을 바다로 씻는 행위가 이를 적절히 설명해준다. 뒤를 보는 것 역시 비밀스러운 행위 즉 몰래 자각하는 죄의식을 상징하고 있다).

따라서 이들 시는 전체적으로 해석이 가능하고 또 신조어도 구사되지 않았다는 점에서 그 앞에 인용된 <자버로키(*Jabberwocky*)>와 전혀 차원이 다르다. 그 자신이 무의미의 시로 호칭한 김춘수의 시를 우리가 무의미의 시로 규정할 수 없는 이유, 오히려 그와 반대로 의미의 시의 영역에 포함시킬 수밖에 없는 이유가 여기에 있다. 이와 같은 관점에서 김춘수의 무의미시는 앞장에서 살펴보았듯 저차원 수준의 무의미를 지향하는—부분적으로 ② 즉 '의미론적 무의미'와 ③ 즉 '반문장'으로 쓰여진—무의미의 요소가 다소 있음에도 불구하고 일반적으로는 의미의 시의 영역 안에 들어 있다고 말해야 할 것이다.[47)]

---

47) 이는 물론 <타령조> 연작을 쓰기 시작한 60년대 이후의 시, 김춘수 자신이 무의미의 시라고 주장한 시들에 관한 평가이다. <꽃>으로 대표된 그 이전의 시들은 자타가 공인한 의미의 시이니 재론할 필요가 없다.

그렇다면 이와 같이 문예학적 개념의 '무의미의 시'에서 크게 벗어나 있음에도 불구하고 김춘수가 자신의 시를 끈기 있게 '무의미의 시'라고 주장하는 논리는 어디에 있을까. 그것은 그의 '무의미'가 그 자신만이 규정한 독특한 개념이기 때문이라 할 수 있다. 김춘수의 무의미는 문예학적 개념과는 무관한 그 자신만의 무의미, 달리 말해 김춘수적 개념의 무의미인 것이다. 그것은 다음과 같이 설명된다.

첫째, 앞에서 살핀 바와 같이 김춘수의 무의미는 주관을 대상으로 하여 그것을 주관적으로 기술하는 시의 한 유형을 지칭한 말이다. 이를 대상이 사라진 시라 말했는데 대상이 사라질 경우 의미 그 자체도 소멸하니까(그러나 사실은 미메시스적인 차원의 의미나 관념이 사라진 것이지 세미오시스적인 의미가 사라지는 것은 물론 아니다) 이 역시 결국은 같은 말이 되어버린다.

둘째, 주관을 주관적으로 기술함에 있어서도 한 가지 절대적인 조건이 전제된다. 관념적인 표현은 일절 배제하고 모든 것을 서술적 이미지로 그려 보여주어야 한다는 사실이다. 다시 말하면 모든 것은 회화적으로 제시되어야 한다.

셋째, 서술적 이미지의 경우에도 '사생적(寫生的) 소박성'을 벗어나 이미지를 하나의 실체로 혹은 이미지 그 자체가 대상인 이미지로 제시해야 된다는 점이다.[48] 그런데 여기서 사생적 소박성이란 우리가 일반적으로 서경시에서 보는 것과 같은 묘사 즉 대상의 보이는 인상이나 모습을 있는 그대로 그리는 것을 가리키는 말이니 대상이 사라진 이미지, 달리 말해 이미지 그 자체를 묘사한다는 것은 곧 해체된 이미지들을 묘사한다는 말과 다름 없다. 대상의 실재성은 의미나 이미지가 통합되는 데서 만들어지는 의식내의 결과물이므로 대상이

48) 『김춘수시전집』, 513쪽.

없고 이미지만 있다는 것은 그 자체가 통합의 중심 축을 잃어버렸다는 뜻이 될 수밖에 없기 때문이다. 여기에 이르러 우리는 김춘수의 시가 왜 한편의 쉬르 레알리즘 회화와 같은 단절된 시각적 이미지들의 제시에 특징이 있는가 그 이유를 알게 된다.

따라서 김춘수가 뜻하는 '무의미의 시'란 문예학적 개념과는 다르다. 그것은 주관의 내면에 해체되어 잠재한 이미지들을 주관적으로 묘사하되 한 폭의 그림처럼 서술하는 시를 일컫는 그만의 용어일 따름이다. 따라서 그가 추구하는 그의 '무의미의 시'는 앞서 인용한 그의 시들을 살펴볼 때 누구나 쉽게 이해될 수 있듯 한마디로 해체된 내면의식의 언어적 그림이라 할 수 있다. 그가 그의 시에 '의미가 없다' 혹은 '의미가 소멸되었다'라고 하는 것은 일반적으로 우리가 알고 있듯 그림이나 음악에서는 일상 언어적 차원의 관념이 표출되어 있지 않다는 정도의 소박한 뜻이었던 것이다.[49]

그러나 그림이나 음악에 비록 관념적 의미가 없다 하더라도 그 자체가 하나의 의미로 존재한다는 것은 상식적인 이야기가 아닌가. 작가가 의도하는 메시지는 여전히 숨어 있지 않은가. 여기에 김춘수만의 다른 계산이 있다. 즉 일반 문예학에서는 이 자체까지도 배제한다는 뜻으로 '무의미시'라는 용어를 사용하고 있지만 김춘수는 이와는 달리 이중 미메시스적 차원의 의미가 배제된 시만을 무의미의 시라고 불렀다는 사실이다. 그와 같은 관점에서 김춘수의 무의미시는 여전히 의미의 시의 영역에서 벗어나지 못한 시라고 말할 수 있다.

---

49) 김춘수는 가끔 그의 무의미의 시 쓰기를 그림과 음악에 비교하여 설명하곤 한다. 예컨대 그는 음악을 비대상의 예술로 꼽고 있다.(『김춘수시전집』, 515쪽) 미술은 시각 예술임으로 모든 그림이 비대상의 예술이 될 수는 없을 터이다. 그러므로 그림 가운데 그가 세잔느나 고흐와 같은 인상주의 그림 또는 쉬르 레알리즘 그림만을 예로 든 것은 너무도 당연하다. 특히 그가 쉬르 레알리즘 화가 가운데 루오를 좋아 한다는 것은 그의 시에 루오의 그림이 등장한 데서도 엿볼 수 있지만 사석에서도 그 자신 여러 차례 고백한 바 있다.

7. 초현실주의의 아류로서 무의미시

1) 무의미시와 초현실주의

앞(4장)에서 살펴본 대로 김춘수 시론의 요체는 그가 처음에 대상을 전제하고 그것에 대한 서술적 이미지를 추구하다가 마침내 대상을 무화(無化)시켜(대상과의 거리를 소멸시킴) 의미로부터 해방될 수 있었다는데 있다. 이와 같은 과정에서 문제의 핵심이 되는 것은 어떻게 소위 소박한 사생적 서술이미지가 대상을 무화시켜―그의 표현을 빌 때―비대상의 서술 이미지로 전화(轉化)하게 되는가 즉 어떻게 대상과의 거리를 무화(無化)시키는가 하는 문제이다. 이야말로 '의미' 혹은 '의미의 시'가 '무의미' 혹은 '무의미의 시'로 증발하는 결정적 계기가 되기 때문이다. 그럼에도 불구하고 김춘수 자신은 '대상을 잃어버린다.' 혹은 '대상을 무화시킨다'는 말을 되풀이할 뿐, 이 부분의 해명에 대해 전혀 입을 다물고 있다.

김춘수에 의하면 그의 시 쓰기는 애초부터 대상이 없는 것이 아니다. 처음엔 대상을 전제한 채 진행하다가 어느 한 과정에서 대상이 사라진다고 한다.―그의 표현을 빌어―선(先) 대상의 전제, 후(後) 대상의 소멸이다. 그렇다면 여기서 그가 말하는 '대상의 소멸' 즉 '비대상'이란 무엇일까. 필자가 앞에서 밝힌 것처럼 그것이 문자 그대로 대상이 없음이 아니라 '주관의 주관적 인식' 즉 주관을 대상으로 하되 그것을 주관적으로 인식하는 행위를 가리키는 말이라는 것은 재언할 필요가 없다.

그렇다면 같은 주관을 대상으로 하면서도 그것을 객관적으로 인식하는 행위와 주관적으로 인식하는 행위는 또 어떻게 다른가. 그것은 간단히 이성적, 논리적인 것과 직관적, 비논리적인 것의 차이라 할 수 있다. 우리는 여기서 다시 김춘수가 후자 즉 주관을 주관적으로 인식하는 행위—그의 표현을 빌어 '비대상'의 시쓰기의 특징을 다음과 같이 언급한 사실에 주목하지 않으면 안 된다.

첫째, 모든 관념을 철저히 배제하고 오직 이미지만을 표출하는 시쓰기.

> 나는 관념을 완전히 배제할 수 있다는 자신을 어느 정도 얻게 되었다. 관념공포증은 필연적으로 관념도피로 나를 이끌어 갔다. 나는 사생을 게을리 하지 않았다. 이미지를 서술적으로 쓰는 훈련을 계속하였다. 비유적인 이미지는 관념의 수단이 될 뿐이다. 이미지를 위한 이미지—여기서 나는 시의 일종의 순수한 상태를 만들어 볼 수가 있을 것으로 생각하였다.[50]

관념의 관여 없는 이미지만의 정신 세계란 한마디로 의식의 논리성이 추방된 세계일 수밖에 없다. 주관을 대상으로 하든 객관을 대상으로 하든 관념이 이성적 혹은 논리적 사유의 소산이라면 이미지는 사물 그 자체의 제시이기 때문이다. 따라서 이미지만으로 제시된 세계는 본질적으로 논리가 초월된 내면의식 그 자체라 할 수 있다.

둘째, 이미지만으로 쓰되 그 이미지들이 상호 연속성이 없이 각각 차단된 상태로의 시쓰기.

> 이미지가 대상에 대한 통일된 전망을 두고 하는 말이라면 나에게는 이미지가 없다. …… 나는 그것을 다음과 같이 말할 수 있다. 한 행이나 또는 두 개나 세 개의 행이 어울려 하나의 이미지를 만들어가려는 기세

50) 『김춘수시전집』, 505쪽.

> 를 보이게 되면 나는 그것을 사정 없이 처단하고 전혀 다른 활로를 제시한다. 이미지가 되어가려는 과정에서 하나는 또 하나의 과정에서 처단되지만 그것 또한 제 3의 그것에 의하여 처단된다. 미완성 이미지들이 서로 이미지가 되고 싶어 피 비린내나는 칼싸움을 하는 것이지만 살아 남아 끝내 자기를 완성시키는 일이 없다.…… 한행이나 두 행이 어울려 이미지로 응고되려는 순간 소리(리듬)로 그것을 처단하는 수도 있다. 소리가 또 이미지로 응고하려는 순간 하나의 장면으로 처단되기도 한다. 연작에 있어서는 한 편의 시가 다른 한편의 시에 대하여 그런 관계에 있다. 이것이 내가 본 허무의 빛깔이요 내가 만든 무의미의 시다.[51)]

김춘수의 무의미는 이렇게 서로 단절 해체된 이미지들로 드러난다. 따라서 그것은 비논리 혹은 모순이 지배하는 내면공간의 표상들이다. 그렇다면 이 비논리 혹은 모순의 정신세계란 또 무엇일까. 한마디로 무의식이라고 말할 수밖에 없다. 무의식은 이성과 논리의 통제를 벗어난 충동들의 정신 영역이기 때문이다. 그의 무의미의 시가 무의식의 소산이라는 것은 김춘수 자신도 다음과 같이 밝힌 바 있다.

> 이렇게 되면 이 새로운 타성은 새로운 무의식으로 등장할 수도 있다. 이것을 나는 전의식이라고 부르고자 한다. 1960년대 후반쯤에서 나는 이 전의식을 풀어 놓아 보았다.[52)]

그러므로 김춘수가 스스로 일러 시작의 후반에 대상을 상실했다고 하는 것 즉 대상 없이 시를 쓴다는 것은 앞에서 지적한 바와 같이 그

---

51) 위의 책, 509쪽.
52) 위의 책, 508쪽.

의 말 그대로 대상이 없는 시쓰기가 아니라 주관을 대상으로 하여 그 것을 주관적으로 표출한 시쓰기 달리 말해 무의식을 대상으로 한 시 쓰기의 책략적 표현 이상일 수 없음은 당연하다.

그것은 이렇게 설명된다. 대상의 실재성은 그 대상에서 비롯한 인식의 소재들이 주관 안에서 구성된 것이거나(데카르트나 칸트의 입장), 현존재로서 직접적으로 자기 실현된 것이거나(현상학파들의 입장) 기실 의식 안에서 이루어지는 어떤 정신 작용에 의해서 보증된다. 따라서 대상의 소멸이란 곧 의식의 소멸과 같은 말이 될 수밖에 없다.[53] 그렇다면 의식은 또한 어떻게 소멸될 수 있는가. 그것은 '초월'(transcendence)과 '무의식'(unconsciousness) 이외에 다른 방법이 없다. 그런데 초월이란 비경험적인 것, 대상의 인식 작용과는 별개로 독립해 있는 어떤 것을 지향하여 경험세계를 넘어서려는 정신현상이지만[54] 김춘수의 시 쓰기는 애초에 대상을 전제하고 있었으므로 김춘수의 경우 '초월'은 그의 시와 별 연관성이 없어 보인다. 따라서 김춘수 스스로가 주장하는 바 시쓰기의 후반에 일어난 대상의 소멸이 자연스럽게 '무의식'에 의해서 설명될 수밖에 없음은 당연하다.

우리는 이 과정에서 그의 무의미와 시가 쉬르 레알리즘에 귀결되는 논리를 목도하게 된다. 무의식의 세계에 대한 문학적 탐구는 본질적으로 쉬르 레알리즘의 영역에 속하기 때문이다. 그가 유독 쉬르 레알리즘에 관심을 보여주는, 다음과 같은 진술들은 이를 보다 명확히 해준다.

---

53) "이미지가 대상에 대한 통일된 전망을 두고 하는 말이라면 나에게는 이미지가 없다."(위의 책, 508쪽)라는 진술에서 보듯 김춘수에게 있어서 시는 바로 이미지(서술적 이미지)이고 이미지란 대상에 대한 통일된 전망이 해체된 것을 가리키는 말이니 역으로 대상이 있다는 것은 의식의 어떤 통일된 전망이 있다는 뜻이다. 즉 김춘수의 경우 역시 대상이란 의식의 통일된 전망이니까 대상의 소멸이란 의식의 소멸을 가리키는 말이 된다.

54) 「초월」, 『세계사상대사전』(서울: 대양서적, 1975).

> 결국 나는 두 인물 사이에 끼여 이러지도 못하고 저러지도 못해온 것이 아닌가 한다. ……나를 괴롭힌 두 인물은 프로이트와 마르크스(혹은 크로포트킨)이다.…… 그런데 어느 사이엔가 시나브로 나에게서 마르크스(혹은 크로포트킨)쪽이 상대적으로 한 발짝 한 발짝 떠나가고 있었다.[55]

> ……나는(나의 생은) 결박당해 있었다. 프로이트의 관념, 마르크스(혹은 크로포트킨)관념이 서로 갈등하면서, 그러나 요 한 30년 동안 프로이트 쪽이 압도적 우세를 유지하면서 말이다.[56]

물론 김춘수는 '프로이트 역시 관념을 지니고 있어서' 그의 무의미가 프로이트와는 다르다는 뜻의 말을 부연한 바 있다. 그러나 이 역시 프로이트의 관념이란 무엇이며 자신의 그것과 어떻게 다른 것인지에 대해 전혀 언급치 않고 있어 그 뜻을 헤아리기 어렵다. 다만 우리가 이 인용문을 통해 확인할 수 있는 것은 그의 시 쓰기의 방법론이 프로이트의 무의식에 깊이 관련되어 있다는 사실이다. 다음과 같은 진술이 있기 때문이다.

> 지각(知覺)을 못 가지고 시를 쓰다 보니 남은 것은 톤 뿐이었다. ……그 기세에 한 동안 휩쓸리다 보니 나는 어느새 허무를 앓고 있는 내 자신을 보게 되었다. ……의미라는 안경을 끼고는 그것이 보이지 않았다. 나는 말을 부수고 의미의 분말을 어디론가 날려보내야 했다.[57]

55) 『김춘수시전집』, 519~20쪽.
56) 위의 책, 528쪽.
57) 위의 책, 508쪽.

시가 지각(知覺)의 거부에서 쓰여진다는 뜻의 인용문은 그의 무의미의 시가 무의식의 소산이라는 것을 간접적으로 암시하고 있다. 지각을 갖지 못했다는 말은 의식이 없다는 말과 동의어이기 때문이다.[58] 따라서 위 인용문은 '무의식으로 시를 쓰다 보니 남은 것은 톤뿐'이라는 것, 그 결과 '말을 부수고 의미의 분말을 날려보낸' 소위 무의미의 시 쓰기가 가능해졌다는 것 등의 뜻으로 해석될 수 있다. 무의미의 시 쓰기에 있어서 무의식의 역할에 대하여는 보다 적극적으로 다음과 같은 진술에서도 드러난다.

> 이렇게 되면 이 새로운 타성은 새로운 무의식으로 등장할 수도 있다. 이것을 나는 전의식이라고 부르고자 한다. 1960년대 후반쯤에서 나는 이 전의식을 풀어 놓아 보았다.[59]

필자는 여기서 굳이 무의식과 전의식의 관계를 논하지 않기로 한다. 무의식이든 전의식이든 김춘수의 시 쓰기는 프로이트적 개념의 정신작용과 깊이 관련되어 있으며 그 결과 그의 시가 쉬르 레알리즘에 바탕을 두고 쓰여졌다는 사실이 드러나면 그 뿐이기 때문이다. 아니나 다를까 김춘수는 곧 이어서 쉬르 레알리즘의 방법론을 그의 시에서 적극 활용하는 면모를 부여준다.

첫째, 자동기술(automatic writing)의 원용이다. 그의 이와 같은 고백은 이상(李箱)에 대한 문학적 평가를 통해 간접적으로 시사되고 있는데 다음과 같은 진술들이 그러하다.

---

58) 국어 사전에 의하면 지각이란 '외계의 대상의 성질 형태 관계 등을 의식하는 작용'을 뜻하는 말이다. 따라서 지각이 없다는 말은 의식 작용이 없다는 뜻과 같다. 이희승 편, 『국어대사전』(서울: 민중서관).

59) 『김춘수시전집』, 508쪽.

우리가 이상(李箱)을 드는 것은 이 땅에서는 그래도 그가 처음으로 시를 하나의 유희로서 써 보려고 한 사람이 아니었던가 하는 그 점에서다. (이상의 작 <날개>에서) '나'에게는 욕망이라는 것이 처음부터 없다. 그러니까 대상행위도 있을 수가 없다. 대상을 놓친 '나'가 그냥 그러고 있는 유희에 지나지 않는다. '나'는 그에게 부닥쳐온 자유에 압도되고 있을 뿐이다. ……

매우 아이러니하지만 이리하여 자동기술이 하나의 기교로서 유행을 보게 된다. 1930년대 이래로 한국에서도 우리는 이러한 시 지상주의적 초현실주의자들 낳게 했다고 보인다.[60)]

이상(李箱)의 시를 보면 내던진 듯한 방심 상태에서 씌어지지 않았나 생각되는 것이 있는가 하면 분명히 치밀한 계산 아래 씌어지는 것도 있다. 유희, 자유, 방심 상태의 등의 낱말들은 방법론적으로는 자동 기술을 가리키는 것이 된다.[61)]

이상(李箱)에 관한 위의 인용문이 김춘수의 시 쓰기와 관련될 수 있는 것은 김춘수가 이상이야말로 우리 문학사상 맨 처음 그 자신이 쓰고 있는 것과 같은 무의미의 시를 썼다[62)]고 본 점 때문이다. 그는 여러 군데서 이상의 시 쓰기가 무의미의 시 쓰기와 같은 것임을 강조

---

60) 위의 책, 518쪽.
61) 위의 책, 517쪽.
62) 김춘수, 『전집』 2 시론, 375쪽.
"그 하나는 대상의 인상을 재현한 그것이고 다른 하나는 대상을 잃음으로써 대상을 무화(無化)시킨 결과 자유를 얻게 된 그것이다. 이 후자가 30연대의 이상을 거쳐 50년대 이후 하나의 경향으로서 한국시에 나타나게 된 무의미의 시다. 그러니까 시사적으로 한국의 현대시가 50년 이래로 비로소 시에서 자유가 무엇인가를 경험하게 되었다고 하겠다." 같은 뜻의 말을 그는 같은 책 369쪽에서도 되풀이 하고 있다.

한 바 있다[63] 따라서 위의 인용문은—김춘수가 스스로 이상의 상속자임을 주장하므로—그의 주요 시작 기법이라 할 자동기술 역시 김춘수 자신의 시작 기법일 수밖에 없다는 논리를 성립시킨다. 김춘수는 자신의 시론을 이야기하면서 중요한 부분에서는 항상 이상의 작품을 예를 들고 있는데[64] 이는 그가 앞서 이상을 쉬르 레알리즘의 시인이라 규정한 것[65]을 염두에 둘 때 결코 우연한 일이 아니다. 달리 말해 쉬르 레알리스트로서 그 자신의 의도를 드러내 보인 것이다.

둘째, 자유연상(free association)의 활용이다. 이는 다음과 같은 언급에서 알 수 있다.

> 말하자면 실제의 풍경과는 전혀 다른 풍경을 만들게 된다. 풍경의 또는 대상의 재구성이다. 이 과정에서 논리가 끼게 되고 자유연상이 끼게 된다. 논리와 자유연상이 더욱 날카롭게 개입되게 되면 대상의 형태는 부숴지고 마침내 대상마저 소멸한다. 무의미의 시가 이리하여 탄생한다.[66]

김춘수 자신이 자유연상을 활용하였다고 단언하고 있으니 이 이상 설명이 필요치 않다.

---

63) 하나의 예를 들면 다음과 같다.
"같은 서술적 이미지라 하더라도 사생적 소박성이 유지되고 있을 때는 대상과 거리를 또한 유지하고 있는 것이 되지만 그것을 잃어버릴 때는 이미지와 대상은 거리가 없어진다. 이미지가 곧 대상 그것이 된다. 현대의 무의미 시는 시와 대상과의 거리가 없어진데서 생긴 현상이다. 현대의 무의미 시는 대상을 놓친 대신에 언어와 이미지를 시의 실체로서 인식하게 되었다고 할 수 있다. 그 가장 처음의 전형을 우리는 이상의 시에서 본다." 위의 책, 369쪽.

64) 주 21), 60), 61), 62) 등.

65) 주 56) 참조.

66) 『김춘수시전집』, 507쪽.

셋째, 초현실주의 연구가 까루쥐(M. Carrouges)가 '해체(disintegration)'라 부르는 기법이다. 이는 1930년대의 한국 쉬르 레알리스트라 할 <34문학> 동인—특히 이시우(李時雨)가 쉬르 레알리즘의 본질의 하나로 제시하여 이후 조향(趙鄕)을 비롯한 한국 초현실주의자들이 즐겨 사용해온 소위 '절연'(絶緣)[67]과 같은 개념이라 할 수 있다. 까루쥐에 의하면 '해체'란 다음과 같이 설명된다.

> 초현실주의 시의 이미지들은 실재에 의하여 부여된 일상의 질서와 단절에 빠진다. 이 시적 이미지들의 무질서화(disordering)는 인위적 과정이 아니라 시인의 상상력과 삶으로 감수성의 무질서가 직접 투사된 것이라 하겠다.[68]

> (해체의) 부정적 기능은 이성이 거부하고 상식이 허락하지 않는 직관적 확실성에 충실히 남는 것, 비이성적, 비논리적이지만 개념적 사고의 논리성을 초월한 그리고 이성보다 더 우월한 것으로서 그 자체를 드러낸, 보다 심도 있는 관점으로 보여지는 사고의 유형을 지키는 것이다.[69]

해체란 일상의 논리나 이성을 초월해서 이미지가 무질서하게 단절된 현상을 가리킨다. 한편 쇼트(Robert Short) 의하면 인간의 현재 조건은 그 자신을 소외시키거나 상실케 하는 무관계한 파편(unrelated fragment)들의 집적으로 되어 있는 바 이를 지각 및 자아의 소멸을

---

67) 이시우, 「절연하는 논리」, ≪34문학≫ 3집, 1935.

68) Michel Carrouges, *André Breton and the Basic Concepts of Surrealism*, Trans. Maura Prendergast, S.N.D.(Alabama: The Univ. of Alabama Press, 1974), P. 75.

69) 이는 까루쥐가 와이들레(W. Weidlé)의 견해를 인용하여 초현실주의의 '해체'에 대해 설명한 내용이다. Ibid., P. 74.

통해 극복할 수 있다고 믿는 것이 초현실주의의 내용이라고 한다.70) 물론 여기서 무관계한 파편들의 인식은 해체에 관련된다. 김춘수 역시 이와 거의 동일한 언급을 보여주고 있다.

> 이미지가 대상에 대한 통일된 전망을 두고 하는 말이라면 나에게는 이미지가 없다. …… 나는 그것을 다음과 같이 말할 수 있다. 한 행이나 또는 두 개나 세 개의 행이 어울려 하나의 이미지를 만들어가려는 기세를 보이게 되면 나는 그것을 사정 없이 처단하고 전혀 다른 활로를 제시한다. 이미지가 되어가려는 과정에서 하나는 또 하나의 과정에서 처단되지만 그것 또한 제 3의 그것에 의하여 처단된다. 미완성 이미지들이 서로 이미지가 되고 싶어 피 비린내나는 칼싸움을 하는 것이지만 살아 남아 끝내 자기를 완성시키는 일이 없다.…… 한행이나 두 행이 어울려 이미지로 응고되려는 순간 소리(리듬)로 그것을 처단하는 수도 있다. 소리가 또 이미지로 응고하려는 순간 하나의 장면으로 처단되기도 한다. 연작에 있어서는 한 편의 시가 다른 한편의 시에 대하여 그런 관계에 있다. 이것이 내가 본 허무의 빛깔이요 내가 만든 무의미의 시다.71)

소리나 장면은 그 자체가 음악적 또는 회화적 이미지인 까닭에 김춘수가 위 인용문에서 '이미지로 응고하려는 순간' '하나의 소리나 장면'으로 그것을 처단한다는 말은 무슨 뜻인지 종잡을 수 없다. 그러나 인용문의 요체라 할 이미지들의 차단, 논리의 포기, 이미지 그 자체의 제시 등이 앞의 까루쥐나 쇼트의 이미지의 단절(rupture), 비논리성

---

70) Robert Short, 'Dada and Surrealism', *Modernism*, Ed. Malcolm Bradbury and James McFarlane, P. 303.

71) 『김춘수시전집』, 509쪽.

(illogical), 무질서화(disordering)라는 개념과 별로 다르지 않다는 것만큼은 분명하다. 김춘수의 시 쓰기가 초현실주의와 깊이 연루되어 있다는 증거는 그 외에도 많다. 가령 다음과 같은 진술에서 그가 제시한 소위 '방심상태(放心狀態)'의 글 쓰기 같은 것이 그 한 가지 예가 될 것이다.

> 그러나 대상을 잃은 언어와 이미지는 대상을 잃음으로써 대상을 무화시키는 결과가 되고 언어와 이미지는 대상으로부터도 자유로운 것이 된다. 이러한 자유를 얻게 된 언어와 이미지는 시인의 바로 실존 그것이라고 할 수 있다. 언어가 시를 쓰고 이미지가 시를 쓴다는 일이 이렇게 하여 가능해진다. 일종의 방심상태(放心狀態)인 것이다.[72]

김춘수 자신이 그의 소위 '방심상태'를 자동기술이라 했던 것은 앞에서 살펴본 바[73]이나 초현실주의 시 쓰기 역시 방심상태에서 이루어진다는 것은 까루쥐의 다음과 같은 진술에서 쉽게 이해될 수 있을 것이다.

> 그들이 우리를 구속하고 있는 까닭에 소위 '명증한' 인식과 지각을 넘어서야 한다. 우리가 그들에 붙잡혀 있는 한 어떻게 자유로울 수 있겠는가. 때로 우리가 방심(escaping from this conditioning of the mind)의 기분에 젖는다면 그것이 얼마나 미미하든 간에—비실재(irreality)속으로 빠져듦에서가 아니라 인간과 우주의 실재에 대한 보다 깊은 투시의 발견에 의해서 그것은 우리를 최고의 지점의 수준으로 끌어 올릴 수 있다.[74]

72) 김춘수, 『전집』 2 시론, 372쪽.
73) 주 57) 참조.

김춘수가 초현실주의 시를 지향하고 있다는 것은 그 자신의 고백에 의해서도 입증된다. 그는 기회 있을 때마다 자신의 무의미의 시가 30년대 이상의 시에서 비롯한 것임을 천명했는데[75] 한편으로는 이상이야 말로 자동기술에 힘입은 한국의 초현실주의 시인이라고 규정하고[76] 있기 때문이다.

따라서 김춘수가 아무리 장황한 언급으로 우리를 혼란에 빠트린다 하더라도 결국 그의 시론이 무의식과 이에 토대한 쉬르 레알리즘의 시론에서 크게 벗어나지 않는다는 사실만큼은 누가 보아도 분명하다.

2) 아류로서의 초현실주의

그럼에도 불구하고 문제는 김춘수가 그의 시와 시론을 가능한 쉬르 레알리즘과 변별시키고자 하는 태도에 있다. 첫째, '무의식'에 관해서 그의 무의식은 '자유'를 지향하지만 프로이트의 그것은 '관념'을 지향한다는 것, 둘째, 자신의 시는 순수한 무의식의 활동이 아니라 의식의 통제를 받는다는 것, 셋째, '초현실주의'나 '무의식'의 시라는 용어를 절대적으로 회피하고 그 대신 '무의미의 시'라는 용어만을 고집한다는 것 등이다. 이는 물론 시론의 독창성을 옹호하고자 하는 김춘수 자신의 심리적 방위기제이겠으나 그럼에도 불구하고 김춘수의 이와 같은 주장이 별로 설득력이 없어 보이는 것은 다음과 같은 이유들 때문이다.

첫째, 자신의 '무의식'은 자유를 지향하지만 프로이트의 무의식은 관념을 지향한다는 주장[77]은 초현실주의 글 쓰기와는 상관없는 말이

---

74) Michel Carrouges, Op. Cit., P. 24.
75) 주 59) 참조.
76) 주 57) 참조.

다. 초현실주의는 프로이트의 견해를 전적으로 수용한 것도 아니며 그들의 최대의 목적 역시 자유의 실현에 있기 때문이다. 이는 위의 인용문에서도 지적되어 있지만 초현실주의 제 1차 선언이 공언한 바이다.

> 자유라는 어휘만이 아직도 나를 격동시키는 전부이다. 이 어휘만이 인류의 낡은 열광주의를 무한히 유지하는데 적합한 것이라고 믿어진다. 말할 것도 없이 이 어휘만이 나의 유일하고 정당한 갈망을 답변해주는 것이다. 우리가 물려 받은 그 숱한 불명예 중에서 **가장 위대한 정신의 자유**만큼은 우리에게 상속되어야 함을 알아야 한다. 78)

둘째, 김춘수는 자신의 시가 순수한 무의식만이 아니라 의식의 통제도 받는다고 주장함으로써 초현실주의와의 변별성을 확립코자 한다.

> 나는 의식과 무의식의 시작에서 상관관계를 천착하게 되었다. 타성(무의식)은 의도(의식)를 배반하기 쉬우니까 시작과정에서나 시가 일단 완성을 본 뒤에도 타성은 의도의 엄격한 통제를 받아야 한다. 사생(寫生)에 열중하다보면 자기도 모르는 사이에 설명이 끼게 된다. 긴장이

---

77) 김춘수는 여러 글에서 그의 무의미의 시가 관념을 배제하는 시라고 강조하였다.(김춘수, 『전집』 2 시론, 351쪽, 365쪽) 따라서 다음과 같이 프로이트가 관념을 지니고 있다는 말은 그의 무의식이 프로이트의 그것과 다르다는 간접적 주장으로 해석된다.

"나는 (나의 생은) 결박당해 있었다. 프로이드 관념, 마르크스(혹은 크로포트킨)관념이 서로 갈등하면서, 그러나 요 한 30년 동안은 프로이드 쪽이 압도적 우세를 유지하면서 말이다. 그러나 그들은 어느 쪽도 관념은 관념이다." 『김춘수시전집』, 528쪽.

78) André Breton, *Manifeste du Surréalisme*, 송재영 역(서울: 성문각, 1978), P. 7.

> 풀어져 있을 때는 그것을 모르고 지나쳐 버린다. 한참 뒤에야 그것이 발견되는 수가 있다. <id>는 <ego>의 감시를 교묘히 피하고 싶은 것이다. <ego>는 늘 눈 떠 있어야 한다. 이러한 트레이닝을 하고 있는 동안 사생에 나는 하나의 확신을 얻게 되었다.[79)]

그러나 김춘수 자신이 지적한 것[80)]이기도 하지만 초현실주의 시가 전적으로 무의식에 의해서만 쓰여지는 것도 물론 아니다. 그것은 무의식과 의식, 비논리와 논리가 함께 합작하여 이루어낸 일상성의 초극이다. 자동기술이라는 것도 무의식을 떠올리는 정신현상 그 자체에서는 가능할지 모르나 그것을 하나의 담론(시)으로 기술하는 행위에 있어서는 어차피 의식활동일 수밖에 없다. 앙드레 브르똥도 이렇게 말한 바 있다.

> 초현실주의는 잠의 분열된 세계와 깨어 있는 세계, 외적 실재와 내면의 실재, 이성과 우매, 지성과 사랑 사이의 통신선(通信線)을 확립하고자 하는 시도로 보는 것이 옳다.[81)]

인용문에서 '깨어 있는 세계'가 의식을, '이성'이 논리를 의미한다는 것은 두말할 필요가 없다.

셋째, 실질에 있어서는 초현실주의 시 쓰기임에도 불구하고 김춘

---

79) 『김춘수시전집』, 506쪽.
80) "그런데 이 자동기술이란 것을 액면 그대로 믿을 수가 없다. 무의식이란 전연 감추어진 세계고 그것이 어떻게든 말로써 기록되는 이상은 의식의 힘을 입게 된다는 것이 프로이트 이후의 정신분석학이 밝혀준 상식이다(물론 우리는 과학이고자 하는 정신분석학 자체의 그 동안의 성과에도 의심을 품을 수가 있긴 하지만) 이 상식에 따라 말하자면 글자 그대로의 자동기술이란 없다고 해야 하겠다." 위의 책, 517쪽.
81) Michel Carrouges, Op. Cit., P. 13.

수가 자신의 시를—앞장에서 살펴보았듯 그것도 참다운 무의미시와는 거리가 먼—'무의미의 시'로 굳이 호칭해온 것은 아마도 두 가지 이유 때문이 아닐까 한다. 하나는 그의 시가 초현실주의 시의 아류로 비판 받을 것에 대한 두려움이며 다른 하나는 자신의 시론을 독창적인 것으로 호도하고자 하는 전략이다. 그러나 이 역시 크게 성공한 것 같지는 않다. '무의미시'의 기본적인 토대는 초현실주의에서 차용한 것들이기 때문이다. 한 문학사전은 이렇게 말하고 있다.

> 레어(E. Lear)의 시는 쉬르 레알리스트의 '무의미'라 불릴 권리를 가지고 있다. 확실히 무의미의 시와 쉬르 레알리즘 사이의 시행은 구분하기가 어렵다. 무의식이라는 프로이트의 이론과 자유연상이라는 아이디어에, 아키타잎 혹은 시 유형의 존재에 대한 염증으로부터 영향을 받아 20세기의 많은 예술가들은 무의미의 시에 매우 유사한 시들을 산출해 내었다.……그러나 쉬르 레알리즘이 무의식의 탐험을 위한 공식적 프로그램—쉬르 레알리스트의 이론적 대표라 할 앙드레 브르똥의 제 1차 쉬르 레알리즘 선언(1924)에서 강조된 이념—인한 무의미와는 구분된다. 무의미란 모든 프로그램에 반대하기 때문이다.
>
> 그리하여 무의미란 한편으로 위트와 유모어 사이의 좁은 영역에, 다른 한편으로는 쉬르 레알리즘에 주거한다. …… 그것은 본질적으로 시로부터의 도피이며, 적극적으로 고려될 수 있는 어떤 것들의 소통의 의식적 거절이며, 끝나지 않은 조정을 요구하고 정서적인 것보다 두뇌적인 것에 보다 치중하는 형식이다. 이리하여 영국의 성공적이며 대표적인 두 무의미의 작자가 시인이 아니라 정확성과 엄정성을 요구하는 직업에 종사하는 사람이라는 것은 놀랄 일이 아니다. 레어는 자연사 과학책의 일루스트레터이고 케롤은 수학 교수인 것이다.[82)]

이로써 우리는 초현실주의 시론의 추종자인 김춘수가 그 자신을 '무의미의 시인'으로 은폐시킬 수 있었던 빌미를 찾아볼 수 있다. 그러나 김춘수의 실제 작품은 무언가—근본에 있어서는 초현실주의 원칙으로부터 벗어나지 않음에도 불구하고—초현실주의 시와 다른 것 같은 일면이 전혀 없어 보이지는 않다. 그리고 바로 그러한 특성이 김춘수로 하여금 일반 독자들에게 마치 초현실주의자와 다른 시인으로 비쳐지게 만든 것도 사실이다. 아마도 그것은 내심 김춘수가 노렸던 전략의 하나일지도 모른다. 다음과 같은 면모들을 들 수 있다.

① 김춘수의 모든 시는 시각적 서술 이미지만으로 되어 있으나 초현실주의 시는 추상어나 관념어의 활용도 적지 않다. 그러한 의미에서 김춘수의 시들은 일반적인 초현실주의 시에 비해서 확연히 회화적이다. 그 회화성은 그의 단절된 서술 이미지들의 비논리적 제시에서 기인하듯 대체로 추상화나 초현실주의 그림을 연상케 한다. 따라서 그의 소위 무의미의 시란 한마디로 초현실주의 그림의 언어적 표현이라고 말할 수 있을 것이다.

② 언어가 잘 다듬어졌을 뿐만 아니라 매우 절제되어 있다. 이는 그만큼 시작과정에서—그 자신 고백했듯이—그가 무의식 그리고 자유연상과 함께 의식과 논리를 적절히 구사하고 있음을 의미한다. 그러한 관점에서 김춘수는 일반적인 초현실주의자들에 비해서 보다 많이 보다 교묘히 의식과 논리를 활용할 줄 알았던 시인이라 할 수 있다.

③ 김춘수의 모든 시는 음악적이다. 그는 시에서 특히 반복 원리를 재치 있게 살리고 있다. 단어의 반복, 어귀의 반복, 시행의 반복 등은 그의 시에 일반적으로 나타나고 있는 특징들이다.

---

82) 'Nonsense Verse', *Princeton Encyclopedia of Poetry and Poetics.*

하나는 늙고
하나는 절룩이며 가고 있더라.
비에 젖은 눈이 여럿
비에 젖은 노을을 보고 있더라.
하나는 늙고
하나는 절룩이며 가고 있더라.
해가 지면서 비는 개이고
토끼풀 하나가 언덕을 덮고
바다를 멀리멀리 덮고 있더라. <많은 앵초(櫻草)>

단어, 시행의 반복과 리드미컬한 음수율의 적절한 활용에 의해 음악적 단순성과 완결성을 주조해 놓으면서도 하나의 선명한 그림을 제시한 작품이다. 이처럼 정련된 회화성과 음악적 구조를 통해 김춘수는 다른 일반적인 초현실주의의 거칠고 산문적이고 혼란스러운 시와는 달리 단순하고 완결된 형식미를 보여줄 수 있었다. 일반 독자들로 하여금 친숙한 초현실주의 시와 다르게 비쳐지게 만드는 요인의 하나인 것이다.

그러나 이들 차별성은 원칙이나 본질의 차원에서 비롯한 것이 아닌 지엽적 특성에 머물고 있는 까닭에 그의 무의미의 시는 어디까지나 쉬르 레알리즘 시의 영역에서 벗어날 수 없다. 즉 그의 무의미의 시는 주관을 주관적으로 표출한 시의 한 유형으로 무의식의 세계를 회화적 언어에 의해 묘사한 초현실주의 시의 한 변종 혹은 아류 이상이 아니다. 그럼에도 불구하고 그것이 언뜻 초현실주의와 다르게 보이는 것은 앞서 열거한 세 가지의 특징들 때문이라 할 수 있다.

8. 결어

김춘수는 자신의 시를 대상이 없는 무의미의 시라고 주장한다. 그러나 그의 '무의미의 시'는 부분적으로 '의미론적 무의미'나 '반문장의 무의미'를 혼합시킨 수준에서 벗어나지 못한 까닭에 엄밀히 말하자면 의미의 영역에 속해 있는 시이다. 따라서 그가 말한 '무의미의 시'라는 것은 문예학의 장르적 개념이 아닌 그 자신만의 독특한 개념 즉 주관을 주관적으로 묘사한 시의 한 유형이자 무의식의 내면세계를 언어에 의해서 회화적으로 그려 보인 초현실주의 시의 한 변종을 가리키는 명칭이라 할 수 있다.

여기서 변종이라 함은 우리가 앞서 살펴보았듯 그의 시 쓰기가 초현실주의의 자동기술에 비해서는 보다 적극적인 의식활동의 개입에 의해서 이루어지고 있음을 지적한 말이다. 그것은 의식적으로 시에서 관념어나 추상어를 추방하고 순수하게 회화적 묘사를 채택했다는 것과, 시의 음악성—언어의 리듬감각을 매우 세련되게 활용했다는 것 등에서 설명될 수 있다. 이 모두는 자각된 미의식과 논리에 바탕을 두고 있음으로—물론 초현실주의도 어느 정도는 의식에 기대고 있으나—정통 초현실주의와는 다소 거리가 있을 수밖에 없으며 그러한 의미에서 변종이라 할 만한 것들이다.

김춘수가 자신의 시론으로 내 세운 소위 '무의미의 시론'이라는 것 역시 대부분은 초현실주의 시론을 다른 용어로 재탕한 것에 지나지 않다. 따라서 그것을 김춘수 자신만의 시론 혹은 독창적인 시론이라고 말하기는 힘들다. 그리하여 그의 시론이 지닌 문제점은 다음과 같다.

첫째, 김춘수는 자신의 시를 비대상의 시라고 하지만 엄밀한 의미에서 대상이 존재하지 않는 시는 없다. 그가 뜻하는 바는 주관을 대상으로 하여 그것을 주관적으로 표현하는 시를 가리키는 것의 용어일 뿐이다.

둘째, 김춘수는 소위 '대상이 없는 시'라는 개념을 자신의 독창적인 시론인양 사용하고 있지만 아방가르드 예술과 이를 계승한 오늘날 포스트모더니즘 경향의 예술이 보편적으로 지향하고 있는 특성이다. 따라서 이 개념은 어느 한 사람의 시론으로 차용될 수 없다.

셋째, '무의미의 시' 역시 서구 문학에 정립된 시의 한 장르 명칭이므로 김춘수 자신의 개인적인 용어가 될 수 없다.

넷째, 김춘수가 말하는 '의미'란 현상론자의 의미나 구조주의자의 significance는 분명 아니다. 그것은 일반의미론이나 들뢰즈와 같은 후기 구조주의자들의 개념에 가깝다. 그러나 그 자신은 이를 분명하게 피력하고 있지 않음으로 오해의 소지가 많다.

다섯째, 따라서 김춘수의 '무의미'는 일반의미론의 상식적인 뜻이 아니면 들뢰즈의 견해에 가까운 개념이다.

여섯째, 김춘수 시에서 보이는 무의미는 아주 저급한 단계의 것으로 서구의 무의미시가 요구하는 수준과 거리가 멀다. 따라서 그의 시는 서구적 개념의 무의미의 시는 아니다.

일곱째, 김춘수의 '무의미의 시'는 서구 문학에서 정립된 것과는 다른 그만의 개념이다. 그것은 한마디로 언어에 의한 내면 무의식의 회화적 묘사를 가리킨다. 그러나 보다 적극적으로 미의식을 개입시킨다는 점에서 그의 무의미의 시는 초현실주의의 한 변종이거나 아류라 할 수 있다.

여덟째, 김춘수는 그의 시론에서 애매하고도 상충되는 이야기를 추상적으로 언급한 경우가 적지 않다. 그로 인해 많은 이론(異論)들이 제기될 수밖에 없었고 그 결과 그는 우리 문단에서 항상 문제 시인으로 부상되곤 하였다.

사랑의 플라토니즘과 구원
— 김남조(金南祚)론

1

1948년 ≪연합신문≫에 <잔상(殘像)>, ≪서울대 시보≫에 <성숙(成熟)>을 발표하면서 문단에 등단한 김남조는 서술(敍述) 장시(長詩) 『김대건신부』를 포함하여 지금까지 모두 15권의 시집들을 상재하였다. 햇수로 거의 60 여년에 가까운 문학생애의 결과이다. 이 과정에서 그가 보여준 문학세계는—물론 소재의 대부분을 자연에서 구하고 있지만—대개 몇 가지 경향으로 나뉠 수 있다. 첫째, 사랑을 테마로 한 연시(戀詩 amoretti, love poem), 둘째, 카톨릭 신앙을 고백한 신앙시, 셋째, 존재 의미를 탐구한 인생론적 시, 넷째, 생활과 현실을 이야기한 사회시 등이다. 그러나 자타가 인정하듯 김남조의 문학을 대표하는 시적 경향이 연시 혹은 연가(戀歌)의 계열이라는 것은 누구도 부인할 수 없을 것이다.

김남조 문학의 대표성이 연시에 있다는 것은 그 이외의 시들 역시 간접적으로는 연시와 관계를 맺고 있거나 그렇지 않을 경우 그의 문학에서 별로 큰 비중을 차지하고 있지 못하다는 것을 뜻한다. 예컨대 그의 카톨릭 신앙시는 궁극적으로 그의 연시가 추구하는 세계와 연속되어 있으며 인생론적 시도 넓은 의미에서 '사랑'이라는 가치의 토대 위에서 탐구되고 있다. 사회시들이 문제이지만 이 계열의 작품들은 양이 현격하게 적고 행사시의 성격을 띠고 있어 대부분 주류에서 벗어난 것들이다. 반면 연시는 쓰여진 작품의 양이나, 도달한 문학적 수준이나, 내면화된 사상성이나, 등단 이후 오늘에 이르기까지 일관되게 집착해온 그의 창작 태도 등에서 충분히 그의 문학을 대표한다고 말할 수 있다.

김남조의 문학은 한마디로 연시의 문학이며 사랑이야말로 그가 문학을 통해 탐구한 인생론적 화두이다. 그러한 관점에서 그는 우리 근대 시사에서 한국의 사포라 불릴 수 있는 여성 시인일 뿐만 아니라 김소월, 한용운과 더불어 감히 사랑의 절대성에 집착한 한국의 삼대 시인 가운데 하나라 할 수 있다. 다른 것이 있다면 김소월이 사랑을 우리 민족의 보편적 정서로, 한용운이 불교 존재론에 입각해 노래한 시인이라면 김남조는 그것을 카톨릭 세계관에서 탐구한 시인이라는 점일 것이다.

2

언뜻 보기에 연시와 별 관계가 없는 듯한 김남조의 시들도 자세히 살펴보면 기초엔 알게 모르게 '사랑'이라는 문제가 가로 놓여 있다. 그의 카톨릭 신앙시가 아가페적 사랑을 노래했다는 점에서 연시의 연장선에 있다는 것은 두말할 필요가 없겠으나 인생론적인 시 역시 이에서 크게 벗어나지 않는다.

눈오는 광야의 쓸쓸함이라더니

앙상히 얼어붙은 벌판에 너 섰음을

사람아
네 이름은 정히 돌이언마는
네 이름 서러운 비문이언마는
꽃 한송이 피워주소서
불같이 붉은 생명같이 붉은……

그 전날 그리움에 몸바쳐 죽었던들
오늘의 이 비통을 몰랐을 것을
검은 머릿단 잘라라도 드리리
낡은 무명치마 헐어진 고무신도 버리려는
황량한 이 마음 살펴주소서

너는 돌 사람
………… <돌 사람>

인용시는 소재적으로는 자연시이며 주제적으로는 인생론적인 시이다. 즉 자연을 소재로 하여 생의 본질을 탐구한 작품이라 할 수 있다. 그러나 결과적으로 시인이 이야기하고자 하는 바는 '사랑'의 중요성 이상이 아니다. 사람의 사람됨 혹은 생명의 생명됨이 바로 '사랑'에 있다는 이 시의 주제 때문이다. 시인은 우선 자연의 한 사물이라 할 '돌'을 시적 대상으로 놓고 어떤 깨달음에 이른다. 인생이란 원래 황량한 벌판에 나뒹굴고 있는 한 개의 무기질 돌멩이에 지나지 않는다는 것. 그것이 존재 의미가 되기 위해서는, 그 삭아 된 흙이 그 안에 생명의 꽃을 피우듯, 인간 역시 가슴에 사랑이라는 불을 지피지 않으면 안 된다는 것, 따라서 '사랑'은 인간을 인간답게 만드는 본질적 요소라는 것 등이다.("사람아 / 네 이름 정히 돌이언마는 / …… / 꽃한송이 피워주소서 / 불같이 붉은 / 생명같이 붉은……") 시인이 사랑 없는 존재를 '눈오는 광야의 앙상히 얼어붙은 벌판의 돌멩이'에 비유하여 '너는 돌 사람'이라고 야유했던 이유가 여기에 있다.

겨울 바다에 가 보았지
미지의 새
보고 싶던 새들은 죽고 없었네

그대 생각을 했건만도
매운 해풍에
그 진실마저 눈물져 얼어버리고
허무의 불 물 이랑 위에
불붙었네

나를 가르치는 건
언제나 시간
끄덕이며 끄덕이며 겨울바다에 섰었네
남은 날은 적지만

기도를 끝낸 다음 더욱 뜨거운
기도의 문이 열리는
그런 영혼을 갖게 하소서
남은 날은 적지만

겨울 바다에 가 보았지
인고(忍苦)의 물이
수심 속에 기둥을 이루고 있었네 <겨울바다>

연가라고 보기는 힘든 김남조의 대표작이다. 그러나 이 시의 경우에도 그 심층 의식 속엔 사랑에 대한 문제가 잠재되어 있다. 특히 제2연에서 "그대 생각을 했건만"이라는 시행의 등장이 이를 말해준다. 모국어에서 '그대'라는 호칭이 일반적으로 '당신' 혹은 '여보'와 함께 사랑하는 사람을 부르는 용어라는 것은 두말할 필요가 없겠으나 설령 그렇지 않다 하더라도 누군가 만일 존재의 가장 허무하고 절실한 순간, 외로움을 극복하기 위해 찾는 단 한사람이 있다면 그가 어찌 그의 사랑하는 사람 즉 연인이 아니겠는가. 이 시의 화자에게서도 우리는 이와 같은 면모를 발견하고 놀랄 이유는 없다.

화자는 지금 황량하고 삭막한 겨울 바다 앞에 서 있다. 어떤 '미지(未知)의 새'를 만나보기 위해서이다. 그러나 그가 경험할 수 있었던 것은 그 '미지의 새'를 만나는 기쁨이 아니라 겨울의 매운 바람과 저무는 저녁 노을과 차가운 파도로 상징되는 허무와 죽음 그리고 절대 고독 뿐이었다. 이 절망 상태에서 화자가 의지하고자 한 사람이 사랑했던 연인, '그대'이다. 그러나 인간의 사랑이란 그 어떤 지고 지순한 것이라 할지라도 존재의 근원적인 한계 상황 앞에서는 본질적으로 무의미한 것("그대 생각을 했건만도/매운 해풍에/그 진실마저 눈물져 얼어버리고/허무의 불 물 이랑 위에/불붙었네"), 화자는 그 사랑의 덧없음을 체득한 순간 인간의 논리를 포기하고 신의 뜻에 자신을 갖다 바친다. 화자가 자신을 가르치는 것은 언제나 '시간'(운명 혹은 신의 섭리)이라고 하면서 "기도를 끝낸 다음 더욱 뜨거운/기도의 문이 열리는/그런 영혼을 갖게 하소서"라고 고백한 이유가 여기에 있다. 인간의 논리가 신의 뜻으로,—플라토닉한 것이든 에로틱한 것이든—인간의 사랑이 아가페적 사랑으로 승화되는 바로 그 전환점이다.

이 시의 아름다움은 물론 이 같은 주제 의식 때문만은 아니다. 그보다는 오히려 그것을 미적으로 형상화시킨 이미지 혹은 상상력의 아름다움에서 온다. 그 대표적인 것이 시간과 공간 그리고 이 양자를 통합한 이미지들이다. 무한 혹은 영원을 상징하는 바다(공간), 존재의 유한성을 상징하는 겨울과 노을(시간), 그리고 무한으로 비상해 올라갈 수 있는 초월의 상징으로서 새가 그것이다. 특히 이 시에서 새가 '미지의 새'일 수 있음은 그 무한에의 초월이 화자 자신으로서는 그 어떤 과거의 체험과도 관련된 적이 없고 또 어떻게 해야 가능할지 전혀 알 수 없는 미답의 영역에서 이루어질 행위이기 때문이다. 시인은 이처럼 시간과 공간을 병치시키고 이 대립을 지양하는 것으로서의 초월을 비상의 이미지로 제시하여 미학적으로 완결된 구도 한 편을 이루어 놓았다.

이렇듯 김남조의 시는 언뜻 연시와 무관해 보이는 듯한 인생론적인 시나 카톨릭 신앙시라 하더라도 내면적으로는 존재와 사랑의 문제에 필연적으로 귀결된다. 그의 시의 대부분을 차지하는 연시와 더불어 김남조의 문학을 특히 사랑의 문학이라고 일컫는 이유의 일단이 여기에 있다.

3

연시란 물론 사랑을 내용으로 담은 서정시의 한 유형이다. 그러나 엄밀히 말하자면 그것은 '사랑에 대한 시'와 '사랑에 의한 시'로 구분된다. 전자는 사랑이란 무엇인가에 대한 화자의 생각을 피력한 시이고 후자는 화자가 자신의 사랑을 연인에게 고백한 시이다. 따라서 전자가 관조적 사색적이라면 후자는 행동적 감정적이다. 전자가 설득을 지향한다면 후자는 감동에 호소하려 한다. 김남조의 연시 역시 두 유형으로 나뉘어지고 있다. 그의 대부분의 시들이 후자의 유형으로 쓰여진 것은 쉽게 지적되는 터이지만 전자에 속하는 시 또한 적지 않음이 사실이다. 앞장에서 살펴본 인생론적인 시의 상당수와 특별히 제8시집 『사랑초서』에 수록된 작품들이 그러하다.

① 사랑하지 않으면
착한 여자가 못된다.
소망하는 여자도 못된다.
사랑하면
우물 곁에 목말라 죽는
그녀가 된다. <1>

② 사랑의 추위
추워지려고 사랑하는지도 모를
둘의 만남 <12>

③ 더 아파야만이 사랑이래
더 외로워야만 사랑이래
쌓을수록 남아도는
천형(天刑)의 벽돌 <32>

④ 내가 길 잃은 곳에

그대가 있다.
내 어둠에 등불 비추며
아무도 없느냐고 울며 외칠 때
그대 음성 울린다. <33>

⑤ 사랑은 동천의 반달
절반의 그늘과 절반의 빛으로
얼어붙은 수정이네 <48>

『사랑 초서』에 수록된 몇편의 시들이다. 사랑에 대한 시인의 견해가 에피그람 형식으로 진술되어 있음을 본다. 우리는 이를 통해 그가 사랑을 어떻게 생각하고 있는지 단편적으로 살펴볼 수 있다. ①은 사랑의 본질이 여성성(féminité)에 있음을 예시한 작품이다. 생명, 관용, 희생, 부드러움, 안식, 이타행(利他行) 등 사랑의 속성은 아무래도 여성적인 것과 관련이 깊기 때문이다. 그것은 생리적으로 여성이 출산과 양육을 책임지는 것에서부터 오는 필연적 결과일지도 모른다. 그리하여 시인은 사랑을 갖지 못한 여자는 참답지 못한 여자 즉 '착하지 못한 여자'라는 단정을 내린다. 그러나 동시에 시인은, 누군가를 사랑한다는 것은 끝없이 인내하고 기다리는 행위라는 것을 또한 잘 알고 있다. "사랑하면 / 우물 곁에 목말라 죽는 / 그녀가 되는" 것이다.

②누군가를 사랑한다는 것은 비록 행복하지만 고독한 일이다. 그 고독은 연인과의 결합이 불가능한 데서 오는 것일 수도 있고, 가능한 데서 오는 것일 수도 있다. 후자의 경우가 있을 수 있는 것은 그것이 설령 가능하다 하더라도 이 세상의 사랑이란 그 어떤 것도 존재론적으로 완전하거나 영원할 수 없기 때문이다. 그것만이 아니다. 사랑은 욕망을 절제하고 자신을 비우는 일, 비록 자신을 돌아보지

않는 연인이라 할지라도 그를 위해 끝까지 헌신하는 것이 참 사랑이다. 그것은 비유컨대 ②의 시처럼 겨울의 추위를 견디는 일이라 할 수 있다. 그러나 이와 같은 시련—연인을 위한 자기 부정은 자기부정만으로 끝나지는 않는다. 사랑의 완성은 보다 충만한 생, 보다 완전한 존재를 이루어주기 때문이다. 그것은 마치 추운 겨울이 지나면 생명의 봄이 도래하는 이치와도 같다.

③진실한 사랑은 타인을—사랑의 대상을 끝없이 위해주는 일이다. 자신에게 아무런 보상이 없더라도, 아니 오히려 그로 인해 슬픔과 고통을 받더라도 이를 내색치 아니하고 숨어서 그를 끝까지 지키고, 아끼고, 그를 위해 자신을 희생하는 일이다. 그러므로 그것은 '더 아파야만 하고' '더 외로워야만' 도달할 수 있는 형나의 길이다. 비유컨대 그것은 "쌓을수록 남아도는 / 천형(天刑)의 벽돌" 과도 같다.

④사랑은—비록 여성적 부드러움을 지니기는 하나—절망을 이겨내는 불굴의 힘이 될 수도 있다. 사랑을 지닌 자는 그 어떤 암울한 상황에 처해 있어도 결코 희망을 잃지 않는다. 사랑의 본질이 바로 생명에 있기 때문이다. 현대의 정신분석학이 사랑을 삶의 충동 즉 리비도로 설명하는 이유가 여기에 있다. 따라서 비록 사랑은—종교적 순교행위나 이성애적 차원의 정사(情死)에서 보듯—스스로 죽음을 택하는 경우가 종종 있다 하더라도 문자 그대로의 죽음이나 소멸은 결코 아니다. 다른 차원, 다른 세계에서의 삶의 완성을 위해 치루는 하나의 의식(儀式)일 따름이다. 이러한 관점에서 사랑은 비유적으로 '어둠 속의 등불'이며 '잃어버린 길의 안내자'라 할 수 있다.

⑤는 인간적 사랑의 번뇌를 이야기한 작품이다. 앞서 지적했듯 비록 플라토닉한 사랑이 자기 희생의 절대적 차원을 지향한다 하더라도 그것은 범상한 인간으로서는 쉽게 다가 갈 수 있는 경지가 아니다. 범속한 인간이란 오히려 사랑으로 인해 고통을 받고 괴로워하는

것이 일반적이기 때문이다. 속언에서 보듯 때때로 우리는 사랑하는 까닭에 미워한다. 그것은 마치 삶이 있음으로 죽음이 있고, 만남이 있음으로 이별이 있다는 불교의 연기론(緣起論)과 같다. 따라서 그것은 밤하늘을 비추는 반달의 그 다른 반쪽에 어둠이 있는 것과 비유된다. 모든 밝음은 어둠을 전제하고 있는 것이다. 그러나 사랑의 이면에 미움이 있다는 이 인간적 사랑의 발견은 화자에게 결코 좌절을 가져다주는 것을 의미하지는 않는다. 오히려 인간적 사랑의 굴레로부터 해방시켜 절대적 사랑 즉 신적인 사랑으로 초월시키는 계기를 마련해줄 수도 있기 때문이다.

김남조는 이처럼 그의 '사랑에 대한 시'에서 사랑의 본질과 인간적 사랑의 한계 그리고 그것의 초월을 통해 이룰 수 있는 절대적 사랑의 가능성을 암시적으로 이야기한다. 그것은 개인적 사랑에서 우주적 사랑에, 이성애적 사랑에서 아가페적 사랑에 이르는 길의 모색이라 할 수 있다.

4

'사랑에 의한 시'는 사랑의 주체인 화자와 연인이 어떤 상황에 처해 있는가에 따라 여러 가지 테마를 지닐 수 있다. 이 양자가 결합된 상황일 때 그것은 사랑의 기쁨 혹은 찬가를 지향하거나 혹 있을 수 있는 이별에의 두려움이 피력될 것이다. 인간적 사랑의 존재론적 한계성을 깨달을 경우는 그 불완전성에서 기인하는 허무감이나 고독이 노래될 수 도 있다. 반면 이 양자가 이별의 상태에 처해 있을 때는 화자의 연인에 대한 그리움이나 기다림 혹은 외로움과 같은 감정과 행복했던 과거에 대한 추억이 주된 내용이 될 것이다. 특별히 사랑의 주체가 연인으로부터 버림을 당했다면 이와 더불어 보다 부정적인 감정 즉 사랑의 한이나 연인에 대한 원망, 자신이 당하는 슬픔이나 고통이 토로될 수도 있다.

이상의 지적은 과거적인 것이든 현재적인 것이든 사랑의 주체와 대상 즉 화자와 연인 사이에 한 때 결합의 경험이 있었음(혹은 있음)을 전제한 것이다. 그러나 사랑의 행위에는 제 삼의 상황 또한 가능하다. 이 양자 사이에 결합—단순한 결합이 아니라 진정한 의미에서의 결합—이 아직 없을 경우이다. 물론 이 역시 주체(화자)의 감정에 그리움과 기다림 그리고 외로움이 주조를 이룰 것은 당연하다.

그러나 보다 중요한 것은 대체로 완성에 이르지 못한 사랑이란 화자가 그 대상을 현실 이상으로 관념화 혹은 신비화시키기 쉽다는 점이다. 특히—사랑의 결합 체험이 없을 경우는 더 말할 나위가 없지만—화자와 대상의 거리가 지나치게 멀거나, 사랑의 실현 가능성이 현실적으로 불가능하거나, 화자의 심리 상태가 심미적 매저키즘(masochism) 혹은 종교적 경건주의(pietism)에 빠질 때 더욱 그러하다. 사랑의 주체에게서 일어나는 이와 같은 심리적 기제를 라깡(J. Lacan)은 왜상(歪像 anamorphosis)이라 불렀지만 이러한 상황이 심화될 경우 사랑의 주체는 드디어 현실을 벗어나 관념 세계를 지향하고 그 대상을 신적(神的)인 존재 즉 절대자로 격상시킨다. 사랑의 플라토니즘이 성립하는 것이다.

우리는 그 전형적인 예를 김남조의 연시에서 본다. 참으로 김남조의 연시는 한국 근대시사에서—모윤숙의 <렌의 애가>도 이 경우에 속하지만 장르가 다른 까닭에—사랑의 플라토니즘을 시로 승화시켰다는 점에서 그 의의를 찾을 수 있다. 김소월과 달리 김남조의 연시에 사랑의 한이나 슬픔 그리고 고통과 같은 감정이 전혀 토로되지 않은 이유도 여기에 있다.

하늘도 제일 높은 하늘에까지
너를 부르는
한 목소리뿐이다.
…………
진작엔 몰랐던
눈물과 진실
너로 해 생긴 근심도 소중해라
사랑을 가진 나는
…………
아아 내 눈이 본
가장 광명한 빛으로
몸이 빛나고 영혼이 빛나는 너를

죽도록의 내가
보고 싶은 마음도
훗 세상에 심어
뿌리 깊은 연분의 나무될
기도에 바치고 나면

땅의 제일 먼 땅끝에까지
너를 부르는
한 목소리뿐이다. <아가(雅歌) 1>

나무를 비유로 들어 사랑을 고백한 작품이다. 이 시의 사랑을 플라토니즘으로 해석할 수 있는 근거는 다음과 같다.

첫째, 화자의 사랑에는 끝이 없다. 무한하다. 그것은 화자가 자신의 사랑을 시간적으로 하늘의 전부로(제 1연: 원래 신화학에서 우주 창조의 단계를 설명할 때 하늘은 시간을, 땅은 공간을 의미한다), 공간적으로는 땅의 전부로 이야기하고 있기 때문이다.

둘째, 님의 위상이 절대적이다. 그는 마치 신적인 존재로 묘사된다(제 6연: "아아 내 눈이 본 / 가장 광명한 빛으로 / 몸이 빛나고 영혼이 빛나는 너를").

셋째, 화자의 사랑은 님에 대해 온전히 자기 희생적이며 맹목적이다. 심리적 매저키즘의 상태에 빠져 있다. 그것은 각각 3연("진작에 몰랐던 / 눈물과 진실 / 너로 해 생긴 근심도 소중해라 / 사랑을 가진 나는") 과 5연("선물로 받은 / 빈자리(고독과 슬픔, 필자 주)라 여기며 / 외롭다 여기며 / 약손 얻어 가슴 쓸어내리듯 산다 / 사랑을 가진 나는") 에서 설명된다.

넷째, 현실적으로 사랑의 완성은 불가능하다. 그리하여 그의 사랑은 죽음의 저 건너 세상 즉 관념의 세계에서나 이루어질 수 있는 것으로 묘사된다. 인간적 사랑은 불완전하기 때문이다(7연: "죽도록의 내가 / 보고 싶은 마음도 / 훗세상에 심어 / 뿌리 깊은 연분의 나무될 / 기도에 바치고 나면").

그럼에도 불구하고 다섯째, 연인에 대한 화자의 사랑은 좌절하지 않는다. 영원한 것이다(8연: "땅의 제일 먼 땅 끝에 까지 / 너를 부르는 / 한 목소리 뿐이다").

이미 자신을 땅에 뿌리 박고 있는 나무, 연인을 하늘에 떠 있는 태양으로 설정한 이 시의 구도가 유한자(有限者)로서의 화자와 절대자로서의 연인의 관계를 전제하고 있는 것이지만 그것이 30년대 말 정지용(鄭芝溶)이 그의 카톨릭 신앙시(<나무>)에서 자신의 신앙을 플라토닉한 사랑으로 고백했던 것과 유사하다는 점은 시사적이다. 정지용 역시 그의 시에서 태양을 사랑의 대상인 절대자 즉 신으로, 나무를 사랑의 주체인 유한자, 인간으로 설정하였기 때문이다. 우리는 이 대목에서 모든 플라토닉한 사랑의 본질에 종교적 경건주의 내지 현실 초월주의가 내재해 있다는 사실을 새삼 깨닫게 된다.

이렇듯 김남조의 연시에 있어서 사랑이 플라토닉한 것이라면 두말할 것 없이 그것은 가장 순결하고 성스러운 사랑, 신(神)에 대한 정녀(貞女 vesta)들의 종교적 사랑에 버금가는 사랑이어야 한다. 세속적 모든 가치를 초월한 것이어야 하기 때문이다. 따라서 플라토닉한 사랑에는 항상 죄의식이 수반되기 마련이다. 그것은 두 가지를 포함한다. 첫째, 연인에 대해 온전한 헌신이 없거나 혹은 세속성이 가미되는 경우이다. 절대자에 대한 불성실은 곧 죄가 되기 때문이다. 둘째, 그의 사랑이 너무 지고한 것이어서 사랑한다는 것 자체가 불경스럽고 부정한 일이 될 경우이다. 그 사랑의 대상은 또한 사랑의 주체가 감히 사랑의 감정을 품을 수 없는 혹은 품어서는 안 되는 초월의 위치에 서 있어야 하기 때문이다. 이 경우 죄의식이란 이미 사랑의 감정에 빠지는 그 자체라 할 수 있다. 김남조의 연시 역시 이와 같은 성격을 잘 드러내 보여준다.

① 죄스러워라
눈과 얼음 덮인 흙의 속살에도
초록 액체의 새순들 자랄 것이어늘
사람 한 평생을
허락 받아 살면서
어쩌자고 참 사랑 하나조차
못 가꾸어

겨울 지나도록
이렇게 혼자
봄이 와도 다시 그 후에도
나는 혼자일 것인가. <겨울 애상>

내야 예쁜 죄 하나
못 지었구나
저승과 이승 몇 겁 훗 세상에까지
못다 갚을 죄업을
꼭 둘이서 나눌
사람 하나 작정도 했건마는 <비>

② 하늘이 못 주신
사람 하나를
하늘 눈 감기고 탐낸 죄
사랑은 이 천벌 <사랑초서 44>

내 사랑 용서하오시면
임의 사랑 용서 바치오리
일월성신 즈믄 날에
황송하고 고맙고 죄지은 마음 <사랑초서 86>

①은 첫째 경우의 죄에, ②는 둘째 경우의 죄에 해당하는 내용이 형상화된 작품들이다.

한편 모든 플라토닉한 사랑은 대상에 대한 주체의 절대적인 헌신과 무상의 자기희생을 전제한다. 거기에는 대상으로부터 연유된 고통이나 슬픔조차도 행복이 되고, 대상에 의해서 짓밟힘을 당하는 것이 오히려 기쁨이 되는 심미적 매저키즘의 심리적 메카니즘이 잠재되어 있다. 김남조의 연시 또한 이와 같다.

속속들이 채워 넘친 환한 영혼의
내 사람아
....
너를 위하여 나 살거니
소중한 건 무엇이나 너에게 주마
이미 준 것은
잊어버리고
못다 준 사랑만을 기억하리라
나의 사람아
....
오직 너를 위하여
모든 것에 이름이 있고
기쁨이 있단다.
나의 사람아 <너를 위하여>

새벽을 낳으면서 죽어가는 밤들을
가슴 저려 가슴 저려
사랑하게 해 다오
....
날마다 사랑함은 날마다 죽는 일임을
이 또한 적어두게 해 다오
....

가장 먼 별 하나의 빛남으로
종지부를 찍게 해다오 <밤편지>

용서받게 해다오
절망보다 훨씬 암담한 소망을
열 손가락 소지(燒指) 사뤄
불제사 바치오니
나를
받아주게 해 다오 <촛불 17>

<너를 위하여>는 '밤 기도'라는 첫 행의 어휘에 이미 전제된 바, 화자의 연인에 대한 사랑이 신께 드리는 인간의 기도로 비유되어 있다. 이 신과 인간의 거리 그리고 그것을 연결해주는 기도야말로 플라토닉한 사랑의 시적 형상화라는 것은 두말할 필요가 없다. 그럼에도 불구하고 지적되어야 할 것은 그 사랑의 실체가 무상의 자기 헌신적 희생에 있다는 사실이다. 시인은 자신의 삶이 오직 연인을 위해서만 있고, 자신의 모든 것은 그의 소유이며, 나아가 이러한 자신의 헌신이 곧 삶의 충만이 되는 기쁨을 고백한다. 한편 <밤 편지>와 <촛불 17>에서는 연인을 위해 죽는 일이 오히려 사랑하는 일이자 삶의 완성에 이르는 일임을 밝히고 있다.

5

이미 앞장에서 언급된 것이지만 김남조의 연시에 있어서 사랑이 플라토닉한 것이고 그 사랑의 대상이 절대자의 위치에 있다는 것은 이제 그가 곧 신 혹은 신과 같은 존재임을 의미하는 것이라고 말할 수 있다. 따라서 그의 많은 시에 사랑의 대상 즉 연인이 신의 이름으로 불려지는 것은 당연하다.

하여 마침내는 사랑 때문에
신이 사람으로 오시는
신비를 깨닫게 하소서 <신이 사람으로 오시는>

신의 이름이신 당신이여
저는 제 자리에 바로 있는 겁니까
저 곳은 정히 저분의 자리옵니까
내일은 아침 인형은 사람을 닮은 채로 있고
꽃은 밤 사이에도 시들겠지요. <꽃과 인형>

임의 말씀 절반은
맑으신 웃음
그 웃음의 절반은
하느님 거 같으셨다.
임을 모르고 내가 살았더면
아무 하늘도 안 보였으리 <임>

우리는 이 대목에서 김남조의 연시가 카톨릭 신앙시와 만나는 장면을 목도하게 된다. 자연인으로서의 그가 독실한 카톨릭 신자라는 것은 잘 알려진 사실이지만 그런 까닭에 그의 문학에 카톨릭 신앙을 고백한 다수의 신앙시들이 쓰여진 것은 하나도 이상스러운 일이 아니다. 문제는 그것이 그의 플라토닉한 사랑과 관련되어 있다는 점인데 확실히 그의 카톨릭 신앙시는 그의 이성애적 사랑이 플라토닉한 사랑으로 승화됨에 의해서 보편성을 띨 수 있었다. 플라토닉한 사랑의 대상이라 할 절대적 연인은 곧 신과 환치될 수 있는 존재이기 때문이다. 이제 그의 연시들은 개인적 사랑이 우주적 사랑으로, 이성애적 사랑이 아가페적 사랑으로, 문학과 종교가 하나로 통합되는 세계를 보여준다. 그리하여 김남조는 그의 대부분의 카톨릭 신앙시를 사랑의 테마로 엮었다.

당신에게선 손발이 못박는 소리
아슴히 들립니다.
사랑하는 분이
눈앞에서 못 박혀 죽으신 후
당신의 몸은 못 박는 소리와 그 메아리들의
소리 사당입니다.

세상에서 가장 강한 건
고통입니다.
고통의 반복 앞에 서는
율연한 공포입니다.
그래도 사랑하는, 사랑입니다.
.... <막달라 마리아 4>

사랑하는 이와의 이별 중에서
신으로 승천하신 분과의 이별은
당신 뿐입니다.
....

하오나 여인이어
사랑함으로 절망하고
절망함으로 사랑함을
이 천년 몇 갑절 되풀이한다 해도
오로지 당신이
구세주의 첫 번째 갈비뼈이나이다. <막달라 마리아 6>

인용시에서 '당신'으로 호칭되는 존재는 예수 그리스도이며 그를 사랑하는 사람은 막달라 마리아이다. 시인은 이제 이성(異性)으로서 인간과 인간의 차원을 넘어 신에 대한 한 여인의 사랑을 이야기하고자 한다. 플라토닉한 사랑의 절정을 보여주고 있는 것이다. 그러나 문제는 이들 시에 등장한 막달라 마리아가 사실은 화자 바로 그 자신이라는 점이다. 그것은 김남조의 연시에 있어서 막달라 마리아는 본질적으로 화자와 동일시(同一視 identification)된 존재이기 때문이다. 그것은 다음과 같은 시에서 설명된다.

이런 까닭으로
저희는 당신의 제자
당신의 딸 되기를 굳히 청하나이다. <막달라 마리아 5>

주님 아직도 제게 주실
허락이 남았다면
주님께 한 여자가 해드렸듯이
눈물과 향유와 미끈거리는 검은 모발로
저도 한 사람의 발을 말 없이 오래오래
닦아주고 싶습니다. <아침 기도>

시의 표층적인 의미는 화자가 막달라 마리아의 제자나 딸이 되기를 원하거나(시 <막달라 마리아 5>), 그 같은 여인상이 되는 것을 바라는 것으로 되어 있다. 그러나 심층적 의미에서는 심리적으로 이미 막달라 마리아와 동일시되어 있음을 보여준다. 다 아는 바와 같이 동일시란—프로이트에 의하건대—한 인간의 인격 형성과정에 있어서 소위 엘렉트라 콤플렉스(혹은 외디프스 콤플렉스)의 다음 단계에 든 성장기의 아이가 동성의 부모를 하나의 전인적 인간형의 모델로 설정하여 그와 자신을 존재론적으로 일원화시키려는 현상이기 때문이다. 이 대목에서 우리는 김남조의 연시가 카톨릭 신앙시로 승화됨과 더불어 그 화자 또한—노드롭 푸라이(N. Frye)의 말을 빌어—소위 '영원한 여성'(Eternal Female)의 경지로 초월됨을 알 수 있다. 이제 김남조 연시는 막달라 마리아가 신의 아들 예수 그리스도에게 바치는 것과 같은 의미의 사랑 즉 아가페적 사랑의 세계를 구현코자 하는 것이다.

우리가 김남조의 문학을 사랑 탐구의 문학으로 규정하고, 그를 김소월, 한용운과 더불어 우리 근대시사상 3대 사랑의 시인의 하나로 보려는 이유가 여기에 있다.

장시(長詩)의 개념과 가능성
— 전봉건(全鳳健)론

1

『사랑을 위한 되풀이』에 수록된 세 편의 장시들은 전봉건이 50, 60년대에 쓴 <사랑을 위한 되풀이>(1959)와 <춘향연가>(1967) 그리고 『속의 바다』(1970)를 개작한 것들이다. 부분적으로 손질한 것도 많고 일부 생략된 것도 있으나 이들은 기본적으로 초판본에서 크게 벗어나지 않는 듯하다. 세 편을 한 자리에 묶어 조망해 보니 각 편 따로 읽었을 때는 미처 깨닫지 못했던 그의 시의 다양성이 눈에 띄게 돋보인다.

'장시'(long poem)란 물론 '단시'(short poem)에 대립하는 개념으로 길이가 긴 시에 붙인 용어이다. 그러나 길다하여 무턱대고 장시라고 할 수는 없는 것으로 가령 이 분야의 연구자인 허버트 리드(H. Read)의 견해를 빌면 그것은 다음과 같은 특징들을 지니고 있다.[1)]

①단시는 단일한 정서적 태도(single or simple emotional attitude)가 직접 표현된 것인데 장시는 다수의 정서적 태도가 인위적으로 통

1) Herbert Read, "The Structure of the Poem," *Collected Essays in Literary Criticisim*(London: faber, 1952).

합 표현된 시이다. 여기서 '인위적'이라 함은 시가 어떤 지배적 이념(dominating idea)에 의해서 질서화되는 것을 뜻한다.

②단시는 형태(form)가 개념(conception, 시인의 사고의 투영)을 통어하는 시이며, 장시란 반대로 개념이 형태를 통어하는 시이다. 장시에는 서사시, 오드, 발라드, 서술시, 철학시 등이 있다.

따라서 장시는 이렇게 정리된다. "장시란 다수의 정서적 갈등을 인위적으로 통일시켜 시인의 이념으로 하여금 형식성을 끌고 가게 하는 어느 정도 이상의 길이를 지닌 시"라는 것이다. 그런데 시에서 메시지가 형식성을 끌고 가는 방법에는 두 가지가 있다. 하나는 시간적 질서에 의존하는 '서술적 형식'(narrative form)이요, 다른 하나는 공간적 질서에 의존하는 '공간적 형식'(spatial form)이다. 전자는 이야기를 통해, 후자는—서정 단시와 마찬가지로 스토리의 설정없이—이질적인 이미지와 정서들의 공간적 배열을 통해 시인의 이념을 형상화시키는 방법이다.

따라서 여러 하위 장르들이 내포된다 하더라도 장시는 결국 크게 두 가지로 분류된다. 서술적 형식으로서의 장시와 공간적 형식으로서의 장시가 그것이다. 이 중에서 서술적 형식의 장시는 고대 서사시 이래 문학사적으로 매우 오랜 전통을 지닌 장르이지만 공간적 형식으로서의 장시는 20세기 들어 비로소 쓰여지기 시작하고 또 널리 보급된 장르라 할 수 있다. 가령 엘리어트(T. S. Eliot)의 <황무지>, 파운드(Ezra Pound)의 <캔토스> 같은 것은 이 후자의 대표적인 예들이다.

이런 뜻에서 이 시집에 수록된 전봉건의 세 편의 시들은 각기 그 성격이 다르다. 우선 <속의 바다>는—<사랑을 위한 되풀이>, <춘향연가>와는 달리—장시라 할 수 없다. 비록 전편에 이념적, 정서적 태도가 공유되어 있다고는 하지만 이를 구성하는 각개 작품들이 그 나름의 완결성과 독립성을 지니고 있기 때문이다. 따라서 이를 구성하는 각개의 시는 앞뒤의 순서가 뒤바뀐다 하더라도 문학적 의미에 어떤 영향을 주지 않는다. 그러나 <춘향연가>나 <사랑을 위한 되풀이>는 각 장이나 단락들이 그 자체로 독립된 완결성을 지니지 못하고 다만 전체를 구성하는 한 부분으로서의 만의 기능을 맡고 있는 까닭에 장이나 단락의 순서가 바꾸어지게 되면 시의 전체성과 통일성이 크게 파괴된다.

그러나 이 양자 사이에도 물론 차이는 있다. 그것은 전자가 공간적 형식의 장시인데 후자는 서술적 형식으로서의 장시라는 점이다. 우선 <사랑을 위한 되풀이>에는 스토리가 없다. 따라서 그것은 1인칭 시점에 의한 묘사나 자기 독백 형식이 주가 되며 그 전후관계는 필연적으로 이미지의 연상과 유추에 의존한다. 그 연상과 유추의 대상은 물론 한국의 50년대적 상황이다.

시인은 50년대의 제 상황을 각기 다른 파라다임으로 보는 방식으로 시를 쓰고 있다. 즉 하나의 파라다임으로 현실에서 지배적 이미지(presiding image)를 발견, 상상적 진실을 제시하고 그 후 다른 파라다임에 맞춰 차례로 카메라의 초점을 이동해 가는 수법이다. 그러나 이 같은 과정에서 시인이 보여주는 비범성은 그 카메라 초점이 단지 사실적으로 현실을 고발하는 것만이 아니라 그것을 상상력의 날개에 실어 이미지로 감각화시킨다는 점에 있다. 가령 이 시의 첫 연은 일종의 도입부로서, 시인의 시적 파라다임이 어느 곳을 지향하고 있는 지를 암시해 준다. 그것은 이 연의 끝부분,

> 총알
> 맞은 손
> 세워 들고
> 나의 조국

나의 폐허에서
아직은 내가 노래한다. <사랑을 위한 되풀이>

에서 단적으로 드러나고 있다. 한마디로 전쟁의 잔혹성에 대한 고발과 그 극복의 의지이다. 시인은 이와 같은 시각에서 이 시대 삶의 다양한 측면을 이동하는 카메라의 초점에 맞추고자 한다. 그 구체적인 예들이 '155마일의 휴전선', '폐허에서 뛰노는 어린이', '전쟁터의 녹슨 포신과 캐터필러', '가난한 이웃들의 삶' 등이다. 그러나 이 시의 문학적 성취는 이러한 에피소드들이 사실적 묘사의 차원에만 머물지 않고 이를 뛰어 넘어 미학적 경지로까지 상승한다는 점에 있다. 폐허에서 뛰노는 어린아이들을 '물오른 나무의 이파리'로, 전쟁의 비극을 '진달래빛 고운 젖 꽃판'으로 상징화시킨 것들이 그러하다.

이 대해서 <춘향연가>는—그 제목에서 시사되고 있듯—우리 고전 『춘향전』을 소재로 하여 쓰여진 장시인 까닭에 사건 그 자체가 내용이 된다. 따라서 굳이 장르적으로 분류하자면—하위 구분에서—창작 '발라드'에 가깝다고 하겠다. 전체적으로 서정적인 분위기가 지배하며, 플롯이 극적이고, 대화 (독백)가 중심을 이룬다는 점 등을 들 수 있다. 그러나 행위보다 묘사에 치중하고, 직접적 표현보다는 상징적 표현을 구사하여 1인칭 자기 독백체로 스토리를 끌고 간 점 등은 물론 전통적 발라드로부터 거리가 먼 특징이기도 하다.

2

허버트 리드도 지적한 바 있지만, 장시는 단시보다 주제의식이 더 강조된다. 한 순간의 직관적 세계 인식이나 정신적 황홀경을 토로하는 단시에 반하여 이 세계와 삶의 내용을 연속적 혹은 확산적으로 그리는 장시는 무엇보다 이를 일관성 있게 통어하는 힘 즉 시인의 이념(리드의 용어로서는 idea 혹은 conception)이 필요하기 때문이다. 이때 시인의 이념이란 물론 주제의식과 다름이 아니다. 예컨대 리드가 장시를 '개념이 형태를 끌고 가는 시'로 규정했던 것도 이를 지적했던 것이 아니었나 싶다. 전봉건의 두 편의 장시, <사랑을 위한 되풀이>와 <춘향연가> 그리고 연작시 『속의 바다』가 그러하다.

이 세 편의 시는 비록 각기 다른 소재를 다른 멜러디로 변주하고 있지만 그 공통된 테마는 사랑이다. 전봉건은 사랑을 지고지순한 생의 가치로 믿고 그 실체를 인간 삶의 조건에 따라 몇 가지 관점에서 해명코자 한 것이다. 따라서 사회적 존재와 관련될 때 그것(사랑)은 공동체적 박애 즉 휴머니즘을 지향하게 된다. <사랑을 위한 되풀이>의 시세계가 그러하다. 개인적 존재와 관련될 때 이성애 즉 에로스로 지향한다. <춘향연가>의 시세계가 그러하다. 생명탐구와 관련될 때 생명애로 지향한다. 『속의 바다』의 시 세계가 그러하다.

<사랑을 위한 되풀이>는 이 시가 쓰여진 50년대의 시대상황―6·25의 참화에 대한 비극적 인식과 이를 극복코자 하는 휴머니스트의 절규가 형상화된 작품이다. 시인은 전쟁이 휩쓸고 지나간 폐허의 공간을 '155마일의 검은 쇠가시, 쇠줄기의 망'이 삶의 연속성을 단절시키고, 생의 비전이 '썩은 피걸레처럼 / 깜깜한 어둠 속에 갇힌' 곳으로 묘사하고 있다. 거기서 모든 인간적 가치는 '총알 맞아 산산히 부서진 손금'처럼 해체되었으며 모든 사랑하는 이웃들 역시 '함께 수 없이 죽어 갔거나', '상한 누구보다도 더 끔찍하게 상하였다'고 한다. 시인은 이 시에서 이렇듯 전쟁이란 단지 물질적, 육체적 재해만을 가져오는 것이 아니라, 삶의 근원적 조건까지도 파괴한다

는 점을 고발하고 있다.

6·25의 전화가 가져온 비극은 시에서 특히 '토끼'의 이미저리에 의해 단적으로 상징된다. 원래 양처럼 정갈한 풀을 먹고 아름다운 전원에서 자유롭게 뛰놀며 평화를 사랑하는 토끼는 연약한 체구, 단아하고 깨끗한 용모, 맑고 큰 눈, 선량한 행동 등 다른 동물에게서는 발견하기 힘든 그만의 이미지들을 지닌 동물이다. 그리하여 동양인들은 고래로부터 토끼가 지닌 이 사랑과 평화의 상징적 의미를 신화화하여 달나라엔 토끼가 떡방아를 찧고 있다고 까지 생각하였다. 그런데 시인은 그것을 보다 실감 있게 고발하기 위해서 6·25의 전란이 휩쓴 50년대의 우리 상황을 총알 맞아죽어 간 토끼에 비유한다. 그 토끼는 '불붙는 나무 밑에서', '불붙는 산맥 / 불붙는 들판에서 / 총알맞아' 피흘리며 죽어간 토끼이자 '나아갈 미래도 번지어드는 광망(光芒)도 없이', '155마일의 / 쇠가시에 돋힌 쇠줄기로 묶여' '깜깜한 어둠 속에서 갇힌 토끼'인 까닭이다.

그러나 진정한 휴머니스트는 결코 페시미스트일 수 없다. 휴머니스트는 이 지상에서 행복을 구현코자 하는 사람들인데[2] 페시미스트는 오직 절망과 허무 속에 사는 자들이기 때문이다. 그리하여 전봉건은 삭막한 폐허, 비극적인 참화 속에서도 결코 희망을 버리지 않고 오히려 절망과 재난을 극복해 나가는 인간의 의지와 삶의 무한한 가능성을 발견한다. 예컨대 그가 찾았던 대지적(大地的) 사랑이 그것이다. 대지는 항상 죽음 속에서 새로운 생명력을 잉태시키기 때문이다.

시인은 이를 시의 서두에서 '돋아서 / 피어서 / 나풀거리며 / 재잘거리며 / 뛰고 구르고 달리고 / 고함소리 웃음소리 / 지르고 터지는 / 저 이파리'들로 비유하고 있다. 이른 봄, 같은 줄기에서 새싹으로 피어

---

2) Lamont Corliss, *Humanism as a Philosophy*, 박영식 역(서울: 정음사, 1975), P. 25.

나 한 생을 같은 삶으로 영위하는 나무 이파리들은 인간 삶의 공동체적 조건과 대지적 사랑을 가장 적절하게 유추시켜 줄 수 있는 이미지들인 것이다. 이렇듯 시인은 나무 이파리가 지닌 '죽음 속에서의 탄생', '대지에 뿌리를 둔 삶', '이웃에 대한 연대 관계' 등의 의미를 통하여 사회적 삶이 어떻게 한 고난의 시대를 극복해 갈 수 있는지를 말하고 있다. 다음과 같은 시는 그의 이러한 휴머니즘을 노래한 것 가운데 하나이다.

> 그렇다.
> 우리의 목숨이
> 현실보다도 꿈보다도
> 풍성하고 아름답기 위하여
> 아직은 너와 나의 눈길이 만나고
> 그리고 나는 노래한다.
> 총알 맞아
> 산산이 부서진 손금
> 산산이 부서진 손금의 손
> 깃발처럼 세워들고
> 오 나의 조국
> 나의 폐허에서
> 아직은 내가 사랑을 노래한다. <사랑을 위한 되풀이>

사회적 삶의 완성이 공동체적 사랑에 의해서 이루어질 수 있으리라고 믿는 전봉건은 이제 개인적 삶의 완성 역시 사랑의 완전한 합일에서만 가능하다고 믿는다. 인간이란 본래 미완의 존재이자 고독한 존재인데 그것을 완성시켜 주는 것은 현실적으로 이성(理性)과의 완전한 결합 이외엔 없다고 생각하기 때문이다. 그러나 그 사랑은 물론 성애(性愛)나 육체적 사랑이어서는 안될 것이다. 성애란 육체에 국한된 사랑이요. 육체 역시 결국 유한한 목숨이니까 영원한 삶의 완성이란 이를 초월한 어떤 정신적인 것에서 얻어지지 않으면 아니 되기 때문이다.

한편 인간의 완성은 어떤 지고한 자유의 경지를 의미하는 까닭에 사랑으로 완성된 세계는 또한 참다운 자유의 세계이기도 해야 한다. 정신적으로 완성된 사랑과 정신적으로 완전에 도달된 자유가 일원적 의미를 띨 수밖에 없는 이유가 여기에 있다. 예컨대 『파우스트』에서 영원한 여성 그레첸에 인도된 정신적 사랑은 천국의 자유를, 『신곡』에서 비아트리체에 인도된 정신적 사랑은 삶의 구원을 얻게 되는 것 등이다. 따라서 전봉건이 개인 삶의 완성 혹은 구원을 이야기함에 있어 정신적인 사랑과 함께 구속과 자유의 문제를 제기한 것, 그가 이를 우리의 고전 『춘향전』에서 구하려한 것은 이해할 수 있는 일이라 할 수 있다. <춘향연가>에서—<사랑을 위한 되풀이>와 달리—이제 개인적 사랑, 그것도 성애나 육체적 사랑이 아닌 플라토닉한 사랑을 노래한 것도 이 때문이다.

<춘향연가>는 고전 『춘향전』의 플롯을 전적으로 재구성했을 뿐만 아니라 경우에 따라 시적 의도에 맞지 않는 부분은 과감히 삭제 수정하는 파격을 보여준다. 비록 서술시(narrative poem)라 하더라도 주인공의 현실적 행위를 거세하고 모든 사건을 주인공의 독백과 환상으로 처리하는 것 등이다. 예컨대 시 속에서 주인공의 유일한 행동이라 할 수 있는 것은 다만 그녀가 옥 속에 갇혀 절망적으로 밤을 새우는 일 뿐이다.

그렇다면 왜 시인은 그의 시에서—『춘향전』의 모든 사건들을 생략해 버리고—오직 옥중 춘향만을 국한해 이야기하고 있는 것일까.

이는 앞서 언급한 바와 같이 이 시가 의도하고 있는 구속과 자유 그리고 사랑의 완성이라는 테마가 바로 옥중 춘향의 장면에서 가장 극적인 효과를 거둘 수 있었기 때문이라고 생각한다. 그러므로 <춘향연가>에서 시인이 이야기하고 싶었던 것은 실제 옥에 갇힌 춘향이라기보다 삶의 질곡과 무명에서 벗어나지 못한 우리들의 일상적 의식이라 할 수 있다. 시인에게 있어서 덧없고 허무한 우리네 세속적 삶은 상징적으로 마치 감옥에 갇힌 춘향이와 다를 바 없었던 것이다. 고전 『춘향전』과는 달리 시에서 춘향의 연인 이몽룡이 끝내 그 모습을 드러내지 않았던 것도 이 때문이었으리라 생각된다.

> 7척의 검이 내리쳐도
> 그리움의 구비마다 소나무는 푸르고 대나무도 푸르른데
> 전나무는 잎마다 빛을 던지는데
> 가로 세로 육천 매디 잇고 맺고 얽힌 사랑인데
> 그러나 아
> 지금은 찢긴 옷 두른 채 구겨진 몸
> 팽개쳐진 넝마인 것을
> 그러나 아
> 지금은 벽인 것을
> 벽 속인 것을 벽 속의 어둠인 것을 <춘향연가>

인용된 시행에서 시인이 말하고자 하는 것은 구속된 삶으로부터의 구원이란 오직 사랑의 완성에 의해서만 가능하다는 믿음이다.

연작시 『속의 바다』는 생의 본능으로서의 사랑을 다루고 있다. 그러한 의미에서 이 연작시의 제목 '속의 바다'가 시사해 주는 바는 크다. 바다란 근원적으로 생명의 고향이며 이 세계의 모든 생명체는 태

초에 바다에서 탄생하였다는 것, 여성, 달과 함께 신화적 상상력으로 소위 월체계(lunar system)를 형성하여—여성의 생리주기, 달의 차고 기우는 순환주기 그리고 바다 조류 등—회임과 생식의 상징성을 지닌다는 것 등 때문이다. 따라서 '속의 바다'가 보여주는 세계는 한마디로 인간의 본성에 잠재해 있는 생명의 본질, 리비도를 가리키는 것이라 할 수 있다. 이와 같은 추론은 가령 연작시 11의 암시적 진술에서 잘 설명된다.

나는 모래에 관한 기억을 가진다.
모래의 기억, 밟고 선 여자의 젖은 발.
모래의 기억, 여자는 전신을 흔들어서 물방울을 떨친다.
모래의 기억, 그래도 태양은 여자의 등허리에서 젖고.
모래의 기억, 벌린 두다리 사이에서 이글거리고 뒤치고……바다는
모래의 기억, 여자는 팔을 들어 뻗친다.
태양과 바다에 젖어 자꾸자꾸 뻗어 나가는 열의 손가락, 여자는 온몸으로 바람을 빨아들인다. 그때 목덜미로 유방으로 흘러내린 머리칼에서 태양은 부서지고 머리를 빗으면 태양의 가루가 날리는 속에서
모래의 기억, 여자는 기지개를 켠다.
나는 모래에 관한 기억을 가진다. <속의 바다 11>

인용시에서 '벌린 여자의 두 다리 사이에 이글거리는 바다'가 무엇을 뜻하는지를 굳이 설명할 필요가 없지만 이렇듯 인간의 내면에서 꿈틀대는 리비도의 충동은 이 외에 연작시 5, 6, 11, 15 등에서도 분명히 표상되어 있다. 그러나 『속의 바다』를 읽으면서 주목할 것은 생명성에 대한 시인의 원초적 동경이 문명비판적인 의식을 수반하고 있다는 점이다. 즉 시인은 오늘날 우리가 목도하고 있는 바 인간 타

락 내지 생의 빈사 현상이 현대 물질 문명에서 비롯된 원시 생명의 억압에 있다고 본다. 예컨대 8, 9, 10, 13, 14, 15, 16 등이 전쟁에 의한 생명의 빈사 현상을 원시적 리비도의 순수성과, 2, 6, 18 등이 도시 문명의 황폐성을 신화적 공간과 대비시켜 폭로한 것 등이다. 그것은 한마디로 프리미티비즘(primitivism)에 대한 동경이라 할 수 있다. 시인은 그곳의 '산양의 더운 피'와 '사슴의 향기로운 살 냄새'가 우리 시대의 오염된 생명을 재생시켜줄 수 있을 것이라고 말한다.

3

현대시의 음악성은 그 이전의 시들에 비해 다소 소홀히 취급되는 경향이 사실이다. 그러나 장시의 경우는 그럴 수 없다. 내용이 시의 논리를 지배하는 장시는 단시의 그것처럼 이미지나 상징의 유기적 연결성으로 시적 형상화를 도모하기가 어려운 까닭에 상대적으로 언어의 음악성을 더 존중할 수밖에 없기 때문이다. 그렇다고 해서 그 음악성이 도식적인 외형률이나 관습적 언어 구사를 따른다면 또한 현대인들의 감수성에 공감되기는 힘들다. 장시 작가들이 단시 작가들에 비해서 한층 고심하는 것의 하나가 이런 점들이다. 그래서 그런지 전봉건의 장시들을 읽어보면 시적 진술이 매우 리드미컬하다는 것을 알 수 있다. 그는 언어의 음악적 아름다움을 남다르게 구사할 줄 아는 시인인 것이다.

전봉건이 시의 음악성을 살리는 비결은 전통적 음수율의 구사에서가 아니라 언어의 통사론적 반복성과 진술의 대응 구조를 적절히 배합하는 데 있다. 예컨대 ①음운의 반복 ②어귀의 반복 ③진술의 반복 ④동일어법의 반복 ⑤의미병치의 반복 등이다.

① 산산이 부서진 손금의 손
하늘의 해를 바라는 해바라기
어제 물오른 봉오리 오늘 풀리게 하는 비
<사랑을 위한 되풀이>

② 없다고요 없다고요 없다고요
아니 보인다고요 아니 보인다고요 아니 보인다고요.
오 벌거숭이 / 오 벌거숭이 / 오 벌거숭이 / 오오 벌거숭이 <춘향연가>

③ 저것 보세요 지워지지 않는 웬 물이
저것 보세요. 지워지지 않는 웬 향기가
저것 보세요. 지워지짖 않는 웬 목소리가
그런데 어머니 내 무릎은 어디에 있나요.
그런데 도령님 내 무릎은 어디에 있나요. <춘향연가>

④ 나는 다시 꽃이 되어야 해
꽃잎 속의 꽃술이 되어야 해
나는 다시 옷을 입어야 해
뽑아 낸 꽃술 같은 벌거숭이 알몸이 되어야 해
그 알몸 다시 방안 가득히 밤새도록 일렁거리는
불춤의 바다가 되어야 해 <춘향연가>

⑤ 당신에게서 나에게서
나비를 어지럽게 날으고 나는 보았어.
난꽃 문 청학 한 마리 넘나드는
그런 소나무와 소나무 사이

여의주 문 흑룡 한 마리 넘나드는
채색 구름과 구름 사이, <춘향연가>

독자의 이해를 돕기 위해서 비교적 전형적이고 도식적인 예문들만을 뽑아낸 것들이다. 그렇다고 해서 이들 인용시행의 반복적 기법이 기계적인 것은 아니다. 거기엔 많은 변주와 변용이 수반되어 있다. 전체적 통일성을 저해하지 않는 범위 내에서 긴장을 깨뜨려 신선한 자극을 유발시키는 묘미도 보여준다. 가령 반복의 과정에서 돌연 어순을 뒤바꾼다든가, 연속적으로 되풀이시키지 않고 단락과 단락이 연결되는 계기에만 반복을 있게 하여 독자들에게 앞의 에피소드를 회상시키는 효과를 자아내게 한다든가, 문단 가운데에 교차식으로 등장시켜 복합적인 느낌을 유발해 낸다든가 하는 따위이다.

그이는 살아 있는데 어머니,
어머니 그이는 살아 있는데, <춘향연가>

와 같은 반복에서는 단순히 '어머니'라는 어휘의 위치를 앞뒤로 뒤바꿈에 의해서 보다 신선한 자극을 불러일으킨다. 그러나 이들 시에서 두드러지게 나타나고 있는 것은 진술의 대응구조라 할 수 있다.

LIFE지의
39페이지는
젖과 햇빛이었다.
그러니까 빛나는 젖이었다.
여자는 그것을 마시고 있었다.
그것을 마시는 여자의 얼굴은 젖빛이었다.

햇빛이었다.

LIFE지의
40페에지는
블로크 벽돌
한 장이었다.
그 위에 여자가 여름처럼 서 있었다.
하얀 장갑 한 쪽은 벗어 들고
강물에 젖은 들말의 다리였다.
꽃물에 젖은 살팽이의 눈이었다.

LIFE지의
41페이지는 밤이었다.
향기처럼 술렁이는
젖가슴처럼 부푸는
수초처럼 수물거리는 밤이었다. <속의 바다 13>

전체가 같은 연의 대응구조로 되어 있는 <속의 바다 13>이다. 정도의 차이가 있지만, 그의 장시들 역시 대체로 이러한 대응구조를 적절하게 변용하여 시의 음악성을 살리고 있음을 본다.

그의 시에서 지적되어야 할 또 한 가지의 특징은 그의 독특한 문체 구사이다. 나는 이어령이 50년대를 대표하는 산문체 스타일리스트라면, 전봉건은 그 시대 대표적인 운문체 스타일리스트라고 생각한다.

하늘은 맑고
사슴은 달렸다.

하늘은 푸르고
화살이 지나갔다.
하늘은 맑고
사슴은 곤두박질,
하늘은 푸르고
곤두박질하면서
사슴이 달렸다. <속의 바다>

위의 진술은 사슴이 단순하게 곤두박질하면서 달리는 장면을 보다 풍요롭고 아름다운 문체로 채색한 예이다. 대화체, 산문체, 독백체의 원용, 시에서 금기로 여기는 접속사의 적절한 구사, 한 음운으로 이루어진 시행의 시도 등을 들 수 있다.

눈
네
눈도
빛
한 점
별이로구나. <사랑을 위한 되풀이>

윗시는 그 진술이 매우 단순해 보이지만 의미의 연계성을 의도적으로 무시한 시행의 분절, 명사형 문장과 동사형 문장의 조화 있는 배열, 생략, 비약, 이질적 수식어의 부가 등을 통해 현란한 문체론적 유희를 내심 즐기고 있다.

우리의 시사에서 한 시인이 다양한 형식의 장시를 쓴 경우는 찾아보기 힘들다. 그러한 의미에서 전봉건의 장시들은 우리 시사에서 작품상의 성과뿐만 아니라, 장르적 실험면에 있어서도 기여한 바 크다고 생각된다.

아득함의 거리
— 박재삼(朴在森)론

1

박재삼은 참 특이한 시인이다. 대개의 시인들의 경우 연륜에 따라 그 문학적 관심이 달라지기 마련임에도 박재삼 만큼은—비록 부분적인 차원에서 예외가 전혀 없었던 것은 아니지만—문단 데뷔시절부터 오늘에 이르기까지 비교적 일관된 세계만을 고수했다고 보여지기 때문이다.

공식적으로 박재삼이 문단에 데뷔한 것은 그 나이 21세 때인 1953년이었다. (이해 11월 모윤숙에 의해 시조 <강물에서>가 ≪문예≫지에 추천되었으며 다시 1955년 11월 서정주에 의해 시 <정적(靜寂)>이 ≪현대문학≫지에 추천됨으로써 등단하였다.) 이후 지금까지 그는 『춘향이 마음』(1962), 『햇빛 속에서』(1970), 『어린 것들 옆에서』(1976), 『뜨거운 달』(1979), 『비 듣는 가을 나무』(1981), 『추억에서』(1983), 『내 사랑은』(시조집, 1985), 『대관령 근처』(1985), 『찬란한 미지수』(1986), 『사랑이여』(1987), 『해와 달의 궤적』(1990) 등 11권의 창작 시집을 간행하였다. 그러나 이들 시집에 수록된 작품들은 예나 지금이나 별로 변한 것이 없다. 그것은 그가 초지일관하여 자연 속에서 무한한 것을 동경하고 이의 좌절에서 비롯된 슬픔의 정서를 시로 승화시켜왔음을 지적한 말이다.

물론 그의 시에도 후기에 오면서 달라진 면들이 전혀 없지는 않았다.

첫째, 생활에 관한 시들이 점차 증대되고 있다는 점이다. 특히 제7시집 『추억에서』 이후부터가 그러한데 그것은 이 시집의 제명이 암시해주는 바에 의해서도 짐작할 수 있다. '추억'이란 비록 자연이 그 배경으로 서 있다 하더라도 항상 인간이 주인공이 되는 이야기들이기 때문이다. 실제로 『추억에서』에 수록된 시들은—과거적이기는 하지만—대체로 시인의 인간적 면모에 관한 이야기들이 많다.

둘째, 사랑에 관한 시도 많이 등장한다. 시집의 제목에 '사랑'이라는 단어를 차용하고(『내 사랑은』, 『사랑이여』) 그 장명(章名)에 "사랑만리"(『대관령 근처』), "미완의 사랑"(『해와 달의 궤적』) 등과 같은 것을 부친 것도 그러한 의식의 한 반영일 터이다. 그러나 이 역시 시세계의 어떤 변화를 의미하는 것 같지는 않다. 이미 그의 초기시에서도 사랑의 문제는 중요하게 다루어지고 있었으며 그것이 또한 그가 추구한 "무한한 것"의 감각적 형상화와 깊이 관련되어 있기 때문이다.

셋째, 초기시에서 자주 차용했던 소위 외적 소재(extrinsic matter)가 중기 이후에는 거의 사라지고 문체론적 특질에 다소 변화가 나타난다는 점이다. 문체의 경우 초기의 복잡하고 기교적인 어법이 중기 이후에는 단순하고 진솔한 형태로 바뀌어진다.

① 그리하여 머언 먼 훗날엔 그러한 반짝이는 사실을 훨씬 넘어선 높은 하늘의, 땅기운 아득한 그런데서 나와 이들의 기막힌 분신이, 또는 변모가 용하게 함께 되어 이루어진, 구름으로 흐른다 하여 좋을 일이

아닌가. <천지무획> 『햇빛 속에서』

② 구름은
비탈진 산길을 따라
한가한 가락을 피우면서
빙빙 돌아 올라가서는
숨막히는 녹음의 봉우리에
아득히 묻혀들고 말았다. <찬란한 반짝임만> 『천년의 바람』

①은 3단락으로 되어 있는 산문시의 마지막 단락을, ②는 2연으로 되어 있는 자유시 가운데 제 1연을 인용해 본 것이다. 한눈으로 알 수 있듯 문장이 매우 길며 화려하고 기교적이다. 무엇보다 늘어진 수식어투가 유장한 느낌을 준다. 그러나 그에 반비례해서 언어가 작위적이라는 인상도 지워버릴 수 없다. 따라서 ①은 간결하게 "머언 훗날 하늘의 분신이 구름으로 흐른다 하여도 좋을 일이 아닌가"하는 정도로, ②는 "구름은 녹음의 봉우리에 아득히 묻혀들고 말았다"하는 정도로 정리한다 해서 큰 무리는 없을 듯하다. 그런데 후기시에 오면 이에 반해 어법이 단순해지고 깔끔해지는 특성을 드러낸다. 특히 『추억에서』 이후의 시들이 그렇다.

가을 높은 하늘이
아슬아슬하게 펼쳐 있고

고개 넘어 시집간
누님이 오랜 만에
나들이 온 것 같은 <슬픈 가을> 『사랑이여』

지금은 아직
춥고 얼어 있는 산천에서
너는 그 봄을
어디서 찾겠다는 것이니? <느끼는 봄바람> 『해와 달의 궤적』

앞에서 예를 든 시들과 비해 인용시의 문체가 얼마나 간결하며 진솔한 지는 굳이 설명할 필요가 없을 것이다.

2

기법면에서 박재삼의 시의 특징을 살펴본다면 우선 외적 소재를 많이 차용한다는 점을 들 수 있다. 이 같은 경향은 특히 그의 초기시들에게서 자주 나타나는 현상인데 예를 들어 첫 시집 『춘향이 마음』에 수록된 1부 '춘향이 마음'의 모든 작품들(<수정가(水晶歌)>, <바람 그림자를>, <매미 울음에>, <자연>, <화상보(華想譜>, <녹음의 밤에>, <포도>, <한 낮의 소나무에>, <무봉천지(無縫天地)>, <대인사(待人詞)>)과 3부 '원한'의 <흥부 부부상> 그리고 『햇빛 속에서』의 <흥부의 햇빛과 바람>, <노래의 임자>, <꿈으로서 묻노니>, 『어린 것들 옆에서』의 제 3부 <어머님 전상서> 등의 작품이 모두 이 계열에 드는 것들이라 할 수 있다.

『춘향이 마음』에 수록된 시들은 모두 그 소재를 고전 <춘향전>, <흥부전>에서, <노래의 임자>는 전설적인 판소리 가창자인 임방울의 전기에서 그리고 <꿈으로서 묻노니>와 <어머님 전상서>는 고전 <심청전>에서 취재한 것들이다. 이렇듯 박재삼의 초기시는 독창적인 소재에 의해서 쓰여진 것도 많지만 독자들에게 널리 알려진 이야기들을 시화하여 재창작한 것들도 적지 않다.

캐내드 버크에 의하면 문학의 소재가 될 수 있는 것에는 두 가지가 있다고 한다. 하나는 시인 자신이 독창적으로 만들어낸 사적(私的) 소재이고 다른 하나는 시인 자신을 포함해서 독자들에게 널리 알려져 있는 공적(公的)인 소재이다. 버크는 전자를 가리켜 내적 소재(intrinsic matter)라 부르고 후자를 가리켜 외적 소재(extrinsic matter)라 불렀다.[1] 가령 시인이 시의 소재로 단순히 산의 '대나무'에 대하여 쓴다면 이는 내적 소재가 되겠지만 개성 선죽교의 '혈죽(血竹)'에 대하여 쓴다면 외적 소재가 된다. 그런데 시적 소재로서 이 양자는 각자 독특한 개성을 지니고 있다. 일반적인 대나무에 대하여 시를 쓸 경우는 시인의 독창적인 의미 탐구가 중심을 이룰 터인데 '혈죽'에 대하여 쓸 경우는—아무리 시인이 이를 토대로 하여 새로운 의미를 창조를 시도한다 하더라도—기본적으로 독자와 시인이 공유하고 있는 의미(정몽주의 충의)의 영역이 중심을 이룰 것이기 때문이다.

그럼에도 불구하고 시인이 외적 소재로 시를 쓰는 이유는 몇 가지가 있다.

첫째, 할 이야기가 많을 경우 외적 소재를 쓰면 내용의 많은 부분을 절약할 수 있다. 특히 메시지를 강조하고 싶을 때가 그렇다. 독자들이 이미 잘 알고 있는 사실에 편승하여 쉽게 자신의 메시지를 전달할 수 있기 때문이다.

둘째, 보편적인 정서나 감정을 형상화시키는데 유용하다. 널리 알려진 소재는 독자들에 의해서 공유되고 또 허락된 내용이기 때문에 그 정서나 이념면에서 개인적이라기보다는 보편적인 것을 지향할 수 밖에 없는 까닭이다.

---

1) Keneth Burke, "Psychology and Form", *Perspectives on Drama*, Ed. J. L. Calderwood & H. E. Toliver(N. Y.: Oxford Univ. Press, 1968).

셋째, 의미의 이차적 전용을 손쉽게 도모할 수 있다. 독자와 공유된 소재이므로 지시적 의미 즉 외연적 의미가 이미 잘 알려져 있는 까닭이다.

넷째, 결국 세 번째의 특징과 관련되는 것이지만 소재 자체의 정보나 의미를 새삼 독자들에게 주지시킬 필요가 없기 때문에 그 여력을 상대적으로 시의 형태 혹은 미학적 차원의 개발에 투여할 수 있다. 달리 말해 시의 형태 미학을 보다 공교롭게 형상화시킬 수 있다. 버크는 외적 소재에서 비롯된 이와 같은 시인의 시작 심리를 '형태의 심리학(Psychology of form)'이라 하여 정보전달에 집착하는 내적 소재의 소위 '정보의 심리학(Psychology of information)'과 구분하였다.

외적 소재로 쓰여진 박재삼의 시들 역시 마찬가지이다. 가령 <수정가>나 <화상보>, <녹음의 밤에>, <대인사>, <포도>, <바람 그림자를>, <무봉천지>, <매미 울음에>, <자연>, <한낮의 소나무에>, <흥부부부상> 등은 외적 소재가 구조적으로 형상화되어 있는데 여기서 구조적이라 함은 시에 차용된 외적 소재가 단지 부분적 이미지나 단편적 내용으로만 역할하지 않고 시 전체를 포괄하는 의미망으로 작용한다는 뜻이다. 이중에서 <수정가>, <화상보>, <포도>, <바람 그림자를>, <매미 울음에>, <자연>, <흥부 부부상> 등은 고전소설의 한 국면(에피소드)이 서정적으로 묘사되어 있는 경우이며 <녹음의 밤에>, <대인사>, <무봉천지>, <한 낮의 소나무에>는 특별히 일인칭 화자 자신의 고백체로 변용되어 있는 경우이다.

이처럼 독자들에게 잘 알려진 소재를 시로 쓸 경우 시인은 다음과 같은 이점을 갖게 된다. 첫째, 내용 전달을 위한 부담으로부터 자유스러워진다. 둘째, 따라서 그 여력을 작품의 미적 형상화에 집중 투자할 수 있다. 그 결과 외적 소재로 쓴 작품은 내적 소재(창작 소재)로 쓴 작품보다 미학적 측면에서 더 성공을 거둘 가능성이 많아진다.

앞서 열거한 시들의 경우, 독백체의 뛰어난 심리표출, 서술체의 아름다운 서정적 묘사와 같은 것들이 그 같은 예들 중의 하나이다. 이 양자는 음운적 차원에서부터 문장적 차원에 이르기까지 각 단계에 각종의 반복과 음성상징 등에 토대한 섬세한 리듬을 살리고 있다.

저 칠칠한 대밭 둘레길을 내 마음은 늘 바자니고 있어요. 그러면, 훗날의 당신의 구름같은 옷자락이 不剋스레 보여오는 것이요. 눈물 속에서는, 반짝이는 눈물 속에서는, 당신 얼굴이 여러 모양으로 보여 오다가 속절 없이 사라지는, 피가 마를 만큼 그저 심심할 따름이어요.

<대인사>

집을 치면 정화수 잔잔한 위에 아침마다 새로 생기는 물방울의 신선한 우물집이었을레. 또한 윤이 나는 마루의, 그 끝의 평상의, 갈앉은 뜨락의, 물냄새 창창한 그런 집이었을레. 서방님은 바람같단들 어느 때고 바람은 어려올 따름, 그 옆에 순순한 스러지는 물방울의 찬란한 춘향이 마음이 아니었을레. <수정가>

<대인사>는 독백체, <수정가>는 서술체의 한 예이다. 모두 내재율로 쓰였지만 리듬감이 절묘하다. 뿐만 아니다. <대인사>는 연인에 대한 사랑과 그리움의 감정을 여실한 심리 표출로 형상화시키는데, <수정가>는 신선한 비유법—물과 바람의 이미지—을 통해 화자의 순결한 사랑을 드러내 보여주는데 각각 성공하고 있다. 그러나 만일 이들 시를 구성하고 있는 배경적인 이야기들을 독자들이 모르고 있었다면 그 같은 문학적 성과를 거두기는 아마 힘들었을 것이다. 내용의 충분한 전달을 위해선 우선 길이가 월등하게 길어져야 하고 진술 역시 보다 직설적 어법으로 나아가야 할 것인데 시가 길어진다는 함은

곧 완결성과 형식성을 도모하기 어렵다는 뜻이 되고 직설적 어법에 의존한다는 함은 시가 산문화된다는 뜻이 될 수 있기 때문이다.

시의 이념적 측면 역시 마찬가지이다. 외적 소재는 한 민족이 공유한 정신적 유산이므로 시인이 이를 통해 어떤 이념을 이야기하게 되면 그만큼 독자들의 감동영역을 확대시킬 수 있기 때문이다.—윗 시의 경우도 의식적이건 무의식적이건 한국의 전통적 여인상이 지닌 정절과 여기서 연유된 한의 정서가 느껴진다.—그런데 만일 이를 외적 소재 대신 직접 내적 소재로 언급하고자 한다면 시인으로서는 필연적으로 짧지 않은 관념적 진술들을 동원해야만 하고 그 결과 시의 미학적 성취는 그만큼 약화될 수밖에 없는 것이다.

한편 <홍부의 햇빛과 바람>, <꿈으로서 묻노니>는 외적 소재를 주제 표출에 이용한 예이다. 따라서 이들 시는 비록 고전 소설 <흥부전>과 <심청전>의 일부 내용을 인용하고 있기는 하나 그것이 시의 전체 내용을 관장하거나 구조적으로 작용하지는 않는다. 다만 어떤 결정적 부분에서만 외적 소재를 차용하여 주제의식을 강조하고 있을 뿐이다. 그 결과 시인은 그 표명코자 하는 주제를 사적(개인적) 차원으로 떨어뜨리지 않고 비유적 의미로 승화시키면서도 다른 한편에서는 보편적인 의미로 확대시키는데 성공한다. 즉 이들 시에서 외적 소재는 주제를 비유적으로 제시하면서도 그것을 널리 전달시키는 기능에 있었다.

울고 웃고 있는 것이 한가지
결국은 한 바다로 오는 것인가.

우리의 사는 길은 아리아리
골목이 엇갈린

햇볕 반 그늘 반
바다에도 그런 골목길이 있는가
애타는 일만간장이 다 녹으면
때와 곳이 남는가
아무것도 없는가.

아무것도 없는데서 차라리
우리나라의 바다여!
심청전 속의 크낙한 꽃이
다시 솟아서
끝장이 좋을 날은 없는가,
오롯한 꿈으로서 묻노니 <꿈으로서 묻노니>

인용시의 경우 외적 소재는 시의 한 특정 부분(마지막 부분)에서 주제를 표상하는 방식으로 차용된다. 따라서 이처럼 고전의 한 에피소드를 빌려 형상화한 까닭에 이 시의 주제는 관념적이거나 알레고리칼하지 않고 오히려 한 차원 높이 신화적 상상력의 세계에까지 진입할 수 있었다. 가령 인간의 삶을 죽음과 재생의 의미로 해석코자 함에 있어 이를 함축한 이미지가 '바다'이며 그것을 보다 보편적 공감영역으로 확대시킨 것이 인당수에서 심청의 죽음과 연꽃으로서의 그녀의 환생이라는 신화적 상상력이다.

마지막으로 <노래의 임자>와 <어머님 전상서>는 외적 소재가 단편적으로 차용된 예들이다.

아, 쫓아내고 노래하고
쫓아내고는 딴 임자가 와 노래하고—

내 마음 햇볕 찬란한 가지 끝
요새는
그 동안의 딴 노래의 임자들을 쫓아내고
명창 임방울의 「쑥대머리」가 한 자리 자리차지하였다.

<노래의 임자>

여기서 외적 소재는 전설적인 판소리 명창 '임방울'이라는 인물이다. 그럼에도 불구하고 이 시의 경우 그것은 단편적인 이미지의 활용으로 그치고 구조적인 의미나 주제의식으로 기능하지는 않는다. 따라서 이 시의 경우 시인이 그 소재를 설령 임방울 대신 다른 판소리 가창자로 한다 하더라도 그 시적 의미가 크게 달라질 것은 없다. 그가 이 부분에서 말하고자 하는 바 '인생유전'을 비유할 수 있는 외적 소재라면 어떤 것이든 상관 없기 때문이다. 그 중 하나가 우연히도 임방울의 '쑥대머리'였을 뿐이다.

3

박재삼의 시세계를 한마디로 요약하라고 한다면 나는 그것을—그 자신 시에서 즐겨 쓴 바 있는—'아득함'이라는 단어로 설명할 수 있으리라 생각한다. 다 아는 것처럼 그의 대표적인 자선 시집은 『아득하면 되리라』인데 이 제명은 그의 시세계와 결코 무관치 않다. 한두 권의 창작 시집의 제목이 아니라 이 모두를 아우른 전체 시의 제목인 까닭에 더욱 그렇다.

박재삼은 그의 시에서 '아득하다'라는 시어를 유독 많이 쓴다. 쉽게 눈에 띄는 작품만을 골라보더라도 <무봉천지>, <천지 무획>, <봄

이 오는 길>, <아득하면 되리라>, <사람이 사는 길 밑에>, <개구장이 구름>, <추억에서 13>, <갈대 밭에서>, <아름다운 천지>, <사랑의 노래>, <바람에 대하여>, <단풍이 주는 안복(眼福)>, <가을 하늘>, <대치>, <한 작정>, <무제>(시집 『해와 달의 궤적』 수록), <눈 속에 맞는 봄>, <무제>(시집 『찬란한 미지수』 수록), <이 겨울 비 속에>, <봄 스케치> 등을 들 수 있다. 그러면서도 우리의 관심을 끄는 것은 이 단어가 그의 초기시에서부터 후기시에 이르기까지 다양하게 분포되어 있다는 점이다.

박재삼의 시에서 항상 문제가 되는 것은 인간의 세계와 이를 초월해 있는 어떤 절대의 세계와 사이에 놓여 있는 거리이다. 시인은 이 무한의 거리를 '아득함'이라는 말로 표현하고 있는데 그러므로 박재삼의 시에 있어서 아득함의 정서 혹은 여기서 비롯되는 슬픔은 무한한 것에 관련된 정서 혹은 무한한 것에서 기인되는 슬픔이라 할 수 있다. 그렇다면 이 '아득함'의 거리 또는 '무한한 거리'란 무엇일까. 그것은 자(수학)로 잴 수 없는, 더 구체적으로 일상의 삶에서는 가늠할 수 없는 존재의 형이상학적 거리를 가리킨다.

인간이란 홀로 살 수 없고 타인이든 세계든 항상 더불어 어떤 관계를 맺으며 산다. 이는 다른 말로—가까운 것이든 먼 것이든—그들 사이에 어떤 거리를 전제하며 산다는 뜻이 될 수 있다. 관계란 쌍방을 맺어주는 '끈'이며 '끈'은 그 자체가 이미 '거리'를 전제하고 있기 때문이다. 그런데 그에 의하면 인간을 포함해서 우리가 사는 세계는 자로 잴 수 있는 세계와 자로 잴 수 없는 세계가 있다. 아마도 전자는 수학 혹은 물질적 질서로 대변되는 공리적 삶을, 후자는 인간의 논리를 초월한 존재의 본원적 삶을 상징하는 것일지도 모른다.

가령 상행위에 있어서 매수자와 매도자 사이에 놓여 있는 거리는 화폐의 단위로 환산될 수 있는 거리이다. 우리는 일상 생활에서 이렇듯 항상 타인에 대해 혹은 다른 사물들에 대해 이해관계 혹은 손익관계를 '계산'하며 산다. 그러나 가령 내가 누구를 사랑한다고 할 때의 나와 그 사이에 놓이는 거리는 과연 자로 잴 수 있을 것인가. 이 두 가지 중에서 박재삼은 바로 이 후자의 거리를 '아득함'이라는 단어로 표현했던 것이 아닌가 한다. 따라서 이 '아득함의 거리'는 인간의 논리를 벗어난 거리 즉 무한의 거리라 할 수 있다. 그에 의하면 사람과 사람 사이의 사랑하는 일 그것은 인간의 삶에 있어서 아득함의 거리를 가장 단적으로 내포한 행위이다.

해와 달 별까지의
거리 말인가
어쩌겠나 그냥 그 아득하면 되리라.

사랑하는 사람과
나의 거리도
자로 재지 못할 바엔
이 또한 아득하면 되리라. <아득하면 되리라>

인용시에서 시인은 자신과 해와 달 혹은 별까지의 거리를 아득하다고 말한다. 아니 보다 정확히 표현하자면 '만일 아득하기만 한다면' 그것은 해와 달의 거리가 될 수 있다고 말한다. 이와 같은 역설적 언명 속에는 사실 그 자체보다 어떤 희원 혹은 소망의 뜻이 내면화되어 있다. 그것은 이렇게 설명된다. 이 시의 '해'와 '달'은 시인이 도달하고자 하는 어떤 절대의 세계 혹은 완전한 세계를 상징한다. 그런데 '아득함'은 앞서 지적한 것처럼 '논리로 잴 수 없는 거리'를 뜻하는 말이다. 따라서 자신과 해와 달 사이의 거리가 아득해지기를 바란다는 것은 결국 인간과 인간의 관계가 물신적 가치추구나 과학적 합리주의를 지양해 존재론적 삶의 평안이나 화해로운 공영체의 세계를 추구한다는 뜻이 된다. 자연이 아니고 인간의 일일 경우 그것을 대표하는 행위는 물론 사랑일 것이므로 시인이 그 다음 연에서 '사랑하는 사람과/ 나의 거리도/ ……아득하면 되리라'라고 술회하였던 것은 당연하다.

그에게 삶의 완전성에 도달하는 길은 무엇보다도 세계와 자아 사이에 '아득함의 거리'를 놓는 일이다. 그러나 시인은 이 아득함의 거리가 가장 완전하게 실현된 공간은 실제에 있어 인간이 아닌 자연의 세계에 있다고 생각한다. 자연만이 진정한 의미에서 완전한 실체를 구현하고 있는 까닭이다.

> 오, 아름다운 것에 끝내
> 노래한다는 이 망망함이여,
> 그 잴 수 없는 거리야말로
> 그대와 나 사이의 그것만이 아닌
> 바다의 치수에 분명하고
> 세상 이치의 치수 그것이었던가. <고향 바다치 수(數)>

여기서 바다는 자연의 환유이다. 그 일부인 바다를 통해 전체인 자연을 비유했기 때문이다. 이에 대해서 '그대'는 물론 사랑하는 사람을 지칭하는 대명사. 그러므로 '그 잴 수 없는 거리' 즉 '아득함의 거리'가 '그대와 나 사이의 거리'이자 '바다의 치수'라고 하는 것은 달리 말해 완전한 실체 또는 완전한 세계의 구현이—앞서 살핀 바처럼 인간의 일에 있어서는 '사랑'이지만—본질적으로 '자연(바다치수)'에 있다는 사실을 지적한 것이라 할 수 있다. 그런 까닭에 시인에게 있어 그 잴 수 없는 거리 즉 '아득함의 거리'는 완전한 세계에 이르는 깨달음 즉 '세상 이치의 치수'가 될 수 있는 것이다.

물론 앞서 살핀 바처럼 박재삼은 그 아득함의 거리를 인간의 사랑을 통해서 도달하려고 노력한 바 있다. 그러나 그는 곧 이의 한계성을 자각하면서 이렇게 고백한다.

아, 아무리
내 사랑이 깨끗하고 때를 안 탄다고 해도
햇빛과 바람이 짜올리는
교향곡을 따를 수 없구나. <재보(財寶)를 팽개치고>

여기서 '햇빛과 바람이 짜올리는/ 교향곡'이란 자연을 지칭하는 것이 분명할 터이니 결국 시인이 발견한 완전한 삶의 실체가 인간의 사랑보다 자연에 있다는 것은 시인 스스로가 고백한 셈이다. 그렇다면 박재삼에게 있어서 자연이란 무엇인가. 그의 자연은 물론 서정적 대상으로 존재하는 자연이다. 그러나 그것은 단지 서정의 객관적 상관물로 존재하는 것만은 아니다. 그 보다 훨씬 심원한 의미를 지닌 즉 어떤 영원하고 완전한 세계의 실체이다. 이렇듯 박재삼은 자연을 통해서 삶의 완전성 혹은 세계의 어떤 절대성을 발견하고 있다. 시인은 이렇게 노래한다.

나뭇잎은 햇빛에 싱싱하게 윤이 나고
그와 비슷한 초수(寸數)로
물결은 더욱 빛나는 무늬를 끊임없이 빚고
또한 바람은 연방 그리운 것 위에
볼 줄밖에 모르는 이것들,

천(千)날 만(萬)날 한결같은
오, 이것들을 보아라,
물방울처럼 스러졌다가 이어져
마음은 움직이는 것을 통하여
사랑의 연습만을 부지런히 하고
그것을 영원토록
지치지 않고 하겠다는
그것 말고 나는 볼 수가 없구나.
참으로 환장할 일은 이것이로구나. <그리움>

그가 자연 속에서 본 것은 '천날 만날 한결같은/사랑'이며 그것의 영원성('그것을 영원토록/지치지 않고 하겠다는……')이었다. 그는 인간의 사랑으로서는 불가능했던 영원성을 자연 속에서 발견했던 것이다. 자연이 벌리는 이 영원한 사랑의 행위는 시에서 '나뭇잎은 햇빛 속에서 싱싱하게 윤이 나고/그와 비슷한 촌수로/물결은 더욱 빛나는 무늬를 끊임없이 빚고/또한 바람은 연방 그리운 것 위에/볼 줄밖에 모르는 이것들'이라는 말로 묘사되는데 이는 그의 초기 대표작인 <울음이 타는 가을 강>에서 인간의 사랑이란 유한한 것이고 따라서 슬픈 것('친구의 서러운 사랑 이야기를/가을 햇볕으로나 동무 삼아 따라가면/어느새 등성이에 이르러 눈물나고나')이라고 술회한 것과 잘 대조된다. 그럼에도 불구하고 자연이 지닌 그 지고지순하면서도 절대한 높이 즉 세계의 완전성은 쉽게 도달될 수 있는 거리에 있지는 않다. 시인은 그것을 이렇게 하소연한다.

새처럼 하늘을 마음대로
날 수 있다고 하더라도

어찌할꼬
저 초롱초롱한 별까지는
너무 아득해 갈 수가 없네 <곡조>

이에 이르러 우리는 박재삼의 시에 어리는 슬픔의 정서 달리 말해 눈물의 의미를 이해할 수 있다. 그의 슬픔은 이 절대의 세계에 도달할 수 없는 인간적 한계성에서 왔기 때문이다. 시인은 이를 별을 우러르는 이 지상의 마음으로 형상화시킨다.

소슬한 하늘의 별을
우러르게 된 것이
눈물겨웁고 슬프니
이를테면 딴 고장에 가서
실컷 떨어내고 말 것인가. <이 망하기 직전인 듯한>

여기서 별은 자연의 환유이다. 따라서 별에 대한 '우러름'은 곧 자연에 대한 '우러름'이라고 말할 수도 있다. 그럼에도 불구하고 이 지상의 유한한 인간은 자연의 저 무한한 거리에 도달할 수 없어 끝내 슬픈 존재일 수밖에 없다. 그에겐 이 무한에 도달할 수 없는 한계성과 슬픔의 정서가 그리움을 배태시키고 그 그리움의 언어적 표현이 바로 시였던 셈이다. 따라서 시인이 이렇게 노래한 것은 결코 우연이 아니었다.

정수리에 내리붓는
뜨거운 햇빛과
푸른 이파리

이것의 상관관계를 보기는 본다마는
그러나 늘 가물가물한 가운데
아득하기만 하구나.
이 미해결 때문에
나는 아직 시를 못 버리는구나. <무제>

사랑과 자연과 눈물이라는 이 삼위일체가 박재삼의 시세계를 이루는 이유가 여기에 있다.

4

박재삼은 천성적으로 서정시인이다. 그의 시에는 한국인의 내면에 깔린 한(恨)과 같은 정서가 은연중에 비치고 있기도 하다. 그러나 그는 그것을 통속적으로 혹은 육감적으로 표출하지 않고 순수하고 투명하게 승화시키는데 성공한다. 그것은 시인이 이 한의 정서를 인간의 차원에서 번뇌하지 않고 자연의 차원으로 끌어올린 데서 가능했다. 박재삼이 지닌 서정의 특성은 아마도 여기에 있을 것이다.

인생에 대한 따뜻한 성찰
—시집 『대낮의 등불』를 통해서 본 김광림(金光林)론

1

귀국해서 며칠 되지 않은 어느 날, 출판사 고려원으로부터 한 통의 전화가 걸려왔다. 김광림 선생의 시집을 간행할 예정인데 해설을 써 줄 수 없느냐는 것이다. 그 동안 직장과 생활의 여러 밀린 일들이 겹쳐 있었던 탓이기도 했지만 내심 이제 지천명도 중반에 든 작금부터는 남의 시집 해설이나 월평 같은 것은 쓰지 않기로 결심했던 까닭에 나는 처음 정중히 고사했다. 그러나 다음 이어지는 말들이 '이번 한 번'만이라는 자기 변명과 함께 거절할 수 없도록 만들었다. 즉 올해 대학의 정년을 맞아 퇴임하신 선생이 기념으로 시집을 내게 되었는데 특별히 내게 해설을 부탁해 오셨다는 것이다. 그리하여 경황없이 이를 승낙한 나는 그 후 귀국 후유증으로 쉽사리 글을 쓰지 못하다가 이처럼 그 약속 기일을 넘기게 되었다.

사적(私的)인 관계를 가진 적은 없으나 그래도 내가 김광림 선생과 인연을 맺게 된 것은 어언 30여년을 거슬러 올라간다. 그 무렵—내가 추천을 받은 것이 65년 봄이니까 아마도 64년 가을쯤—대학 4학년생이었던 나는 ≪현대문학≫지의 추천을 받기 위하여—지금은 돌아가신—원효로의 박목월 선생 댁을 가끔 찾곤 하였다. 그러던 어느 날이었다. 목월 선생 댁에서 선생과 대좌하고 있는 신사 한 분을 만나 뵙게 되었다. 단정하면서도 날카로운 인상을 주는 분이었다. 여느 때와 마찬가지로 나는 그간에 쓴 시 원고들을 가져와 목월 선생께 드렸는데 선생은 옆에 누가 있는 것도 아랑곳하시지 않고 한참이나 말 없이 읽어내리시다가 그것을 불쑥 곁의 손님에게 보여주며 논평을 구하시는 것이었다. 그 분이 바로 김광림 선생이었다. 김광림 선생이 그때 무엇이라고 말했는지 지금 기억에 없으나 목월 선생은 내게 한마디로 '그만 되었다' 하시더니 지금은 작고하신 박남수 선생께 이 원고들을 다시 한 번 뵈어드리고 오라고 하셨다. 그렇게 해서 ≪현대문학≫지에 추천을 받은 나의 작품이 <새벽>이었다.

이러한 계기로 교분을 맺게 되었다면 김광림 선생은 비록 내게 있어 '특별한 관계'에 있었던 것은 아니라 하더라도 '특별한 인연'은 가진 분이라고 말할 수는 있을 것이다. 그후 오늘에 이르기까지 가끔—주로 시인협회의 행사를 통해서 뵙고 또 좋은 만남을 유지해 왔으니 이 또한 인생 아름다운 일이라 하지 않을 수 없다. 그런 선생이 이순을 맞았다는 소식을 들은 것이 엊그제 같은데 벌써 정년이 되었다고 한다. 내가 용두의 사미로 이 졸문을 초해 부치는 것은 이와 같은 인연의 특별한 감회가 있는 까닭이다.

2

내가 문학 수업 시절, 초기의 김광림의 시에서 신선한 자극을 받고 또 그의 시를 좋아했던 것은 그의 간결하면서도 참신한 이미지의 언어였다고 기억된다. 그는 가능한 언어를 절제하면서 그것을 감각적으로 조탁하는데 특별한 재능을 지니고 있었다. 사물에 대한 태도 역시 즉물적이고 인식론적이었다. 그리하여 그의 시는 자신의 주관을 표출하거나 메시지를 전달하기에 앞서 대상 혹은 사물의 의미를 순간적으로 포착, 그것을 이미지의 언어로 해석해내는데 일가를 이루었다. 말하자면 이미지스트(imagist)의 시에 가까웠던 것이다.

건반 위를 달리는 손가락

울리는 상아해안의 해소(海嘯)

때로는 꽃밭에 든 향내나는 말굽이다가

알프스 산정의 눈사태

※

안개 낀 발코니에서
유리컵을 부딪는
포말이다가

진폭의 소용돌이를 빠져나오는

나긋한 휘나레
그 화음 <음악>

인용시는 그와 같은 특징들을 잘 들어낸 초기의 대표작들 가운데 하나이다. 비록 시적 대상이 시각적인 것이 아니고 청각적인 사물 즉 '음악의 멜러디'이긴 하지만 김광림은 이 시에서 사물의 의미를 순간적으로 포착하여 그것을 시각적인 언어로 해석해 내는데 성공하고 있다. 이러한 시작 태도는 물론 사물의 즉물적 상태와 그것의 존재론적 상황을 인식하고 묘사해 내는 것이 무엇보다 중요하다. 그리하여 김광림의 초기시는—비록 상상력에 의하여 데포르마숑되었다 하더라도—기본적으로 사물과 그 사물이 놓인 상황의 감각적인 묘사가 핵심을 이루고 있었다.

그러나 요즈음 그의 시는 초기의 시적 세계로부터 크게 변화한 것 같다. 그 중에서도 쉽게 지적될 수 있는 것이 서사성(敍事性)이다.

건망증은 흔히 몸에 지닌 걸
흘리고 다닌다.
한참만에 이리저리 허둥대며
찾아나선다.
그 과정이 하도 어눌하고 멍청하여
차라리 웃음을 자아내기도
끝내는
지금까지의 행적을 샅샅이 뒤지다 보니
— 저의 업소는 요
    손님 물건 꼭 챙겼다
    내드려요

상냥한 아가씨의 응대에
그만 넋이 나가
허튼 수작 한 마디 곁들이길

— 그럼 '나'를 놓고 가도
챙겨 주실래요

— ? <유실물>

임의적으로 한편을 인용해 본 것이지만 이 시집에 수록된 거의 모든 시들은 매 편 나름대로의 이야기를 담고 있다. 대개 그가 일상 생활에서 실제 체험한 것들이다. 손자에 관한 이야기, 이사하면서 느낀 단상, 친구의 병 문안을 다녀온 소감, 여행담, 일상의 에피소드, 은행에서 겪은 일화, 술집에서 당한 일, 시정한담 등이다. 물론 이와 같은 생활의 소재들은 문학의 양식상 어쩌면 짤막한 꽁트나 수필과 같은 형식에 담는 것이 더 적절할지도 모른다.

그럼에도 불구하고 그가 이를 서정시형에 성공적으로 담았다는 것은 시인으로서의 남다른 그의 재능에서 비롯하는 것이지만 사실로 말하자면 교과서적인 시창작으로부터는 다소 일탈된 태도인 것도 사실이다. 시 즉 서정단시(좁은 의미의 lyric)는 사물이 지닌 존재론적 의미나 주관의 어떤 깨달음을 순간적으로 포착하여 은유, 이미지 등으로 형상화시키는데 그 본질이 있기 때문이다.

문학이 시, 소설, 드라마로 분류되는 것처럼 그 한 양식이라 할 시 역시—그 하위 장르적 특성상—시적인 시, 소설적인 시, 드라마적인 시, 수필적인 시로 분류될 수 있다. 그렇다면 김광림의 경우는 어떠할까. 이 시집에 수록된 시들에 한정해서 말한다면 한 마디로 그것은 초기의 '시적인 시'의 틀을 벗어나 '수필적인 시'의 한 영역을 구축한 것이라고 할 수 있을 것이다. 시의 훌륭하고 훌륭하지 않음은 시에 담겨져 있는 세계관과 그것을 이루어 내는 형상력이 결정짓는다고 믿는 까닭에 물론 나의 이와 같은 지적은 어떤 특정한 시형의 장르적 우월성을 강조하기 위함에 있는 것이 아니다. 다만 나는 그의 초기시와는 다른 이 시집 수록 시들의 장르적인 특성을 이야기 하고 싶을 뿐이다.

인용시는 실제 생활의 한 에피소드가 소재로 차용된 작품이다. 시인은 노년들어 자주 경험하는 '건망증'에 대해 이야기하고 있다. 찻집에서 막 나온 화자는 문득 그 집에 자신의 물건을 두고 나왔다는 착각에 사로잡힌다. 그리하여 그는 그 집에 다시 들러 물건을 찾아 달라고 부탁하지만 그런 일이 없다는 '여종업원'의 말만을 듣고 할일 없이 쫓겨난다. 그러나 한 참 후 차분히 돌이켜 보니 기실 그 물건은 자신이 외출할 때 집에 두고 나왔더라는 것이다.

대부분 이와 같은 식의 이야기를 담고 있는 이 시집의 시들은 그러한 까닭에 그의 초기시들과는 그 시작 태도나, 담겨지는 내용이나, 기법상에서 아주 상이한 특성을 드러내고 있다. 우선 초기의 즉물적이고 인식론적이던 시작태도가 주관 표출적이고 메시지 전달적인 태도로 변하였다. 초기의 압축되고 감각적인 언어는 풀어져 사변적이 되었다. 시의 소재 역시 예전엔 사물이나 자연에 관한 것이었으나 지금은 인생이나 생활에 관한 것이 되었다. 종래 사물 그 자체의 의미를 탐구하던 것과는 달리 이제는 시인 자신의 인생관을 피력하게 되었다.

이와 같은 시작태도의 변모는 시인의 연륜과 무관할 수 없으리라 생각한다. 이순(耳順)을 넘어 종심소욕(從心所欲)을 바라보는—그것도 한낱 범부가 아니라 인생과 세계를 통찰하는 시인일진대—한 인간에게 있어서 언어가 어찌 단순히 감각적, 미학적인 차원에서만 머무를 수 있겠는가. 어느덧 그 역시 삶에 대한 달관의 경지에 이르렀으며 나름대로 인생에 대한 성찰과 깨달음도 얻었을 것이다. 따라서 그가 그것을 시로 이야기하고자 할 때 초기의 완결된 시의 틀로는 어떤 한계를 느꼈을 것임은 분명하다. 왜냐하면 그가 초기에 지향하던 이미지즘적인 시형은 철학보다는 미학을 지향하는, 이른 바 닫힌 시형이었던 까닭이다.

그럼에도 불구하고 김광림이 이 시집에서 보여주는 이 같은 제 시의 특성들이 기본적으로 산문화를 지향한다는 것만큼은 부정할 수 없다. 그의 초기시에 비하여 언어는 사변적이며 감각성은 사라지고 동시에 정서적 긴장도 풀어져 있다는 것 등이다. 그런 까닭에 시인은 이를 극복하기 위해 몇 가지 특별한 방법을 즐겨 구사한다. 반전(reverse), 아이러니, 풍자와 같은 것들이다. 가령 인용시 <유실물>에서도 앞서 필자가 해석한 부분—시인이 머슥해져서 찻집을 나오는—까지는 아직 시적 차원에 이르지 못했다. 그러던 것이 말미의 다음과 같은 진술의 반전에 의해 이는 단번에 초극되어 버린다. 뱀이 날개를 단 형국이라고나 할까.

—그럼 '나'를 놓고 가도
챙겨주실래요

…………?

"손님들이 놓고 간 물건들은 꼭 챙겼다가 돌려드린다"는 업소 종업원의 말을 듣고 찻집을 나오며 시인이 종업원에게 던진 유모어이다. 그러나 이는 단지 유모어의 수준에 머물러 있는 것만은 아니다. 인생에 대한 시인의 존재론적 통찰이 날카롭게 번뜩이고 있다. 생에 대한 허무주의와 세속적 삶을 초월코자 하는 달관이 암시적으로 표현되어 있는 까닭이다.

<환상통(幻想痛)> 같은 경우도 그렇다. 시의 전체 내용은 손가락

의 통증을 묘사하는 것으로 되어 있다. 독자들 역시 이 평범한, 사실적인 이야기들을 처음엔 마치 수필을 대하듯 읽을 것이며 여기까지는 물론 산문적인 영역에 속한다. 그러나 이를 반전시킨 것이 말미의 다음과 같은 시행이다. 즉 '어렵쇼/ 없는 것이/ 있는 것마냥 아픈 것이/ 더 기막힌 아픔이라'. 사실 이 시의 화자는 없는 손가락의 아픔을 느끼고 있었던 것이다. 옛날에 어떤 사고로 자신의 손가락이 이미 잘려 없어진 까닭이다. 이와 같은 시적 반전을 통해서 시인은 존재의 덧없음과 삶의 아이러니를 여실히 고발하고 있다.

한편 <패면 영그는 은행>, <개구멍>, <시인>, <확대경> 등은 풍자의 기법을 효과적으로 원용한 작품들이다. <패면 영그는 은행>에서는 열매 맺지 못하는 은행나무는 몽둥이로 기둥을 패야 풍작을 거둘 수 있다는 속설을 통해, <개구멍>에서는 개는 개구멍을 막아도 항상 다른 구멍을 만들어 울타리를 넘나든다는 동물적 생리를 통해 사회의 부조리나 부정을 고발한 작품들이며, <시인>은 시인이 사라진 사회의 태평성대를, <확대경>은—특별하게 그것이 은행에서 일어난 사건이라는 점에서—물신적 가치관이 팽배한 세속적 삶을 역설적으로 폭로한 작품들이라 할 수 있다.

이와는 조금 다르지만 <모험을 하지 않더라도>, <나사와의 결혼> 등은 소위 극적인 아이러니의 기법으로 존재의 무의미성을 이야기한 작품들이다. <나사와의 결혼>에서 시인은 길을 걷다가 동행하던 성찬경 시인이 문득 허리를 굽혀 길거리에 떨어져 있는 나사 한 개를 줍는 것을 목도하게 된다(성찬경 시인이 하나의 수집벽으로 나사를 모으는 습관을 가지고 있으며 또 나사에 관한 연작시들을 발표해서 문단의 주목을 받았다는 것은 널리 알려진 사실이다. 필자 주). 그 순간 그는 암나사와 숫나사의 결합이 두 몸이 하나가 되는 행위 즉 결혼을 상징한다는 생각에 미쳐 실소를 금치 못한다. 지금 그들은 바로 친지의 결혼식장에 가고 있는 중이었기 때문이다. 이는 마치 사르트르의 소설 <벽>의 주인공 파블로가 우연에 의해서 체포된 자신의 동료 게릴라들을 보고 웃는 웃음 즉 존재의 아이러니와 크게 다를 바 없다.

그 외에도 하와이의 진주만을 여행하면서 넥타이핀의 진주를 잃어버린 에피소드에 대하여 쓴 <잃어버린 진주>, 지축행 지하철을 타고 가면서 지구의 지축(地軸)과 관련해 죽음을 명상한 <지축행>, 시인 소동파(蘇東坡)와 겨울 수도의 동파(凍破)를 대비시켜 언어와 존재의 미로를 파헤친 <말장난> 등은 단어의 패러디를 통해 독특하게 시적 형상화를 이룬 작품들이라고 말할 수 있다.

3

나는 앞장에서 이 시집에 수록된 김광림의 시들이 그의 초기시와 달리 일종의 수필적인 시형으로 쓰여진 것임을 지적한 바 있다. 그러므로 이 시들에 시인의 일상 생활이 진솔하게 반영되어 있다는 것은 이상스러운 일이 아닐 것이다. 예컨대 우리는 이 시집의 시를 읽는 동안 한 인간으로서 김광림이 어떤 사람인가를 대충 짐작하게 된다.

예컨대 그가 월남해서(<이사>) 한국 전쟁에 참여했고(<오미자>, <휴전>), 대학의 교수로 정년을 맞은(<아직 몰라>) 반백의 신사(<주책>, <반노인>, <반노인의 끝>)라는 것, 이미 며느리를 보아 귀여운 손자를 거느리고 있으며(<퇴물>, <동심> 1, 2, <파랑새>, <딸꾹질>), 아들 가운데 한 분은 아마도 조각가이리라(<작품>)는 것, 집은 서울에서 벗어나 서북쪽의 교외에 있는데 교통수단은 주로 지하철을 이용하고(<지축행>) 한가한 전원생활을 즐기고 있다(<셈>, <완행>)는 것, 시 이외의 다른 예술 분야에 대해서도 특별한 감수성을 지녔을 뿐만 아니라 특히 미술에 관심을 가졌다(<인사동에서>, <부동의 일렁임>)는 것, 나이와 걸맞지 않는 백발의 모습에 동안이며(<별명> 1, 2, <할아버지>) 유독 원시(遠視)가 심하다(<확대경>)는 것, 기독교인(<말>, <파랑새>)이라는 것, 여행을 좋아하고 특히 일본의 시인들과 교분이 두텁다(<부끄러운 손>, <잃어버린 진주> 등과 제 5부의 일본에 관한 많은 여행시들)는 것, 가까운 시인들로는 박남수, 정한모, 전봉건, 석용원, 이형기, 성찬경 등(<박남수>, <웃긴 청문회>, <운명직전>, <재활원에서>, <나사와 결혼>)이 있다는 것 등은 시를 통해 쉽게 드러나는 그의 편모들이다. 아마 이처럼 시가 시인을 직접적으로 묘사해 보여줄 수 있음은 수필적인 시형이 아니고서는 불가능할 것이다.

그러나 김광림이 생활을 소재로 해서 자전적인 이야기들을 시로 쓴 것은 단지 자신의 삶을 기록하기 위해서만은 아니다. 생활을 소재로 한 시들이 그만큼 독자들에게 친근감을 유발시킨다는 이유만도 아니다. 그 모든 것에 앞서 일종의 생활철학의 탐구라 할 수 있다. 그는 예사롭고 사소한 생활의 편린들 속에서 인생과 사회에 대한 통찰을 드러낸다. 그 소재가 사말적이고 범상한 까닭에 독자들이 받는 감동 또한 보다 더 신선할 수 있으리라는 것도 두말 할 필요가 없다.

그가 이 시집에서 관심을 표명한 문제들은 존재론적인 것에서부터 사회적인 것에 걸쳐 다양하다. 이제 그 가운데서도 중요한 몇 가지를 열거해보기로 하겠다. 남북분단, 사회적 모순, 삶의 달관, 생명에의 외경 등이 그것이다.

> 토막 낸 산 낙지가 제각기 꿈틀댄다.
> 입술이며 혓바닥 입아귀 할 것 없이

마구 늘어붙어
한사코 하강을 거부한다.
깡소주를 들이켜
간신히 식도로 쳐 넣는다.

하오의 구미를 당기려
탄불로 연행된 왕새우가
온 몸으로 오므렸다 늘렸다
끝내는 지구 박으로 튀쳐 나가려 한다.
어거지로 짓누르고 있는
젓가락 끝에 와 닿는
전율 한자락

—모가지를 비트세요. <갯벌 주막에서>

생명의 외경에 대해 생각케 하는 작품이다.—만일 이 시의 내용이 단지 갯가 주막거리의 풍경을 묘사하는 것 이상으로 이해되지 않는 독자들이 있다면 이 시집의 다른 시 즉 생명의 부활을 예찬한 <소생>이나 생명의 소중함을 일깨운 <재활원에서>와 같은 작품을 참조해 읽어보기를 권한다. 어떻든 이 시가 단순한 주막 풍경의 뎃생이 아니라는 것은 이 시의 '주막'이 미메시스적인 의미로 현실적인 주막이 아니라 우리들의 삶 나아가 현실 사회의 알레고리라는 데서 설명이 가능하다. 즉 '갯벌의 주막'은 우리들이 삶을 영위하고 있는 사회 바로 그 자체이며 산 채로 취객의 입안에 삼켜지는 낙지나 왕새우 등속은 바로 우리들 자신이다. 이렇듯 시인은 우리들의 삶을—사회적인 것으로서나 존재론적인 것에서나—생명이 억압되고 압살된 것으로 인식한다. 따라서 이 시의 마지막 행에서 '모가지를 비틀어라'는 자조적 반항은 인간다운 삶, 생명이 외경되는 삶을 실현코자 하는 시인의 처절한 절규로 해석되어야 할 것이다.

지면 관계상 나는 그의 시의 다른 주제들에 대하여 언급할 여유가 없다. 그러나 남북분단에 관한 것이든, 사회적 모순에 관한 것이든 혹은 인생론적 통찰에 관한 것이든 이 시인의 내면에 관류하고 있는 사상은 본질적으로 인간에 대한 따뜻한 사랑, 생명에 대한 경외심이라고 생각한다.

삶의 안과 밖

— 시집 『죽지 않은 도시』를 통해 본 이형기(李炯基)론

1

이형기는 지금까지 모두 일곱 권의 시집들을 상재하였다. 그러나 그의 문학 생애라는 관점에서 보면 그 중에서도 1963년에 간행한 첫 시집 『적막강산』과 1975년에 간행한 세 번째 시집 『꿈꾸는 한발(旱魃)』 그리고 최근 즉 90년대에 들어 쓰여진 시들의 시집이라 할 이번의 『죽지 않은 도시』(1994)가 중요한 의미를 갖고 있지 않나 싶다. 그것은 이 세 시기가 그의 문학세계에 각기 전환을 가져왔다고 생각되기 때문이다.

특히 첫 시집 『적막강산』이 그렇지만 두 번째 시집 『돌베게의 시』까지의 그의 시는 대체로 자연을 소재로 한 순수 서정시였다. 그런데 세 번째 시집 『꿈꾸는 한발』에 오면서 그의 관심은 인생과 존재의 문제로 바뀐다. 그 자신 보들레르가 끼친 영향에 대해서 고백한 적도 있지만 이 때부터 그가 빠져들기 시작한 것은 생에 대한 근원적인 고뇌였다. 그의 이와 같은 존재 탐구는 우리가 가령 보들레르가 『파리의 우울』에서 보여 준 앙뉘나 릴케가 『말테의 수기』에서 보여 준 절망을 실존주의라 부를 때의 그 실존적 세계와 유사한 것이다. 그 이

후 이형기의 내면 세계는—비록 문학적으로 변용하고 심화하는 과정을 거쳤다 할지라도—근본적으로는 이로부터 크게 벗어나지 않았다는 것이 나의 생각이다.

이번 시집도 예외는 아니다. 그럼에도 불구하고 앞서 내가 이번의 시집이 그의 문학 생애에 있어서 또 다른 변화의 계기를 보여준다고 말했던 것은 이 시집의 거의 절반에 해당하는 작품들이 예전에는 없었던 문명비판 혹은 환경 고발을 내용으로 담고 있다는 점 때문이다. 그러므로 이 시집에는 경향이 다른 두유형의 시들이 수록되어 있다. 시인 자신이 서문에서 밝힌 바 있듯이 하나는 1, 2부에 수록된 문명비판시들이며 다른 하나는 3, 4부에 수록된 존재탐구의 시들이다. 물론 이 중 전자는 분명 새로운 변화이며 후자는 이전 시 세계의 계승이라 할 것이다.

2

앞서 지적한 바와 같이 이 시집의 1, 2부에 수록된 시들은 문명비판을 염두에 두면서 쓰여진 생태환경시들이다. 시인 자신의 말을 빌면 '종말론적 상상력에 입각한 문명비판의 시'이다. 그런데 문명비판에는 두 가지 측면이 내포될 수 있다. 하나는 환경과 생태가 문명에 의해서 파괴되는 현상에 대한 비판이며 다른 하나는 인간의 사회성 혹은 도덕성이 파괴되고 있는 현상에 대한 비판이다. 다 아는 바와 같이 인간은 본질적으로 '사회적 존재'인 까닭에 이 후자는 전자 이상으로 우리의 심각한 관심사임이 물론이다. 그러나 이 시집의 문명비판시는 주로 전자를 지향하고 있다. 이는 다시 환경오염에 대한 비판의 시와 생태 파괴에 대한 비판의 시로 나뉘어진다.

오늘 이 과수원에도
만발한 사과꽃들 토플리스로 치장하고 나서서
소싯적 그 때처럼 흘려대는 그 소리 기다리고 있건만
벌 한마리 날아오지 않는다.
아, 활짝 열어만 놓고
아무것도 받아들일 게 없는 그녀들의 자궁
무참한 부끄러움
꽃들이 모두 석녀(石女)가 되어버린 마을 <석녀들의 마을>

앞서 지적했듯 이형기의 문명비판 시에는 환경오염에 보다 주목한 것과 생태파괴에 보다 주목한 것의 양자로 구분된다. 지면 관계상 나는 후자의 예를 부분 인용해 보았으나 실제에 있어 환경오염과 생태파괴가 별개가 아니라는 것은 두말할 필요가 없다. 양자는 표리의 관계 혹은 인과 관계에 있어 물질 문명에 의해 환경이 오염되면 결과적으로 생태계 역시 파괴되고 생태계가 파괴되면 환경오염 또한 심화되기 때문이다. 그러므로 생태계의 파괴를 고발한 인용시가 이에 앞서 환경오염의 문제를 제기하는 것은 당연하다고 할 수 있다.

이 시에서 시인이 한탄하고 있는 것은 자신을 길러 주었던 고향마을이 이제는 '석녀의 마을'로 변해 버렸다는 사실이다. 시인의 유년시절의 추억 속에 남아 있는 그 마을은 '웅웅대는 벌들의 날개짓 소리에' '몸이 후끈 단 과수원의 꽃들이' '자궁을 활짝 열어' '꽃가루받이의 황홀한 집단 오르가즘'에 빠져도 부끄러움을 모르던 곳이었지만 지금의 그 마을은 살충제 즉 유독물질의 살포에 의한 학살로 벌 한 마리 날아들지 않는 공간이 되어 버렸기 때문이다. 그것은 마치 웨스턴(J. L. Wesston)의 『로맨스에서 의식(儀式)으로』에 등장하는 <성배(聖杯) 전설>의 황무지와 유사한 세계라 할 수 있다.

물론 벌들이 멸종되었다 하더라도 오늘의 인간들은 인공 수정받이를 통해 잠정적으로 과목에 과일을 열게 만들 수는 있다. 그러나 자연의 이치에 어긋나는 이 같은 일이 궁극적으로 인간 자신조차도 서서히 죽이는 결과를 가져오리라는 것은 너무나 자명하다. 당분간 물질의 도움에 의해서 생존을 영위할 수 있을지는 모르지만 벌이나 꽃이 살 수 없는 자연 환경이라면 인간 역시 그 생명을 오래 버틸 수 없을 것이기 때문이다. 그러한 관점에서 과목들이 수정받이를 못해 사과가 열릴 수 없음을 고발한 이 시의 내용은 직접적으로 생태파괴의 문제를 다루고 있지만 간접적으로는 그 원인이 된 환경오염의 문제를 제기한 것이라 할 수 있다.

그러나 이에 덧붙여 한 가지 주목할 것이 있다. 이 시의 '석녀가 된 과목'의 이야기가 단순히 시인의 고향 마을을 사실적으로 그린 에피소드만은 아니라는 사실이다. 그것은 하나의 상징적인 이야기이다. 이 시의 '고향 마을'이 '지구', '과목'이 인간, '지금'이 '현대'에 비유되기 때문이다. 그러므로 인용시는 결국 하나의 상징적 이야기를 통해 현대 물질 문명에서 야기된 지구의 환경오염과 생태파괴가 인간의 생존에 얼마나 위협이 되고 있는지를 고발한 작품이라 할 수 있다.

인간이란 또한 본질적으로 사회적 동물이자 도덕적 동물이다.—인간이 도덕성을 추구한다는 것이야 말로 바로 인간이 다른 동물과 구분되는 성격이다.—따라서 '사회적, 도덕적인 삶의 파괴'가 인간의 학살을 의미한다는 것은 당연하다.

① 우울증이나 심술이나
욱하고 치미는 파괴적 충동같은 것은
어딘가 장기가 고장난 증거
병원이 아니라 조립 공장으로 달려가서

문제의 장기를 갈아 끼우면 된다. <6백만불의 인간>

② 주민등록번호
온라인 번호
——
궁지가 필요 없는 익명의 기호
컴퓨터 소프트 웨어는
이름이 아니라 숫자라고 차갑게 말한다. <번호>

③ 강변에는 오늘도
죽은 물고기들이 하얗게 떠오르고 있다.
허지만 무슨 걱정인가
비오디 피피엠은 과학적 사실
물고기는 과학을 뒤집지 못한다. <비오디 피피엠>

④ 그것은 이 세상 마지막 가는 날
목구멍 깊숙이 호스를 디밀고
수도를 틀어대는 인간들의 잔혹성
배가 터지게 물 먹는 그 일이 남아 있다. <우리 시대의 소>

⑤ 꿈꾸면서 사랑을 나눈다는 관념은
그 양계장
양계장 같은 도시의 번영을 위협하는
불온 사상이다.
그리고 암탉들은 실제로
사랑하지 않았기에 더 많은 달걀을 낳는다. <병아리>

첫째, 인간의 기계화이다. 물질적 가치와 경제적 생산 그리고 기능주의가 최선으로 간주되는 현대의 산업사회에 있어서 인간은 하나의 기계 즉 물질적 가치를 생산해내는 도구에 불과하다. ①은 이처럼 기계화된 인간 즉 로보트가 되어버린 인간을 고발하고 있다.

일찍이 아도르노가 지적한 바와 같이 기계는 오로지 메카니즘 혹은 차거운 도구적 이성만을 지닐 뿐 인간적 이성이나 정서를 가지고 있지 못하다. 그리하여 그들은 '우울'이나 '사랑' 같은 인간의 본성조차 기계 작동의 이상에서 오는 현상이라 여겨 제거시키고자 한다. 그것은 마치 로보트가 고장 났을 때 그 부속을 갈아 끼우거나 아예 쓰레기로 폐기시켜 버리는 것과 같다. 이형기의 시에 많은 쓰레기의 이미지가 등장하는 것은 (「우체부 김씨」, 「폐차장에서」, 「우리 시대의 꿈」, 「메갈로 폴리스의 공장들」)은 이 때문이지만 인용시 역시 현대의 장기 이식의 문제를 등장시켜 이를 상징적으로 고발하고 있다.

둘째, 인간의 물화(物化) 현상이다. 현대의 산업 문명은 인간을 물건 즉 사물로 전락시킨다. 그는 하나의 자동차, 한 장의 지폐, 한 자루의 만년필, 한 덩이의 빵 이상이 아니다. 이 지상에 물건이 있는 것처럼 단순히 그저 그렇게 있을 따름이다. 따라서—한 철학자의 지적과 같이—언어(이름)란 존재의 주거이므로 존재하지 않는 것들 즉 단순한 사물로서만 있는 것들에겐 이름이 필요없다. 예컨대 자동차에는 번호판이 있으며, 지폐 역시 일련 번호가 매겨 있다. 시인은 현대인도 마찬가지라 생각한다. 그들에게 필요한 것은 '순이' 혹은 '막동이'와 같은 이름이 아니라 주민등록 번호나 신용카드 번호, 자동차 면허증 번호, 군번일 따름이다. ②는 바로 이와 같이 물화된 현대인의 삶을 고발한 작품이다.

셋째, 본질과 현상이 괴리된 삶이다. 기호학적 용어로 바꿔 말하자면 시니피에와 시니피앙이 일치하지 못하는 삶이라 할 수 있다. 그것은 허위 혹은 위선의 삶을 의미한다. 흔히 언어를 존재의 이름이라 할 때 언어가 불가능하다 혹은 실재(reality)가 불가능하다는 것도 이를 가리키는 말이라 할 수 있다. ③에서 강물의 비오디 수치(과학 즉 시니피앙)는 항상 정상 수준으로 보고되지만 우리의 실제 현실에서 물고기(존재 즉 시니피에)는 수없이 죽어간다. 시인은 현대 과학이 얼마나 인간의 존재론적 실재성으로부터 벗어나 있는가를 이 시를 통해 이처럼 통렬히 고발하고 있는 것이다.

넷째, 물신적(物神的) 가치관 혹은 배금주의 사상이다. 물질을 위해서라면 현대인들은 생명의 존엄성, 생에의 외경심마저 주저 없이 말살시켜 버린다. 그리하여 시인은 ④에서 이 생명 경시, 물신 숭배의 가치관을 '물을 잔뜩 먹인 소의 도살'이라는 일상적 사건을 통해 고발하고 있다.

다섯째, 사랑의 상실이다. 동물과 다른 인간의 본질이 도덕성의 추구에 있고 그 도덕성의 핵심에 사랑이 자리한다는 것은 두말할 필요가 없다. 모든 종교가 사랑의 실천을 가장 중요한 덕목으로 내세우는 이유도 여기에 있을 것이다. 그러나 지상의 가치를 물질의 생산과 소유에 두는 현대인에게 있어서 사랑은 더 이상 지켜야 할 덕목이 아니다. 물질 법칙이나 경제 기능주의에 저해되기 때문이다. 그리하여 현대인들은 그들의 삶의 영역에서 사랑을 추방하고자 한다. 예컨대 과목(果木)은 인공 수정에 의하여 과일을, 닭은 인공 교배로 알을 생산하는 한낱 경제적 도구에 불과하다. 인간 역시 마찬가지라 할 수 있다. 남녀의 결합은 사랑의 완성이라기보다 섹스의 쾌락 혹은 자손의 증식 행위에 다름 아닌 것이다. 그리하여 그들은 임신 중절, 인공 임신을 아무런 죄의식 없이 다반사로 행한다. ⑤의 시가 보여 주는 세계가 바로 그것이다.

이상 살펴본 바 현대 문명에서 야기된 환경오염과 생태파괴 그리고 사회적, 도덕적 삶의 붕괴가 필연적으로 인류의 종말을 가져오리라는 것은 분명하다. 생물이 살 수 없는 자연 환경 속에서 인간인들 살 수 없으며 동물적 생존이 가능하다고 한들 도덕적, 사회적 이상이 붕괴된 삶을 진정한 삶이라고 부를 수는 없기 때문이다. 그러므로 이형기가—— 오늘날 대부분의 모더니즘 혹은 포스트모더니즘의 이념이 그러하듯 다음과 같이 종말론적 세계관(eschatology)에 빠져드는 것을 이상하다고 말할 수는 없다.

> 함부로 버려진 그 날의 원한을
> 쓰레기는 잊은 적이 없다.
> 냉혹한 복수의 찬 피, 무표정
> 고도 문명 시대의 메갈로 폴리스에서 되살아난
> 보라 저 공룡등의 무리들!
> 자칭 호모 싸피엔스는 그 앞에서
> 벌거 벗고 떨고 있다. <메갈로 폴리스의 공룡들>

다 아는 바와 같이 빙하기는 당대 지구의 주인이라 할 공룡들을 사멸시키고 새로운 역사 즉 인류사를 탄생시켰다. 그러므로 시인이 인용시에서 인간을 대신해 다시 공룡들의 무리가 지구를 지배하는 시대가 돌아오리라고 언급한 것은 바로 인류 문명사의 종말에 대한 예언이라 할 수 있다. 시인은 물질 문명에 의해 황폐화된 지구가 머지 않아 새로운 쥬라기의 시대로 돌아갈 것을 예감하면서 그 자신 호모사피엔스의 하나로서 다가올 미래의 상황에 대해 공포감을 갖는다. 그러므로 우리가 여기서 시인의 아포칼립티즘(apocalyptism)을 발견했다고 하여 놀랄 필요는 없다.

그렇다면 어떻게 이 거대한 재난 즉 인류사의 종말을 회피할 수 있을까. 그에 대한 해답은 결국 자연의 이법 즉 순리를 따르는 길 외에는 없다.

> 그러나 결코 죽을 수 없는
> 차가운 디엔에이의 위력
> 스스로 개발한 첨단의 생명 공학이
> 죽음에의 길마저 차단해버린 문명의 막바지
> 시민들의 소망은 하나 밖에 없다.
> 아, 죽고 싶다. <죽지 않는 도시>

> 이 도시의 달걀은 썩지 않는다.
> 어미 닭의 뱃속에서 이미
> 항생제를 듬북 먹고 나온 힘센 콜레스테롤
>
> 아 하루만 잊혀져
> 저 혼자 고독하게 썩은 눈으로
> 썩지 않는 지상의 달걀을 내려다보고 있는
> 남극 상공의 오존층 달걀 <고독한 달걀>

인용된 두 편의 시는 모두 '죽음'과 '썩음'의 미덕에 관하여 언급한 작품들이다. 그러나 우리는 이 부정적인 의미를 지닌 단어들에 각각 '삶'과 '재생'이라는 긍정적인 의미 또한 함축되어 있음을 간과해서는 안 된다. 동양의 오래된 사유에서 보듯 죽음과 삶은 서로 별개가 아니라 한 실재의 양면에 해당하기 때문이다. 동양인의 세계관에서 죽음은 삶이 있음으로 있는 것이며 썩음은 재생이 있음으로 있는 것이다. 그러한 관점에서 살아 있는 자연 즉 자연의 이법이란 삶과 죽음 그리고 부패와 재생이 일정한 싸이클로 반복되는 순환의 질서 이외 다른 것이 아니다. 화자가 스스로 죽고 싶다 혹은 썩고 싶다고 노래한 인용시 역시 마찬가지이다. 그것은 인간의 삶을 물화 혹은 기계화시켜 그 생명성의 박탈과 함께 죽음조차도 빼앗아가 버린 현대 물질문명의 시대에 죽고 싶다는 절규는 곧 살고 싶다는 외침 바로 그것이기 때문이다. 윗시에서 그것은 생명공학과 현대의학(항생제)의 상징적 사례를 통해 제시되어 있다.

3

이 시집의 3, 4부에 실린 작품들은 그가 『꿈꾸는 한발』 이후 꾸준히 지향해 왔던 존재 탐구의 시들이다. 따라서 이들 시는 이전의 경향과 크게 다를 바 없다. 다만 그 깊이와 폭이 보다 심화 확대되었을 뿐이다. 이형기는 이들의 시에서 권태, 고독, 절망, 허무 등 존재의 근원적 속성들을 문제삼고 있다.

① 어느 날 그 하늘에서
항해하는 배의 갑판에 떨어진 알바트로스 한 마리
커다란 날개가 도리어 짐이 되어 뒤뚱거린다.
…………
심연으로 몸을 던진 당신은
절망을 확인하는 자멸의 불꽃
또는 권태의 하품을 내 뿜는다. <보들레르>

② 자동차들 과속으로 질주하는 큰길을 가로질러 산으로 가는 도시의

늙은 고양이, 그러나 그는 맥 없이 죽으러만 간 것이 아니다. …… 그 동안 나를 온순하게 길들여 놓았다고 생각하는 인간들이여, 헛된 꿈을 깨라. 최후의 순간에는 이처럼 말 한마디 없이 깨끗이 너희를 배반해 버린다. <배반>

③ 나는 여기서 이방인이란다.
메리 고 라운드
한 바퀴 돌고 나면
이번에는 떠나온 거기가 여기
…………
아무 것도 변한 것이 없지 않느냐.
죽기 살기로 쳇바퀴를 돌고 있다. <놀이터 풍경>

①은 보들레르에게 보내는 헌시이다. 여기서 보들레르는 항해 중인 선박의 갑판에 추락한 한 마리 알바트로스로 상징된다. 문제는―그 다음 연에서 직접 언급되고 있는 것이지만―이 알바트로스의 추락이 타자의 공격에 의해서가 아니라 그 자신의 선택에 의해서 일어났다는 사실이다. 시인은 그것을 자멸(自滅)로 규정하는데 알바트로스가 스스로 선택한 이 자멸은 기실 권태로 인해서 빚어진 사건이라는 것이 그의 상상세계가 보여준 나름의 결론이다.("당신은 권태의 하품을 내 뿜는다.")

권태(ennui)란 일상성의 한 본질적인 속성이다. 그런데 알바트로스의 일상성이란 곧 비상이므로 비상은 알바트로스가 지닌 권태의 한 양상이 된다고도 말할 수 있다. 따라서 알바트로스가 스스로 추락하는 일 즉 비상을 거부하는 일은 역설적으로 자멸을 선택하는 일인 동시에 권태로부터 벗어나는 일이 된다. 이렇듯 시인은 일상인의 존재론적 속성을 '권태'로 보아 그 일상성의 탈출을 권태의 폐기에서 찾고 있다. 권태에 빠져 숙명적으로 이를 안고 사느니보다 차라리 자멸하라고 권유하는 이유도 여기에 있다. 알바트로스의 추락은 권태로부터 벗어나는 한 방법이었던 셈이다.

일상인의 특성을 이처럼 권태에서 찾은 작품은 ②, ③의 경우에서도 마찬가지이다. ②에서 시인은 한 마리의 늙은 고양이의 실종사건을 예로 들어 이야기한다. 거의 전 생애에 가까운 기간, 주인을 충직히 따랐던 이 늙은 고양이는 어느 날 갑자기 어딘가로 사라져 버린다. 이를 두고 시인이 주목한 것은 고양이가 지닌 양면성 즉 '충직하게 주인을 따름'과 '말 없는 실종'이다. 그것은 이 양자가 시에서 각각 (주인에 의해) '길들여짐'과 '배반'이라는 의미로 해석되고 있기 때문이다. 그렇다면 길들여짐이란 무엇인가. 간단히 그것은 일상성에의 함몰이라 할 수 있다. 따라서 그의 '사라짐' 즉 실종은 길들여짐에의 배반이자 동시에 일상성 즉 권태로부터의 해방을 암시하는 사건이 된다.

③에서는 회전목마(메리 고 라운드)와 지구의 자전을 대비시켜 상징적으로 '같은 일' 달리 말해 일상사의 되풀이란 깨어 있는 자에게 있어 권태 이상이 될 수 없다는 사실을 언급하고 있다. 시인에게 있어 이 권태로부터 벗어나는 방법의 하나가 바로 이방인으로서의 실존이다. '추락한 알바트로스'나 '실종된 늙은 고양이' 그리고 '이방인'은 모두 권태로부터 해방된 존재들의 상징이었던 것이다.

존재의 근원적인 특성을 고독에서 찾은 예를 하나 들어본다.

> 한알 한알 모여서 모래다.
> 오죽이나 외로워서 그랬을까 하고보면
> 웬걸 모여서는 서로가 모른채 등을 돌리고 있는 모래

———

구제 불능이야
신은 드디어 포기를 결정한다.
신의 눈 밖에 난 영원한 갈증! <모래>

인간은 홀로 살 수 없는 존재라고 한다. 그러나 근원적 조건에서 보면 누구나가 홀로 고독하다. 가령 죽음이나 질병 같은 근원적인 문제들은 자신이 아닌 그 누구도 대신해 줄 수 없다. 시인은 존재의 근원적 조건으로서 그와 같은 '고독'을 이 시에서 '모래'의 은유를 통해 이야기하고자 한다. 모래는 한알, 한알 개체로 독립하여 살지는 못함으로 한 알의 모래란 이미 모래가 아니기 때문이다. 모래는 수많은 모래알들이 모여 이루는 집합체일 때 모래이다. 그럼에도 불구하고 모래는—진흙과 비교할 때 그 속성이 쉽게 드러나지만—개체를 부정해서 한 몸체를 만들지는 않는다.

시인에 의하면 인간도 마찬가지다. 비유컨대 개개의 낱알들이 집합하여 이루는 모래가 사회적 존재라고 한다면 끝까지 별개로 독립하여 자신의 존재성을 지키는 개개의 모래알들은 존재론적 존재에 해당하는 것이다. 이렇듯 시인은 이 시에서 전체를 구성하면서도 끝내 홀로 남을 수밖에 없는 모래알을 통해 존재의 근원적 조건이라 할 고독을 이야기하고 있다.

다음의 시는 '절망'을 언급한 작품이다.

이젠 봄이 왔다고
거리에 공고문이 나붙은 그날부터
나는 또 겨울을 기다리기로 했다.
…………

절망은 아직도 나의 양식
공포는 아직도 나의 전율의 원천
지구 온난화시대의 행복한 우량아들이
재수 없다고 버리라고 권고한 나의 수첩엔
아직도 빙하시대의 난수표가 적혀 있다. <겨울을 기다리기>

일상인들의 사고나 관습적인 상상력에 있어서 '봄'은 새로운 생명을 잉태하는 계절이다. 그것은 겨울과 대조된다. 그러므로 봄이 왔다는 소식을 접할 때 우리가 어떤 환희에 젖고 희망을 갖게 되는 것은 자연스럽다. 그런데 시인은 '봄이 왔다'는 소식을 듣는 순간 그 즉시 다시 '겨울'을 기다린다고 한다. 그는 봄에 희망을 느끼기 보다는 오히려 절망을 느끼고 있는 것이다. 왜 그럴까. 그것은 우리가 앞의 시 <놀이터 풍경>에서 익히 살펴보았듯 시인의 깨어 있는 의식에 있어서 봄이 온다는 것은 곧 또 다시 사계절이 되풀이된다는 것 이상의 의미가 될 수 없기 때문이다.

그러나 우리는 이 대목에서 한 가지 중요한 사실을 놓쳐서는 안된다. 그것은 화자가 이 일상성에 대해 깊이 절망함으로써만 오히려 그것을 또한 거부할 수 있게 된다는 사실이다. 이 세계의 일상성에 절망을 느끼지 않는다면—하나의 타성으로 받아들인다면—그 누구도 일상성으로부터 헤어 나올 수는 없는 것이다. 따라서 시인은 일상성에 절망을 느낌으로써 권태에 함몰되지 않고 자신의 본래성으로 되돌아갈 수 있는 길을 연다. 그리하여 '절망'은 일상성으로부터 존재를 구원시키는 힘이자 권태를 초극하는 하나의 방법이 되는 것이다. 우리는 여기서 '절망'이 곧 구원에 이르는 길이 된다는 키에르 케고르의 언명을 상기할 필요가 있다. 시인이 '절망이란 아직도 나의 양식'이라고 말했던 것도 이 때문이다. 따라서 절망하는 자아란—

앞에서 살핀 시적 상징으로 말할 진대—'이방인'이나 '추락한 알바트로스'이기도 하다.

그렇다면 그가 절망을 통해 도달한 곳 즉 일상성 저 너머에 있는 세계는 어떤 곳인가. 그곳은 다름 아닌 '허무'의 공간, 아니 허무 그 자체라 할 수 있다. 그리하여 그는 그의 많은 시들에서 이 허무를 노래한다.

깨끗한 명중
온갖 고통이 선혈로 꽃피는
그 완벽한 허무의 순간

그때를 기다리며 그는 오늘도
알몸 맨 가슴으로 사격장에 서 있다. <과녁>

그는 낭만주의자
새로운 내일을 꿈꾸고 있다.
....
요컨대 확실하게 실패하는 꿈
요컨대 그의 꿈은
백지 한 장이 제 허무의 수렁 속에
온갖 색채를 다 빨아들이고 마는
단순한 꿈이다. <단순한 꿈>

시인이 일상성에 절망을 느낀 것은 거기에서 그 어떤 의미나 가치도 찾을 수 없었기 때문이다. 따라서 그의 절망은 다음 차례로 일상성, 아니 자신의 모든 소유를 포기하는 행위로 나타난다. 윗 시의

'알몸'은 이처럼 모든 것을 포기한, 달리 표현해 아무것도 소유하지 않은 존재의 상징물이라 할 수 있다. 어떤 시(<비의 나라>)에서 시인은 "확실한 소유는 아무 것도 없고/ 오직 상실만이 확실하게 남아서/ 나의 왕권을 강화해준다."고 고백한 적이 있지만 이제 그가 신뢰할 수 있는 것은 다만 상실이나 무소유, 나아가 텅 빈 공간일 수밖에 없다. 그러나 물론 이 텅빈 공간 그 자체가 구원의 경지는 아니다. 그의 참다운 존재론적 구원은 고독이나 절망 같은 존재의 근원적 구속까지도 벗어나야 이루어질 수 있는 세계이기 때문이다. 그리하여 이제 시인은 드디어 자기 자신까지도 버리는 단계에 이른다. 상징적으로 이 시에서 총구의 표적이 된 과녁이 바로 그것이다.

그러나 존재가 자기 자신까지도 버리고 도달한 그 완벽한 절망의 너머에는 또 무엇이 있는가. 거기엔 '허무'만이 있을 따름이다("그 완벽한 허무의 순간", "백지 한장이 제 허무의 수렁 속에/ 온갖 색채를 다 빨아드리고 마는/ 단순한 꿈"). 시인이 일상성을 포기하고 마침내 도달한 그 마지막의 세계는 결국 '허무'였던 것이다. 그러나 그 허무는 단순히 소멸이나 무(無)를 의미하지만은 않는다.

> 그날 밤 그의 우주선 취한 배는
> 갑자기 컴퓨터 바이러스의 습격을 받았다.
> 기억장치에 입력된 모든 프로그램이
> 일시에 깡그리 지워져 버린 사고
> 그러나 그것은
> 소멸이 아니라 장면의 전환이었다.
> …………
> 이제는 혼자만의 고독한 더듬이로
> 블랙홀을 찾아가는 자유가 그의 몫이다.

길은 처음부터 없었기 때문에
그것은 끝까지 방황하는 미아의 자유! <술취한 배>

시인에게 있어서 '허무'는 소멸이 아니라 그 자체 하나의 의미이다. 왜냐하면 이 허무 속에서 가장 완전한 자유를 발견했기 때문이다. 따라서 이제 그에게 허무는 바로 자유 그것과 동의어가 된다. 이는 다음과 같이 설명될 수 있다.

흔히 우리는 비상 즉 이 지상으로부터의 이탈을 자유라고 생각한다. 그러나 그것은 진정한 의미의 자유는 아니다. 일상적 세계에 있어서 비상은—새의 나래짓이든 혹은 비행물체의 항해든, 유성의 낙하든—모두 하나의 논리 혹은 궤적을 지니고 있는데 완전한 자유란 궤적 자체로부터도 해방되는 비상이어야 하기 때문이다. 이 시의 경우 시인은 그것을 무한 속에 던져진 미아의 방황 속에서 찾고 있다. 이 대목에서 우리는 사르트르가 『실존주의는 휴머니즘이다』에서 말한 바 무한에 대한 기투(企投)로서의 실존과 만나게 된다. 보들레르의 마지막 당도했던 세계가 허무였던 것과 같이 이형기의 존재탐구가 도달했던 실존적 세계 또한 그러했던 것이다.

4

형상화라는 측면에서 그의 최근 시작에 한 가지 지적할 것이 있다면 자주 원용되고 있는 몇 가지 기법들이다. 주로 생태시의 창작에서 원용되고 있는 패러디와 아이러니, 존재탐구의 시작들에서 원용되고 있는 경구 즉 에피그람이다.

우선 패러디를 구사한 작품들로는 <마음 비우기>, <만전춘>, <시

의 나라>, <달의 자유>, <우리 시대의 소>, <진로 상담>, <8월의 눈>, <타조>, <틀림없이 겨울이> 등이 있다. 예컨대 <마음 비우기>는 이상의 시 <오감도 시 제 3호>를, <만전춘>은 고려의 속요 <만전춘>을, <시의 나라>는 윤동주의 <서시>와 서정주의 <문둥이>를, <달의 자유>는 중국의 고전을, <우리 시대의 소>는 정지용의 <향수>를, <진로 상담>은 이효석의 소설 <메밀 꽃 필 무렵>을, <8월의 눈>은 개미와 배짱이의 우화를, <타조>는 현진건의 소설 <운수 좋은 날>을, <틀림없이 겨울이>는 이상화의 <빼앗긴 들에도 봄은 오는가>를 차용한 것들이다. 이 중 두 편만을 부분적으로 인용해 본다.

얼음 우에 댓닢자리 보아
님과 나와 얼어 죽으려고
한 겨울밤 이 밤 더디 새라 했더니
그리하여 가슴 저리는 사랑의 노래
애절한 꿈으로 하나 남기려 했더니
아서라 말아라
때는 바야흐로 지구의 온난화시대 <만전춘>

아버지 저는 정보기관원의 도청 요원이 되고 싶어요.
그래 좋다. 그래라, 그래서 장돌뱅이 허생원의 당나귀와 대관령의 달빛이 한 밤 중에 주고받는 대화를 엿들어 보려므나. <진로상담>

<만전춘>은 대기오염에 의해서 지구가 온난화되고 있는 현상을 고려속요 <만전춘>을 인용해 풍자 비판한 작품이다. 다 알다시피 <만전춘>은 님에 대한 염정을 읊은 노래로 님과 함께만 한다면 추운 얼음장 위에서도 따뜻하게 겨울밤을 지새울 수 있다는 내용으로 되

어 있다. 그런데 시인은 대기 오염으로 인해 온난화된 지구는 이제 이와 같은 사랑이 필요치 않다고 말한다. 오늘의 시대는 사랑의 순수성과 같은 것은 사라진지 오래라는 뜻이다. <진로 상담> 역시 <메밀꽃 필 무렵>의 한 에피소드를 차용하여 물화된 이 시대의 삶을 보여주고 있다. 그것은 무엇보다도 정보기관의 도청 요원이 되겠다는 아들의 말에 서슴없이 기쁨을 표하는 아버지의 비도덕적 태도가 말해준다. 이 시에서 패러디가 이처럼 사회 비판의 역할을 충분히 수행할 수 있었던 것은 그것이 본질적으로 지니고 있는 풍자적 기능 때문이다. 실제로 인용시의 패러디는 풍자를 겸하고 있다.

머리 위에 아득히 솟아 있는
채린저 산 에덴 봉우리
그리고 발 밑에 거꾸로 박혀 있는
히말라야 해구의 에베레스트해연
캄캄한 수심

아직도 나는 공부는 팽개치고 물구나무를 선다.
고통은 붉은 루비
희망은 쓰레기
말이 되지 않은 말로 위 아래를 없애고
권태를 완성하는 그 재미에 홀린다. <물구나무 서기>

장님이기 때문에 오히려 일상인이 못 보는 것을 모두 볼 수 있다는 <장님 아나롯다>나, 시인이 이미 추방당한 지 오래인데도 그들의 공화국에서는 시집이 아직 베스트셀러가 되어 있다는 <시의 나라> 등 이형기의 많은 작품들은 또한 아이러니의 기법으로 쓰여지고 있다. 이제 나는 여기서 그중 <물구나무 서기> 한편만을 인용해 살펴보기로 한다.

이 작품이 권유하고 있는 것은 현실을 뒤집어서 거꾸로 바라보도록 하는 일이다. 그럴 경우 하늘은 바다가 되고, 육지는 물이 되며, 산은 해구가 될 수 있기 때문이다. 예컨대 지구상에서 가장 깊은 챌린저 해구는 가장 높은 첼린저 산봉우리가, 가장 높은 에베레스트 산봉우리는 가장 깊은 에베레스트 해구가 된다. 가장 높은 것이 실은 가장 낮은 것이며, 가장 고귀한 것이 실은 가장 천박한 것이며, 가장 잘 사는 것처럼 보이는 것이 실은 가장 못 사는 것이라는 깨우침이다.

시인이 이처럼 물구나무 서기로 이 세상을 바라보라고 권유했던 것은 우리가 살고 있는 이 시대의 문명사 자체가 이미 완전하게 가치 전도되어 있다고 생각했기 때문이다. 그의 시적 상상력에 있어서 이 전도된 세계의 가치체계는 한번 더 전도되어야만 정상으로 복귀할 수 있는 것이었다. 이야말로 아이러니컬한 세계의 인식이라 하지 않을 수 없다.

존재탐구의 시들에서 특징적으로 나타나고 있는 기법은 '경구'의 원용이다. 이중 인상 깊은 것들을 몇 개만 인용해보기로 한다.

꿈은 미래가 아니라 과거에 있다. <보들레르>
인류사(人類史)는 한편의 장편 영화이다. <엑스트라>
해 아래 새로운 내일이란 없다. <단순한 꿈>
절망은 나의 양식이다 <겨울 기다리기>
길을 길이라고 하면 이미 길이 아니다.
<길>」(노자의 『도덕경』에서 인용한 것임. 필자 주)
산다는 것은 드러내는 것이다. <말의 안방>
아무 것도 볼 수 없음으로 무엇이나 다 본다. <장님 아나룻다>

비밀에는 스스로를 지키는 힘이 있다. <상처 감추기>

경구란 사물에 대한 존재론적 인식을 총체적 완결성으로 표현한 한 개의 단순한 진술이다. 그러므로 여타의 시적 진술과 다른 점이 있다면 그 앞과 뒤의 연속된 내용 혹은 의미의 연쇄체계와 상관 없이 그 자체만의 독립성을 갖는다는 점에 있다. 일상적 진술은 항상 앞뒤의 문맥과 관련하여서만 의미를 확보할 수 있기 때문이다. 한편 경구는 또한 사물에 대한 존재론적 진실을 함축적으로 표현해 주는 진술이기도 하다. 모든 존재탐구의 시가 본질적으로 '경구'적 속성을 지향하는 것도 이 때문이다. 따라서 존재론적인 시들은 대체로 하나의 경구가 발전하여 전체 내용을 이루는 것이 일반적이다. 위의 인용 시들에 있어서도 경구들은 발화한 시의 전체를 이루는 핵심 내용이 되고 있다.

패러디, 아이러니, 풍자 등의 기법이 대상에 대한 비판적 기능을 지니며 경구가 사물에 대한 존재론적 의미를 직관적으로 드러낸다는 사실은 이형기의 생태시들이 왜 전자의 기법을, 존재탐구의 시들이 왜 후자의 기법을 주로 원용하고 있는가의 해답을 준다. 전자의 시들은 문명사에 대한 비판을, 후자의 시들은 사물에 대한 존재론적 탐구를 의도하며 쓰여졌기 때문이다.

슬픔, 사랑 그리고 죽음의 미학

— 이수익(李秀翼)론

1. 슬픔의 미학

이수익의 시에서 가장 특징적으로 드러나는 정서의 하나는 슬픔 혹은 비애의 감정이다. 대부분 그의 시는 어떤 형식으로든지 슬픔에 대하여 언급하고 있으며 그렇지 않은 경우라 하더라도 그 밑바닥에는 일종의 애수의 감정이 잔잔하게 흐르고 있다.

그것은 그가 지금까지 펴낸 세 권의 창작시집 『우울한 상송』(삼애사, 1969), 『야간열차』(예문관, 1978), 『단순한 기쁨』(고려원, 1986)과 두 권의 선시집 『슬픔의 핵』(고려원, 1983), 『그리고 너를 위하여』(문학과 비평사, 1988)들의 제목만을 보아도 쉽게 짐작될 수 있는 사실이다. 그 가운데 '슬픔'의 정서를 환기시키는 제목이 세 개나 되기 때문이다. '단순한 기쁨'이 그 '단순하다'는 한정어로 인해서 역설적으로 슬픔의 감정과 관련되고 있다는 점은 다음에 언급하겠으나 이들 세 권의 시집들의 제목이 동시에 그 각 시집에 수록된 대표시들의 제목이기도 하다는 사실은 (『슬픔의 핵』은 시 <슬픔에 대하여>의 한 행에서 뽑은 것이나 의미적으로는 결국 같다) 결코 우연일 수 없다. 따라서 우리가 이수익의 시세계를 이해하기 위해서는 무엇보다 이들 시를 먼저 살펴보는 일은 중요하다.

우체국에 가면
잃어버린 사랑을 찾을 수 있을까.
그곳에서 발견한 내 사랑의
풀잎되어 젖어 있는
비애(悲哀)를
지금은 혼미하여 내가 찾는다면
사랑은 또 처음의 의상(衣裳)으로
돌아올까
....
사람들은
그리움을 가득 담은 편지 위에
....
행복에 찬 글씨를 써서 보이는데
나는 자꾸만 어두워져서
읽질 못하고 <우울한 상송>

다 아는 바와 같이 편지란 자신의 진실을 전달하는 메시지의 한 방법으로 항상 보내는 사람과 받는 사람이라는 관계를 설정시킨다. 따라서 누구에겐가 편지를 보낼 수 있는 사람을 가졌다는 것은 긍정적이든 부정적이든 이미 존재의 유대성을 확보하고 있는 사람이라 할 수 있다. 그것은 그 대상이 단지 대화의 상대자가 아니라, 편지 쓰기의 상대자라는 점에서 더욱 그러하다. 편지는 간접적인 메시지의 방법이므로 그만큼 발신자와 수신자 사이에 객관적인 의사전달이 가능하고 표현에 있어서도 보다 이성적 자세를 견지할 수 있기 때문이다.

우리는 진실을 이야기하고 싶을 때 말하기보다도 편지 쓰기를 택한다. 사랑하는 사람들의 경우에는 더욱 그렇다. 매일 만나는 다정한 관계이면서도 그들은 만나서 하지 못했던 말들을 새삼스럽게 밤에 편지로 써서 고백하지 않고서는 못 견딘다. 그러한 의미에서 연서(戀書)를 주고받지 않은 사랑이란 그만큼 덜 진실된 것일지도 모른다. 실제로 상대자와 육성을 직접 교환할 수 있는 문명의 이기(가령 교통수단이나 통신수단)가 발달하면 할수록 그에 반비례해서 사랑도 그만큼 타락해가고 있다는 것이 오늘의 우리가 목도하는 현실이다. 따라서 시인이 사랑이 부재하는 자신의 삶을 서정적으로 극화시키기 위해 우체국이라는 공간적 상황을 설정한 것은 매우 적절한 전략이라 할 수 있다.

시인은 잃어버린 사랑에 대한 그리움과 슬픔에 잠겨 있다. 어떻게 하면 고립되고 단절된 삶으로부터 벗어나 그 젊은 시절의 아름다운 첫사랑으로 돌아갈 수 있을까, 어떻게 하면 잃어버린 삶의 순수성을 회복할 수 있을까. 그의 애타는 갈망은 우체국에 가면 그것이 가능할 수 있을지도 모른다는 상상에 빠진다. 모든 편지는 항상 주는 자와 받는 자 즉 사랑하는 자와 사랑 받는 자의 관계가 설정되어 있음으로 우체국에서는 사랑(편지)의 송신자인 연인을 찾을 수도 있을 것 같기 때문이다.("우체국에 가면 / 잃어버린 사랑을 찾을 수 있을까"). 그러나 이 같은 발상은 어디까지나 시적인 세계에서나 가능한 상상력일 뿐 실제의 우체국에서는 있을 수 없는 일이다. 관념의 우체국에 대해서 가지는 시인의의 꿈은 현실의 우체국에 와서 깨진다. 그러한 관점에서 우체국이란 바로 꿈과 현실, 시와 일상, 순수와 비순수와 같은 의미들이 교차하는 공간이라 할 수 있다.

그리하여 시인의 우체국 체험은 오히려 자신의 삶이 더욱 더 곤궁하며 고독하다는 사실의 깨우침으로 귀결되며 그것이 그의 시에서 슬픔의 정서를 환기시킨다. 그의 그 같은 처지와는 달리 우체국에 온 다른 모든 사람들은 편지를 보낼 상대를 각자 확실하게 하나씩 가지고 있었기 때문이다. 사랑하는 사람에게 진실의 글을 써서 보낼 수 있는("우체국에 오는 사람들은/가슴에 꽃을 달고 오는데/그 꽃들은 바람에/얼굴이 터져 웃고 있는데, 사람들은/그리움을 가득 담은 편지 위에/애정의 핀을 꽂고 돌아들 간다") 사람들에 비추어 자신이 처한 상황은 상대적으로 얼마나 고독하고 슬픈 것인가("그곳에서 발견한 내 사랑의/풀잎 되어 젖어 있는/비애(悲哀)를/나는 자꾸만 어두워져서 읽질 못하고"). 시의 본문에 직접 언급되어 있지만, 이 시가 기본적으로 슬픔의 정서에 토대하여 쓰여진 이유가 여기에 있다.

일반적으로 슬픔에 처한 인간은 그로부터 헤어나오기가 쉽지 않다. 그 슬픔이 주관을 압도하여 이성적 혹은 도의적 생활을 방해하기 때문이다. 따라서 주관화된 슬픔으로 객관적 성찰의 여유를 잃게 된 주체는 일반적으로 감정과 일정한 객관적 거리를 확보하지 못한 채 슬픔 그 자체 속에서 자아를 망실하게 되는 것이 우리의 일상이다. 가령 통곡이나 원한 같은 것에서 느껴지는 슬픔 따위를 들 수 있다.

그러나 위의 시로 대변되는 이수익의 슬픔은 그와 같은 일상적 슬픔이 아니다. 그는 슬픔 속에 자아를 망실하지도 않고 슬픔으로 인해서 도의적 혹은 이성적 삶에 장해를 받지도 않는다. 그의 슬픔은 항상 주체와 객관적 거리를 유지하고 있다. 말하자면 그것은 당하는 슬픔이라기보다는 바라보는 슬픔이요, 주관화된 슬픔이라기보다는 객관화된 슬픔이요, 감정적인 슬픔이라기보다는 이성적인 슬픔이다. 이러한 의미에서 이수익의 시가 보여주는 슬픔은 일종의 애이불상(哀而不傷)에 가까운 것이라고 말해도 좋을 것이다.

그의 슬픔이 '애이불상'에 가깝다는 것은 이를 대하는 시인의 초탈한 모습에서도 설명될 수 있다. 시인이 윗시의 결말을 다음과 같이 맺고 있기 때문이다.

> 우체국에 가면
> 잃어버린 사랑을 찾을 수 있을까
> 그곳에서 발견한 내 사랑의
> 기진한 발걸음이 다시
> 도어를 노크하면
> 그때 나는 어떤 미소를 띠어
> 돌아온 사랑을 맞이할까

그의 슬픔은 소리를 내어 흐느낄 만큼, 통곡을 하여 자지러질 만큼 감상에 빠진 것은 아니다. 그는 오히려 그것을 담담히 바라보고 있는 자세를 취한다. 그것은 그가 슬픔에 말려들어 자아를 잃기보다는 그와 동반하여 그것을 자기화하려는 태도라고 말할 수도 있다. 어쨌든 우리는 위의 인용 부분에서 시인이 슬픔조차도 즐기고 있지 않나 착각할 정도의 초탈한 경지에 서 있음을 발견하게 된다. 그것은 특히 시인이 그 '슬픔'을 미소로 받아들이겠다고 고백하는 대목에 잘 나타나 있다("그때 나는 어떤 미소를 띠어 / 돌아온 사랑을 맞이할까.") 왜냐하면 일반적으로 간절히 또는 사무치게 그리던 연인이, 더군다나 어떤 비극적인 종말로 인해 떠나버린 연인이 다시 돌아올 경우라면 그렇게 담담히 미소로써만 받아들일 수는 없을 것이기 때문이다. 오히려 서러운 넋두리나 슬픔 혹은 원망의 격정 속에서 몸부림치는 것이 인지상정이요 보다 인간적일 것이다.

따라서 이수익의 시가 보여주는 슬픔은 감정을 다치게 또는 상하게 하는 슬픔이 아니라 그 슬픔까지도 조용히 음미하여 생을 향상시키는 슬픔, 앞에서 언급한 바와 같이 이성적이고 객관화된 감정으로서의 슬픔이라 할 수 있다. 그렇기 때문에 이수익의 경우엔 슬픔이 하나의 즐거움 혹은 아름다움의 실체로 드러나게 된다. 그가 다음과 같이 노래할 수 있었던 것은 결코 우연이 아니었다.

> 아름다움은
> 늘
> 우수이다.
> 아름다울수록 그것은 더욱 슬픈 빛
> 외로운 형상
> 눈물겨운 침묵으로
> 위태롭게 제 스스로를 견딘다. <절정>

이수익에게 있어서는 슬픔도 하나의 아름다움이며 그리움이다. 그가 시집의 제목을 『우울한 샹송』 또는 『슬픔의 핵』으로 명명했던 이유도 아마 여기에 있었을 듯 싶다. 이수익의 시의 중요한 특징의 하나는 이렇듯 슬픔을 미학으로 승화시킨 데 있다.

2. 사랑의 미학

이수익의 슬픔은 비록 그가 그것을 하나의 아름다움으로까지 승화시켰다 하더라도—어떤 의미에서는 데카당의 그것처럼 퇴폐나 허무를 노래하고 있기는 하지만—베를렌느가 "까닭을 모르는 슬픔이란 / 가장 견디기 어려운 고통 / 사랑도 미움도 없지만 / 내 가슴은 고통으로 미어진다"고 말한 것과 같은, 그런 이유 없는 슬픔은 아니다. 이수익의 슬픔에는 뚜렷한 이유가 있다. 앞의 인용시에서도 살펴볼 수 있었던 것처럼("잃어버린 사랑을 찾을 수 있을까") 사랑의 상실에서 오는 슬픔이기 때문이다.

인용시 이외에도 사랑의 상실을 이야기한 이수익의 시는 많다. 특히 초기에 쓴 연작시 <목소리>는 모두 여기에 속할 것이다.

전쟁이 가면
다시 찾는 폐허는 남아 있지만
잃어버린 사랑은 무엇인가
정말 무엇인가
오늘은
내 아프게 기다리는 눈에
혈흔의 사르비아가 그대로 시드는데
깊은 수렁을 밟는 그대의 발목에
빗물이 고이고
사랑이 고이고 <목소리 4>

사랑의 상실을 고백한 대표적 작품의 하나이다. 물론 이와 같은 사랑의 상실에는 이별이 전제되어 있고 따라서 이별, 옛 연인에 대한 그리움과 해후에 대한 기다림 역시 그의 시에 보편적으로 형상화되어 있는 주제들이다. 가령 <깊어진 병>이나 <약속>같은 시에서는 '이별', <봄에 앓는 병>이나 <칠석(七夕)>같은 시에서는 '해후', <그 시절>이나 <봄날에>같은 시에서는 '그리움'의 테마가 잘 나타나 있다.

<약속>에서는 봄에 피고 가을에 지는 꽃을 통해 만남과 이별의 필연성을, <깊어진 병>에서는 햇빛과 편모충과의 관계를 들어 님과 자신 사이의 거리를 이야기한다. 그에게 있어서 님과의 만남과 이별이

란 '넓고 너른 이 우주 공간에 필연의 일'(<약속>)이자 '빛을 따라 돌아야 하는 / 여름 해바라기'(<깊어진 병>)와 태양과의 관계와 같은 것이다. <봄에 앓는 병>에서 시인은 오로지 님과의 해후만을 고대하고 사는 자신의 모습을 봄을 기다리면서 겨울을 견디는 병자의 삶으로 묘사하고 있다("엄동설한 찬바람에도 나는 / 추위를 모르고 지냈느니라 / 오로지 / 우리들의 해후만을 기다리면서").

한편 <그 시절>의 시인은 사진첩을 보면서 첫사랑의 연인을 그리워하며 "비련이란 말이 / 그토록 가슴 떨리게 아름다운 / 때가 있었음"을 회상하고 <봄날에>에서는 '물 건너 / 아득한 섬으로만 떠 있는' 사람이 그리워 '밤마다 / 꿈에서만 그를 끌어안고 저지른 죄'를 안타깝게 고백한다.

이상 간단히 살펴본 작품들이 임의적으로 추출한 몇 편에 지나지 않은 것임을 감안할 때 이수익의 대부분의 시들이 사랑의 상실에서 비롯된 '이별', '그리움', '해후에의 기다림' 그리고——다음에 언급될——그 사랑의 초월 등을 형상화하고 있다는 것은 쉽게 지적될 수 있다. 이수익의 시는 이렇듯 슬픔의 미학과 더불어 또한 사랑의 미학을 추구하고 있는 것이다. 아니, 보다 정확히 고쳐 말한다면 그에게 있어서 슬픔의 미학은 사랑의 미학이 일으키는 제 2의 파장이라 할 것이다.

이수익에 있어서 사랑은 단지 감각적인 에로스나 이성애적인 차원에 머무는 감정만은 아니다. 그것은 보다 형이상학적인 의미를 띠고 있다. 그에게 있어 사랑이란 삶의 완성이며 가장 순수한 생의 실체이자 영원 바로 그 자체이다. 따라서 사랑이 없는 삶이란 고독하고 슬픈 것일 뿐만 아니라 무의미하고 덧없는 것, 불구적인 것, 더 나아가 없어도 좋은 것이다. 그러한 관점에서 그가 사랑을 꿈꾸는 것은 단지 이성애에 대한 갈구만이 아니라 보다 고결하고 완전한 삶에 대한 동경을 뜻하는 것이라 할 수 있다. 그것은 에로스적인 데서 출발한 그의 사랑이 궁극적으로는 존재론적인 것으로 상승하는 것을 의미한다.

① 아,
말없는 무수한 발언이여
백색의 찬란한 빛깔이여
존재여!
오늘은 내 오랜 눈물겨운 기다림 끝에
너의
편지를 받는다. <편지>

② …… 그러나
이 세상 오직 하나
뿐인
당신과의 결합으로
쉽게 내 몸은 풀어져서
감춘 것
죄다 보여드립니다. <열쇠>

③ 세상에 이른바 영원이란
믿을 수 없다.
손 치드래도
두 사람의 손길이 마주 잡은
사랑의 이미지는 믿을 수 있데
믿을 수 있데 <사랑이 주고 간 대화>

각 시에서—때로는 직설법으로 때로는 은유법으로—시인이 사랑의 의미를 설파한 내용을 부분 인용해 본 것들이다. 사랑에 대한 시인의 가치부여가 어떠한 것인지를 쉽게 간파할 수 있다. ①은 제목 그대로 그리던 님에게서 부쳐 온 편지를 통해 사랑이 가지는 존재의 순수성을 밝혀 보인 작품이다. 그렇다고 해서 시인은 그 감격을 직설적으로 언급하고 있지는 않다. 다만 '추운 겨울을 기다려 봄에 꽃망울을 터뜨리는 백목련'으로 제시할 뿐이다. 주관(사랑의 감정)과 객관(백목련)의 이 같은 병치는 물론 그의 노련한 작시술에서 오는 것이지만 조금 눈치 빠른 독자들이라면 초봄에 피는 그 하얀 백목련의 꽃망울이 바로 사랑이 갖는 순수 무구성을 표상하는 상징이라는 것쯤 깨닫는데 큰 어려움을 겪지는 않을 것이다. 시인에 의하면 한마디로 인간이란 사랑을 할 때 비로소 '백색의 찬란한 빛깔을 지닌 (순수한) 존재'가 될 수 있다.

②는 '열쇠'를 인식 대상으로 하여 사랑이 주는 삶의 의미를 탐색한 작품이다. ①이 사랑의 의미를 '편지', '백목련'이라는 두 개의 사물에 비교시켜 소위 병치의 기법을 통해 형상화시켰다면, ②는 그것을 한 개의 사물('열쇠')에 투사하는 방식 즉 은유화의 기법을 통해 형상화시킨 것이라 할 수 있다. 인식 태도나 의미 탐색의 방법에 있어서 만큼 이 양자는 근본적으로 다름이 없다는 것이다.

자물쇠나 열쇠는 그 어느 것도 홀로서는 완전한 존재가 되지 못한다. 자물쇠 혼자서는 감옥(삶의 구속)에 지나지 않으며 열쇠 혼자서는 뿌리 뽑힌(의지처를 상실하고 방탕과 방임에 사는) 존재에 불과하다. 따라서 완전한 존재는 자물쇠와 열쇠가 만나서 결합을 이룬 상태일 뿐이다. 시인은 사랑의 의미 역시 마찬가지라 생각한다. 인간도 사랑을 가짐으로써 비로소 완전한 존재에 이른다는 것이다. 그러므로 시인이 열쇠의 은유를 빌려 님과 나와의 "결합으로/쉽게 내

몸은 풀어져서 / 감춘 것 / 죄다 보여드립니다"라고 말했던 것은 아주 자연스럽다. 감출 것 없이 모두 보여드릴 수 있는 삶이란 부끄러움 없는 삶, 완전무결한 삶이기 때문이다. 맹자(孟子) 역시 인간 삶의 이상으로 하늘과 땅에 부끄러움 없는 삶을 들지 않았던가.

③은 이수익의 다른 시들과 달리 직설적 어법으로 진술된 작품이다. 따라서 그만큼 그의 다른 시들에 비해서——상대적으로 시적 형상화에 있어서는 뒤지고 있으나——메시지가 분명하다. 시인은 말한다. 인간의 삶은 덧없고 허무하지만 영원한 것은 오직 사랑밖에 없는 것이라고……. 즉 인간이 삶의 영원성을 획득할 수 있는 길이란 오직 사랑밖에 없다는 믿음이다.

이렇듯 이수익의 시에 형상화된 사랑은 단순한 이성애가 아니고 삶의 불구성을 초극하는 존재의 한 방식이다. 그럼에도 불구하고 그가 연인과 재회를 이룰 수 없는 이유는 무엇일까. 단순 논리로 말하자면 다시 돌아올 마음이 없는 님 때문이라고 할 수도 있다. 그러나 그렇지 않다. 문제는 시인이 그 순수한 사랑을 받아들이기엔 불가능할 만큼 속물이 되어버린 데에 있기 때문이다. 이제 타락한 일상인이 되어버린 성년의 시인에게 있어 잃어버린 그 젊은 날의 순결한 사랑은 결코 회복될 가망이 없다. 이수익의 시가 지닌 유년적인 순수성과 성인적인 세속성 사이의 갈등이 여기서 대두된다.

친구여, 지금 내가 부르는 이 목소리는
옛날의
그 목소리가 아니다.
그 전처럼 내 목소리는 맑지 못하고
친구여,
내가 종로에서 너를 만나

어깨를 치며 부르던 그 목소리처럼
천진한 그런 것도 아니다.
어느덧 나는 에드거 알란 포의
흉가에서 일어나는 사건들을 알고
그 집을 지켜온 늙은 거미처럼
때에 따라서는 변신도 할 줄 알지
친구여, 잃어버린다는 일은
결코 슬픈 것만이 아니지만
내가 다시 그리운 플로렌스의 꽃들을 부른다면
꽃들은
알아서 화답의 눈빛을 띠울 것인가
그 전처럼 설레이는 몸짓으로 내게
다가올 것인가 …… 친구여 <목소리 10>

인용시는 사랑의 회복을 불가능하게 만든 원인이 사실은 일상인이 된 자신의 타락에 있다는 것을 진솔하게 고백한 작품이다. 지면 관계로 이 이상 굳이 분석을 의도는 없으나 나는 이 시에 등장하는 '플로렌스의 꽃'과 마찬가지로 이수익의 전체 시에서 자주 접하게 되는 '꽃'과 '불' 역시 사랑의 표상으로 제시된 이미지라는 것만큼은 다시 부연해 두고 싶다.

3. 죽음의 미학

유년적 순수성을 상실한 시인은 현실적으로 절대적 사랑의 높이에 도달할 수 없다. 그럼에도 불구하고 그는 그에 대한 동경 또는 회복에의 소망을 버리지 못한다. 가령 "우리는 매일 매일 아름다운 비잔틴을 향해 / 걸어가고 있노라"고 말한 <우울한 초상>(여기서 '비잔틴'이란 물론 비유적으로 아름답고 순수한 세계를 표상한다)이나 "나는 / 과거의 하늘로 눈부시게 피어오르는 / 한 마리의 새가 되었다"고 노래한 <우수의 파편>등이 그러하다.

그럼에도 불구하고 여기서 한 가지 주목할 것은 그의 유년적 순수성에 대한 동경이 한순간 본능적인 것의 탐닉으로 전환되고 있다는 점이다. 그것이 그렇게 될 수 있었던 가능성은 아마 본능이 지닌 비인위성, 비작위성, 비도덕성에 의하여 설명될 수 있을 것이다. 본능은 인간이 하나의 자연물로 태어날 때부터 지닌 원초적 속성이므로 그 비인위성 즉 자연성은 본질적으로 순수하기 때문이다. 이수익이 그의 일부 시에서 본능적인 것의 탐구에 몰두한 이유가 여기에 있다.

이수익의 시에 있어서 본능적인 것의 탐구는 본능 그 자체에 대한 탐닉과 본능이 충일한 상태에 있다고 믿어지는 어떤 순수한 세계에 대한 동경으로 표현된다. 전자에 해당하는 시들이 <야간열차>, <고압선>, <어느 절망하는 산의 기도>, <관능>등의 계열이다.

> 뜨거운 불이 흘러간다, 밤하늘로
> 푸른 독의 뱀이 달린다. 소리도 없이
> (그대 있는 곳으로 가는 외길
> 누구도 가로막지 마세요 저를 건드렸다간
> 금방 타서 죽을 거예요)
> 불꽃으로 질주하는 눈 먼
> 치정 <고압선>

> 드디어 한 가닥 전류와 같은 관통이

풀어헤친 들판의 나신을 꿰뚫고 지나가는 동안
황홀해진 들판은 온몸을 떨면서
다만 신음할 뿐인,
올가즘에
그 최후의 눈마저 뜨고 있더니 <야간열차>

관능에의 유혹이 잘 나타나 있는 작품들이다. <고압선>은 고압전류가 지닌 '불'의 이미지를 통해 인간의 내면에 꿈틀대는 성적 욕망을 표상시켜 보인다. 여기서 불이 리비도의 상징, 그 현실적 표현이 정욕임은 두말할 필요가 없다. 따라서 고압전류가 흐르는 전선은 정욕에 몸부림치는 육체 그 자체이다. 여성으로 제시된 '들판'에 남성으로 제시된 '열차'가 밤에 질주하는 풍경을 그린 <야간 열차>도 성행위를 은유화한 것이라 할 수 있다. 이 경우 기차의 기적은 물론 남녀의 합환(合歡) 소리에 해당한다. 이처럼 이수익의 시에 나타는 관능 혹은 리비도는 유년적 순수성으로 돌아갈 수 없는 시인이 자신의 순결한 사랑을 치환(displacement)한 것이라 할 수 있다.

그러나 이상의 인용시들과 같이 성적 본능을 직접 언급하지 않고 이를 교묘하게 간접화시킨 시들 또한 적지 않다. <인디언 마을>, <단순한 기쁨>, <달빛 체질>, <우물 긷기>, <슬픔의 핵>, <여름 바다> 등이 그러하다. <달빛 체질>은 '달'과 '바다'와 '여자'라는 소위 여성 상상력의 삼원소를 통해 그것이 가지고 있는 성과 출산으로 상징되는 리비도의 세계를 찬양하고("아, 그것(달: 필자)은 모체의 태반처럼 멀리서도 / 나를 끌고 있다는 생각이 든다. / 마치 / 보이지 않는 인력이 바닷물을 끌듯이") <우물 긷기> 역시 '두레박(처녀: 필자)과 몸을 섞는 물'의 상징을 통해 성적 충동에 대한 욕구를 표현한다(가령 두레박과 물의 결합(성적인 결합: 필자) 이후에 생긴 자신의 변화에 대하여 시인이 다음과 같이 고백하고 있음을 유의해야 한다. “나는 서늘한 감촉을 흡수하는 한 마리 가을 벌레처럼 / 푸르고 싱그럽게 / 몸을 떨었다”).

그러나 보다 주목할 것은 시인이 그 추구하는 바 본능의 순수성을 이제 다음 차례로 원시적, 원초적 세계(primitivism)에서 찾고 있다는 점이다. 이 원시적, 원초적 세계는 넓은 의미에서 신화적, 선사적(先史的) 공간이라 할 수 있는데 이는 인간의 손에 더럽혀지지 않고 자연의 순수성을 가장 완전하게 보존한 영역이기 때문에 그러하다. 이와 같은 의미를 탐색한 그의 시들이 <사막> 연작시 시리즈이지만 리비도와 관련하여 보다 중요한 작품들은 <단순한 기쁨>, <인디언 마을>, <슬픔에 대하여>와 같은 시들이라 할 수 있다.

> ① 숯검정을 칠한 듯 몸이 온통 꺼먼 혈거인, 몸집이 우람하고 힘도 세지만 눈알에는 또록또록 겁이 박혀 있는 혈거인, 짐승같이 묻혀 사는 동굴 속에서 오랜만에 그가 밖으로 나와 시야에 무한정 쏟아지는 눈부신 햇빛과 푸르디푸른 녹음이 고요한 산중에 밀교의 성찬처럼 가득히 펼쳐져 있음을 보았을 때!
>
> 아, 그때 그의 마음속 깊숙히 매장되어 있던 기쁨의 원석들은 뇌관을 얻어맞은 폭약, 그 순식간의 발파로 터져서 그는 산협을 향하여 참을 수 없이 분출하는 희열을 토해내며 발성하였다.(힝히, 힝히야, 힝야!)
>
> <단순한 기쁨>

> ② 짙푸른 원생의 피가 소용돌이쳐
> 밤에도 잠 못 이루는 사람들이 달빛 속에서나
> 스스로 밝힌 불꽃 속을 돌며 뜨겁게 춤추다가
> 춤추다가 지치면 하나 둘 밤하늘 별이 되어 뜨는

맨발의 나라 그지없이 아름다운
문맹의 나라 <인디언 마을>

시인이 '야만의 나라' 또는 '밀교(密教)의 성찬(聖餐)'처럼 오직 눈부신 햇살과 푸른 녹음만이 있는 나라로 묘사한 원시의 시대는 인위적 제약이나 사회적 강제성이나 도덕적 규율이 없는 자연 그 자체이다. 따라서 삶에 대한 그 어떤 도덕적, 형이상학적 성찰 없이 충동대로 행동하고 본능만을 충족시키며 살아간다는 것은 어떤 의미에선 즐겁고 행복한 일인 까닭에 분명 '단순한' 기쁨이 될 수도 있다. 그것은 문명으로부터 소외되어—마치 선사시대처럼—자연 그대로의 삶을 답습하고 있는 인디언의 생활 역시 마찬가지일 터이다. 그리하여 이수익은 원시인의 삶과 아울러 인디언의 그 '문맹의 나라', '맨발의 나라'를 아름답게 묘사하고 또 동경한다. 그에 의하면 인디언의 마을은 리비도가 충일하고("짙푸른 원생의 피가 소용돌이쳐 / 밤에도 잠 못 이루는"), 기쁨과 황홀 속에 날이 지새는 사회이다("춤추다가 지치면 하나 둘 별이 되어 뜨는").

그러나 비록 그 본능적 원시의 생활이 순수하고 '단순한' 기쁨이 된다고 해도 그것은 진정한 의미에서의 기쁨은 아닐 것이다. 근본적으로 육체라는 한계성 안에 갇혀 있으며 육체는 결코 영원할 수 없기 때문이다. 다음과 같은 시인의 고백은 그와 같은 깨달음의 표현이라 할 수 있다.

꿀보다 더 뜨겁고 강한 울림의 내 날개
타오르는 사랑을 찾지만
나의 입술이 닿으면 변신하는 꽃들은
단지

흔들리는 기호에 불과하다 <벌>

본능의 탐닉이라는 의미로서의 사랑은 단지 사랑의 기호에 지나지 않을 뿐 실체 그 자체가 아니다. 따라서 이와 같은 깨달음으로 볼 때 다만 순수성의 획득이라는 목적의식에서 원시사회로 회귀하고 본능에 탐닉하는 생활은 덧없고 슬픈 일이 될 수밖에 없다. 시인이 본능의 탐닉에 허무감을 느끼고 세속적, 일상적 사랑에 좌절한 이유가 여기 있다. 가령 그가 <무제>에서 "그 / 끝없이 분분한 니힐의 꽃잎이 지고 있다. / 사랑이여 / 이제는 우리도 / 마주 잡은 손을 놓아야 하리로다"라고 절규하고 같은 인디언의 삶을 시화한 <슬픔에 대하여>에서 <인디언의 마을>과 달리 '단순한 기쁨' 대신 '슬픔'을 노래한 것 등을 그 단적인 예로 들 수 있다.

붉고 푸른 인디언은 왜 슬픈가
....
그들의 맨발은 자유롭고
풀잎 뒤에 성기는 자유롭고
벌거벗은 앞가슴은 자유로운데
사향밀림을 돌며 뒤흔드는 춤의
절정에서 쏟아내는 단순모음은 왜 슬픈가
....
슬픔의 핵 <슬픔의 핵>

깨달음에 이른 시인에게 있어 형이상학적 비전 없이 다만 육체적 본능의 만족만으로 살아가는 원시 삶은 비록 그 표면상 '단순한 기쁨'일지 모르나 이면에 있어서는 이처럼 '슬픔'에 지나지 않는다. 내가 이 글의 서두에서 '단순한 기쁨'이 오히려 역설적으로 '슬픔'과 관련될 수 있다고 했던 것은 바로 이를 염두에 둔 말이다.

본능에의 탐닉에서 오는 좌절과 일상적 사랑의 허무감을 고백한 시는 앞서 인용한 것 이외에도 많이 있으나 그 중에서도 <어느 절망하는 산의 기도>, <일기 쓰기> 등은 그 대표적인 예들 가운데 하나이다. <어느 절망하는 산의 기도>는 터널로 비유된 시인과 열차로 비유된 님과의 만남을 통해(이 경우 열차의 터널 통과는 상징적으로 성행위—본능의 충족을 의미한다) 일상적 사랑의 행위로써는 영원한 사랑에 도달할 수 없는 한계를 이야기한다. 사랑의 충족(열차의 통과)은 찰나의 기쁨에 지나지 않으므로 터널은 그 찰나의 기쁨을 갖기 위하여 기다림의 형벌을 끝없이 되풀이해야 하기 때문이다.

그리하여 시인이 "아, 차라리 죽음의 폭우는 몇날 며칠 / 천지간을 깜깜하게 쏟아져 내려 / 이 몸에 화사한 도괴의 금이라도 / 깊이 / 아로새겨 주시옵기를……"이라고 외친 것은 결국 본능 혹은 리비도의 주인으로서 육체에 대한 혐오와 그것의 포기를 권한 것이라 할 수 있다. 이 같은 인식은 <일기쓰기 1>에서도 동일하게 나타난다. "마른 짚더미에 앉았으니 참으로 / 편하구나…… 이 몸도 한 가닥 / 텅 빈 지푸라기…… 힘을 더 빼도록 하자, 죄스러운 봄날 / 불붙던 피! 욕망으로 우뚝 세우던 뼈!"가 그것이다.

이제 우리는 이 대목에서 이수익의 시가 지향하는 그 궁극적 세계에 대해 언급하지 않을 수 없다. 그것은 바로 죽음의 문제이다. 왜냐하면 '불붙던 피와 욕망으로 우뚝 세우던 뼈' 즉 육신에 대한 혐오와 포기는 한마디로 죽음을 의미하기 때문이다. 여기서 우리는 드디어 슬픔의 미학, 사랑의 미학과 더불어 이수익의 시가 지닌 '죽음의 미학'과 만나게 된다.

이수익이 죽음을 주제로 쓴 시들은 다음과 같다. 언뜻 눈에 띄는 것들만 골라보아도 <마릴린 몬로>, <연꽃>, <불길>, <정사>, <종말>, <묘>, <우뢰>, <고별>, <울음>, <빈컵의 노래>, <장미>, <지뢰밭>, <다비의 불꽃>, <우기>, <불면>, <묘비명>, <공복>, <뉴앙스>, <천재>, <이름을 지우며>, <목숨>, <추모특집>, <망자의 노래>, <난처한 사랑>, <그리고 너를 위하여>, <불꽃잔치> 등이다.

그 중에서 <빈 컵의 노래>는 시인이 직접적으로 "죽고 싶어요 그대 실수로/돌이킬 수 없는 멸망으로 내가 부서져서/아픔의 황홀한 심장 위에/파편으로 남고 싶어요"라고 말해 죽음에 대한 강렬한 유혹을 고백하고, <연꽃>에서는 연꽃은 '죽어서 비로서 꽃이 된 꽃'이라 하여 죽음이야말로 삶의 완성이라는 인식을 보여주고 있다. <마릴린 몬로>에서는 마랄린 몬로가 진정한 의미에서의 완전한 삶이라 할 '관능으로부터의 해방'을 위해 스스로 자살을 감행했던 것을 찬양하며("이 세상/가장 진실한 연기는/죽음뿐이다/……/그대 관능의 허벅지를 죽이기 위하여/옷을 벗고 누운 몬로/나는 비로소 아름다운 여자가 되고/완전한 연기자가 되는 거예요") <불꽃잔치>에서는 죽음이란 완전한 생을 가져다주기에 아름답다고 말한다("최후에 이렇게 아름다운 것/단 한번뿐인 전신소멸의 불꽃잔치여").

결론적으로 이수익에게 있어서 죽음이란 아름답고 완전하고 영원한 세계이다. 그것은 저 19세기의 프랑스 유미주의자들이 그랬던 것처럼 이 일상적 세계, 세속적 세계에서는 이루어질 수 없는 지고한 삶, 절대의 사랑이 완성되는 공간이라 할 수 있다. 그러한 의미에서 이수익은 우리 세대가 갖는 몇 안 되는 유미주의자일지도 모른다. 그가 죽음 가운데서 유독 정사(情死)를 많이 노래한 것은 그러므로 충분히 시사적이다.

그대와 내가 안았던 기인 밤의 포옹도

새벽이면 기쁨보다는 더
슬픔으로 깨는 술처럼
희박한 질량으로 풀어져서
....
눈을 감자,
차라리 죽어버리자
날이 새면 하얗게 승천할 우리들의 영혼
사변으로 들끓던 피여, 안녕히 <정사>

유년체험과 사랑의 제의
— 오탁번(吳鐸藩)론

1. 설화체 서술기법

한 시인의 시 세계는 바라보는 관점에 따라 혹은 쓰여진 시기에 따라 각기 다르게 비칠 수 있다. 그러나 그의 시가 보다 확고한 입각점을 지니고 있다면 거기에는 어떤 내적 필연성이 존재하리라는 것이 나의 생각이다. 일관성이 없는 변화는 혼란이며 보편성이 결여된 개성은 우연이기 때문이다. 우리는 그것을 정체성이라고 부를 수 있을지 모른다. 오탁번 역시 마찬가지이다. 40여년의 시력을 지닌 시인의 시에 다양한 마스크가 없을 수는 없겠으나 자세히 살펴보면 그 안에도—데뷔 이후 오늘에 이르기까지—일관해서 나타나는 어떤 특징이 있다. 특히 양식적(樣式的)인 면에서 그러하다.

그것은 무엇일까. 나는 한마디로 사건 혹은 상황 중심의 서술체(narration)라 생각한다. 물론 그의 모든 시가 다 그러하지는 않지만 대체로 그는 사건이나 상황을 소재로 하여 그것을 서술체로 시화하는데 탁월한 재능을 보여준 시인이다. 우리는 이와 같은 그의 시의 양식적 특징을 그의 시적 개성이라고 일러 크게 잘못이라 할 수는 없으리라. 왜냐하면 아리스토텔레스 이후 오늘에 이르기까지 교과서적인 시(엄밀하게는 오늘의 시를 대표하는 좁은 의미의 서정시)의 규범이란 일반적으로 대상을 인식론적으로 묘사하는 방식이지 사건을 서술하는 방식은 아니기 때문이다. 우리 시에도 가령 유치환의 <깃발>이나 김영랑의 <모란이 피기까지는>이나, 서정주의 <화사>가 다 그러하다.

원래 서정시(시)는 대상의 인식론적 의미를 독백형식으로 제시함에 반하여 소설은 사건을 있는 그 자체로 서술하는데 본질을 둔다. 요컨대 한 인간이 주인공이 된 사건의 서술은—일인칭시점에서건 삼인칭시점에서건—소설의 본령이지 시의 본령은 아니다. 따라서 오탁번이 서정시를 쓰면서도 사물(대상)에 대한 의미를 자기고백적으로 기술하지 않고 인간이 주인공이 된 사건으로 서술했다는 것은 원칙적인 면에서 시에 소설적 요소를 결합했다는 뜻이 된다. 이야말로 정통적 서정시의 규범으로부터의 일탈이며 그의 시적 개성이라 할 것이다.

이에 이르러 우리는 오탁번이 우리 시대의 훌륭한 소설가 중 하나라는 사실을 되새겨보지 않을 수 없다. 의식했건 하지 않았건 그의 시의 개성은 이처럼 시에 소설적인 요소를 내면화시킨 데서 비롯하기 때문이다. 물론 이와 같은 기법은 오로지 오탁번의 시에서만 나타나는 특징은 아니다. 가령 신경림과 같은 시인도 그러한 예에 속한다. 그러나 오탁번의 시는 첫째, 그 대부분이 일인칭 서술의 시점을 택하고, 둘째, 폭로나 비판과 같은 리얼리즘의 세계와는 거리가 멀며, 셋째, 보다 주관적, 감정적인 미학을 추구한다는 점에서 이들과 다르다.

이렇듯 오탁번의 시가 사건 혹은 상황 중심의 서술체로 쓰여진다면 이에서 비롯하는 여러 파생적인 특징들을 또한 지적하지 않을 수 없다. 첫째, 항상 객관적 대상을 전제한다는 점이다. 이는 소위 비대상의 시와 구분되는 특징이기도 하다. 특히 아방가르드 시가 그러하지만 20세기에 등장한 실험시들은 대부분 대상 없이—엄격히 말하면 주관을 대상으로 하여—주관만을 표출하는 방식으로 시작(詩作)하기 때문이다. 이와 같은 비대상의 시가 오늘날 우리 시단에서 널리 유행하고 있다는 것은 누구나 알고 있는 바와 같다. 흔히 내면탐구라 불려지는 시, 포스트모더니즘을 자칭하는 시, 무의식 혹은 무의미를 지향한다는 시들이 모두 이 계열에 속한다.

둘째, 이야기가 내포되어 있다는 점이다. 그 결과 표층적 구조로 제시되어 있든 혹은 심층적 구조로 내면화 되어 있든 거기에는 어차피 인물이 등장하기 마련이다. 그리하여 오탁번의 대부분의 시는 대상 그 자체보다도 대상에 대한 인물의 행위가 중심이 되고 있다.

셋째, 항상 과거를 지향한다는 점이다. 이 역시 사건을 서술체로 기술하는 필연적 결과이다. 문학이 사건을 반영할 경우 어디까지나 '완결된 사건'일 수밖에 없는데 '완결된 사건'이란 시간적으로 과거 이외엔 없기 때문이다. 소설을 포함하여 모든 서사문학이 항상 과거의 이야기만을 다루는 이유도 여기에 있다. 장르를 시제로 구분함에 있어 서정시를 현재 시제로, 소설을 과거시제로 규정하는 것은 누구나 아는 바와 같다.

넷째, 관념적, 형이상학적인 차원이 아닌 일상 혹은 인간의 삶을 지향한다는 점이다. 그의 시에는 그 어디에도 추상적이거나 해체된 세계 혹은 고답적인 정신풍경이 없다. 모든 것은 구체적, 감각적, 현실적이다. 그리하여 그의 시의 대부분은 그의 실제 경험과 밀착되어 있거나 혹은 밀착되어 있는 것으로 착각케 할 만큼의 사실성을 지닌다. 최근에 발표한 시론에서 그가 실제의 경험이 어떻게 하나의 작품으로 이루어지는가를 구체적으로 밝힌 것[1]은 이 같은 그의 창작태도

---

1) 오탁번, 「시를 찾아서」, ≪시와 세계≫ 창간호 2003, 봄.

를 그대로 드러낸 것이라 할 수 있다.

어느 마을 어귀에
'축 2002 강원일보 신춘문예 단편소설 당선 김현숙'
현수막이 걸려 있는 걸 보았다
고성에 가서 이성선 시비 제막하고 돌아오는
2002년 5월 3일 금요일 오후였다
…………
어느집 농부의 딸로 자라서
춘천이나 강릉으로 나가 간호대를 다니거나
강원대나 한림대 국문과에 다닐지도 모르는
아니면 도시로 나가서 봉제공장에 다니다가
문뜩 신춘문예에 당선이 된
눈매도 예쁜 병아리 소설가 김현숙

새해 아침에 이 소식이 전해지자
마을 이장은 마이크를 잡고 방송을 했다
—알려드립니다.! 김씨네 둘째 딸 현숙이가
강원일보 신춘문예에 당선이 됐답니다!
우리 마을 경사났으니 마을회관으로 나오시오!
…………
<축 당선>

오탁번의 평균작에 비해서는 다소 처짐에도 불구하고 굳이 인용한 것은 이 작품이 앞서 열거한 제 특징들을 비교적 잘 드러내 보여주기 때문이다. 첫째, 이 시는 자신의 내면을 고백적으로 표출하지 않고 그 대면한 객관적 사건을 서술적으로 기술했다. 작가와 대상과의 이

와 같은 관계를 슈타이거(E. Staiger)는 상면관계(Gegenüber)라 명명하여 서사시의 한 주요한 특질로 규정했지만[2] 오탁번은 오히려 시에서 이를 적절히 활용하고 있다.

둘째, 이 시는 전체적으로 하나의 이야기가 내용을 이룬다. 즉 화자가 자동차로 시골길을 드라이브하다가 마주친 한 사건의 기록이다. 따라서 여기에는 부차적 인물이자 사건을 일인칭 시점으로 보고 있는 '나'와 주인공이라 할 '김현숙' 그리고 마을 사람들이 등장한다.

셋째, 이 시의 내용은 현재적인 것이 아니라 모두 과거적이다. 즉 과거에 일어난 어떤 사건들을 회고하는 형식으로 되어 있다. 구체적으로 화자가 그 사건이 일어난 시점을 2002년 5월 3일이라고 못박고 있는 데서도 알 수 있다.

넷째, 이 시의 모든 내용은 삶의 일상적 공간에서 일어난 이야기들이다. 자동차 드라이브, 죽은 시인의 시비제막, 한 시골 소녀의 신춘문예 등단, 그것을 축하하는 동네사람들의 잔치 등이 그러하다. 이 모두 우리에게 친숙하고 뚜렷하며 또한 구체적인 것들이다. 그 어떤 것도 고답적, 형이상학적이지가 않다.

다섯째, 이 시의 이야기들은 우리에게 시인의 경험적 사실로 와 닿는다. 그것은 화자가 구체적으로 이 사건을 목격한 날을 '이성선'이라는 실재 시인의 시비 제막식이 있는 날임을 밝히는 데서도 알 수 있다. 물론 문학작품인 까닭에 시인은 하나의 전략으로 이성선의 시비제막이라는 현실적 사건을 빌려 실제는 없는 가상의 이야기를 시로 쓸 수도 있다. 그러나 이 경우라 하더라도 독자에게 줄 수 있는 효과가 경험적이라는 것만큼은 부인할 수 없다. 흔히 소설론에서 말하는 바 '실제는 일어나지 않았지만 일어난 것으로 느껴지는 사

2) Emil Staiger, *Grundbegriffe der Poetik*, 오현일·이유영 역(서울: 삼중당, 1978), PP. 91~95.

건'(probable impossibility)이 되기 때문이다.

2. 유년지향 의식

나는 앞장에서 오탁번의 시의 보편적인 특징의 하나가 사건 혹은 상황 중심의 서술체이며 시간적으로 그 사건들은 모두 과거적이라는 것을 지적하였다. 그러나 한결 더 강조되어야 할 것은 '과거'라는 그 시간성이다. 시인은 시적 대상이 되는 사건을 선택하되 그것을 가능한 먼 과거에서 찾고자 하기 때문이다. 그러나 한 인간에게 있어서 현실로부터 가장 먼 과거란 무엇인가. 그것은—모든 사건 즉 이야기는 결국 인간이 주인공이 되는 까닭에—그의 유년이자 기억의 원형이다. 오탁번은 가능한 현재로부터 가장 멀리 있는 과거를 찾고자 하는 까닭에 결국 유년의 세계에 닻을 내린다. 그러한 관점에서 오탁번의 시의 내용에 가장 적절한 시적 소재는 아마도 유년에 얽힌 이야기들이라 할 것이다.

감나무에서 감잎이 뚝뚝 떨어지는 소리
아버지의 두루마기 소매자락에 이는
기러기 날아오는 가을 하늘 더 푸르다.

텅 빈 들녘 송장 메뚜기 한 마리
간 고등어 한 손 든 아버지의 흰 고무신코
살진 집짐승 여물 먹는 소리가 정겹다.

버들치 헤엄치는 여울 목에 빠진 가을달

반짇고리에 놓여 있는 은반지의 흰 입술
쥐 오줌 자국 난 벽에서 잠자는 씨 옥수수

어머니의 가을 옷섶 따스한 저녁연기
호랑나비인 양 가벼운 굴뚝새 한 마리
감잎 뚝뚝 떨어지는 가을이 마냥 깊다. <가을>

필자는 앞에서 간단히 '유년'의 세계라 했지만 그것이 과연 유년인 것은 거기에 고향이 있고, 어머니의 따뜻한 품이 있고, 어린 아이로 되돌아 간 화자 자신이 있기 때문에 유년인 것이다. 즉 유년으로 돌아간다는 것은 현실과 결별한 자신이 어린이가 되어 어머니가 계신 고향으로 달려간다는 뜻이다. 그런데 성인인 화자가 어린이가 된다는 것은 현실적으로 불가능하다. 다만 어린이의 마음 즉 동심(童心)으로 돌아갈 수 있을 뿐이다. 성인이라 하더라도 동심을 되찾은 사람 그가 바로 어린이인 것이다. 그러므로 유년의 세계란 간단히 시간적으로는 먼 과거이며, 공간적으로는 고향이며, 대상적으로는 어머니이며, 의식상으로는 동심이 자리한 곳이라고 말할 수 있다.

인용시 역시 앞장에서 지적한 오탁번 시의 특성 그대로 사건중심의 서술체가 내용을 이루고 있다. 그러나 보다 주목할 것은 그것이 유년시절에 일어난 '사건'이라는 점이다. 그리하여 인용 시에서도 화자는 동심으로 되돌아가 과거라는 시간의 한 축에서 고향에 계신 어머니와 대면한다. 물론 인용시에서는—시의 모든 진술이 객관적 상관물로 제시되어 있는 까닭에—유년시절의 행복과 평안이 직접적으로 서술되어 있지는 않다. 묘사된 내용 또한 물질적으로 풍요롭지 않음을 보여준다. 가령 '쥐오줌 자국난 벽'이라든가, '간고등어 한 손 든 아버지의 흰 고무신코'와 같은 묘사 등이다.

그럼에도 불구하고 우리가 이 작품에서 자연스럽게 물질적인 풍요를 넘어선—아니 물질로서는 도달할 수 없는 유년의 어떤 안식과 행복을 느끼게 되는 것은 그의 유년의 고향이 '기러기 날아오르는 가을 하늘이 더 푸르고', '살찐 집짐승 여물 먹는 소리가 정겹고', '저녁 연기가 가을 옷섶을 따스하게 스치는' 고향, 한마디로 어머니가 실재하는 고향이기 때문이다. 고향의 어머니—여성이 지닌 의미에 대하여는 다음 장에서 설명되겠으나 그러므로 우리는 여기서 시인의 유년이 어머니와 함께 하는 동심의 세계라는 것만큼은 다시 확인할 수 있다.

나는 앞에서 유년의 필요조건을 설명하는 가운데 그 주체라 할 어린이가 현실적으로는 동심을 지향하는 의식임을 지적한 바 있다. 말하자면 '어린이'가 존재자(Das Seiende)라면 '동심'은 존재(Das Sein) 그 자체이다. 그런데 오늘날 현상학적 접근에 의하면 존재는 존재자에 선행한다. 존재가 존재자보다 더 중요한 것이다. 그러므로 유년을 지향하는 오탁번의 시에 동심의 세계를 노래한 시가—어떤 시편들은 거의 동요에 가까운 것들도 있다. 가령 <잠지>, <송편>, <엄마>, <아빠>, <어버이 날> 등—다수 등장하는 것은 자연스럽다고 할 수 있다. 즉 오탁번의 시에서 동심을 노래한 시들은 그의 유년지향성의 또 다른 마스크인 것이다.

바둑아 바둑아
이리 오너라
나하고 놀자
—국민학교 1학년 국어시간

어미개 때려 잡아서

가마솥에 삶아 먹는
어른들
— 국민학교 1학년 가는 길

제 어미가 죽은 줄 모르는
바둑이가
몽당연필 따라
마분지 공책 위에서
깡총깡총 나하고 논다
—국민학교 1학년 국어 숙제 <국민학교 1학년 오탁번 생각>

시의 제목이 '국민학교 1학년 오탁번 생각'으로 되어 있는 것에서도 알 수 있듯 시인은 지금 성년이라는 현실을 탈출해 초등학교 1학년의 학생으로 되돌아 가 있다. 유년의 동심으로 세계를 바라보고 있는 것이다. 그러자 세계는 그에게 갑자기 새로운 모습으로 다가 선다. 그것은 어른들의 일상에서는 보지 못했던 진정하고도 본질적인 삶의 모습이다.

어느 무더운 여름날 초등학교 1학년 학동인 오탁번은 학교를 가는 길에 개를 잡아먹는 어른들을 보았다. 그런데 하교 후 집에 돌아와서 알아보니 그 개는 숙제를 할 때면 으레 자신의 옆에서 아이들과 즐겁게 재롱을 부리며 놀던 강아지의 어미였더라는 것이다. 어른들이 들려줄 수 있는 현학적, 고답적 담론에서는 쉽게 깨우칠 수 없는 생명의 외경과 삶의 덧없음에 대한 자각이 순진한 어린이의 시각을 통해 감동적으로 전달되는 작품이다. 시인이 평소에는 별로 관심을 가지지 않았던—그리하여 예사롭게 지나쳐버렸던 일상 속의 이와 같은 생의 진실을 깨우칠 수 있었던 것은 오로지 그가 동심의 세계에 침잠했던 데서 가능한 것이었다.

3. 우주적 제의(祭儀)

그런데 한 인간에게 있어서 유년은 우주적 차원에서는 빙하기 직후에 해당한다. 왜냐하면 유년과 성년 그리고 노년의 반복으로 인간의 세대가 이어지듯 지구 역시 빙하기와 빙하기를 거치면서 낡은 생명체의 사멸과 새로운 생명체의 탄생이 거듭되기 때문이다. 즉 인간의 죽음과 비유되는 지구의 죽음은 빙하기이다. 그러므로 우주적 관점에서라면 빙하기 직전을 노년으로, 빙하기를 죽음으로, 빙하기 직후를 유년으로 생각해 보는 상상력이 가능하다. 오탁번의 시에 자주 빙하기가 거론되는 것도 그의 유년 지향의식이 우주적 상상력으로 확장된 데서 오는 것이 아닌가 한다.

....
만년전 빙하기 때
마주 보고 서 있던 수은행나무는
얼음에 갇혀 숨을 거두고
....
지구를 뒤덮은 빙하 때문에
꽃을 피우고 열매를 맺지 못한 채
수놈과 생이별한 한을 푸느라고
아름다운 암은행나무는 사랑의 열매를 알알이 낳고 있는데
빙하기가 다시 오면
나의 사랑은

무슨 나무로 살아남아서
절멸의 시간을 넘어서고 있을까. <은행나무>

인용시에서 화자는 지금 그가 사는 시대를 지난 빙하기로부터 만 년이 경과한 때라고 한다. 그리하여 그는 다시 빙하기가 도래해서 이 세계의 모든 것이 절멸한다면 어찌할 것인가를 두려워하고 있다.(상징적으로 수놈과 이별한 암은행나무의 미래를 이야기하고 있으나 구체적으로 그것은 사랑의 영속성에 대한 절망이다.) 그런데 우리는 여기서 시인이 그의 다른 작품을 통해 빙하기와 빙하기의 반복 주기가 일 만년이라고 말했던 것에 주목할 필요가 있다.

꿈나라의 마을에도
눈이 내리고
밤마실 나온 호랑이가
달디 단 곶감이 겁이나서
어흥 어흥 헛기침을 하면
....
다음 빙하기가 만년이나 남은
눈내리는 마을의 하양지붕이
먼 은하수까지 비친다. <눈내리는 마을>

인용된 부분에서도 그렇지만 인용시는 전체적으로 지고 지순한 삶의 이상을 그려 보여준다. 무엇보다 중심 이미지 혹은 사적 상징이라 할 '눈'의 암시적인 의미가 그러하다. 그런 까닭에 그 세계는—현실에서는 이룰 수 없는—'꿈나라의 마을'이 될 수 있으며, 전설이 현실이 되는 나라가 될 수 있으며(자신(호랑이)이 왔다는 위협에도 아무 동요가 없던 아이가 곶감을 준다는 어머니의 말씀에 울음을 그친 것을 본 호랑이가 곶감을 두려워해 도망을 쳤다는 한국의 전래 동화), 그 '하얀 지붕이 / 먼 은하수까지 비치는' 장소가 될 수 있는 것이다. 눈에 덮인 지상이야말로 가장 순수하고, 가장 원초적이고, 가장 성스러운 공간이기 때문이다. 그것은 이 지구상의 생명들이 저지른 모든 죄악, 모든 오염, 모든 타락, 모든 허위를 일거에 폐기시킨 직후의 세계 달리 말해 빙하기를 막 거친 지구라고 할 수 있다. 시인이 상징적으로 그린 바 그렇게 성스럽고 정결한 지상은 오직 빙하기에 의해서만이 가능한 세계인 것이다.

그런데 앞의 두 인용시를 꼼꼼히 읽어보면 시인의 우주관에 있어서 빙하기의 주기——그러니까 빙하기와 빙하기 사이의 시간은 대략 일 만년임을 알 수 있다. 그것은 시인이 지금 막 경험한 그와 같은 때(지난 빙하기)로부터 만년 후에 다시 새로운 빙하기가 도래할 것임을 예언하고 있기 때문이다.("다음 빙하기가 만년이나 남은……") 문제는 그 앞의 인용시 <은행나무>에서 말하고 있듯 시인이 사는 당대가 지난 빙하기로부터 이미 일만년을 경과했다는 사실이다.("만년 전 빙하기 때 / 마주보고 서 있던 은행나무") 그것은 다른 말로 시인의 의식상 새로 도래할 빙하기는 바로 면전에 있다는 뜻이 된다. 오탁번의 경우 지구상의 모든 생명들은 이제 '절멸의 시대'에 직면해 있는 셈이다. 따라서 그가 "빙하기가 다시 오면 / 나의 사랑은 / 무슨 나무로 살아남아서 / 절멸의 시간을 넘어서고 있을까."라고 노래한 것은 전혀 이상스럽지 않다.

그러나 시인은 두려워하기는 하나 그 절멸의 시대——빙하기를 거부하지 않고 오히려 그것의 도래를 염원하는 모습을 보인다. 그 순결한 이상세계의 실현을 위해 우리가 우리 시대의 당면한 이 모든 죄악과 타락과 비생명화——물신화를 쓸어버리고자 할 때 그것을 가능케

할 유일한 힘은 오로지 빙하기 이외에는 없다는 믿음 때문이다. 그에게 있어서 빙하기란 바로 병들고 타락한 세계의 종말과 건강하고 순결한 세계의 탄생 즉 신화적인 의미에서 죽음과 재생을 상징하는 우주적 통과의례(cosmic initiation)였던 것이다. 다음과 같은 진술이 이를 뒷받침해준다.

> 빙하기를 기다리는 나의 상상력의 허공속으로 떡밥 뭉쳐던진 릴낚시의 딸랑딸랑 방울소리 들린다. 옥수수 수염 간지르는 여우비도 보인다. 눈 딱 감고 산 주식이 아뿔사 한달도 못되어 담배 한 갑도 안 되는 자본주의도 보인다. 주행거리 16만킬로미터의 똥차의 배기가스도 가득하다. 뱃속으로 들어간 닭 똥집과 삼겹살은 고지혈이 되어 의료보험공단에서 보낸 신체검사 재검통지서도 날아온다. 팬티엄 컴퓨터 옆에 놓고도 외솔타자기 한 손가락으로 두드리며 글 쓰는 오탁번도 보인다. 돋보기 안경도 다 보인다. (…중략…)
>
> 내 살은 살색을 잃은지 오래다.
> 저승빛 갉느라고
> 검버섯 자라는 죽은 나무의 사회가 되었다.
> 작은 창자 큰 창자 다 망가져서
> 설사 내가 된 똥을 누어도
> 똥도 이젠 똥색이 아니다. <검버섯>

인용시에서 우리는 왜 오탁번이 그 죽음과 절멸의 우주적 통과의례 즉 빙하기를 기다리는지 그 이유를 쉽게 이해할 수 있다. 그것은 문맥 그대로 우리가 당면한 이 현실 즉 비인간화로 치닫고 있는 현대사회를 더 이상 두고 볼 수 없었기 때문이다. 시인이 본 오늘의 자본주의 삶이란 물신화가 팽배하고(“눈 딱 감고 산 주식이 아뿔사 한달도 못되어 담배 한갑도 안 되는 자본주의"), 공해에 찌들었으며("똥차의 배기가스도 가득하다"), 동물적 탐욕이 만연해 있는가 하면("뱃속으로 들어간 닭똥집과 삼겹살은 고지혈이 되어"), 인간이 물화되고("팬티엄 컴퓨터어와 외솔 타자기 사이로 보이는 오탁번"), 드디어 생명 그 자체가 상실된("내 살은 살색을 잃은 지 오래다"), 한마디로 "검버섯이 자라는 죽은 나무의 사회"였던 것이다.

오탁번은 이렇듯 상징적으로 빙하기를 겪은 지구가 다시 우주적 건강성을 회복하는 일을 비유로 들어 이 불결한 시대의 타락한 삶이 절멸하고 다시 원시의 순결한 새 삶이 거듭나기를 바란다. 따라서 그의 시에 타나나 있는 유년지향의식은 이와 같은 우주적 재생의식의 인간적 반영이라고 할 수 있다. 우리가 앞서 살펴보았듯이 한 인간에게 있어서 유년은 우주적으로 빙하기 직후의 순결한 지구와 같기 때문이다.

이와 같은 관점에서 이제 우리는 다음과 같은 가설을 제시할 수 있다. 즉 오탁번의 시적 구도에 있어서 인간이 한 생애 끝에 맞는 죽음은 우주적으로 빙하기이며, 유년은 빙하기 직후의 시대이며, 노년은 빙하기 직전의 시대라는 사실이다. 그리하여 그는 이 같은 구도 속에서 한 인간의 죽음 뒤에 건강한 새 생명의 유년이 대를 잇듯 인류의 역사 역시 새로운 빙하시대를 경험함으로써 타락한 문명의 시대가 가고 순결한 삶의 이상이 새롭게 실현되는 사회가 도래할 것이라고 믿는다. 오탁번이 그처럼 그의 유년을 그리워하고 유년 체험에 집착하는 이유가 여기에 있다.

우리는 가끔 일상의 세계로부터 탈출해서 종종 유년의 세계에 탐닉하려 한다. 부조리한 현실에서 사는 것이 두렵기 때문이다. 빙하기를 유년기의 확장으로 본 시인의 문명사 의식 역시 이와 다르지 않다. 인간적인 것이냐 우주적인 것이냐가 다를 뿐 오탁번에게 있어서 빙하기에 대한 동경은 곧 유년에 대한 동경 바로 그것이다. 그러나 우리는 유년으로 돌아가고자 하는 오탁번의 내면적 동경을 단순히 퇴행의식의 표출이라고 말할 수는 없다. 그것은 그가 유년체험으로 형상화시킨 개인 미학 속에서 보다 적극적으로 인간의 변혁, 문명사의 재창조를 꿈꾸고 있기 때문이다.

4. 페미니즘

유년을 구성하는 네 가지 조건 중에서 시간상의 '먼 과거'와 의식상의 '동심(童心)'에 관해서는 앞장에서 논의한 바와 같다. 그러므로 이제부터 살펴볼 문제는 공간상의 '고향'과 대상적으로 '어머니'가 지닌 시적 의미이다. 대체 오탁번은 그의 유년탐구에서 고향과 어머니를 들어 무엇을 이야기하고 싶어하는가.

그러나 실은 고향과 어머니의 실체는 같다. 고향이 어머니이며 어머니가 즉 고향이다. 그것은 나를 낳아 길러주신 분이 어머니라 할 때 그 낳아준 궁극적 장소가 물리적 공간으로는 고향이고 생리적 공간으로는 어머니의 자궁이기 때문이다. 인간이 어머니의 자궁에서 태어나 그곳에서 한 독립된 개체로 성장하는 것처럼 인간은 또한 고향에서 태어나 성인이 될 때까지 그곳에서 길러진다. 그러므로 고향은 어머니 그 자신이며 더 좁혀 이야기하자면 어머니의 자궁과 같은 공간이다. 태내에 있을 때 그러한 것과 같이 외지에 떠돌던 인간이 자신의 고향에 돌아와서 비로소 원초적인 안식과 평화를 누릴 수 있는 것도 이 때문이다.

그러나 유년의 고향이 바로 어머니라는 것은 무엇인가. 그것은 생명을 낳을 수 있고, 생명을 길러줄 수 있고, 또 폭력을, 죽음을 잠재워 줄 수 있는 것으로서의 여성성(féminité)—괴테가 그의 <파우스트>의 결말에서 '영원히 여성적인 것'만이 우리를 구원해 줄 수 있다고 했을 때의 그 영원한 여성성을 지닌 여자이다. 한마디로 그것은 모성(母性)을 지닌 여성성으로 규정할 수도 있다. 그러므로 괴테의 이 잠언은—물론 파우스트가 그의 연인 그레첸을 두고 한 독백이지만—실은 그의 연인의 본성에 내재한 바로 그 어머니로서의 여성성을 지적한 말이라고 해야 할 것이다.

따라서 현실적으로 그녀가 누이든, 고모든, 이모든, 숙모든 혹은 연인이든, 친구든 그 어떤 여자라도 '영원한 여성적인 것'을 지니게 되면 그가 바로 어머니나 어머니에 준하는 여성이 된다. 노드롭 프라이(Northrop Frye)가 그의 원형상징론에서 '영원한 여성'(eternal female)이란 자기 희생을 통해 무한의 사랑을 실현하고 또한 자기 희생을 통해서 타자를 구원시키는 여성이라고 말했던 것도 같은 뜻이다.[3] 프라이는 그 전형으로서 기독교의 성모 마리아나, <신곡(神曲)>의 비아트리체, <페아균트>의 솔베지 같은 여인을 들었지만 물론 그것만이 다는 아니다. 인간은 누구나 각각 구원(久遠)의 여인상(女人像)으로서 어머니를 가지고 있으며 각개 어머니는 모두 그들의 성모 마리아이자 비아트리체이기 때문이다.

오탁번이 그의 유년 체험에서 만난 어머니가 바로 그러하다. 아니 그의 유년의 공간에서 살고 있는 여자들이 모두 그러하다. 그러므로 오탁번이 유년을 노래한 시들 속에—그 이외의 시들도 대부분 그렇지만—예외 없이 여성이 등장하는 이유가 여기에 있다.

여름내 어깨순 집어준 목화에서

3) Northrop Frye, Anatomy of Criticism(Princeton: Princeton Univ. Press, 1957), PP. 292～293.

마디마디 목화꽃이 피어나면
달콤한 목화다래 몰래 따서 먹다가
어머니한테 나는 늘 혼났다
그럴 때면 누나가 눈을 흘겼다
—겨울에 손 꽁꽁 얼어도 좋으니?
서리내리는 가을이 성큼 오면
다래가 터지고 목화송이가 열리고
목화송이 따다가 씨아에 넣어 앗으면
하얀 목화솜이 소복소복 쌓인다
솜 활끈 튕기면 피어나는 솜으로
고치를 빚어 물레로 실을 잣는다
뱅그르르 도는 물렛살을 만지려다가
어머니한테 나는 늘 혼났다
그럴 때면 누나가 눈을 흘겼다
—손다쳐서 아야해도 좋으니?
까치설날 아침에 잣눈이 내리면
우스꽝스런 눈사람 만들어 세우고
까치설빔 다 적시며 눈싸움한다
동무들은 시린 손을 호호 불지만
내 손은 눈곱만큼도 안 시리다
누나가 뜨개질한 벙어리장갑에서
어머니의 꾸중과 누나의 눈흘김이
하얀 목화송이로 여태 피어나고
실 잣는 물레도 이냥 돌아가니까　　　　<벙어리 장갑>

인용시에서 화자는 물레로 실을 타는 어머니께 장난을 치다가 어머니로부터는 꾸중을, 그것을 지켜보던 누나로부터는 눈흘김을 당한다. 그러나 그 꾸중과 눈흘김이 역설적으로 화자에 대한 이 여성들의 깊은 사랑의 표현이라는 것을 여기서 굳이 설명할 필요는 없다. 이 두 여성은 봄부터 가을까지 목화를 재배하고 거기서 솜을 타고 실을 잣아 화자에게 벙어리 장갑 한 켤레를 짜준다. 그 결과 화자는 한 겨울의 추위에도 '동무들은 시린 손을 호호 불지만/내 손은 눈곱만큼도 시리지 않게' 되는 것이다. 그것은 물론 현실 공간에서 그리 대단한 일이 아닐 터이다. 그러나 우리는 그것이 현실이 아니고 시적 공간에서의 일이라는 것을 염두에 두어야 한다.

시적 공간이란 상징의 공간, 그러므로 이 시가 이 상징의 공간에서 이야기하고자 하는 것은 암시적으로 고향의 두 여성이 그의 아들이며 동생인 화자에게 일년 내내 헌신적인 사랑을 받친다는 내용이다. 말하자면 '영원한 여성성'의 잠재적 표현이자 이를 개인적 삶의 차원에서 반영한 것이라 할 수 있다. 이렇듯 오탁번 시의 유년시절에 등장하는 여성들은 '영원한 여성'이다.

물론 그의 유년시절에 등장하는 여성들은 때로 에로틱하게 묘사된 경우도 있다. 그러나 이 역시 관능적이라거나 감각적인 성애(性愛)라기 보다 원초적 생명애(生命愛) 혹은 플라토닉한 사랑에 가깝다. 혹자는 말할 것이다. 어떻게—적극적이든 소극적이든—여성에 대한 에로티시즘의 표출이 플라토닉할 수 있겠느냐고…… 그러나 그렇지 않다. 에로티시즘은 플라토니즘과 항상 모순의 관계에 있는 것만은 아니다. 그것은 그 어떤 종교에서든지 성녀(聖女)들은 때로 남성들의 연인으로, 남성의 수호자로 현신하는 것을 보아서도 알 수 있다. 모든 종교의 조상(彫像)에서 성녀들이 감각적 아름다움으로 묘사되는 것도 이 때문이다. 가령 성모 마리아가 그렇고 관음보살이 그러하다. 힌두교에서는 심지어 갖가지 합궁의 자세를 묘사한 천녀(天女)들의 에로티시즘이 신전의 조상으로 장식되어 있기조차 한다.

안질이 나서 눈곱이 심할 때
작은어머니가
솨솨솨 요강 소리 그냥 묻은
당신의 오줌을 발라주면
내 눈은 이내 또록또록 해졌다.

초등학교 마칠 때까지
작은어머니의 젖을 만지며 잤다
회임 한 번 못한 채 젊어 홀로 된
작은어머니의 예쁜 젖가슴은
가위눌림에 정말 잘 듣는
싹싹한 약이 되었다 <작은어머니>

문득 떠오르는
진외육촌 누나의 얼굴이여
아직 눈도 못 뜬 내 사타구니에
새끼 자라의 연한 살결 간지럼 태우며
애기똥풀 감황빛 꽃물 발라주던
누나의 눈 웃음이
봉숭아물 곱게 든 손톱만큼 예뻤다.
....
내 사타구니의 다 큰 자라가 미운 듯
말똥말똥 눈 흘기는 애기 똥풀이여
누나여 <애기똥풀>

인용된 시에서는 여성에 대한 에로티시즘이 보일 듯 말 듯 묘사되어 있다. 앞 인용시에서 작은어머니의 요강에 오줌누는 소리나 뒷 인용시에서 사타구니 '새끼 자라'를 간질이는 육촌 누나의 분홍손톱이 그러하다. 그러나 이 넘을 듯 말 듯한 에로티시즘의 표현은 관능적이거나 육감적이지가 않다. 그것은 어디까지나 생의 원초적인 생명애나 플라토닉한 사랑의 표현에 부가된 인간적 육성에 지나지 않기 때문이다. 그것은 이렇게 정리된다.

첫째, 생명애(生命愛)를 보다 감각적으로 표현했다. 가령 앞의 인용시에서 작은 어머니가 요강에 오줌을 누는 소리는 물론 에로틱하다. 그러나 그것은 화자의 눈병을 치료하기 위해서이지 성애를 자극하기 위해서가 아니다. 그러므로 이 시에서 유년의 화자는 잠을 자면서도 마치 어머니에게서 그러한 것과 마찬가지로 작은어머니의 젖을 만지며 잘 수 있는 것이다.

둘째, 플라토닉한 사랑이다. 뒤의 인용시에서 화자의 사타구니를 간질이는 육촌누나의 행위는 독자들에게 다소간 에로티시즘 비슷한 느낌을 주는 것도 사실이다. 그러나 그것이 기우라는 것은 시의 후반부에서 화자가 자신의 '사타구니의 다 큰 자라를 미워할' 육촌누나의 현재의 모습을 묘사하는 것에 의해서 가신다. 그 에로티시즘이 진정한 의미의 관능이라면 육촌 누나는 다 큰 자라를 미워하기는커녕 오히려 좋아했어야 하기 때문이다. 그러므로 유년시절의 그와 같은 에로티시즘은 다만 플라토니즘의 한 감각적 표현에 지나지 않은 것이라고 해야 한다.

셋째, 무위 자연의 순결한 사랑이다. 그것은 마치 원죄를 짓기 이전의 아담과 이브가 에덴에서 누렸던 사랑에 비교된다. 따라서 이 시에서의 사랑은 비록 어떤 에로티시즘의 느낌을 준다 하더라도 보는 사람의 관념이 그런 것이지 시인이 제시하는 대상 그 자체 때문에 그런 것은 아니다. 선악이나 도덕과 같은 인위적 규준을 초월한 곳에 죄 혹은 타락과 같은 가치개념이 성립될 수 있기 때문이다. 인용시에서는 아름다운 자연 속에서 뛰어 놀다가 다친 화자와 그 사타구니를 꽃물로 치료해주는 누나의 분홍 손톱이 한편의 그림처럼 묘사되어 있지 않은가. 이 대목에서 우리는 가히 춤추는 꽃의 요정들이나 에덴의 순결한 영혼을 보는 것만 같다.

이렇듯 오탁번이 유년의 고향에서 만나는 여성들은 '영원한 여성'들이며 그 여성성의 본질은 자기 희생적 사랑에 있다. 오탁번은 바로 그 자기 희생적 사랑의 내면에 자리한 원시적 생명의 순수 혹은 삶의 진정성으로 되돌아가기 위하여 유년에 깊이 깊이 침잠하고 있는 것이다. 그러나 우리는 그의 고향이 지닌 또 하나의 중요한 성격을 간과해선 안 된다. 그것은 에니미즘이다. 그의 시에는—유년을 노래한 시만이 아닌 다른 시에도—보편적으로 에니미즘이 형상화되어 있기 때문이다.

5. 에니미즘 혹은 마이크로코즘

편히 잠드는 섬에 마침내 왔다. / 아침 바다가 눈뜰 때까지

<섬으로 가는 길>

계룡산 깊은 울음소리 염주알처럼 헤아린다. / …… / 그리운 뺨 눈물 머금은 저녁 노을 <고욤나무>

허수아비 하나 / 수수밭 두렁에서 / 웃고 있다. <과추풍령유감>

한자루의 백묵이 지니는 / 말 못할 숨결도 숨결이지만 / …… / 하늘가 나비 잠든 아기별을 깨운다. <아기별>

수은등만 눈물 빛깔로 울고 있는 밤 <접문(接吻)>

빙하가 긴 잠에서 깨어나/지구의 결빙을 음모할 때도 <새>

일반적으로 에니미즘(animism)이란 각개의 사물까지도 포함하여 이 세계는 모두 살아 있다는 세계관이다. 그것은 대체로 두 가지 의미를 포함한다. 첫째, 생물이든 무생물이든 그 어떤 것이든 사물에게는 영혼이 있다는 것과 둘째, 죽은 자의 영혼이 다른 사물에게 전이된다는 생각이다. 그러므로 수사법상 소위 의인법 혹은 활유법은 원칙적으로 시인이 사물에게 에니미즘을 투사시킨 경우라고 말할 수 있다. 그러나 오탁번의 시에 있어서의 에니미즘이란 이와 같은 상식적인 수준의 에니미즘을 가리키는 말이 아니다. 단지 살아 있거나 영혼을 교환하는 차원을 넘어서 이 세계의 모든 사물들이 상호 친족관계(kinship)로 하나의 전체적인 통합을 이룬다는 뜻으로서의 에니미즘이다. 그러한 관점에서 그것은 '에니미즘'이라는 용어보다는 '마이크로코즘(microcosm)'이라는 용어가 더 적절할지도 모른다. 마이크로코즘이란 에니미즘에서 한 걸음 더 나아가 개개의 접신된 영혼들이 전체적으로 하나의 큰 영혼에 통합된다고 보는 세계관이기 때문이다.[4)]

인용된 시행들은 모두 에니미즘이 형상화되어 있다. 생명이 없는 물체들을 마치 영혼을 가진 존재인 것처럼 묘사하고 있기 때문이다. 가령 섬이 잠들어 있다든가, 계룡산이 울고 있다든가, 백묵이 숨을 쉬고, 빙하가 결빙을 음모하며, 허수아비가 웃고 있다는 것 등이다. 이 시의 사물들이 보여준 이 다양한 모습들은 살아 있지 않고서는 불가능한 행위들이다. 사물들이 살아 있지 않다면―영혼을 지니고 있지 않다면 그럴 수 없기 때문이다. 그러나 다음과 같은 시인의 인식

---

4) *The Encyclopedia of Philosophy*, Ed. Paul Edward, et al(N.Y.: The Macmillan Company & The Press, 1978.)

에는 그 에니미즘이 이제 마이크로코즘에 이르는 차원을 보여준다.

> 그후 쟈스민 향이 더 그윽해진 것은 / 교미하다가 죽은 / 보르헤스의 오줌과 정액이 / 쟈스민 흰 꽃술마다 / 깊고 부드럽게 스몄기 때문이라고
> <쟈스민 차>
>
> 태풍이 휩쓸고 간 / 한강 둔치는 / 바람난 신들의 러브 호텔이었나…… / 여신이 뒷물하고 남은 / 물웅덩이도 보이네 <둔치의 사랑>
>
> 우포늪이 토해 내는 울음 소리를 듣고 / 귀 밝은 하늘이 내려왔다.
> <우포늪>
>
> 나도 따라 나서려 하자 / 쪽배가 위험하다면서 말했네 / ―저 둠벙에서 낚시를 하쇼. <임금님 낚시>
>
> 하느님이 하늘로 올라가면서 / 재채기라도 하셨나 / 실비 뿌리다가 이내 그친다. <실비>

위의 인용시행들은 개개 사물의 '살아 있음'이 단지 개별적인 상태 혹은 상호 단절된 상태의 존재가 아님을 말해준다. 그들 사이에 필연적인 연관성이 있는 것이다. 예컨대 자스민의 향기는 홀로 된 것이 아니라 보르헤스의 오줌과 정액이 섞여 만들어진 것이고, 태풍이라는 기현상은 각각 신과 여인이라 할 수 있는 바람과 한강의 합궁에 의해서 만들어진다. 우포 늪과 하늘 역시 살아 있는 존재로서 상호 사랑을 주고받으며 실비는 하나님의 재채기 소리에 놀라 비 뿌리기를 그친다. 그의 유년 공간에 자리한 사물들은 이렇게 모두 영혼을 가진 생명들이자 또한 각기 친족관계를 지녀 상호 정신적, 육체적 교류가 자유스럽다. 그것은 흡사 서정주(徐廷柱)가 스스로 '영통(靈通)' 혹은 '영교(靈交)'라고 부른 바 있는 만유신령주의(萬有神靈主義)에 가까운 세계이다.[5]

그렇다면 오탁번의 시에 등장한 이 마이크로코즘의 의미는 무엇일까. 한마디로 그것은 이 세상의 모든 사물들은 본질적으로 하나이며 상호 유기적인 관계 속에서 함께 우주의 질서를 역사하고 있다는 생각이다. 즉 생물이든 무생물이든 이 우주에 실재하는 각자는 그 자신만의 자율적인 영역을 지니면서도 서로 존중하고 교류하고 함께 어우름에 의해 가장 바람직하고 가장 완전한 그만의 존재성을 실현할 수 있다는 생각이다. 그런데 시인이 보기에 이처럼 함께 역사하여 모두를 하나로 묶을 수 있는 힘은 간단히 말해 사랑이다. 사랑의 본질은 생명에 대한 외경에서 비롯하고 생명에 대한 외경은 또 타자를 존중하는 마음에서 비롯하기 때문이다. 오탁번에게 있어서 에니미즘 혹은 마이크로코즘이란 바로 이 사랑의 본질에 내재한 '생명 존중' 사상과 다르지 않다. 즉 '사랑'이 인간을 떠나 우주적 개념으로 확장할 때 비로소 '마이크로코즘'이 된다.

1억년전 퇴적암 위에
발자국 화석으로만 남은
난생(卵生)의 사랑이
영원을 가르며 날아갈 때
짝을 찾는 개개비 한 마리가
개개개 울음 운다.

빙하가 긴 잠에서 깨어나
지구의 결빙을 음모할 때도
서걱이는 갈대밭 물녘

---

5) 서정주, 「한국적 전통성의 근원」, 『서정주문학전집』 2, 문학논총(서울: 일지사, 1972)

눈도 못 뜬 새끼들에게
어미새가 토해주는 사랑이
불잉걸보다 뜨겁다. <새>

인용시는 그의 마이크로코즘의 핵심에 '사랑'이 자리하고 있음을 직접적으로 피력한 작품이다. 일억만년 전에 살다가 멸종된 공룡의 새끼가 현세에서—그것도 종이 다른—개개비로 태어났다는 이 초시간, 초공간적 영혼의 전이 그 자체가 이미 마이크로코즘이라 한다면 이 시에서 보듯 이를 가능케 한 힘은 '사랑' 바로 그것이기 때문이다. 그의 시의 사랑과 마이크로코즘은 이렇듯 표리의 관계에 있다.

여기서 우리는 오탁번이 왜 그의 시적 공간에서 유독 유년의 세계에 침잠하려 했던 것인가 하는 이유를 재확인해 두어야 한다. 이미 결론을 내렸던 바 그것은 한마디로 물화되고 타락한 일상의 삶을 극복하여 보다 인간다운 삶, 보다 순결한 삶으로 상승하고자 하는 정신적 노력이었다. 그는 유년으로 돌아가 사랑과 생명이 매개되어 각개 인간은 물론 인간과 사물, 인간과 세계가 하나되는 세상을 꿈꾼다. 그리하여 그가 시에서 다음과 같은 상상력을 보여주는 것은 당연하다. 이 세계의 모든 것들은 우선 벽과 경계를 무너뜨려 진정한 마음의 교류가 있어야 하기 때문이다.

....
오줌 누는 내 모습을 보고
줄 맞춰서 날아가는 하늘의 기러기가
잉어에게 삐삐친 것일까
....
—지금 오줌 누고 있다! 이 때다!

∨ 그리며 날아가가는 기러기가
잉어한테 삐삐 삐삐 신호를 보낸다. <기러기의 삐삐>

인생과 문학과 선(禪)의 향취

— 조오현(曹五鉉)론

1

'문학은 삶의 반영이다'라는 말이 있듯 어떤 시인이든 그의 시에는 그 나름의 삶이 각인되어 있다. 오현의 시 역시 마찬가지일 터이다. 아니 오현의 시에는 그 누구보다도 그 자신의 삶이 여실하게 내면화되어 있다.

다 알다시피 오현은 한 사람의 시인이기 전에 큰 스님이요 깨달음을 얻은 대선사(大禪師)이다. 그의 세속 경력이나 운수행각(雲水行脚)에 대해서는 별로 알고 있지 못하나 일찍이 경남 밀양에서 출생하여 12세에 입산하고 설악문중에서 득도했다는 사실만큼은 필자도 알고 있는 바이다. 따라서 한마디로 말한다면 그의 생애는 속인으로부터 대덕(大德)에, 출가 구도에서부터 깨달음에 이르는 길이었다. 여기에는 유년의 다감했던 안식이 있었고, 출가의 인간적 아픔이 있었고, 구도(求道)의 존재론적 번뇌가 있었고, 증도(證道)의 무량한 열락이 있었을 것이다.

우리는 그의 시에서도 이와 같은 그의 생애가 그대로 반영되어 있음을 본다. 첫째, 초기에 쓰여졌던 서정시들이다. 대체로 유년의 회고와 자연에 대한 감회를 읊은 작품들이 여기에 속한다. 아마도 대부분은 그의 법랍이 일천한 시기에 쓰여진 것들이리라. 둘째는 정진 수행이 본격적일 때의 작품들인 듯 중기에 쓰여진 구도시들이다. 세속을 버린 수자(修者)로서의 번뇌와 생에 대한 무상감이 잘 형상화되어 있다. 셋째, 증도가(證道歌)라 불려질 수 있는 최근의 작품들이다. 깨달음의 현묘한 진리가 선적(禪的) 직관으로 제시되어 있는 것이 특징이다.

> 이른 봄 양지밭에 / 나물캐던 울 어머니
> 곱다시 다듬어도 / 검은 머리 희시더니
> 이제는 한 줌의 귀토(歸土) / 서러움도 잠드시고.
>
> 이 봄 다 가도록 / 기다림에 지친 삶을
> 삼삼히 눈감으면 / 떠 오르는 임의 양자(樣子)
> 그 모정 잊었던 날의 / 아, 허리 굽은 꽃이여.
>
> 하늘 아래 손을 모아 / 씨앗처럼 받은 가난
> 긴 긴 날 배고픈들 / 그게 무슨 죄입니까.
> 적막산 돌아온 봄을 / 고개 숙인 할미꽃 <할미꽃>

첫번째 유형에 속하는 작품의 예를 골라 본 것들이다. 그 어디에도 불가적(佛家的)인 요소라 할 것은 없다. 속가 시인들의 그것처럼 자연과 생활에서 느끼는 개인적 정감이 서정적으로 노래되고 있을 뿐이다. <할미꽃>에는 유년시절의 어머니가 애틋하게 묘사되어 있다. 출가하기 이전의 어머니에 대한 회고이다. 가난하지만 순결하게 살면서 자식을 위해 일생을 헌신하는, 전형적인 한국 어머니 초상이 허리

굽은 할미꽃과 대비되어 우리의 가슴을 뭉클하게 한다. 그러나 이 시는 단순히 어머니의 모습을 여실하게 그려 보여주는 것만으로 끝나지는 않는다. 어머니에 대한 시인의 사모의 정 역시 그에 못지 않게 절절히 고백되어 있기 때문이다. 특히 두 번째의 시조가 그러하다. 우리는 이 부분에서 어머니에 대한 그리움이 회한과 통탄의 감정으로 변하여 마침내 불효의식에까지 이르는 시인의 미묘한 심리 발전을 감지할 수 있다. 물론 그것은 할미꽃이라는 상징을 탁월하게 구사하는 데서 보여준 그의 시적 전략에서 힘입은 바 크지만 어떻든 범상한 시인이라면 45자 내외의 짧은 평시조 형식을 가지고서는 감히 표현하기 힘든 내용이라 할 것이다. 그러나 이와 같은 그의 초기의 서정시들은 시간이 지나면서 차츰 변화를 겪는다.

> 봄도 이른 내 서창(書窓)의 파초순 한 나절을
> 초지에 먹물 배듯 번지는 심상이어
> 기왓골 타는 햇빛에 낙숫물이 흐른다. <낙수(落水)>

> 하늘이 숨돌린 자리 다시 뜨는 눈빛입니다.
> 별빛이 흘겨본 자리 되살아난 불똥입니다.
> 마침내 오월 초록은 출렁이는 삶입니다. <새싹>

모두 자연에 대한 심회를 읊은 것들이다. 그러나 앞의 시와 뒤의 시는 자연을 보는 눈이 각각 다르다. 전자(<낙수>)가 서경적으로 묘사했다면 후자(<새싹>)는 존재론적 의미를 탐구함으로써 '구도시'의 전초적 단계에 진입하고 있는 까닭이다.

<낙수>는 이른 봄의 정취를 정녕 아름답게 묘사한 작품이다. 시인은 기와지붕에 쌓인 흰 눈이 따뜻한 양광에 녹아 낙숫물이 지고 삭막

한 겨울 추위를 이겨낸 뜰의 파초가 새촘하게 순을 내민 광경을 한 순간에 포착하여 계절의 변화를 실감 있게 그려 보여준다. 그러나 비록 우리 시조 시단에서 흔하게 접하기는 힘든 작품이라 하더라도 자연에 대한 이 시인의 시작 태도—서경적인 묘사를 결코 새롭다고 말할 수는 없다. 자연을 대상으로 하여 쓴 조선조의 대부분의 시조들 역시 그와 같은 범주에서 크게 벗어나지 않기 때문이다. 문제는 후자의 시—<새싹>과 같은 경우이다.

<새싹>은 조선조의 우리 시조에서는 거의 찾아볼 수 없는 면모들을 보여주고 있다. 첫째, 대부분의 우리 전통시조가 자연을 빌어 시인 자신의 감회를 피력한데 반하여 이 시는 자연을 대상 그 자체로 바라본다. 시인 자신의 감정이 아니라 대상이 지닌 의미가 더 중요한 것이다. 둘째, 대부분의 우리 전통시조가 자연을 서경적으로 묘사하는데 반하여 이 시는 대상으로서 자연이 지닌 내적 의미를 탐구한다. 예컨대 전통적인 시작 태도라면 우선 새싹이 돋는 봄의 정경을 아름답게 혹은 실감있게 묘사하는 것으로 끝났을 것이다. 그러나 이 시의 경우는 전혀 다르다. 시인은 그보다 '새싹'이 지닌 존재론적인 의미가 무엇인가 하는데 초점을 맞추고 있기 때문이다. 그리하여 그가 깨달은 바는 '새싹'이란 하나의 '눈빛' 혹은 '불똥' 같은 삶이라는 것이다.

이와 같은 관점에서 이 후자의 시는 보다 명상적이고 철학적이며 따라서 다음에 쓰여질 '구도시' 창작의 예비적 단계에 해당하는 작품이 된다. 그의 경우 존재론적 의미의 탐색이 불교적 세계관과 만남으로서 비로소 구도의 시가 탄생될 수 있기 때문이다. 이러한 맥락에서 보면 오현의 시에는—아마도 초기시가 대개 그러할 터이지만—구도의 시를 쓰거나 증도가를 짓기 이전에 이미 서정을 노래하는 단계와 자연을 존재론적으로 인식하는 단계가 있었던 것으로 생각된다.

인용시는 이러한 과정을 거친 결과 쓰여진 것들이다.

내가 나를 찾는 / 끝 없는 미행속에
그 언제 헛디딘 자국이 / 무슨 그물에 또 걸렸나
한 소식 결박을 풀어도 / 대소(大笑)할 하늘이 없네

물밥, 사자 짚신에도 / 쫓겨가던 우리네 병이
오늘의 세포속에선 / 살갗감각까지 다 죽이네
이승을 다 잡아 먹을 / 그런 인가를 받은 듯이

우리네 병, 그림자를 / 눈감고도 보겠는데
목숨의 그 당처를 / 일러줘도 못 듣는 너.
일러라—이 세상 살릴 / 네 일구(一句)를 네 일구(一句)를

<네 일구(一句)>

깨달음을 얻고자 정진수행하는 수자의 행각이 각인되어 있는 작품이다. 거기에는 단지 '시인으로서의 시인의 모습'이 아니라 '수행자로서의 시인의 모습'이 있다. 망상을 좇아 미혹 속을 헤매는, 안스런 중생의 모습이 있고, 깨달음에 이르지 못해 좌절하는 구도자의 모습이 있고, 이생에 대한 집착으로 번뇌하는 불자(佛者)의 모습이 있고, 용맹정진하는 사문의 남성적 모습이 있다. 그러나 무엇보다도 하나의 문학작품으로 우리의 가슴을 울리는 것은 세간(世間)과 출세간(出世間) 사이에서 갈등하고 절망하는 시인의 인간적 모습이다. 역시 문학은 인간의 이야기가 아니던가.

인용시는 진정한 깨달음이 참다운 '나'의 발견에 있음과 그 참다운 나를 찾지 못해 미망속을 헤매다가 덧 없이 사라지는 것이 중생의 허

망한 삶이라는 것을 지적하고 있다. 그렇다. 불교 존재론에서 일체 평등상의 경지에 든다는 것은 참다운 나로 거듭난다는 것을 의미한다. 이 때의 참다운 '나'가 '나' 아니면서도 '나'인 '나' 혹은 '나'와 '너'의 분별을 초월한 '나' 곧 '무아(無我- Anātman))를 지칭한다는 것은 널리 알려진 사실이다.

원래 불교에서는 '나'를 세 가지로 구분한다. 첫째, '가아(假我)'라 부르는 것, 둘째, '실아(實我)'라 부르는 것, 셋째, '무아'라는 부르는 것이 그것이다. 가아란 육신의 나 즉 일상의 나, 실아란 일종의 영혼과 같이 불변하면서 실재하는 것으로 생각되는 나를 의미한다. 그러나 이는 모두 오온(五蘊)의 집착에 의하여 없는 것이 마치 있는 것처럼 보일 뿐 사실은 존재하지 않는, 그러니까 허상에 불과한 '나'라는 것이 불가의 가르침이다. 그러므로 참다운 것은 무아 즉 이 색계의 분별식을 벗어나 미망을 해탈할 때 만나게 되는 나, 달리 말해 '있는 나'와 '없는 나'를 모두 초월한 것으로서의 '나'라 할 수 있다.[1] 그것은 있는 것도 아니며 그렇다고 또한 없는 것도 아닌 것으로서의 '나'이다. 해탈이란 중생이 무아를 발견하고 그 스스로 무아가 되는 이 같은 경지를 일컫는 말인 것이다.

윗시에 등장하는 두 개의 나 역시 마찬가지이다. 시의 첫 행에서 화자인 '나'는 '나'를 찾고 있는 것으로 묘사되어 있다. 이때 찾고 있는 '나'가 가아라면 찾고 있는 대상으로서의 '나'는 없으면서도 있는 나 곧 무아이다. 따라서 이 시에 등장하는 두 개의 나를 이제 이렇게 정립시킬 경우 시인이 이야기하고자 하는 바는 자명하다. 무아에 도달함으로써 일체 세간을 벗어나 해탈에 이르고자 하는 염원이다. 그럼에도 불구하고 시인이 무아를 찾지 못하는 것은 그가 아직도 미혹

1) 김동화(金東華), 『불교학개론』(백영사(白映社), 1962), 100쪽.

속에 헤매고 있기 때문이다. 아니면 거짓 가르침에 집착하고 있어서 일지도 모른다. 참다운 가르침이라고 따르던 혹은 절대적인 진리라고 믿던 그것이 사실은 자신을 구속하여 죽음으로 내몰고 있기 때문이다. 그러니까 옛 선사들은 법(法)의 속박에서 벗어나 부처까지도 죽여야 한다고 말하지 않았던가.

이 시에서 이렇듯 화자를 함정에 빠트려 결박한 '그물'('그 언제 헛디딘 자국이 / 무슨 그물에 또 걸렸나 // 한 소식 결박을 풀어도 / 대소(大笑)할 하늘이 없네')이란 바로 이 같은 거짓 가르침 혹은 그 가르침에 대한 집착이다. 그 거짓 가르침 혹은 법에 대한 집착은 마치 육신을 좀먹어 죽음에 이르게 하는 질병과도 같이 중생을 미망에 빠트린다. 그러므로 시인이 두 번째 시조에서 다음과 같이 노래하는 것은 당연하다. "물밥, 사자 짚신에도 / 쫓겨가던 우리네 병이 // 오늘의 세포속에선 / 살갗감각까지 다 죽이네 // 이승을 다 잡아 먹을 / 그런 인가를 받은 듯이"

그러나 인용시와 같은 계열의 시들은 득도에서 오는 우주적 진실 혹은 깨달음의 절대 경지를 보여주지 못했다는 점에서 아직 그 자체가 증도가라고 말할 수는 없다. 그것은 어디까지나 깨달음에 대한 절대 희원과 그 좌절에서 오는 인간적 번뇌 혹은 수행의 열정을 시로 표현하는 데서 끝난다. 아마도 시인의 문학적 생애에 있어 중기에 해당하는 시들의 대부분은 여기에 속할 것이다.

2

중기 이후 오늘에 이르기까지의 시인의 시편들은 한마디로 '증도가(證道歌)'라 부를 만하다. 증도가란 원래 당나라의 영가대사(永嘉

大師) 현각(玄覺)이 깨달음의 내용을 칠언(七言)의 운문으로 지어 노래한 장편 선시(禪詩)에 붙인 명칭이다.[2] 현각의 이 증도가는 후에 많은 주석서들이 간행되면서 이와 같은 내용을 담은 선종(禪宗)의 선시들을 일반적으로 부르는 명칭이 되었다. 그러한 관점에서 한국의 선사인 오현 또한 우리의 운문(시조시형)으로 깨달음의 내용을 노래한 것은 결코 우연이라 할 수는 없다.

> 무금선원에 앉아 / 내가 나를 바라보니
> 기는 벌레 한마리가 / 몸을 폈다 오그렸다가
> 온갖 것 다 갉아먹으며 / 배설하고 / 알을 슬기도 한다.
>
> <내가 나를 바라보니>

인용시에서 시인은 우선 자신이 자신을 바라보았다고 말한다. 이때 '바라보는 내'가 무아이며 '바라다 보이는 내'가 가아라는 것은 설명이 필요치 않다. 그런데 그것은 앞장에서 인용한 <네 일구>와는 전혀 입장이 다르다. 왜냐 하면 <네 일구>에서는 화자가 참다운 나= 무아를 찾아 헤매다가 미망에 떨어진 것으로 묘사되었지만('내가 나를 찾는 / 끝 없는 미행속에 // 그 언제 헛디딘 자국이 / 무슨 그물에 또 걸렸나 // 한 소식 결박을 풀어도 / 대소(大笑)할 하늘이 없네') 윗 시에서는 분명 '내가 나를 바라보았다'고 적고 있기 때문이다. 그런데 무엇을 '바라본다'는 것은 대상의 확정 없이 불가능한 행위임으로 내가

---

2) 원래는 당나라 승 영가대사 현각이 동명(同名)의 선시집을 내서 이 명칭이 생겼으나 후에 깨달음을 읊은 선시의 한 종류를 일컫는 명칭이 됨. <참동계(參同契)>(당나라 석두(石頭) 희천(希遷)이 지은 5언 44구 220자로 된 장편 고시(古詩)), <보경삼매(寶鏡三昧)>(마음을 명경에 비유하여 지은 동산대사(洞山大師)의 선시, 동산대사는 조동종(曹洞宗)을 일으킨 당나라 말기의 승 양개(良价))가 이 유형에 듦.

나를 바라봄은 참다운 나를 찾았다는 것과 같은 말이다. 이렇듯 오현에게 있어 '깨달음'은 참다운 자아를 발견하는 것으로부터 시작된다.

물론 우리는 이 시의 두 개의 나를 특별히 불교존재론에 관련시키지 않고 '본래적인 나'와 '일상적인 나' 정도로 해석할 수도 있을 것이다. 그러나 이와 같은 상식선의 해석에는 그 앞귀 '무금선원(無今禪院—시인이 은둔하고 있는 백담사의 선원—필자 주)'이라는 말이 걸린다. 그렇다면 내가 나를 바라보는 행위의 설정을 하필 선원에다 구해야 할 이유가 없기 때문이다. 그러므로 시인은 지금 선정(禪定)에 든 채로 나를 바라보고 있는 것이니 그 경지에서 발견한 내가 참다운 자아일 것임은 당연하다.

어떻든 참다운 나 혹은 무아의 '나'가 중생의 나 즉 가아를 바라보았을 때 그것은 한낱 미망 속을 헤매는 한 마리의 벌레나 무명 속에 스러지는 환영 같은 것이었다. 중생이란 아무 실체도 없고 의미도 없는 허깨비의 존재이기 때문이다. 그러한 관점에서 지금까지 그들이 가치 있다고 생각하여 그것의 쟁취를 위해 아귀다툼을 벌리고 또 그로부터 연유된 희로애락의 감정에 사로잡힌 삶이란 마치 오늘 죽을지 내일 죽을지 모를 벌레들이 풀잎을 갉아먹고 알을 까 새끼치는 일에 다름 아닐 것이다. 시인은 이렇듯 참다운 나 즉 무아의 확립을 통해 깨달음의 경지에 도달하게 된다. 그 경지는 어떤 것일까. 증도가라 불릴 수 있는 그의 연작시들 가운데서 각 1편씩을 먼저 인용해 본다.

① 강물도 없는 강물 흘러가게 해 놓고
강물도 없는 강물 범람하게 해 놓고
강물도 없는 강물에 떠 내려가는 뗏목다리 <무자화(無字話) 6>

② 놈이라고 다 중놈이냐/ 중놈 소리 들을라면

취모검 날 끝에서 / 그 몇번은 죽어야
그 물론 손발톱 눈썹도 / 짓물러 다 빠져야 <일색변(一色邊) 6>

③ 해장사 해장스님께 / 산일 안부 물었더니
어제는 서별당 연못에 / 들오리가 놀다 가고
오늘은 산수유 그림자만 / 잠겨 있다 하십니다. <산일(山日) 2>

④ 지난 달 초 이튿날 한 수좌가 와서
달마가 서쪽에서 온 뜻을 묻길래
내 설악 백담 계곡에는 반석이 많다고 했다. <무설설(無說說) 5>

①은 그 경지가 일체가 무(無)요 공(空)임을 설파하고 있다. 시인은 일단 무엇이 '있다'는 관념에 대하여 회의한다. 우리는 감각적으로 인지된 사물이라면 무엇이든 있다고 믿는다. 산이 있고 강물이 있고 하늘이 있고 인간이 있다고 한다. 그리하여 거기에 의미를 부여하고 가치를 추구하며 애착을 갖기 마련이다. 그러나 진정 이 세계에 무엇이 있다는 말인가. 그것은 마치 실제로는 있지도 않은 강물이 흘러가는 것처럼 보이는 현상과도 같다. 일단 허상으로서의 강물을 믿게 되면 거기에는 홍수가 날 수도 있고 가물이 들어 바닥을 들어낼 수도 있으며 다리를 놓거나 배를 띄우는 것도 다 실제라 생각하게 되는 것이다.

우리의 삶 역시 마찬가지이다. 가아로서의 나의 존재를 확신하니까 이 세상의 모든 것들은 참다워보이고 가치 있어 보이고 그로 인해 오욕칠정의 번뇌에 빠진다. 그러나 이 세계란 근본적으로 무 즉 없음의 그것이다. 아니 '없다'는 말조차 할 수 없는 '없음'이다. 깨달음의 경지에서 보면 우리의 현상계에 있는 모든 것들이 사실은 한낱 허상이요 미혹에 빠진 마음의 장난에 지나지 않는 것이다. 이처럼 ①은 반야심경이 깨우쳐 주는 바 색즉시공(色卽是空)의 진실을 없는 '강물의 흐름'이라는 역설적 비유를 통해 제시해주고 있다.

②는 깨달음에 도달하는 길을 언급한 작품이다. 시인은 우선 '중놈'이라고 해서 모두가 '중놈'은 아니라고 말한다. 그러니까 여기에서는 둘의 '중놈'이 등장한 셈인데 하나는 물론 가짜 중이고 다른 하나는 진짜 중일 터이다. 그리고 이 진짜 중이 깨달음에 이른 존자(尊者)를 가리키는 것임은 두말할 필요가 없다. 그러므로 진짜 중이 되는 길에 대해 이야기한 이 시의 본 뜻은 기실 어떻게 해야 깨달음에 이를 수 있는지를 예시하는 것이라고 하겠다.

시인은 우선 중이 진짜 '중놈' 소리를 듣기(깨달음에 이르는 존자가 되기) 위해서는 두 가지 사항을 실천해야 한다고 말한다. 그 하나는 취모검날에 목이 베어 죽임을 당해야 하고 다른 하나는 '손발톱 눈썹도 / 짓물러 다 빠져야' 한다는 것이다. 이는 쉽게 말해서 일상적인 존재로서의 자신을 죽여 거듭 태어나지 않으면 안된다는 것을 지적한 것이다. 그러나 이 시의 숨은 뜻은 그런 상식적 차원에 머물러 있는 것 같지는 않다. 보다 깊이 생사를 초월해 도달할 수 있는 어떤 절대적인 진리 즉 우리가 평등상이라고도 하고, 정각(正覺)이라고도 부르는 세계에 이르는 길을 가리키는 것이 아닐까. 그러한 해석은 '취모검(吹毛劍)'이라는 어휘의 상징적 의미가 뒷받침해준다. 취모검이란 불가에서 '털을 칼날에 대고 훅 불면 그대로 두 동강이 난다는 명검으로 번뇌를 단번에 끊어버리는 지혜'[3]를 상징하기 때문이다.

그렇다. 진정한 깨달음에 이르기 위해서는 지혜의 칼로 중생의 덧

3) 한국불교대사전 편찬위원회, 『한국불교대사전』(보련각, 1982).
조오현(曹五鉉) 역해(譯解), 「제 100칙, 파릉이 휘두른 취모검(巴陵吹毛劍)」, 『벽암록(碧巖錄)』(불교시대사, 1993).

없는 애착과 번뇌를 끊어버리지 않으면 안된다. 일찍이 옛 선사는 법의 의지처로 삼았던 부처나 조사까지도 죽이지 않으면 깨달음에 이를 수 없다고 가르쳤다.[4] 그런데 시인은 한걸음 더 나아가 부처나 조사를 죽인 저 자신도 또한 죽이지 않으면 안된다고 말한다. 그리고 그 첫걸음이 일체의 모든 집착을 끊어버리는데 있음은 물론이다. 시인은 그것을 "손 발톱 눈썹도/ 짓물러 다 빠져야"한다는 표현으로 말하고 있는 것이다. 손, 발톱, 눈썹은 모두 감각과 현상에 얽매어 미혹의 근원이 되기 때문이다. 그리하여 집착을 끊고 자신을 무화(無化)시킴으로서 궁극적으로 도달한 세계는 앞의 경우에서와 같이 무 혹은 공의 경지가 된다.

③은 가히 선문답(禪問答)이라 해도 과언이 아닐 만큼 촌철의 비의(秘義)를 품은 작품이다. 여기에는 선에 관해 질문하는 수좌가 있고 화두를 던진 선사가 있다. 선사는 물론 이 시에서 '해장스님'으로 등장한 사람일 터이다. 수좌가 선사(해장스님)에게 먼저 묻는다. '요즘 산중에서 어떻게 소일하십니까?' 아마도 이 물음의 진의는 '선사의 깨달음의 깊이가 어떠하냐' 즉 '불도가 무엇이냐' 하는 뜻이었을 것이다. 그러나 이에 대한 선사의 답변은 예기치 않게 이러하다. '어제는 서별당 연못에 물오리가 놀다 가고 오늘은 산수유 그림자만 잠겨 있다.' 항용 선문답이 그러하듯 이 역시 동문서답의 형식이다.

이 무슨 뜻일까. 선지식이 일천하고 수행의 '수'자도 모르는 필자가 이 깊은 뜻을 감히 알 수는 없다. 다만 넌즈시 넘겨다 보고 내 나름의 느낌을 적어봄으로써 이 난관을 잠간 피해보고자 한다. 선문답

---

4) 「살불살조(殺佛殺祖)」, 『임제록(臨濟錄)』, 야나기다세이잔 해설, 일지(一指) 역 (고려원,1988), 173쪽. 道流 称欲得如法見解 但莫受人惑 向裏向外 逢著便殺 逢佛殺佛 逢祖殺祖 逢羅漢殺羅漢 逢父母殺父母 逢親眷殺親眷 始得解脫 不與物拘 透脫自在 ……

에서 '오리'가 등장한 것은 마조(馬祖) 선사의 화두 '백장야압자(百丈野鴨子)'이다. '마조화상이 어느날 백장과 길을 가다가 들오리가 날아오르는 것을 보았다. 화상이 백장에게 물었다. "저것이 무엇이냐?" "들오리입니다." "어디로 갔느냐?" "저쪽으로 갔습니다." 그 순간 마조 화상은 백장의 코를 힘껏 비틀었다. 백장은 아픔을 참지 못하고 비명을 질렀다. 이때 마조화상이 백장에게 말했다. "가긴 어디로 날아갔단 말이냐!"' 이로서 백장은 큰 깨달음을 얻었다는 것이다.[5)]

'백장야압자'에 등장하는 '들오리'는 아마도 덧없는 현상계[6)]의 실체를 상징하는 사물이었으리라. 본래 이 세상에는 있는 것이 없는데 그 없는 것이 어디로 날아갔다든가 머물고 있다든가 하는 것이 다 미혹의 집착에서 오는 망상이 아니겠느냐 하는 마조의 가르침이었다. 그런데 시인은 그 오리(여기서는 물오리)가 연못에 놀다 가고 또 산수유 그림자가 물에 잠겨 있다고 말한다. 물오리가 있다 없다, 날아갔다 날아가지 않았다를 따지는 행위 즉 애써 현상계를 부정하려는 분별심까지도 버려야 진정한 깨달음에 이를 수 있다는 가르침이 아니었을까. 그렇게 보니 부처가 무엇이냐 하는 물음에 변을 치는 막대기라고 답했다는 옛 조사의 말[7)]이 문득 상기된다. 부처가 아니 법이 따로 있는 것이 아니다. 삼라만상이 다 부처요 자연의 이법이 다 불

---

5) 「제 53칙, 백장의 들오리(百丈野鴨子)」『벽암록』

6) 현상계(現象界)란 본체계(本體界)에 대립하는 개념으로 본체계가 깨달음에 든 세계라면 현상계는 "기세간상(器世間上)에 삼라만상이 전개되고 또 유정계(有情界)에 천차만별의 여러 사태가 야기되며 또 이 양세간(兩世間)은 성주양공(成住壤空)의 사상(四相)의 과정을 통하여 무한한 순환을 거듭하는" 우리의 중생계를 의미한다.

7) 「제 12칙, 동산의 삼 세근(洞山痲三斤)」『벽암록』, 「차별 없는 참 사람(無位眞人)」, 『임제록』 "차별 없는 참 사람은 이 무슨 똥막대기인가"(無位眞人是什麽乾屎橛)

법이다. 물오리가 물에서 노는 것, 연못가의 산수유가 수면에 그림자를 드리우는 것은 자연스럽다. 문제는 현상에 집착하지 않고 그를 통해 자신의 참다운 나를 비쳐볼 수 있으면 그만인 것이다.

④ 역시 ③과 같은 형식의 선문답으로 되어 있다. 수좌가 조사에게 묻는다. '달마(達磨)는 왜 서쪽에서 이곳으로 왔습니까?' 조사가 답한다. '내설악 백담계곡에는 반석이 많다' 여기서 문득 기억나는 것은 그 유명한 조주(趙州)의 화두 '정전백수자(庭前柏樹子)'이다. '어느날 학승이 조주선사를 찾아와 물었다. "달마조사께서 서쪽에서 오신 뜻이 무엇입니까?" "뜰앞의 잣나무니라." "선사께서는 비유를 들어 말하지 마십시오." "나는 비유를 들어 말하지 않는다." "달마조사께서 서쪽에서 오신 뜻이 무엇입니까?" 이에 조주선사는 다시 대답했다. "뜰앞의 잣나무니라."'[8] 여기서 시인은 조주의 '뜰앞'과 '잣나무'를 슬쩍 '백담계곡'과 '반석'으로 바꾸어 놓은 것이다. 일컬어 화두 '내설악곡반석다(內雪嶽谷盤石多)'라고나 할까.

이 역시 필자로서는 '정전백수자'의 화두나 이 시의 깊은 뜻은 잘 모르겠다. 기왕에 붓을 들었으니 다만 나름대로의 생각을 몇자 적어 책임을 모면할 뿐이다. 설악산 백담계곡에는 반석이 수 없이 많다. 아무렇게나 널려 있다. 엎어진 것, 서 있는 것, 누워 있는 것, 넘어져 있는 것, 앉아 있는 것, 돌 사이에 끼어 있는 것, 길바닥에 박혀 있는 것, 물속에 잠겨 있는 것, 물에 반쯤 젖어 있는 것, 괴목에 깔려 있는 것…… 등등. 이렇게 보면 반석이란 아무렇게나 이생을 살고 있는 중생을 이름하는 것이라고 말할 수 있을 것이다. 반석이란 옥이나 대리석이나 금붙이처럼 특별히 값 나가는 물건이 아니므로 또한 어디서든 주워들 수도 있다. 우주적 시야에서는 한낱 미물에 지나지 않는다.

8) 제 37칙, 「정전백수(庭前栢樹)」, 『무문관(無門關)』.

그러므로 반석이 많아 달마가 이곳에 왔다는 시인의 말은 부처란 중생 안에 있으며 또한 중생을 위해서 있다는 뜻이 아닐까. 옛 시인은 한 개의 들꽃에도 우주가 있다고 했다. 이 같은 장엄(莊嚴) 화엄(華嚴)의 구현이야 말로 시인이 추구하는 세계였을지 모른다.

이상 간략하게 살펴본 바와 같이 중기 이후 오늘에 이르기까지 시인이 시작해 왔던 것은 선적 직관에 토대하여 쓴 일종의 증도가였다고 필자는 생각한다.

3

오현의 시에 대해서는 여러 가지 관점에서 논의할 점이 많다. 예컨대 이 시집에는 <절간 이야기>라 제한 수편의 글들이 실려 있다. 일종의 산문시 같기도 하고, 민담 같기도 하고, 선문(禪門)의 공안(公案)같기도 한 작품들이다. 그러므로 그 장르적인 성격, 실험정신, 불교적 특성 등에 대하여는 앞으로 진진한 논구가 있어야 할 것이다. 그런가 하면 삼장(三章)이라는 시조의 짧은 형식 안에서 보여준 그의 미학적 형상력 또한 만만치가 않다. 지면의 제한으로 일일이 거론할 수 없으나 삼장을 모두 병렬시킨 것(<새싹>), 이항을 대립시키다가 조화시킨 것(<몽상>), 서론, 본론, 결론 형식으로 전개시킨 것(<시자에게>), 삼장 모두 한 시행의 되풀이로 만든 것(<무자화> 6>), 평시조와 산문을 결합시킨 것(<무설설> 1>) 등을 들 수 있다.

한 가지 더 주목해야 할 것은 그의 언어 구사이다. 선시를 지향했으므로 필연적인 귀결이기도 하겠으나 오현의 시에는 역설, 반어, 의식적인 착어(錯語)의 구사가 빈번하다. 예컨대

서울 인사동 사거리 / 한 그루 키 큰 무영수(無影樹)
뿌리는 밤 하늘로 / 가지들은 땅으로 뻗었다.
오로지 떡잎 하나로 / 우주를 다 덮고 있다. <무자화> 5

는 역설법을 통해 불교적 세계관을 피력한 것이고 다음과 같은 시 즉

지금껏 씨떠버린 말 그 모두 허튼 소리.
비로소 입 여는 거다, 흙도 돌도 밟지 말게
이 몸은 놋쇠를 먹고 화탕(火湯) 속에 있도다. <시자(侍者)에게>

는 착어를 의식적으로 구사하여 언어의 한계성을 극복하고자 노력한 대표적인 예이다. 선림(禪林)은 말할 것 없고 원래 불가에서 언어란 불완전한 것으로 간주된다. 인간이 만든 언어는 진리를 전달할 수 없는 것이다. 그러므로 부처께서도 염화시중의 미소로 법을 전하지 않았던가. 삼라만상(森羅萬象)에 불성(佛性)이 없는 것이 없으니[9] 언어도단(言語道斷) 불입문자(不立文字) 교외별전(教外別傳) 직지인심(直指人心) 견성성불(見性成佛)[10]이라는 말도 다 여기서 연유하는 것이다. 그러나 어리석은 중생은 그나마 언어가 아니라면 의사소통이 불가능함으로 어쩔 수 없이 언어로써 법을 전달할 수밖에 없다.

---

9) 我常宣說 一切衆生 悉有佛性 一闡提(Icchantika-斷善根者)亦有佛性 一闡提無有善法 佛性以亦善未來有故 一闡提 悉有佛性 何以故 一闡提 定當得阿耨多羅三藐三菩提(Anuddhara-samyaksambodhi- 無上正等正覺)故『大般涅般若經』권 27.

10) 조경(祖卿),「懷禪師前錄」,『祖庭事苑』5. 傳法諸祖 初以三藏教乘兼行 後達摩祖師單傳心印 破執顯宗 所謂 不文立字 教外別傳 直旨人心 見性成佛 법을 전한 여러 조사들이 처음에는 삼장의 교승을 겸행하였으나 뒤에 달마조사는 심인(心印) 하나만을 전하여 집착을 깨뜨리고 종지(宗旨)를 나타내니 이른바 불립문자 교외별전 직지인심 견성성불이라는 것이다.

과연 이를 어떻게 해결해야 한다는 말인가. 그리하여 부처께서는 언어가 아닌 언어 즉 일상의 언어를 벗어난 언어를 보여주셨다. 그것이 바로 무소설(無所說)[11] 즉 이 시의 연작시 제목으로 차용된 '무자화(無字話)'이며 '무설설(無說說)'이다. 그 요체가 바로 역설 혹은 착어인 것이다. 공안이나 화두 그리고 선시를 지향하고 있는 오현의 시가 모두 이 같은 역설 혹은 착어로 되어 있는 이유가 여기에 있다.

그러나 무엇보다도 오현의 시가 우리 문학사에서 한개 의의를 지닐 수 있다면 그것은 시조 시형에 의한 선시의 현대적 확립이라고 말해야 한다. 원래 선시는 우리나라에서 고대의 향가 형식을 제외할 경우 모두 한시(漢詩)의 형식으로 쓰여져 왔다. 조선시대 이전에는 한글이 없었고 한글 창제 이후에 국자(國字)로 기록된 시조는 모두 유림(儒林)들의 소유였으니 어찌 보면 이는 당연한 결과였기도 하다. 그러다가 근세에 들어 만해(萬海) 선사에 의해 처음 국어로 된 선시(시집 『님의 침묵』 소재의 시)가 쓰여진 것은 불행중 다행이라고나 할까. 그러나 아직까지 문학적 형상성이나 투철한 선리(禪理), 이 양자를 성공적으로 조화시킨 시조로서의 선시가 확실하게 자리를 잡지 못했던 것은 유감이었다. 그런데—이전에 조종현과 같은 승려 시조시인이 없었던 것은 아니지만 그는 선시조를 쓰지는 않았으므로—오현의 시에 이르러 비로소 그 개화를 맞았으니 이를 어찌 무심타고 할 것인가. 중국에서도 그렇듯이 우리의 선시도 의당 우리의 전통시

11) 『금강반야바라밀경(金剛般若波羅蜜經)』 "그 까닭이 무엇이뇨? 수보리야! 부처가 설한 반야바라밀은 곧 반야바라밀이 아니기 때문이다. 수보리야! 네 뜻에 어떠하뇨? 여래가 설한 법이 과연 있다고 생각하느냐?" 수보리는 부처님께 사뢰어 말하였다. "세존이시어! 여래께서는 말씀하신 바가 아무 것도 없습니다(無所說)." 所以者何? 須菩提! 佛說般若波羅蜜 則非般若波羅蜜 須菩提! 於意云何? 如來有所說法不? 須菩諸白佛言 "世尊! 如來無所說" 불가에서는 언어는 진리를 전달할 수 없다고 보기 때문에 모든 언어를 부정한다. 그러므로 부처의 설법도 설법이 아닌 것의 역설이 성립한다.

형이자 운문형식인 시조로 쓰여져야 될 일이다.

시인으로서 선사인 까닭에 우리는 오현에게 그러한 기대를 걸어보는 것이다.

장르실험과 전통장르
— 김지하(金芝河)론

1

1969년 ≪시인(詩人)≫지에 <황톳길> 등 다섯 편의 시를 발표하면서 문단에 등단한 김지하는 그 동안 10여 권이 넘는 저작을 통해서 그때마다 우리 문단에 화제를 불러 일으켰다. 그것은 외적으로 시대와 대응해 온 그의 정치참여 행동으로부터 내적으로 문학의 기법이나 형식에서 보여주는 실험의식에 이르기까지 다양하다. 그러나 그 중에서도 주목되어야 할 것은 그의 문학이 향해한 장르적 족적이 아닐까 한다. 실제로 문학내적인 측면에서 볼 때 김지하가 시도한 장르실험만큼 문단에 신선한 충격을 준 것은 지난 2, 3세대의 우리 시에서 찾아보기 힘들다. 무명의 신인이었던 김지하를 돌연 문단의 기린아로 만든 저 떠들석한 시 <오적(五賊)>만 하더라도 내용의 사회참여행위를 배제하고 본다면 남는 것은 장르적 특이성 뿐일 것이다.

김지하의 시들은 우리가 보편적으로 수용하고 있는 시의 개념과 거리가 먼 것들이 많다. 따라서 시인 자신이 이들 시집의 표지에 나름대로 장르명칭을 부기해 둔 것은 다행이라 할 것이다. 그에 의하면 <남>은 '대설(大說)'이며, <오적>, <비어(蜚語)> 따위는 '담시(譚詩)'

이며, 시집 『애린』, 『별밭을 우러르며』 등에 수록된 시들은 '서정시'이며, 『타는 목마름으로』, 『검은 산 하얀 방』 등에 수록된 시들은 단순히 '시'이다.

김지하가 어떤 기준과 개념으로 이들 용어를 사용한지는 모르겠으나 그의 시의 장르적 특성을 살피기 위해서는 무엇보다 그 자신이 호칭한 바 이 같은 용어들을 하나씩 검토하는 일에서부터 출발해야 할 것임이 당연하다.

2

유럽어 역시 마찬가지겠으나 우리 말로 '시'라는 용어는 그 범주가 애매하다. 따라서 이를 명확히 하지 않을 경우 여러 가지 오해를 불러 일으킬 소지가 있다.

첫째, '시'는 넓은 의미에서 문자행위 전반 또는 예술 전체를 가리키는 뜻으로 사용될 수 있다. 유럽에서 이 용어의 효시가 된 아리스토텔레스의 『시학』은 그 원제목이 'peri poietikés'인데 이때 희랍어 'poietikés' 즉 영어로 'poetics'란 원래 'art(예술)'이라는 뜻을 지닌 단어이다. 그것은 '자연(nature)'에 대하여 '인위(人爲)'를 의미한다. 동양에서도—'문'(文)이라는 말이 있기는 하지만—공자 역시 '시삼백편이사무사'(詩三百篇而思無邪)에서 '시'를 오늘날의 소설에 대립하는 것과 같은 좁은 의미의 개념으로 사용하지는 않았다. 가령 유협(劉勰)은 그의 『문심조룡(文心雕龍)』에서 『시경(詩經』의 시를 부(賦), 송(頌), 가(歌), 찬(讚) 등으로 나누고 있다. 아리스토텔레스 역시 시를 서정시(lyric), 서사시(epic), 극시(drama)로 분류하였지만 이들 문학 장르가 오늘날에 와서 각각 시(poetry), 소설(novel), 희곡

(drama)으로 정착하였음을 누구나 아는 사실이다. 원래 서구어 '시'란 고대의 경우 서정시, 서사시, 극시를 총망라한 용어 즉 문학을 가리키는 명칭인 것이다. 이렇게 시가 넓은 의미로 '문학'을 뜻하는 말이라면 서구어 번역어인 우리말의 '서정시' 혹은 '서사시'에 접미사로 붙은 '시'라는 용어 역시 '문학'을 뜻하는 말임은 두말할 것 없다.

문예학에서는 이 고대 개념의 시 즉 넓은 의미의 '시'를 오늘날의 시 즉 좁은 의미로서의 시(소설, 드라마와 등가를 이루는)와 구분하기 위하여 명사적 용법이 아닌 형용사적 용법으로 사용하거나(카이저) '시'라는 말 대신 '양식'이라 부르는 것이 보편화되어 있다(슈타이거). 예컨대 '서정시'가 아니라 '서정적인 것(의 문학 즉 Lyrik이 아니라 lyrisch)', '서사적인 것(의 문학 즉 Epik이 아니라 episch)', '극적인 것(의 문학 즉 Dramatik이 아니라 dramatisch)' 또는 '서정양식(Lyrischer Stil)', '서사양식(Epischer Stil)', '극양식(Dramatischer Stil)' 따위와 같은 명칭[1])이 그것이다.

둘째, 오늘날의 시라는 말은 장르 3분법이든(가령 슈타이거처럼 아리스토텔레스의 고전적 분류법에 따르는), 장르 4분법이든(3분법에 소위 교술장르를 첨가한 자이드라의 경우처럼) 소설, 희곡과 등가를 이루는 명칭이다.

우리가 흔히 고대 장르라고 부르는 바 아리스토텔레스의 명칭으로서의 이 같은 서정시, 서사시, 극시 즉 서정양식, 서사양식, 극양식은 중세에 들어 여러 가지 이유로 해체된 후 근세에 이르러서는 다시 종합하여 새로운 장르체계를 성립시키게 된다. 우리가 아리스토텔레스 시대의 '고대장르(ancient genre)'와 대비하여 '현대장르'(modern genre)라 부르는 시, 소설, 드라마가 그것이다. 따라서 오늘날 시는

---

1) Emil. Steiger, *Grundbegriffe der Poetik*, Wolfgang Kayser, *Das sprachliche Kunstwerk* 등

고대의 서정시가 발전한 것으로 서정양식의 한 이념형이며, 소설은 현대의 서사시로서 서사양식의 한 이념형이며, 드라마 역시 고대의 극시가 발전한 극시양식의 한 이념형이다.

따라서 우리가 앞서 약속했듯 시라는 용어를 넓은 의미 즉 문학 전반을 가리키는 말로 사용하지 않고 좁은 의미 즉 소설, 희곡, 수필과 같은 등가개념으로 쓸 경우 현대 장르인 시에 다시 서정시, 서사시, 극시가 따로 있을 수 없다. 이 말은 바꾸어 오늘날의 모든 시는 그 하위양식이 무엇이든지 간에 기본적으로 서정시 혹은 서정양식에 속한다는 뜻이다. 고대의 서정시, 서사시, 극시는 소멸하였고 그 자리에 그 후계자라 할 시, 소설, 드라마가 대신하고 있기 때문이다. 그 같은 의미에서 오늘의 시는 현대판 서정시이며, 오늘의 소설은 현대판 서사시이며, 오늘의 드라마는 현대판 극시인 셈이다. 실제로 헤겔이나 카이저는 소설을 현대서사시로 부르고 있다.[2)]

그렇다면 시(오늘의 시)의 하위 장르에는 어떤 것들이 있는가. 가령 드라마의 하위 장르로 비극, 희극, 희비극, 소극이 있으며 소설의 하위 장르로 심리소설, 교양소설, 역사소설, 흙의 소설, 프롤레타리아 소설…… 등이 있는 것처럼, 시의 하위 장르에도 그 같은 것들이 있을 것임은 당연하다. 그것은 다음과 같이 정리된다. 즉 우리 민족 문학의 경우 역사적으로 향가, 별곡, 시조, 경기체가, 가사 등을 등 수 있다. 유럽 문학의 경우는 다음과 같이 분류하는 것이 일반적이다. 찬가(hymn), 송가(ode), 비가(elegy), 축시(epithalamium, 대개 결혼 등), 애가(threnody), 발라드(ballad, 담시), 에피그람(epigram, 풍자 혹은 경구

---

2) Hegel, *Äesthetics*, Vol.Ⅱ, Trans. T.M.Knox(Oxford Univ. Press, 1975), P. 1094.
Wolfgang Kayser, *Das Sprachliche Kunstwerk*, 김윤섭 역(서울: 대방출판사, 1982), PP. 552~553.

시), 좁은 의미의 서정시(lyric), 쏘넷(sonnet), 철학시(philosophical poem), 묘사시(descriptive nature of poem), 극적독백시(dramatic monologue) 등이다. 이중 앞의 8유형은 고대 서정시의 하위 양식이 계승된 것이며 뒤의 4유형은 근대에 들어 새롭게 등장한 것들이라 할 수 있다.3)

그러나 여기서 한 가지 주의할 것이 있다. 이 중 '좁은 의미의 서정시' 즉 'lyric'이라는 용어이다. 이 용어는 아리스토텔레스가 나눈 고대 장르의 한 명칭이기도 해서 이와 혼동될 염려가 있기 때문이다. 그런데 편의상 아리스토텔레스가 나눈, 삼대 장르의 명칭의 하나인 서정시를 '넓은 의미의 서정시'(상위 장르의 명칭임으로)라 부른다면 '좁은 의미의 이 서정시'는—고대의 서정시이건 현대의 시이건—시 하위 장르의 하나에 속한다. 즉 고대 그리스 시대의 서정시의 하위 양식의 하나인 이 좁은 의미의 서정시가 오늘에도 그대로 유전되어 현대시의 한 하위 양식으로 굳건히 자리를 잡고 있는 것이다.

뿐만 아니다. 그것은 실제로는 단순히 자리를 지킨다는 개념을 넘어 오늘날 가장 보편적으로 쓰이는 시의 한 유형이 되었다. 현대인들은 이외의 다른 하위 양식의 시를 거의 쓰지 않기 때문이다. 따라서 이 좁은 의미의 서정시는 또한 오늘에 와서 시 그 자체를 대변하는 하위 양식이라 할 수도 있다. 그러한 의미에서 결국 '서정시'라는 용어는 넓은 의미로는 아리스토텔레스가 나눈 고대의 삼대 장르의 하나를 가리키며 좁은 의미로는 오늘날 가장 보편적으로 쓰이는 시의 하위 양식의 하나를 가리키는 말이 된다.

이러한 관점에서 김지하가 자신의 시집의 표지에 의식적으로 장르 명칭을 부기한 것은 주목할 만한 일이다. 예외가 아닐 경우 오늘날

---

3) 오세영, 『문학과 그 이해』(서울: 국학자료원, 2003), 388~408쪽.

출판되는 시집에는 그 어떤 것도 아무런 장르 명칭을 기술하지 않는 것이 상례이며 이 때 이 시집의 수록 시들은—앞서 지적한 바와 같이 오늘의 시는 좁은 의미의 서정시로 대표되니까—바로 이 '좁은 의미의 서정시'임이 일반적이기 때문이다. 그렇다면 김지하는 왜 굳이 자신의 시집에 '서정시'라는 단서를 부쳤을까. 아마도 다음과 같은 이유 때문이 아니었을까 한다. 김지하는 많은 실험시들을 썼고 그 같은 실험시—예컨대 <오적>과 같은 담시—에 의해 문단적 명성을 얻었다. 따라서 그는 이로 인해 혹 독자들에게 있을 수 있는 선입견 즉 자신이 오직 담시의 작가로만 비칠 수 있는 선입견을 불식하고 자신도 좁은 의미의 서정시를 쓰거나 쓸 수 있다는 메시지를 전달코자 했으리라는 것이다.

그런데 그가 유독 '서정시집'이라고 부기한 두 권의 시집 『애린』과 『별밭을 우러르며』에 수록된 시들을 살펴보면 결과적으로 좁은 의미(하위장르)의 서정시 이외엔 다른 유형의 시가 전혀 없고 그가 '시집'이라는 명칭을 부기한 『검은 산 하얀 방』에는 서정시와 기타 서정시가 아닌 다는 유형의 시들—담시에 가까운 내러티브 시(<최선생>, <민족의 비극이지 뭘>, <우리가 하자>, <다람쥐> 등)도 다수 수록되어 있다. 따라서 그의 이 같은 행위는—상위 장르든, 하위 장르든—장르에 대해 그 나름의 분명한 의식을 보여준 것이다. 그럼에도 불구하고 자세히 살펴보면 꼭 그렇지만은 않은 것 같다. 모두 좁은 의미의 서정시만을 수록한 시집 『황토』의 경우, 『애린』과 『별밭을 우러르며』와 달리 '서정시집'이라는 용어 대신 '시집'이라는 명칭이 붙어 있어 이 용어 사용에 일관성이 없기 때문이다. 그렇다면 장르 명칭에 대한 김지하의 이 같은 혼란은 무엇을 의미하는 것일까.

첫째, 좁은 의미의 서정시들만을 묶은 『황토』를 『애린』이나 『별밭을 우러르며』에서와 같이 굳이 '서정시집'이라고 명기해 두지 않고

'시집'이라고만 표기했던 것은 그가 『황토』를 낼 무렵만 해도 아직 서정시 이외의 다른 시들은 거의 쓰지 않아 시의 하위양식에 대한 변별이나 상위양식과 하위양식에 대한 구분의 필요를 느끼지 않았으리라는 점이다. 실제로 첫 시집인 『황토』는 1970년 12월에 간행되었는데 이 무렵의 그는 비록 담시 한 편(<오적>, 1970. 5)을 쓴 적이 있긴 하지만 아직 서정시 이외의 다른 하위양식의 시창작에는 거의 관심을 기울이지 않았다. 이에 반하여 『애린』(1986), 『별밭을 우러르며』(1989)에 수록된 시들은 <비어>, <오행(五行)>, <앵적가>, <똥바다> 등 담시들과 소위 대설 <남>과 같은 시들이 발표되어 문단에서 그가 비서정적 시인이라는 인상이 굳어진 이후에 씌어진 시들이기 때문에 그로서는 이들 작품이 비서정적 유형의 시 즉 담시나 대설과 같은 시가 아니라는 사실을 밝힐 필요가 있었을 것이다. 이 시기에 와서야 그에겐 하위양식의 시들에 대한 변별의식을 공표할 필요가 생겼다는 말이다.

둘째, 『검은 산 하얀 방』의 경우 그 수록된 시들은 서정시 이외에 담시들도 있으므로 이를 굳이 '서정시집'이라 하지 않고 일반적으로 '시집'이라 표기한 것은 당연하다.

결국 다른 시인들 같으면 그들의 시집 표지에 특별히 시의 하위양식을 부기해 둘 필요가 없었음에도 불구하고 김지하가 이를 애써 밝혔던 것은 그가 오늘날 별로 쓰이지 않는 시의 하위양식을 빌려 시를 쓰고 또 하위양식의 서정시가 아닌 새로운 형식의 하위 시양식의 시 창작을 시도했기 때문이라고 할 수 있다.

3

장르적으로 김지하가 쓴 여러 유형의 시들은 시의 하위양식들에 속할 서정시, 민요시(民謠詩), 담시 그리고 그가 '대설(大說)'이라고 불러주기를 바라는 실험장르들이다.

민요시란 민요가 지닌 제 구조와 특성 그리고 기능에 바탕을 두고 쓴 개인 창작시이다. 따라서 그것은 민요를 지향하는 시이긴 하되 민요 그 자체는 아니다. 민요시가 민요가 되기 위해서는 그 창작자의 손을 떠나 민중의 소유가 되어야 하고 또 민중에 의해서 구송되어야 하기 때문이다. 이러한 관점에서 김지하가 쓴 민요조 계열의 시들은 모두 '민요시'의 범주에 드는 것으로 <최루탄가>, <탈>, <축복> 등이 이에 속한다. <최루탄가>를 인용해본다.

> 탄아 탄아 최루탄아 팔군으로 돌아가라
> 우리 눈에 눈물나면 박가분이 지워진다.
> 꾸라 꾸라 사꾸라야 대학가에 피지마라
> 네가 피어 붉어지면 삼매선이 들려온다.

원래 우리 민요는 율격에 있어서 2마디의 경우 4·4조 혹은 3·3조, 3마디의 경우 3·3·3, 4·4·4, 4·4·5, 3·3·4, 3·3·2, 4·3·2 등이 보편적이다. 시행의 길이는 2마디 또는 3마디나 혹은 그 배수, 구조는 음절, 어구, 시행 등이 반복과 직접적인 병치(parallelism)로 되어 있으며, 시어는 주로 공식적인 어구(formulaic phrase), 관습적 표현(conventional expression), 전형적 상징(typical symbol) 등에 의존한다. 그러한 관점에서 위의 시는 전형적인 우리 민요에 매우 가까움을 알 수 있다. 4·4조 2마디의 배수가 한 행이 된 시행, 전 2행과 후 2행의 병치, 매 행 되풀이된 반복적 어법, '박가분', '삼미선', '사꾸라' 등과 같은 전형적인 상징, "우리 눈에 눈물나면" 와 같이 <시집살이요> 등에서 흔히 볼 수 있는 공식적인 어투 등의 사용이 그것이다.

한편 <축복>은 민요의 전형적인 문답식 반복과 연쇄식 반복(chain repetition)이[4] 나타나 있다. 가령 민요의 한 예를 들면 다음과 같다.

두껍아 두껍아 / 너등어리 왜그러노
전라감사 살적에 / 기생첩을 많이해서 / 창이올라 그렇다
두껍아 두껍아 / 너눈깔이 왜그러노
전라감사 살적에 / 울근불근 많이먹어 / 붉히눈이 남아있네 (문답식 반복)

뒷집총각 나무하러 가세 / 배가아파 못가겠네
무슨배 자라배 / 무슨자라 어미자라
무슨어미 서울어미 / 무슨서울 탑서울 (연쇄식 반복)

여기서 전자는 갑과 을이 묻고 대답하는 형식 즉 문답식 형식, 후자는 뒷말이 앞말을 받는 형식 즉 연쇄형식으로 되어 있다. 김지하의 <축복> 역시 민요의 이 같은 두 가지 특성을 적절히 원용하고 있다.

은발의 주교님이 길을 가셨다.
"할아버지 놀다가세요"
"놀 틈 없다"
"틈 없으면 짬을 내세요"

---

4) Ruth Finnegan, *Oral Poetry*(N.Y.: Cambridge Univ. Press, 1977), P. 22.

"짬도 없다"
"짬도 없으면 새를 내세요"
"새도 없다"
"새도 없으면 탈나세요"
"탈나도 할 수 없지
옛다 과자나 사 먹어라"

전체 3마디를 전 2마디, 후 1마디로 나누어 시행 둘을 만든 것도 원칙적으로 3마디 시행의 민요를 모방한 것이지만 이 시의 구조에서 드러나는 이와 같은 문답식 및 연쇄식 반복어법 또한 전형적인 민요에서 차용된 것들이라 할 수 있다.

<탈> 역시 민요의 골격 위에서 씌어졌다. 이는 이 시의 그 어느 부분이나 임의적으로 인용해 보아도 잘 드러나는 특징이다.

개발편자 박속 탈 / 숨김 탈
탈 위에 탈 발라 탈 / 식초추파 / 징글능청
응큼새촘 발라 탈 / 속음 탈 / 녹음 탈
마른목에 꿀 발라 탈 / 헛맹세 발라 탈
…………
이리엮고 저리치고 / 요리얼렁 조리뚱땅
돈 발라 탈 섹스 발라 / 분 발라 탈 디올 발라

4·4조의 율격, 여러 형태의 반복과 병치법, 자수요(字數謠: 같은 글자를 가지고 말을 만들어내며 즐기는 민요의 한 형식)에서 보듯 '탈'이라는 말의 언어 유희 등은 그대로 민요를 본뜬 것들이다. 그러나 이상 김지하의 민요시에서 공통되고 있는 것은 그것이 이에서 더

나아가 정치민요 혹은 사회민요를 지향하고 있다는 점이다. 따라서 그의 민중문학적 성격의 일단은 여기서도 나타난다고 하겠다.

4

김지하의 담시 계열을 살펴보면 대개 두 가지 유형으로 나뉘어진다. 하나는 시인 자신이 담시라고 못 박아 그의 담시집 『오적』에 수록한 <오적>, <비어>, <오행>, <앵적가>, <똥바다> 등의 유형이요, 다른 하나는 아무런 부제 없이 일반 '시집'에 수록한 <최선생>, <민족의 비극이지 뭘>, <화평이>, <우리가 하자>, <다람쥐> 등의 유형이다. 그러나 이들 시들은 비록 그 길이에 있어서 길고 짧다는 차이가 있지만 본질적으로 같아 보인다. 그것은 이 두 유형이 모두 이야기를 시로 썼다는 점 때문이다.

<다람쥐>를 제외할 경우 이들 시는 3인칭 시점에서 사람(등장인물)에 관한 이야기를 서술하는 방식으로 씌어졌다. 이를테면 전자의 경우 <오적>에서는 꾀수, <비어>에서는 안도, 고관, 임금 등, <앵적가>에서는 앵군, <오행>에서는 상(上), <똥바다>에서는 분삼촌대(糞三寸待)를 이야기하고 있는 것과 똑같이 후자의 경우 <최선생>에서는 최선생, <민족의 비극이지 뭘>에서는 형, <화평이>에서는 사촌동생 화평이, <우리가 하자>에서는 친구, <다람쥐>에서는 자신에 관한 이야기를 하고 있다. 이 모두는 또한 직접적, 교술적 언급 대신 구체적인 사건을 서술하는 방식으로 묘사되어 있다는 점에서도 동일하다.

그러나 담시집 『오적』에 수록되어 있는 <아주까리 신풍(神風)>은 담시집에 끼어 있고 시인 자신이 담시로 생각했다 하더라도 실제에 있어서는 담시라 부를 수 없는 형식의 시이다. 따라서 그것은 일종의

풍자시 정도에 해당되는 작품이 아닐까 한다. 그것이 담시가 될 수 없는 이유는 시에 이야기(narrative)가 없다는 점 때문이다. 이야기가 없는 담시란 있을 수 없기 때문이다.

어쨌든 <아주까리 신풍>을 제외한 이 두 가지 유형은 본질적으로 시인의 이념 혹은 메시지가—이미지 혹은 은유로 형상화된 극적 감정 그 자체에 의해 호소되지 않고—길든 짧든 모두 이야기체 형식을 통해 전달된다는 점에서 공통되고 있다. 그러한 까닭에 이들 시는 최소한 좁은 의미의 서정시는 아니다. 그럼에도 불구하고 이들을 두 유형으로 나누는 것은 몇 가지의 차이점 때문이다.

첫째, 그 길이에 있어서 전자와 후자는 크게 다르다. 전자의 경우 가장 짧은 <오적>이 326행, 가장 긴 <똥바다>가 598행인 데 비해 후자의 경우는 가장 긴 <민족의 비극이지 뭘>이 겨우 53행이다.

둘째, 전자의 시들은 보다 직접적으로 사회를 비판하고 자신의 이념을 밖으로 드러내고자 하는 데 후자의 그것은 간접적, 암시적이다. 후자의 경우 메시지는 사건의 제시를 통해 암시적으로 전달된다. 즉 전자의 시들이 선동 선전적인 데 비해서 후자의 시들은 그렇지 않다.

셋째, 전자의 시들은 가공적인 이야기를 빌려 그것을 우화적으로 표현하고 있는 데 비해서 후자의 시들은 시인 자신의 전기적 체험을 고백하는 형식으로 되어 있다. 따라서 후자의 시는 보다 사실적이고 전자의 시들은 허구적이라는 느낌이 강하다.

넷째, 전자의 시들은 장시이어서 시어의 구사나 진술상의 표현이 풍요롭고 유장한데 후자의 시들은 단시이므로 표현이 간결하고 사건의 묘사가 단순하다. 그런 까닭인지 시인은 전자의 시들에서 보다 많이 우리 전통문학의 문체나 어법, 표현기법을 원용하고 있다. 예컨대 민요적 가락, 판소리의 어투, 가전체소설의 표현법, 고대소설의 묘사법 등이다.

그러나 시인 자신이 담시 창작의 동기를 사회비판에 두고 있다는 것을 염두에 둘 때 작품 형상화에서 비롯하는 이상의 특징들 보다 더 중요한 것은 시에 반영된 사회의식이다. 시인이, 엄밀한 의미에선 담시라 부를 수 없는, 길이 겨우 15행에 지나지 않는 <아주까리 신풍>을 담시집에 끼워 넣은 이유도 아마 여기에 있었을 것이다. 이 작품은 그의 서정시들에게서는 발견할 수 없는 <오적>류의 사회비판의식이 강하게 반영되어 있기 때문이다.

그렇다면 담시란 무엇인가. 어차피 우리 문학이 서구의 장르체계를 빌릴 수밖에 없는 것이라면 이는 넓은 의미로 서술시(narrative poem), 좁은 의미로 발라드(ballad)를 가리키는 말일 수밖에 없다. 발라드란 이야기를 음송할 수 있도록 시화한 이야기체 시의 일종이기 때문이다.[5] 일반적으로 발라드의 특징은 다음과 같다.

① 이야기가 중심이 된다.

② 노래로 불려진다. 따라서 그 언어적 표현은 그들 민족문학의 특성에 따라 정해진 운문형식을 취한다.

③ 내용이나 문체 등이 민중의 감수성에 맞는다.

④ 단일한 사건에 초점을 맞춘다. 따라서 구비서사시나 로망스처럼 한 인간의 생애에 관한 전체이야기 같은 것은 시의 내용이 될 수 없다.

⑤ 이야기의 구성은 서사적 구성 즉 에피소딕 구성(episodic plot)을 취하지 않고 극적 구성(dramatic plot)을 취한다. 이야기의 내용이 단일한 사건이니 극적인 것에 호소할 수밖에 없을 것이다.

---

5) 발라드는 서술시(narrative poem)의 일종이다. 서술시의 하위장르로는 이외에도 구비서사시, 로망스, 함부르거(Käte Hamburger)가 말한 소위 서정배역시(Rollenlyrik. 함부르거는 이 서정배역시를 발라드의 하위양식으로 보고 있다) 그리고 이와 유사한 여러 형태의 구송체 이야기시들을 포함시킬 수 있다.

⑥ 인물들의 행위는 흥미 위주의 극적인 것이며 독자로 하여금 강한 충격과 경탄을 자아내게 만들도록 한다.

⑦ 사건은 비주관적·객관적 시점에서 서술되고 있으며 대부분 직접 인물들의 대화나 행동에 의해서 발전된다. 동시에 그것은 항상 현장성을 띠고 있다.

⑧ 따라서 시인의 논평, 동기의 해설, 디테일 등은 가능한 한 배제된다.

⑨ 주제는 직접 문맥에 드러나지 않고 암시적으로 표현된다. 비교훈적이다.[6)]

이상 열거한 발라드의 특징을 김지하의 담시들에 적용시켜 본다면 ①-⑥까지는 대체로 들어맞는다는 사실을 알 수 있다. 즉 ①은 전적으로 맞는 조건이며 ② 역시 우리의 판소리나 고대소설 혹은 민요의 율격을 정형적인 것으로 볼 경우 전자의 담시들에게서 쉽게 찾아볼 수 있는 조건이다. 가령,

> 이발딛으면 저발들고 / 저발들면 이발딛고
> 이리떼뚱 저리띠뚱 / 팔딱팔딱 강중강중
> 총총거리며 나간다 / 종로명동 무교동다동 <비어>에서

> 여닫이문 밀어닫고 들어서서 다다미 온돌에 척──앉아 두루두루 둘러보니
> 어허, 화류문갑에 정종 일본도가 비스듬히 서 있고 열두굽이 병풍엔 을사년조약도라 <똥바다>에서

---

6) 오세영, 『한국낭만주의시연구』(서울: 일지사, 1981). 96~101쪽.

앞의 인용시구는 민요적 율격을 차용한 예이고 뒤 인용시구는 판소리의 율격을 차용한 예이다. 물론 전자의 경우 모든 시가 일관성 있게 한 가지 율격에 의해서 씌어진 것은 아니지만 우리 시의 율격적 특성을 이해한다면 이 정도의 파격은 어느 정도 이해될 수 있는 수준이라고 생각된다. 그러나 후자의 담시 즉 <최선생> 계열의 시들은 이와 같은 낭송체 율격을 지니지 못하고 있다.

③의 조건 역시 후자의 경우보다 전자의 경우에 들어맞는다. 후자가 비교적 문어체를 지향하고 있는 반면, 전자는 민속문학의 어법을 그대로 원용하여 민중의 공감대 형성에 보다 호소력을 지니고 있기 때문이다. 이는 앞서 예를 든 인용시구로써 충분히 이해될 수 있으리라고 믿는다.

④의 조건도 그대로 해당된다. <오적>과 <소리내력>은 도둑으로 몰린 두 인물이 포도청과 재판정에서 갖은 고초를 당한 사건, <고관>은 한 고관이 호텔에서 화재를 만나 크게 경을 친 사건, <똥바다>는 한 일본인 불량배가 한국에 관광와서 호강을 누리는 사건, <민족의 비극이지 뭘>은 한 친구가 경험한 한국전쟁 중의 비극적 사건이기 때문이다.

⑤와 ⑥도 마찬가지이다. 김지하의 담시들은 여러 개의 사건들을 선조적(線條的)으로 진행시키면서 실타래처럼 풀어가는 것이 아니라 앞에서 든 예처럼 한 개의 단층적 사건을 극화시켜 독자들에게 강도 높은 흥미를 유발시키기 때문이다.

그러나 이상 김지하의 담시들은 서구의 발라드에 가깝지만 다른 점 또한 적지 않다. 가령 앞에서 발라드의 특징으로 지적된 ⑦－⑨의 조건은 김지하의 담시와 거의 맞지 않는 것들이다. 서구의 전형적 발라드가 인물들의 행위와 대화에 의해 진행되는 데 비해서 김지하의 담시들은 서술에 의존하고 있기 때문이다. 간단히 말하면 그 내용의 전개가 대화의 원용이나 행동의 제시보다도 지문의 설명과, 화자의 진술에 의존하고 있다. 따라서 그의 담시에는 발라드에서는 찾아볼 수 없는 시인 자신의 논평, 해설, 디테일이 매우 많이 등장한다. 주제의식의 표현도 그러하다. 전형적 발라드에서는 주제가 표면적으로 드러나지 않는데 김지하의 담시 특히 <오적>에 수록된 시들은 주제가 선명하게 제시되어 있다. 아니 오히려 주제가 이야기를 이끌어간다.

따라서 <오적>에 수록된 담시들은 위에서 지적한 바 아홉 개의 발라드 조건 가운데서 대체로 여섯 개 정도가, <최선생> 계열의 담시들은 세 개 정도가 들어맞는다고 할 수 있다. 그러나 전통이 다른 우리 문학의 담시가 서구의 그것과 정확하게 일치할 수는 없다는 점, 그럼에도 불구하고 김지하의 <오적> 계열의 시들은 나름대로 발라드의 기본 조건만큼은 구비하고 있다는 점 등에서 어차피 이들 시를 서구적 장르개념으로 분류해야 할 경우라면 발라드 이외 소속시킬 다른 양식이 아마 없을 것이다.

발라드라 하지만 굳이 우리 문학사와 관련시킬 경우 <최선생> 계열의 시들은 20년대에 등장했던 소위 '단편서사시'와 유사한 점이 많다. 그런 측면에서 이들 작품의 양식적 원천은 20년대 프롤레타리아 문학에 있다고 말할 수도 있을 것이다. 김기진(金基鎭)이 임화(林和)의 시 <우리 오빠와 화로>를 예로 들어 제기한 소위 '단편서사시'[7]란 간단히 말해 서술시(이야기체 시=narrative poem, 김기진 자신은 서사시라는 용어를 사용하고 있으나 그것은 아마도 서술시 정도의 뜻에 해당할 것이다)를 단편으로 줄인 형식을 지칭하는 것이기 때문이다. 추측건대 김기진은 서사시와 같은 긴 이야기체 시에 비해 <우리 오빠와 화로>와 같이 그 내용도 단순하고 길이도 매우 짧은

7) 김기진, 「단편서사시의 길로」, ≪조선문예≫ 1929, 5.

이야기체 시들—긴 소설을 장편소설, 짧은 소설을 단편소설로 부르는 것과 같이—을 '짧은(단편의)' 서사시에 해당한다고 생각했던 것 같다.

그러나—물론 이야기를 시로 쓴다고 해서 모두가 서사시가 되는 것도 아니지만—이야기의 길이가 길다고 해서 서사시이며 길이가 짧다고 해서 '단편서사시'가 되는 것은 더욱 아니다. 이는 문예학 그 중에서도 장르론 대한 그의 무지에서 기인한 것으로 김기진이 이처럼 발라드 혹은 발라드의 한국적 혹은 현대적 변용을 자의적으로 '단편서사시'라 명명해서 후학들에게 혼란을 야기시킨 것은 의당 책임져야 할 일이라고 생각한다.

김기진에 따르면 단편서사시란 단순한 서정시처럼 '막연한 감정의 전달—단순한 심리적 활동—'이 아니라 '현실적, 구체적 사실의 묘사를 통해 감정을 전달하고' '사건적, 소설적인 것에서 시적인 것으로 극히 필요한 부분만을 적당하게 추려 압축해서', '사건을 중심으로 한 분위기와 사건의 내용을 인상적으로 선명하게 만들어' 세련된 언어 대신 '소박하고 생경한 된 그대로'를 말하는 노래라고 한다. 임화의 <우리 오빠와 화로>가 그 전형적인 예라는 것이다.

이 작품은 오빠와 남동생을 둔 여주인공이 감옥에 있는 오빠에게 자신의 심정을 고백하는 편지 형식으로 되어 있는데 그 내용은 다음과 같다. 인쇄공장에 다니던 오빠가 노동운동을 하던 중 피체되어 옥살이를 하게 되면서 공장을 다닐 수 없게 된 두 남매는—오빠의 솜옷을 차입할 돈을 벌기 위하여—백 장에 일 전씩 받고 봉투에 풀을 붙이는 일을 시작한다. 며칠 전 남동생이 임금으로 사온 화로마저 깨져 차갑게 지새운 겨울밤이다. 그러면서도 그들은 고통을 감내하며 끝까지 '용감한 근로대중의 투쟁' 대열에 서기로 굳게 마음을 다짐한다는 것이다.

김지하의 <화평이> 역시 비슷한 양식의 작품이다. 이 시의 주인공 화평이의 아버지는 화자의 백부인데 결핵을 앓던 중 6·25 전란 속에서 약 한번 변변히 써보지 못한 채 죽은 인물이다. 그뒤 백모 역시 생활고를 견디다 못해 가출해 버리면서 홀로된 어린 화평이는 객지의 떠돌이로 무진 고생과 우여곡절 끝에 결국 동두천에 흘러든다. 이제 미군 사격장에서 포탄을 주워서 파는 일이 그의 유일한 생계수단이 된 것이다. 그러나 그에게 비로소 찾아온 나름의 이 같은 안식도 길지 못한다. 이마저도 신의 시샘 탓이었던지 어느날 불발탄의 폭발로 생명을 잃어버리기 때문이다. 시의 화자는 시에서 무 장다리꽃이 피는 푸르른 봄날에는 항상 그의 무덤을 찾는다고 한다. 그것은 아이러니하게도 '화평'이라는 이름을 가진 그가 왜 그렇게 비참한 일생을 살아야 했던 것인지를 생각해 보기 위해서라는 것이다.

이상 소개한 두 편의 시들—<우리 오빠와 화로>와 <화평이>—를 살펴보면 모두 사실에 바탕을 둔 단일한 체험적 이야기, 수사법이 거의 없는 일상적 진술, 사건의 진솔한 묘사, 강한 사회의식의 표출, 한 인물에 의한 회상적 혹은 자기 고백적인 진술 등 제 특징에서 동일함을 알 수 있다. 이는 김지하의 <최선생> 계열의 담시들이 20년대의 소위 '단편서사시' 형식의 발라드에서 그 원형을 빌려 쓴 작품임을 의미하는 것이다.

5

장르 문제에 있어서 마지막으로 남는 것이 <남>이다. 이 작품은 아직 채 완결되지 않은 상태여서 확실하게 무엇이라고 규정짓기 힘들다. 그러나 우리의 전통문학 장르로 이야기하자면 한마디로 판소리에 해당된다는 것이 필자의 생각이다. 물론 적층문학이 아닌 까닭에 그것을 전통 판소리라 할 수는 없다. 그러나 그 대본만을 놓고 살펴본다면—시인 자신이 굳이 '대설'이라 부르고 있음에도 불구하고 개인창작의 현대판 판소리인 것만큼은 분명하다. 시인 또한 이를 의식했던지 이 작품의 프롤로그로 보이는 서두의 「대설풀이」에서 '대설'을 이렇게 설명한 바 있다

'대설'이란 "구차스럽게 현대판 판소리니, 판소리의 현대화니 떠벌려 쌀 것도 없이 그저 그대로 '이야기'일 뿐이요 개중에는 길고 큼직한 이야기, 더 넓고 더 큰 이야기, 이른바 중생 자신들의 '광대설'을 만들어 주는 한 이야기거리"라는 것이다. 판소리는 판소리이되 전통적인 것보다 더 포괄적이고 더 자유스럽고 더 심오하고 더 민중적인 경지를 지향한 판소리라는 뜻이다. 그가 이렇듯 판소리로부터 자유분방한 형식을 개발하여 자신의 생각을 말하고자 한 이유는 "동서고금에 듣도 보도 생각도 비교도 할 수 없는 (그의) 맹랑한 이야기를 담을 소리 못 담을 소리, 할 말 못할 말 분명히 갈라져 있고 제도야 문체야 규모야 이미 굳어질 대로 굳어져 고주알 미주알 시시비비가 더럽게 시끌시끌한 잔망스러울 '小'자, 소리 '說'자 잔소리 즉 '小說' 따위나 저 혼자만 아는 소리, 남은 죽어도 모를 소리 두 편 이상 읊어대면 시시할 시자 '詩'자 나부랭이로써 말하고 노래할 수 없기" 때문이라고 한다.

실제로 <남>은 전통 판소리에 비해서 그 길이가 길고 배경이 훨씬 넓으며 무엇보다 관념성이 강하고 비판적 요소들—예컨대 논설이나 주장 따위(특히 천지개벽을 묘사한 부분이나 운천이 인간세계로 추방되는 장면)—을 두루 포괄하고 있다. 그러나 그 토대나 기본구조에 있어서 만큼은 판소리의 원칙이 지켜지고 있음을 부인할 수는 없다.

일반적으로 우리가 판소리라 할 때는 ① 이야기의 도입, ② 독특한 가창과 이에서 결과하는 판소리 고유의 율격과 어법, ③ 월등하게 긴 분량, ④ 평범한 인물의 등장과 일상생활의 구체적이고 현실적인 이야기의 제시, ⑤ 간단한 줄거리에 복잡한 내용의 삽입(이는 사건을 자세하게 서술함으로써 일상생활의 모습을 구체적으로 나타내기 위함이다), ⑥ 부분의 독자성 등을 특성으로 지적할 수 있다. 예컨대 전체 줄거리에 일관성을 지키면서도 한 부분을 떼어내어 창을 하게 되면 그 부분 또는 에피소드 자체만으로도 완결성을 지닌다는 말이다. 따라서 내용의 전개는 행위 혹은 사건의 연속성에 의존하지 않고 장면 혹은 장소의 교체에 의존하는 것이 보편적이다. <춘향가>의 경우 '광한루 소요장면'은 바로 책방의 글 읽는 장면으로, 다음 월매의 집 장면으로 교체된다.[8]

이와 같은 판소리의 특징에 비추어볼 때 <남>은 원칙적으로 개인 창작 판소리라 할 수 있다. ①은 설명할 필요가 없으며 ②는 다음과 같이 임의적인 한 부분을 <박타령>의 어법과 대비시킬 경우 잘 드러난다.

> 끌어안고 주무르고, 비벼대기, 올라타기, 입맞추기, 배맞추기, 위 아래로 방아찧기, 좌우로 흔들어 대기, 빨기, 핥기, 주어패기, 얻어맞기, 묶어놓고 매질하기, 좋아라고 매잦기,—엎어매치기 <남>에서

> 머슴의 헌옷짓기, 상고에 빨래하기, 혼장가에 진일하기, 채소밭에 오줌주기, 소주고고 장달이기, 물방아에 쌀까불기, 밀 맷돌 갈제 집어넣기
> <박타령>에서

8) 조동일, 「판소리의 전반적 성격」, 김흥규, 「판소리의 서사적 구조」, 조동일, 김흥규 편, 『판소리의 이해』(서울: 창작과 비평사, 1978)에서 요약.

중 하나 쏜살같이 들어온다.—시퍼런 고리눈, 싯누런 탑삭수염, 뭉툭코가 덜렁, 누덕누덕 헌베 머리에서 발끝까지 잔뜩 뒤집어쓰고 새끼줄로 허리 질끈 동이고 만경창파 잎사귀 한 잎 사추리에 꼭 끼워타고 고래고래 고함지르며 들어온다. <남>에서

이때에 중 하나가 촌중으로 지나는데 행색을 알 수 없어 연년 묵은 중, 허디 헌 중, 초의불침부불선 양이수견미복면 다 떨어진 청올치 송낙이리 총총 헝겊으로 지은 것을 흠뻑 눌러쓰고 누덕누덕 헌베 장삼 율무염주 목에 걸고 ……홍보문전에 당도하니 <박타령>에서

③ <남> 역시 월등하게 길어 장편소설의 분량 이상이다.

④ <남>의 주인공 수산도 평범한 일상인이다. 시인은 목포 출신의 해결사 수산을 등장시켜 구체적이고도 현실적인 우리의 삶을 바로 현장감 있게 묘사하고 있다.

⑤ <남>은 길이가 비록 장편소설 이상이지만 그 줄거리만큼은 아주 간단하다. 세 장면의 세 개 에피소드(수산의 사람됨의 묘사, 수산의 고향 목포의 묘사, 수산의 시조(始祖)인 운산이 이 땅에 태어난 내력)에서 벗어나지 않기 때문이다. 다만 이를 묘사하거나 설명하는 분량이 전체 내용을 구성하고 있다.

⑥ <남>에서도 스토리의 진행은 사건의 연속성에 의존한다기보다는 장면의 교체 혹은 부분적으로 완결성을 지닌 사건들의 교체에 의해서 이루어진다. 이를테면 처음 서울에서의 수산에 대한 행동 묘사가 일단락 되자 곧바로 다음 에피소드라 할 목포인들의 생활상 묘사로 이어지고 다시 저 세상에서의 운천에 관한 이야기로 교체되는 식이다.

그러나 김지하의 <오적>유의 담시들 역시 <남>과 같은 판소리의

특징은 지니고 있다. 예컨대 판소리의 어법을 차용해서 일상인들의 구체적이고 사실적인 삶을 현장감 있게 묘사할 뿐만 아니라 단순한 줄거리를 긴 내용으로 설명한다는 점에서 그러하다. 그러나 우선 길이가 판소리에 비교될 수 없을 만큼 짧다는 것, 에피소드 혹은 사건이 한두 개 정도로 극히 제한되어 있다는 것(<남>은 아직 미완성이므로 더 많은 사건이 등장할 것이다), 구성이 집약적이고 극적으로 끝난다는 것, 부분적 독립성이 없다는 것, 형상화의 방법이 사실적이라기보다는 우화적 혹은 비유적이라는 것, 격정적, 감정적 요소에 호소하고 있다는 것 등에서 또한 전형적인 판소리와는 다르다. 그러므로 김지하의 담시들을 우리 문학사적 전통에 따라 굳이 장르규정을 해야한다면 <남>은 분명 현대판 판소리이지만 <오적>류의 담시는 '단편 판소리' 정도의 명칭으로 불러야 온당하지 않을까 한다.

마지막으로 남는 문제는 판소리의 상위장르가 무엇이며 서구 장르체계로 설명할 경우 그것을 어디에 위치시켜야 할 것인가 하는 점이다. 많은 논란이 있겠으나 나는 그것이 상위장르로는 서사양식에 해당한다는 견해[9]에 동의한다. 하위장르로는 아마——기법, 구조, 어법면에서 볼 때——서사적 로망스 혹은 투르바두르(tourbadour)의 구비서사시 정도에 가까울 것이다.(로망스의 장르규정 문제는 논란이 많으므로 여기서는 일단 유보해 두기로 한다).

6

나는 지금까지 김지하의 ① 민요시, ② 담시, ③ 대설 등을 우리

9) 위의 논문 참조.

문학의 전통장르에 적용할 경우 ①은 그대로 서정양식의 민요시, ②는 두 종류로 나누어서 <최선생> 계열은 소위 20년대의 '단편서사시' 양식의 담시, <오적> 계열은 서정양식의 단편 판소리에 가까운 담시, ③은 서사양식의 판소리로 보았다. 이것을 서구 장르에 적용한다면 아마 다음과 같이 정리될 수 있으리라 생각한다. ①은 서정양식의 민요시, ②는 서정양식의 발라드, ③은 서사양식의 로망스라는 것이다.

그러나 장르란 원래 그 체계가 고정불변하지도, 경계가 확실하지도 않다. 당대의 문화적 상황이나 민족문학의 전통에 따라 변하는 것 또한 숙명이다. 설령 장르가 존재한다 하더라도 언제나 이념형으로만 잠재해 있는 까닭에 구체적인 작품들에게서는 물론 그 특성이 동일하게 나타나지도 않는다. 더구나 기존의 관습으로부터 벗어나려는 작가들의 경우 장르의식은 필연적으로 개방적, 실험적일 수밖에 없다. 20세기 위대한 작가들 대부분이 관습적 장르를 타파하려 했던 이유가 바로 여기에 있는 것이다. 현대란 장르를 넘어선, 말하자면 초장르의 시대인 셈이다.

그럼에도 불구하고 필자가—어떤 의미에선 비평가의 호사취미일 수도 있는—이 같은 장르의 체계화작업에 관심을 갖는 이유는 학문의 첫 단계란 무엇보다 사실을 인지하고 분류하고 해석해내는 데서 시작하기 때문이라 할 수 있다.

사물과 언어와 존재
— 조정권(趙鼎權)론

1

조정권은 70년 10월 박목월의 추천으로 ≪현대시학≫지에 <가을의 거지>, <흑판> 등을 발표하면서 등단한 중견시인이다. 나는 당시 70년대의 선두주자로서 그가 보여주었던 발랄한 문학적 감수성을 기억하는데 그것은 아직도 우리 시단에 신선한 자극으로 남아 있다. 이후 문단데뷔에 걸었던 우리들의 기대는 헛되지 않아 그는 그 연배의 시인들 가운데서 가장 주목받는 몇 사람 중의 하나로 성장하였고 70년대 시의 중심부의 자리에 서게 되었다.

조정권은 물론 굳이 따진다면 70년대 시인이다. 그러나 그에게는 60년대적 성격도 없지는 않다. ≪현대시≫ 동인들의 시적 경향과 상당히 밀착되어 있던 그의 초기시가 특히 그러하다. 이 같은 관점에서 그의 문학사적 위치는 일차적으로 60년대 ≪현대시≫의 작업을 70년대 순수시 운동으로 정착시킨 데 있었던 것이 아닐까 생각한다. 같은 맥락이라면 조창환, 감태준, 김승희, 이세룡, 박정만, 최승호, 이상호, 박상천 등이 있지만, 그 중에서도 조정권 자신과 윤석산, 김용범, 이언빈 등이 주축이 된 ≪신감각(新感覺)≫ 동인 활동은 아마 그 실천적 성과의 하나일 것이다.

데뷔 이후 오늘에 이르기까지 조정권의 시 세계에는 상당한 변화가 있었다. 그러나 시에 대한 기본적 태도만큼은 일관성을 고수해 왔다는 것이 나의 생각이다. 그것은 그가 처음부터 끝까지 순수시의 노선과 존재탐구로서의 시작태도를 버리지 않았다는 말로 설명된다. 물론 이상과 같은 주장에는 오해도 따를 수 있다. 예컨대 조정권만이 그러한 문학관을 가진 시인인가, 순수시라는 것이 과연 가치 있는가 하는 따위의 논란이다. 순수시나, 존재탐구로서의 시작과 같은 문학관은 조정권만의 전유물이 아니기 때문이다.

그럼에도 그를 특히 주목하는 것은 그가 이 같은 문학태도를, 이를 매도 혹은 비판하는 것이 하나의 지배적 유행 풍조였던 우리의 70~80년대에 외롭게 고수하였다는 사실에 있다. 대다수의 시인들이—대부분 외적인 이유(현실 사회상황이나 문단 처세 등)로—순수시의 입장을 포기하고 앵무새처럼 '시는 언어의 예술이 아니라 메시지 전달의 도구'라고 종알거릴 때, 신인으로서 이에 반대하여 이처럼 의연히 자신의 소신을 지킬 수 있었던 시인은 흔치 않았기 때문이다. 그러한 의미에서 이는 이 시인의 시에 대한 순교자적 의식 내지 결벽주의의 한 표현이 아니었을까 생각한다. 말하자면 조정권은 시류와 관계없이 그만의 시를 지켜온 그 세대의 한 대표적인 시인이라고 말할 수 있다.

시대가 그러하니까 자신의 문학관에 대한 독자들의 오해를 예상했던 듯 조정권은 시선집 『백지 위에 별빛을』의 서문에서 몇 가지 노트를 붙이고 있다. 이는 뒤에서 그의 시 분석을 통해 해명되겠지만, 그의 시의 총체적 이해를 돕기 위해서 이 자리에서도 한 번 숙고해볼 필요가 있는 글이다. 이는 이렇게 정리된다. 첫째, '시인은 말의 지시성에 복종할 때 노예로 전락'하며 따라서 '일생 동안 말의 민주주의에 봉사해야' 한다는 것, 둘째, 순수시란 '굳어버린 현실의 껍질 그것과 부딪치는 방법론적 추진'이며, '자율성의 의미만을 고수하기에는 창백한 형식인 까닭에 타율성의 의미까지도 융합하여 제 몸을 깨뜨리는 추진력을 포함해야 된다는 것' 등이다.

첫째, 시인이 '말의 해방자이며 민주주의의 실천자'라는 진술은 시가 언어의 전달적 기능이 아닌 다른 기능—사물 혹은 존재론적 기능에 주거한다는 신념의 표현이라고 생각된다. 언어의 지시성을 거부한다는 앞서의 진술과도 부합하는 말이기 때문이다. 따라서 '말의 민주주의'라는 그의 표현은 정치적 민주주의를 이 사회에 실현시키기 위한 도구의 언어로서의 시가 아니라 일상적 언어의 규약성을 깨뜨려 구속된 의미를 해방시키는 언어 즉 존재의 언어로서의 시를 뜻하는 것이라 할 수 있다. 그것은 일상의 언어(속박된 언어)를 창조적, 신화적 의미로 되돌리려는 것 달리 말해 언어의 존재론적 기능에 토대하여 시를 쓰려는 태도를 선언한 것이다. 언어의 해방을 사회적인 차원에서라기보다는 미학적, 예술적 차원에서 실천하겠다는 천명이다.

둘째, 그 명칭에서 있을 수 있는 오해를 불식시키기 위하여 그는 순수시가 현실과 전혀 무관한 음풍농월이나 백일몽은 아니며 이 또한 현실을 반영하는 시라는 사실을 강조한다. 순수시가 '오늘이 강화된 현실을 향해 있는 투영의식'이라고 말한 것도 같은 뜻일 것이다. 물론 조정권에 있어서 '현실'이라는 말은 폭넓은 뜻을 지니고 있어 단순히 70~80년대 민중주의자들이 사용했던 것과 같이 사회적, 정치적인 차원의 의미만을 뜻하지는 않다. 존재론적, 미학적인 차원까지도 포괄한 용어이다. 따라서 그에게 있어 '순수시'란—시의 언어는 '전달성'과 '지시성'을 거부한다고 했으니까—다만 도구적 기능으로서의 현실에 대한 참여를 반대할 뿐 그것의 미학적, 예술적 반영까지도 반대하는 시를 말하는 것은 결코 아니다.

조정권에게 있어 시의 목적은 예술적 감동을 통해 삶의 일상성과 경직성을 깨뜨리는데 있다. 그리고 이를 위해서라면 그는 기꺼이 정치, 사회적인 것까지 포함해서 모든 현실을 자신의 시의 소재로 삼고자 하는 시인이다.

2

16년의 문학 생애를 통해서 조정권은 세 권의 시집, 『비를 바라보는 일곱 가지 마음의 형태』(1977, 조광출판사), 『시편』(1982, 문학예술사), 『허심송』(1985, 영언문화사)과 한 권의 시선집 『백지 위에 별빛을』(1985, 민족문화사)을 출간하였다. 이 세 권의 시집들은—비록 정확하게 들어맞는 것은 아니라 하더라도—시기에 따라 각기 굴절되어 가는 그의 정신세계를 구획지어 준 것들이다. 여기서 "정확하게 들어맞지는 않다"는 말은 물론 그의 첫 시집을 염두에 둔 것으로, 사실 이 시집에는 『시편』의 세계와 동질성을 띤 것도 적지는 않다. 그래서 그런지 제 2시집을 간행할 때 시인이 첫 시집에 이미 실었던 연작시 <백지>와 기타 <근성(根性)>, <겨울 저녁이 다시> 등을 재수록했던 것은 눈여겨볼 일이다.

첫 시집에는 그의 문단데뷔 시기부터 1977년까지 썼던 작품들이 묶여 있다. 특히 그 중 77년에 썼던 <코스모스>, <용납>, <백지 1, 2>, <저녁 비>, <벌거숭이 산에서의 일박> 등은 이 시집의 공통된 성격과 달리 오히려 두 번째 시집의 경향과 유사한 작품들이다. 이는 그의 첫 번째 시적 변모가 대체로 1977년을 전후하여 일어난 것임을 짐작케 한다. 한편 1983년 무렵에서는 또 다른 변화를 찾아볼 수 있다. 1985년에 간행된 세 번째 시집의 세계가 1982년에 간행된 두 번째의 것에 비해 확연한 차이를 드러내기 때문이다. 이러한 관점에서 그의 시는 데뷔(1970)에서부터 1976년까지의 제 1기, 첫 시집이 간행된 1977년에서부터 두 번째 시집이 간행된 1982년까지의 제 2기, 그리고 1983년 이후의 제 3기의 세시기로 구분될 수 있을 것이다.

제 1기를 특징짓는 그의 시 세계는 모더니즘의 기법에 의한 내면 의식의 형상화라 할 수 있다. 앞에서 필자가 조정권의 초기시는 60년대 ≪현대시≫ 동인들의 문학세계를 반영하고 있었다고 말했던 것도 바로 이를 지적한 것이다. 이 계열의 시는 대개 두 가지 유형으로 나뉘어진다. 하나는 인식론적인 태도로 사물을 수용하는 경우요, 다른 하나는 자신의 내면 의식을 표출하는 경우이다. 그러나 이 양자 모두 자아가 해체된 세계로 드러나고 또 그 의식이 연속되어 있지 않다는 점에서는 공통성을 지니고 있다.

① 그믐밤 헛간에 빠졌을 때다. 나는 부러진 도끼처럼 뒹굴었다. 완강한 어둠 속에서 흰 팔의 소리들이 나를 불러내고 있었다. 다 탄 심지처럼 겨울 나무들이 몰려오고 얼어붙은 땅바닥에서 바람소리들이 새어나오고 있었다. 흰 팔의 소리들이 뼈를 쪼개고 있었다. 소리들은 찢어진 살을 만지고 있었다. 바늘을 삼킨 위독한 나를 부르며 잃어버린 나라에서도 불타오르던 암석들을 데려오고 있었다.

<비를 바라보는 일곱 가지 마음의 형태, 일곱>

② 시계보다 더 느리게 꺼지고 있었다.
시계보다 답답하게 고통은 눈앞에서
꿈틀거리고
시계보다 더 답답하게 숨소리가 들려

핏속의 재를 부러뜨리며
나는 오늘의 영기를 모우고 떠나갔다.
그리고 더 빠르게 잊었다 기억해냈다. <분신>

①은 비 내리는 풍경의 한 순간을 일상성이 해방된 공간에서 자유롭게 포착하여 이미지로 굴절시킨 예이며, ②는 내면세계의 움직임을 이미지로 표출시킨 예이다. 시적 발상이나 동기가 외부의 사물 즉 객관으로부터 온 것도 있고 내적 잠재의식 즉 주관으로부터 온 것도 있으나 제 3의 사물이라 할 이미지에 의해서 객관화되어 있다는 점은 공통된다. 그러나 우리가 주목할 것은 시인이 이를 어떤 연속된 논리에 따르지 않고 전혀 비논리적이고 불연속적인 관계로 재구성시켰다는 사실이다.

가령 ②에서 시인은 비를 맞고 있는 자신을 헛간에 빠진 부러진 도끼로, 비 내리는 풍경을 '어둠 속에서 흰 팔이 부르는 소리', '뼈를 쪼개는 소리', '어디선가 불타오르는 암석을 데려오는 소리', '마당 구석에서 아이들의 노는 소리' 따위로 인식하고 있으며, ②에서는 내면의 어떤 짓눌리고 답답한 의식을 '느리게 가는 시계' 혹은 '핏속의 재' 따위로 형상화시키고 있다. 일상적 의식이나 개념화된 의미로는 이해하기 힘든 내용들이다.

그러나 우리는 여기서 일상적 의식 또는 개념화된 의미가 그것을 지시하는 대상(사물) 그 자체와 과연 일치하고 있는지 성찰해 볼 필요가 있다. 왜냐하면 세계나 사물에 대해 가지는 우리들의 개념적 혹은 논리적 이해는 세계나 사물 그 자체가 지닌 것이 아니라, 주관이 내적으로 받아들이고 만들어낸 일종의 인위적 결과물이라 할 수 있기 때문이다. 그러므로 사물을 있는 그대로 보기 위해서라면 우리는 인간의 논리로 규정된 사고의 틀 혹은 일상적 개념을 파괴하지 않으면 안된다. 그러한 관점에서 불연속적 논리의 관계성에서 부유하는 위의 시의 이미지들은 바로 일상적 인식의 틀이 깨진 사물의 그 같은 의미를 형상화시킨 것들이라 할 수 있다.

조정권의 시는 이처럼 먼저 사물이 지닌 관습적, 일상적 의미를 파괴하는 데서부터 씌어진다. 우리는 그것을 쉬르 레알리즘의 용어를 빌려 데포르마숑이라 불러도 좋고, 형식주의의 용어를 빌려 '낯설게 하기'라 불러도 좋다. 다만 사물에 대한 진정한 인식을 위해 일상적 언어의 논리는 거부되어야 한다는 사실의 확인 그 자체가 중요할 따름이다. 그리하여 제 1기 조정권의 시는 그 의미가 내면화되어 있으며 언어는 모순, 단절, 비약으로 점철되어 있고, 상상력은 긴장, 충돌, 혼란된 것으로 나타난다. 이 모두는 물론 이미지로 표상되어 있다.

이와 같은 방법으로 조정권이 보여주고자 하는 내적 세계는 물론 일종의 정신적 몸부림이다. 그것은 현대인의 해체된 세계관일 수도 있고, 신념과 가치가 상실된 20세기 허무의식이라 할 수도 있다. 나는 이와 같은 그의 시 세계와 그 표상의 방법을 넓은 의미에서 조정권 제 1기 시가 지닌 모더니티로 규정하고자 한다.

제 2기의 시는 대체로 존재를 탐구하는 시들이다. 제 1기의 내면독백적 태도가 존재론적 인식으로, 사물의 즉물적, 인상주의적 파악이 순수의식 속에서 보다 근원적인 것으로 환원됨을 볼 수 있다. 이러한 경향은 1975년에 쓴 <근성> 등의 작품에서 부분적으로 나타나 <백지> 연작 시편들이 씌어진 1977년부터 본격화되고 제 2시집 『시편』에서는 이미 널리 보편화되기 시작한다. 아무래도 제 2시집을 대표하는 시는 <백지> 연작시들일 것이다.

꽃씨를 떨구듯
적요한 시간의 마당에

백지 한 장이 떨어져 있다.
흔히 돌보지 않는 종이이지만
비어 있는 그것은
신이 놓고 간 물음
시인은 그것을 10월의 포켓에 하루종일 넣고 다니다가
밤의 한 기슭에
등불을 밝히고 읽는다.
흔히 돌보지 않는 종이이지만
비어 있는 그것은 신의 뜻
공손하게 달라 하면
조용히 대답을 내려주신다. <백지>

앞에서 인용한 <비를 바라보는 일곱 가지 마음의 형태>나 <분신>에 비해 우리는 이 시에서 우선 어떤 '안정감'같은 것을 느낀다. 제 1기 시들의 언어가 상호 충돌하고 단절되어 있었다면 <백지>의 시들에서 그것은 이제 이처럼 조화되고 연속되어 있는 것이다. 그것은 이렇게 설명된다. 첫째, 전자가 해체된 의식세계를 보여준다면 후자는 통일된 시점을 보여준다. 둘째, 전자가 사물의 표층적, 즉물적 인상을 변용시켰다면, 후자는 심층적, 근원적 의미를 드러내 밝힌다. 셋째, 전자의 상상력은 분산되어 있으나, 후자의 그것은 집중되어 있다. 아마도 이와 같은 제 특징들이 <백지>의 시로 하여금 독자들에게 일종의 '안정감'으로 비쳐지게 만들었으리라 생각된다. 그것은 달리 말해 사물의 심층 또는 근원적 깊이에서 발견된 의미의 형상화라 할 수 있다.

이제 시인은 단순히 사물의 일상적 개념을 파괴하거나 그것을 한 순간의 해방된 공간에서 부동하는 이미지로 제시하는 것에 만족하지 않는다. 그는 파괴를 통해 사물의 심층에 현존하는 의미를 폭로하고 이를 해체된 제 이미지와 관념 그리고 정서와 결합시켜 어떤 존재의 통일성을 구현코자 한다. 이렇듯 제 2기의 특징은 그의 관심이 현상적 태도로부터 존재론적 태도로, 사물 제시로부터 의미 제시로 그 방향을 바꾼 데 있다.

그러나 이와 같은 사물의 의미파악에서 무엇보다 갖추어야 할 것은 시인의 의식이 순수한 상태로 환원되는 일이다. 우리의 일상 세계에서 제 사물들이 분명하고도 확실하게 논리적이고도 개념적으로 보이는 것은 사물 그 자체의 속성이 그러해서가 아니라 논리화된 인간의 눈이 그것을 그처럼 변형시켜 주는 데서 오는 일종의 착시 현상일 뿐이기 때문이다. 따라서 그는 사물을 있는 그대로 보기 위하여 어떤 기억이나, 편견, 지식이나, 선입견, 심리적 자극이나, 인간적 관습을 버린다.

이런 전차로 시인은 이제 일상의 제 경험, 규약, 관습 등을 폐기시켜 순수의식으로 돌아간다. 인용시에서 특히 '적요한 시간의 마당' 혹은 '등불을 밝힌 밤의 한 기슭'으로 표상된 세계가 그러하다. '한밤중'은 '가장 적요한 시간'이면서 동시에 일상적, 세속적 삶으로부터 격리된 시간임으로 이 같은 상황 속에서 등불을 밝혀 사물의 본질을 탐구하는 시인의 의식은 곧 '환원된 순수의식'과 다름없기 때문이다. '목적을 벗어나는 순간의 나'(<백지>4), '마음과 영혼과 빈 손을 가진', '시간의 침묵'(<백지>3) 등으로 제시된 세계 역시 동일하다.

이처럼 순수의식으로 환원된 시인은 그 다음 차례로 사물의 근거를 묻는다. 훗설의 용어로 말한다면 소위 근원적 질문(Fundamentalfräge)에 해당하는 의문이다. '신이 놓고 간 물음'이라든지 '나의 가슴 속에 울리는 초인종'(<백지> 2), '끊임 없이 반복하는 빗자루질'(<백지> 4) 등으로 표현된 진술을 예로 들 수 있다. 빗자루질이란 은폐된 사물의 본질을 드러내기 위하여 먼지를 털 듯 일상성을 털어내는 작업을, '마음에 울리는 초인종 소리'란 사물과 순수의식이 맞닥뜨리는 순간을 형상화시킨 이미지들이기 때문이다.

이렇게 시인이 환원된 순수의식 상태에서 존재의 근원적 질문을 던질 때 비로소 사물은 그 은폐된 옷을 벗고 존재성을 드러내 밝힌다. 달리 말해 존재의 참의미가 밝혀지는(aletheia) 순간으로 <백지>에서는 '비워진 것이 오히려 충만함'이 되는 역설을 통해 제시되어 있다. 그것은 또한 이렇게도 설명된다. 일상의 논리에서 <백지>란 글을 기록해 두는 도구이다. 그런데 삶은 '무엇이' 되는 데 있는 것이 아니라 살아가는 그 자체에 있기 때문에 삶 또한 마찬가지이다. 그러므로 보다 충만하고 완전한 삶은 목적 또는 수단으로서의 가치를 버리고 존재의 본래성 또는 사물의 완전성으로 되돌아가는 삶이다. 인위적 가치가 무엇인가를 축적하는 일에 있다면, 존재의 가치는 비어 있는 그대로에 있기 때문이다. <백지>의 시편에서 보이는 이와 같은 사물의 존재탐구는 제 2기 시의 공통된 주제가 된다.

제 3기의 특징은 그의 존재탐구가 동양적 직관 내지 달관의 세계로 나아가고 있음을 보여준다. '신비롭고 신성한 것으로서의 어떤 의미'에 대한 지향이다. 하이덱거 자신도 그랬지만, 사물의 존재탐구 그 종국에는 어떤 초월적, 종교적 상징세계가 가로누워 있기 때문이다. 그러므로 제 2기에 들어 사물의 심층에서 그 현존성과 맞닥뜨린 시인이 제 3기에 와서 드디어 인간의 논리로써는 이해할 수 없는 어떤 초월적 진리를 체험하게 되는 것은 당연하다. 그것은 의식의 투명성이나 사색의 관념성을 뛰어넘어 깨달음 혹은 통찰로서만 도달될 수 있는 세계라 할 수도 있다. 시인은 그것을 동양적 예지에서 찾고자 한다. 동양적 예지야 말로 직관적, 초월적인데 토대하고 있기 때문이다. 그의 시에 때로 불교의 선적 인식이나 노자의 무위사상, 또는—『시경』에서 볼 수 있는—자연에 대한 순정이 비치는 이유가 여기에 있다.

쑥대풀 우거진 저편 강 언덕에
빈집 한 채 있네
언제나 대문은 닫혀 있어도
빗장은 안으로 열린 채 있네

저편 강기슭에 쉬고 있는 뱃머리
흰구름 내려주고 빈 배로 다시 떠나고 있네 <저 편 강 언덕에>

전체적으로 주는 느낌은 선의 게송(偈頌) 같다. 언어장치에 의한 어떤 미학적 긴장감이 돋보이는 것도 아니며, 단일한 메시지나 주장이 전달되는 것도 아니다. 거기에는 격한 감정의 흔들림도 날카로운 비판의식도 없다. 이 모두를 초월한 생의 달관이 무애자재하게 토로되어 있을 뿐이다. 그것은 한국의 산수화에서 보는 생의 무상감 같은 것이기도 하다.

인용시의 전체 구도는—만일 그것을 한국의 산수화에 비견할 수 있다면—강과 강 건너 저편에 서 있는 집과 그리고 강가에 떠 있는 배로 설정될 수 있다. 시인에 의하면 그 비어 있는 집은 겉으론 닫혀 있는 것처럼 보이지만 실은 안으로 빗장이 열려 있으며 배는 사람을 태운 것이 아니라 흰 구름을 태웠다고 한다. 이는 무엇을 말하고자 함일까. 첫째, 미망의 세계와 깨달음의 세계에 대한 언급이라 할 수 있다. 이를 표상하는 이미지가 시에서 강 이쪽에 있는 집과 강 건너의 '문 닫힌 집'이다.

원래 원형 상징에 있어서 '집'은 그 자체가 하나의 우주이다. 그런데 이 시의 강 건너 있는 집은 닫혀 있을 뿐만 아니라 단절을 암시하는 '강'의 저 건너에 있다. 불교적 상상력으로 유추할 경우 그것은

'피안'의 상징일지도 모른다. 그러나 이 시의 전체적 문맥으로 볼 때 그 피안의 세계는 죽음과 관련된 저승을 의미하는 것 같지는 않다. 오히려 강 이쪽의 집과 강 건너의 집은 무명의 세계와 열반의 세계, 번뇌의 세계와 깨달음의 세계와 같은 것을 상징한다고 보는 것이 옳다. 불경에서 강은 일반적으로 사바세계의 미망을, 그것을 건너는 뗏목은 깨달음에 이르는 불법을 비유하고 있기 때문이다.

그런데 이 시에서 '열반 혹은 깨달음의 세계'로 상징된 집은 밖으로는 잠겨 있는 듯 보여도 실은 안으로 열려 있다. 이는 무엇을 뜻하는 것일까. 따라서 둘째, 그것은 아마도 실유불생(悉有佛性: 모든 삼라만상은 본래 불성을 지니고 있음)에 대한 깨우침이 아닐까 싶다. 불교의 가르침에서 중생은 그 스스로 열반에 이를 수 있는 불성을 지니고 있으나 그 자신 참다운 자아를 발견하지 못한 까닭에 번뇌와 무명 속에 갇혀 있다고 한다. 따라서 밖으로 잠겨 있지만 오히려 안으로 열려 있는 집은 바로 이 같은 함의의 상징이라 할 수 있다. 깨달음에 이르는 길은 누구에게나 열려 있다. 다만 세속에 대한 집착으로 눈이 어두워 보지 못할 뿐이다.

이 같은 해석이 가능하다면 이 시는 무명에서 벗어나 깨달음에 이르는 길을, 배를 타고 강을 건너는 일에 비유시킨 작품이라 할 수 있다. 그러나 배만 탄다고 해서(법(法)을 안다고 해서) 아무나 깨달음의 경지에 이르는 것은 물론 아니다. 그것은 '흰구름'처럼 세속적 삶, 사바세계의 인연을 끊어버릴 줄 아는 사람만이—참다운 지혜(무루지(無漏智))를 가진 사람만이—가능한 세계이기 때문이다.

<저편 강 언덕에>는 언뜻 자연을 묘사한 서경시 같다. 그러나 자세히 들여다보면 이처럼 불교 존재론 내지 선적 세계 인식이 내면화되어 있는 작품이다.

3

전체를 일별할 때 조정권에게 있어서 제 1기의 시는 완성되지 않았고 지향하는 바 역시 바람직하지도 않다. 보다 훌륭한 시는 미학적 차원을 넘어서 세계를 바라보는 어떤 통일된 철학적 시점을 제시해 주어야 하기 때문이다. 그 통일된 시점이 무엇이냐 하는 것은 오로지 시인의 인생관이나 세계관 또는 어떤 도덕적 가치기준에서 결정될 성격이므로 여기서 왈가왈부할 문제가 아니다. 다만 나는 그의 제 1기의 시에 삶에 대한 통일된 시점이 결여되어 있다는 것과 그렇기 때문에 그것만으로는 만족할 만한 단계가 될 수 없다는 것을 지적할 뿐이다.

앞에서도 언급한 바이지만, 물론 제 1기 시에서 조정권은 세계나 사물에 대한 기존의 관습적 의미를 파괴하고 매우 강렬한 언어의 역동성을 실험했다. 그러나 기본적으로 그 의식은 분열되고 세계는 해체되어 있음이 사실이다. 거기에는 삶을 보다 가치 있는 총체성으로 끌어올리려는 생명의 유기성이 배제되어 있다. 그러나 이 말은 조정권의 문학적 생애에 있어 제 1기와 같은 과정의 수련이 불필요하다는 뜻은 결코 아니다. 사실 조정권은 이 같은 과정을 거쳤던 까닭에 제 2기나 제 3기의 시 세계를 형상화시키는 데 성공을 거둘 수 있었다.

그러므로 언어와 사물, 언어와 언어, 언어와 존재가 촉발시키는 관계의 그물망 속에서 어떻게 의미가 탄생하고 미학이 어떻게 창조될 수 있었는가 하는 문제를 모색한 그의 제 1기는 방법론적으로 참다운 자신을 찾는 실험기였다고 말할 수 있다. 그 결과 그는 이 과정에서 시는 언어예술이라는 평범하면서 난해한 진리를 나름으로 터득한 것 같아 보인다.

제 1기의 조정권의 시에는 '사물을 인식하는 데서 발생한 상상력'

과 '주관을 표출하는 데서 발생한 상상력'의 두 가지가 있었다. 그런데 제 2기에 들면서 그는 자신의 문학적 태도를 점차 전자쪽으로 굳히고 있다. 제 2기 이후의 시에 주관적 이념을 드러낸 작품이 하나도 없다는 것과 대부분 사물을 탐구하는 시 쓰기에 몰두하고 있었다는 사실이 그 증거이다. 이와 같은 태도는 제 2시집의 서문에서 그 자신 밝힌 바이기도 하다.

> 나는 사물을 설명하고 싶은 것이 아니라 해석하고 싶은 것이다. 해석은 해석자의 오성에서 솟아나온 객관적인 것이요 제 2의 자연이랄 수도 있다. 나의 시는 될 수 있는 한 사물의 해석학 그 범주내에 있기를 희망하며 그런 점에서 해석자는 자연을 철저히 배워두지 않으면 안 된다고 생각한다.

인용문에서도 확인되고 있는 바와 같이 그는 문단데뷔 이후 오늘에 이르기까지 일관해서 시가 어떤 이념 전달의 수단이 되는 것을 거부해 왔다. 그는 시를 사물이 들려주는 말이지 인간이 들려주는 말이라고 생각하지 않는 것이다. 따라서 문학적 태도가 이렇다면 우리는 그의 시에서 사변적 메시지를 기대한다는 것은 불가능한 일이었을지도 모른다. 제 2기의 존재의 시나, 제 3기의 동양적 구도의 시는 모두 이러한 태도 위에서 씌어진 것들이다.

그 자체의 완성이라기보다 과정적인 의미에서 가치를 평가할 수 있는 제 2기를 지나 제 3기에 오면 조정권은 그 나름으로 자신의 시 세계를 확립하여 문학적 성공을 거둔 것처럼 보인다. 가령 그의 분열된 의식, 해체된 세계는 존재론적 시야에 의해서 통일되어 새로운 의미로 재창조되고 있다. 특정한 도덕적 관점에서 설명하기는 어려우나 이는 분명 삶을 한 차원 긍정적으로 확대시키려는 노력의 소산이며,

생의 형이상학적 가치를 심화시키는 작업이라 할 수 있다. 그리하여 그는 그것을 구체적으로 동양사상과 동양의 예지에서 탐구하고자 했다. 그러한 측면에서 그가 최근에 쓰고 있는 <허심송>의 작업은 그의 문학적 승부를 결정짓는 지렛대의 역할을 담당할 것이 틀림없다.

동양사상은 깊고 넓다. 더욱이 직관적이다. <허심송>에서 성공적으로 이를 수용해 온 조정권이 앞으로 어떻게 발전시킬 것인가, 아직 전도가 양양한 시인이기에 그의 앞날을 기대해 본다.

토속적 세계관과 생명 존중의 시
— 송수권(宋秀權)론

1

1975년 제 1회 ≪문학사상(文學思想)≫지의 신인상 수상으로 등단하여 지금까지 『산문에 기대어』(1980), 『꿈꾸는 섬』(1982), 『아도(啞陶)』(1984), 『새야 새야 파랑새야』(서사시집 1986), 『우리들의 땅』(1988), 『자다가도 그대 생각하면 웃는다』(1991), 『별밤지기』(1992), 『바람에 지는 아픈 꽃잎처럼』(1994), 『수저통에 비치는 저녁 노을』(1998), 『파천무』(2001) 등 열 권의 시집을 간행한 송수권은 그의 30여년의 시작 생애를 통해 시종 일관 두 가지 성격을 보여주었다.

첫째, 그 추구하는 대상이 일반적으로 자연이라는 점이다. 물론 그의 작품 가운데는 지리적 공간으로서 특정 장소나 생활하는 인간에 관한 것도 적지는 않다. 특정 장소에 관한 작품들은 하도 많아서 심지어는 '기행시'라는 장르의 분류가 가능할 지경이다. 그러나 이들 역시 궁극적으로는 그 소재나 배경이나 발상 등에서 어떤 식이든 자연과 관련을 맺고 있다. 그렇다고 해서 그의 자연은 정지용(鄭芝溶)이나 청록파(靑鹿派)들이 추구했던 것과 같은 순수 자연은 물론 아니다. 오히려 인간화된 자연 혹은 삶의 터전으로서의 자연이라고 말하는 것이 더 적절할지도 모른다. 어떻든 그의 시의 이와 같은 특징은 그가 도시 문명이나 물질 혹은 사물과 같은 것엔 관심을 별로 두지 않았다는 반증이 될 수도 있다.

둘째, 민속적 혹은 민중적 관점에서 대상—그러니까 앞에서 제시한 자연, 장소, 인간을 바라보고 있다는 점이다. 그의 시에 한편으로 회고적 정서, 전통 지향 의식, 에니미즘이나 샤머니즘적 사유가 팽배하고 다른 한편으로 민중의 저항의식이 표출되고 있는 이유가 여기에 있다. 그러나 그의 '민중'은 어떤 계급적, 이념적인 성격을 지향하는 사람들 즉 '프롤레타리아트(proletariat)'나 '인민(people)'이라기보다는 향토민(鄕土民 men of peasantry community) 혹은 문명으로부터 소외되어 자연 속에서 자연과 함께 사는 토속인 즉 'Volk'이다. 그리하여 송수권의 정신세계는 민속적 삶이 근간을 이룬다.

물론 송수권이라 해서 그의 시 세계가 항상 고정 불변했던 것은 아니다. 그의 시 역시 문단 등단에서 두 번째 시집 『꿈꾸는 섬』까지의 제 1기(1975～1982), 세 번째 시집 『아도(啞陶)』에서 여섯 번째 시집 『자다가도 그대 생각하면 웃는다』까지의 제 2기(1982～1991), 일곱 번째 시집 『별밤지기』 이후의 제 3기(1991～)에 걸쳐 나름의 변화를 보여주었다. 이는 대체로 그의 자연인식과 민속적 세계관의 굴절에서 기인한 것이라 할 수 있다.

2

앞서 지적했듯 송수권은 데뷔 이후 오늘에 이르기까지 꾸준하게 자연을 대상으로 하여 시를 써왔다. 그러나 그의 그 같은 관심이 시기적으로 항상 동일했던 것은 아니다. 필자가 보기로 제 1기에 있어서 자연은 주로 에니미즘의 세계였고, 제 2기의 자연은 생활 공간, 제 3기의 자연은 생태 환경의 세계였다.

누이야
가을 산 그리매에 빠진 눈썹 두어 낱을
지금도 살아서 보는가
정정(淨淨)한 눈물 돌로 눌러 죽이고
그 눈물 끝을 따라가면
즈문밤의 강이 일어서던 것을
그 강물 깊이깊이 가라앉은 고뇌의 말씀들
돌로 살아서 반짝여 오던 것을
더러는 물 속에서 튀는 물고기같이
살아오던 것을
그리고 산다화(山茶花) 한 가지 꺾어 스스럼 없이
건네이던 것을
…………　　　　　　　　　<산문(山門)에 기대어>

아침에 나가 보면 호젓한 산길을
혼자서 가고 있었다.
오빠수떼들의 진한 울음처럼
발 아래 꽃잎들이 짓밟혀 있고
한 밤내 저민 향내 오답싹에 조금
묻혀가지고
차마 갈까 차마 갈까 애 타는 걸음
조금씩 뒤돌아보듯 가고 있었다.

산길을 벗어나면 아득한 벌판
언뜻언뜻 물미는 구름 속에
꽃 사당년같이 얼굴 한 번 가려 흐느끼고

벌판을 나서면 가로지른 강물이
소리 내어 따라오고 거기서 너는
비로소 독부(毒婦)같은 마음을 지었다.
검은 눈썹 밀어놓고 도끼 하나를
물 속에 벼리었다.

아침에 나가보면 암중같이
독한 암중같이 이제는 강을 건너
소매 자락까지 펼치며
훨훨 나는 듯이 가고 있었다. <달>

제 1기에 쓰여진 자연시의 예들이다. 무엇보다 에니미즘의 반영이 눈에 띈다. 원래 에니미즘이란 '이 세상의 모든 것들은 살아 숨쉬는 실체로서 어떤 정령(精靈)에 의해 생명력이 불어넣어졌다'[1]고 보는 세계관인데 위의 시들 역시 그와 같은 성격을 드러내고 있기 때문이다. 데뷔작이자 대표작이라 할 인용시 <산문에 기대어>의 경우, 한낱 물질에 지나지 않은 강물이 마치 하나의 생명체인 것과 같이 묘사되어 있다.

우선 이 시의 제 2행에 제시된 '눈썹'이 그러하다. 계곡 물에 쓸려 가는 갈잎을 생명체만이 지닐 수 있는 '눈썹'에 비유하고 있기 때문

1) *The Encyclopedia of Philosophy*, Ed. Paul Edward et al(N.Y.: The Macmillan Company & The Free Press, 1978).

이다. 제 4행의 '정정한 눈물 돌로 눌러 죽이고'에서도 시인은 계곡에 흘러가는 물을 '눈물'로, 돌 틈바귀에서 자지러지는 물소리를 '억제하는 울음 소리'로 환치하여 계곡 돌 틈의 적막하게 흐르는 물소리를 마치 '돌로 눌러 죽인 눈물의 울음소리'인 것처럼 형상화시키고 있다. 계곡의 적막한 물소리가 이렇듯 누이의 무엇인가 숨기고 억제된 울음소리고 해석될 수 있는 힌트는, 계곡 물은 그것을 가로 막고 서 있는 돌들의 저항(돌들과의 부딪힘)에 의하여 소리를 낸다는 점 때문이다. 이와 같은 전제 아래서 이 시는 전체적으로 산은 하나의 인간이며—이 계곡 물이 합쳐 이루어낸—강물은 그가 울고 있는 울음이 된다.

제 2시집에 실린 <달> 역시 마찬가지이다. 이 시에서 달은 단순한 천체의 한 위성이 아니라 혼령이 깃든 생명체로 등장한다. 시인은——아직 지지 않은 채—서녘 하늘에 기웃이 걸려 있는 아침 달에게서 하룻 밤을 같이 보낸 정인(情人)과 이제 막 이별한 뒤 먼 길을 재촉하는 나그네의 모습을 보고 있다. 즉 달은 '호젓한 산길을 혼자 건거나' '독한 암중같이 / 이제는 강을 건너 / 소매자락까지 펼치며 / 훨훨 나는 듯이 가는' 존재이다. 뿐만 아니다. 이 시의 달은 인간처럼 누군가를 사랑하기도 하고("발 아래 꽃잎들이 짓밟혀 있고 / 한 밤내 저민 향내 오답싹에 조금 묻혀 가지고") 이별에 애태우기도("차마 갈까 차마 갈까 애타는 걸음 / 조금씩 뒤돌아 보듯 가고 있었다"), 슬퍼하기도 하며("꽃사당년같이 얼굴 한 번 가려 흐느끼고"), 누군가를 미워하기도 한다.("벌판을 나서면 가로지른 강물이 / 소리내어 따라오고 거기서 너는 / 비로소 독부(毒婦) 같은 마음을 지었다.") 단순한 광물질에 불과한 달을 이처럼 사랑하고 미워하고 슬퍼하는 존재로 보는 시인의 상상력은 말할 것 없이 에니미즘에서 비롯한 것이라 할 수 있다.

그리하여 송수권의 시 제 1기에 보여준 자연은 이렇듯 에니미즘이 충만하다. 그것은 그 자체로 살아 있으면서 서로 생각과 감정이 영통(靈通) 하고 상호 삶을 공유하는 세계이다. 그런데 물론 그의 이와 같은 원시적 사유는 인위에 오염되지 않은 어린이들의 천진무구한 상상 속에서만이 가능하다는 점에서 동화의 세계를 지향하는 것 또한 자연스럽다. 모든 동화적 세계는 에니미즘에 기초하고, 또 모든 동시(童詩)의 보편적 수사법이 의인법 혹은 활유법에 의존하기 때문이다. <방울꽃>, <술래야 나는 요즘 자꾸 몸이 아프단다>, <꿈꾸는 섬>, <목련 한화>, <풍경>, <꿀벌>, <봄>, <달팽이 집들>, <감꽃> 등이 이 경향에 속하나 임의로 그 중에서 한편 만을 인용해 보기로 한다.

달팽이 집 몇 개가 그림 속에 흩어진
초(草)집들 속에선 누가 숨어 사는지
착한 아기와 며느리라도 숨어 사는지
딸각딸각 베를 짜는 아침 방직(紡織)의 즐거운
베틀 소리가 들린다.
기벼운 깃털들이 비단 수실 꽃주머니를 차고
날아다닌다.
또 그 초집들 속에선 누가 선약(仙藥)을 달이는지
벌레들의 똥이 화풍단(花風丹) 알약처럼 흩어져 있다.
간밤엔 무슨 잔치라도 있었느냐
조롱구슬 같은 별들이 떴다 자물린 흔적
한 밤내 울고 간 귀뚜라미의 흰 날기뼈와
부서져 쌓인 음부(音符)들
풀밭에 오면 전쟁도 미움도 시기도 없다.

이제 막 잠을 깨고 나온 달팽이 한 마리
달디 단 이슬 한 모금에 환각의 뿔을 흔든다. <아침 풀밭>

인용시는 어느 이른 아침, 풀밭을 기어 다니는 달팽이들 대하여 쓴 작품이다. 우선 그 형태면에 있어서 동그란 달팽이 집을 푸른 들의 초가집으로 대체시킨 비유가 신선하다. 이렇게 일단 달팽이집을 초원의 농가집으로 설정해두자 이제 시인의 상상력은 이차로 그 초가집 안에서 무슨 일이 일어나고 있는지를 탐색하는 것에 관심을 갖게 된다. 그 결과 그 집의 착한 며느리는 베틀에 앉아 베를 짜고 있으며, 마당에는 누군가를 위해 달이는 선약이 끓고, 방안에선 이제 막 잠을 깬 주인이 기침을 하고 있는 것으로 그려진다. 이처럼 눈에 선하도록 묘사한 한 가정의 평화롭고 행복한 일상은 분명 동화적 환상세계이다. 그것은 한낱 미물에 지나지 않을 달팽이에게서조차 시인의 에니미즘적 상상력이 빚어낸 자연의 내밀한 모습들이라 할 수 있다.

그러나 제 2기에 들면서 그의 자연시들은 이제 다른 면모를 드러낸다. 전적으로 제 1기의 특징에서 자유스러워졌다고 말할 수는 없으나 대체로 생활공간으로서의 자연을 바라보기 시작하기 때문이다. 확실히 송수권은 제 2기에 와 에니미즘적 자연보다는 생활 공간으로서의 자연에 보다 집착하고 있는 듯하다.

여름날 아침 달디단 이슬 한 모금에
우엉잎 속에 숨어 춤추는 달팽이
…………
가을 바람 찬 바람
야윈 뿔에 감겨서
우엉잎 밭에 서리 낄 때……

피여 피여 굳은 피여
내 혼령의 자지러진 피
이 가을엔 낙엽져서
너는 어느 도시의 변두리
목을 꺾고
뉘네 집 전세방을 얻어가누 <가을 바람 찬 바람>

같은 달팽이에 관한 작품들이면서도 위의 시는 그 앞 인용시 <아침 풀밭>에 비해 관심 두는 바가 전혀 다르다. 후자는 현실과 동떨어진 어떤 관념 세계의 이상을 그리고 있지만 전자는 바로 생활 그 자체를 이야기하고, 후자는 에니미즘적 신화세계를 동경하지만 전자는 리얼리즘적 현실세계를 고발한다고 말할 수 있기 때문이다. 이제 위의 시에서 달팽이는 더 이상 탈속한 자연주의자가 아니다. 오히려 그는 자신의 생존을 도모하기 위하여 강인하게 현실과 맞서 싸우는 생활인이 된다. 그것은 이 시의 마지막 부분의 다음과 같은 진술 즉 "이 가을엔 낙엽져서 / 너는 어느 도시의 변두리 / 목을 꺾고 / 뉘네 집 전세방을 얻어가누"에 잘 드러나 있다. 그러므로 추운 겨울에 도시의 변두리에서 전세방을 얻어 근근히 삶을 영위해 가는 이 시의 달팽이는 이제 더 이상 동화적 환상세계의 주인공이 아니다.

…………

이렇게 자작나무숲과 삼나무 숲들을 펼쳐져 있다.
우리는 그 울창한 숲의 경계선을 걸어나가면서 이야기한다.
선거가 끝난 후의 지역 감정에 대하여
나는 정관수술을 할지도 모른다는 생각을 한다.
이따금 삼나무 숲 우듬지에서 힘겨운 눈뭉치가 떨어지는 소리를 들

으면서
나는 자궁 봉쇄를 해야 할지도 모른다는 생각을 한다.
설해목이 넘어지는 것을 보면서 빨간 목댕기를 두른 산 꿩이 숲 위를
치 솟는 것이 보였다.
그 원시림의 굉음에 짓눌려 헐 벗은 자작나무 숲들이 흔들리고
허리통이 굵은 삼나무들도 푸들거리는 것이 보인다.
저것들이 이 세상 가장 신성불가침의 집이 되고 안락의자가 되고……
그러고 보니 나는 경계선 바깥의 이쪽 자작나무숲에 대하여는
아직 이야기하지 않은 셈이다.
이 세상 어디에서도 보이지 않던 그 낯선 정직성에 대하여는
이야기 하지 않은 셈이다.
빼마른 자작나무숲들의 끌텅이와 옹이진 삶에 대하여
결국 낱낱의 하나이면서 전체가 이루어내는 그 비정한 삶에 대하여
이야기한 셈이다.
자작나무숲과 산나무 숲의 경계선을 걸어 나가면서 <겨울 산>

길이가 긴 관계로 앞부분을 생략했지만 윗시의 첫 두 행은 이렇게 시작된다. “이 겨울에 우리는 기도할 것이 너무나 많음을 안다 / 추악함과 아름다움의 개념에 대하여 원천부정과 원천봉쇄에 대하여……” 이 모두의 발언과 같이 이 시에서 그리고 있는 자연 즉 ‘겨울 산’은 현실을 비판하는 거울의 이미지로 제시되어 있다. 그것은 양면(兩面)을 지니고 있는데 하나는 ‘삼나무 숲’으로 비유된 민중의 삶의 태도요, 다른 하나는 ‘자작나무 숲’으로 비유된 민중의 정신적 덕목이다. 각각 민중의 자기 헌신적 삶과 도덕적 건강성 또는 정직성을 은유화

한 것이라 할 수 있다. 다음과 같은 진술이 있기 때문이다. 즉 "허리통이 굵은 삼나무들도 푸들거리는 것이 보인다. / 저것들이 이 세상 가장 신성불가침의 집이 되고 안락의자가 되고…… / 그러고 보니 나는 경계선 바깥의 이쪽 자작나무숲에 대하여는 / 아직 이야기하지 않은 셈이다 / 이 세상 어디에서도 보이지 않던 그 낯선 정직성에 대하여는……" 여기서 '이 세상 가장 신성불가침의 집이 되고 안락의자가 된' 삼나무가 정직하고 선량한 민중의 자기 헌신적 삶을 비유했다는 것은 굳이 설명할 필요가 없다.

이처럼—그가 일관되게 추구한 민속적 세계관과 결부시켜 이해해야 할 문제이지만—자연 속에서 생활을 발견한 송수권은 이제 한 단계 더 나아가 그것을 현실과 투쟁하는 자로서의 민중의식과 결부시킨다. 이는 그 중에서도 특히 민속적 세계의 주체라 할 향토민(Volk)이 민중의 기층을 이루고 있다는 사실과 자연스럽게 연관되는 부분이다.

…………

봉당 밑에 깔리는 대숲 바람소리에는
대숲 바람소리만 고여 흐르는 게 아니라요
대패랭이 끝에 까부는 오백년 한 숨, 삿갓머리에 후득이는
밤 쏘낙 빗물소리……

머리에 흰 수건 쓰고 죽창을 깍던, 간 큰 아이들, 황토현을 넘어가던
징소리 꽹가리 소리들……

남도의 마을마다 질펀히 깔리는 대숲 바람소리 속에는
흰 연기 자욱한 모닥불 끄으름내, 몽당 빗자루도 개터럭도 보리 숭년

도 땡볕도

얼개빗도 쇠그릇도 문둥이도 장타령도

타는 내음……

……… <대숲 바람소리>

시인은 자연 속에서 단지 현실이나 생활만을 발견한 것이 아니라 이제 민중의 함성소리를 듣는다. 인용된 부분 모두가 마찬가지이겠으나 특히 제 2연의 경우가 그러하다. "머리에 흰 수건 쓰고 죽창을 깍던, 간 큰 아이들, 황토현을 넘어가던 / 징소리 꽹가리 소리들……"이라는 시행이 바로 동학항쟁을 묘사한 내용이기 때문이다. 따라서 제 1 기의 에니미즘적 자연시의 극단에 동화적 세계가 있었던 것처럼 이제 제 2기 생활 공간의 자연시의 극단에는 이처럼 민중의 저항의식이 자리하고 있다.

제 3기에 들어 송수권의 자연 인식은 다시 한 차례의 변모를 겪는다. 그것은 1기의 에니미즘적 자연, 2기의 생활공간으로서의 자연과는 또 다른 생명탐구의 자연이라 할 수 있다. 확실히 송수권이 제 3기에 와서 다루는 자연은 생명 탐구의 대상이 되는 자연이다. 그렇다고 해서 송수권의 이와 같은 변화는 물론 전 시기의 그것과 전혀 무관한 것이 아니다. 에니미즘은 이 세상 모든 것엔 생명이나 정령이 깃들어 있다고 보는 세계관이며 민중의식이란 생의 자연스러운 발현을 무엇보다 고귀한 가치로 받아들이고자 하는 정신임으로 이 양자에겐 본래부터 생명 귀의 사상이 자리해 있기 때문이다. 다만 다르다면 1, 2기의 생명 의식이 간접화, 추상화되어 있는 반면 3기 시의 생명탐구는 직접적, 구체적으로 발설되고 있다는 것 정도일 것이다. 그리하여 송수권은 이제 그의 시에서 생명에 대한 문제를 보다 감각적, 실천적, 현실적으로 다루게 된다.

① 질푸른
보리밭 사잇길로 5월은 온다.

하늘 뒤에서
생수(生水)를 퍼 내듯
들길에 날리는 종달새 울음

강 건너 과수원이
연한 녹색 초원이 되면서
탱자울 가시마다 꽃이 피어
눈 쌓인 겨울 골짜기 같다. <5월>

② 온몸에 자잘한 흰 꽃을 달기로는
사오월 우리 들에 핀 욕심 많은
조팝나무 가지의 꽃들마나 한 것이 있을라고
조팝나무 가지 꽃들 속에 귀를 모아 본다.
조팝나무 가지 꽃들 속에는 네다섯 살짜리 아이들
떠드는 소리가 들린다.
자치기를 하는지 사방치기를 하는지
온통 즐거움의 소리들이다.
그것도 볼따구니에 정신 없이 밥풀을 쥐어 발라서
머리에 송송 도장 버짐이 찍힌 놈들이다.
코를 훌쩍이는 녀석들도 있다.
금방 지붕 위의 까치에게 헌 이빨을 내어주고 왔는지
앞니 빠진 밥투정이도 보인다.
조팝나무 가지 꽃들 속엔 봄날 이런 아이들 웃음소리가

한 종일 떠날 줄 모른다. <조팝나무가지의 꽃들>

③ 경쾌한 봄밤이 오고 있다.
지네산 능선 위의 잡힌 달무리
아침에 문 열고 나서니
겨우내 아프게 살아 꿈틀거리던
산벼랑의 고드람발이
한순간에 거대한 낙차(落差)로 바뀌어 있다.
굳었다 풀어지는 가락
아아 이 놀라운 생의 기쁨 <낙차(落差)>

①은 제 3기의 시작이 된 시집『별밤지기』수록 첫 번째 작품으로—그런 까닭에 시사하는 바가 크다.—그 주제는 생명 예찬이다. 시인은 5월의 신록 속에서 생명의 무한한 약동을 느끼고 있다. '질푸른 보리밭' '5월', '생수', '종달새 울음', '녹색 초원이 된 과수원', '울타리의 꽃' 등 이 시의 여러 이미지들이 제시한 의미가 그것이다. 보리밭은 겨울의 혹독한 추위를 견디며 새싹을 피워 올린다는 점에서, '계절의 여왕으로서의 5월', '종달새의 비상', '물오른 과목나무의 신록', '활짝 핀 꽃 망울' 등 역시 보편적으로 생명의 상상력을 일깨워준다는 점에서 그러하다. 따라서 그와 같은 5월의 자연에 감응된 화자의 영혼이 생명의 충동과 교감을 느끼게 되는 것은 자연스럽다.("내 영혼도 새로 풀물이 들기 시작한다")

②에서 시인이 조팝나무 꽃에게서 보았던 것은 아이들의 천진무구한 모습들이다. 그것은 이 시에서 '머리에 송송 도장버짐이 찍힌 놈', '코를 훌쩍이는 놈', '앞니 빠진 밥투정이' 등으로 제시된바와 같이 인위적 구속에서부터 벗어나 생의 본능대로 뛰노는 자연 속의 아이

들로 그려진다. 그 중에서도 그가 관심을 갖는 것은 '네다섯 살짜리 아이들의 떠드는 소리', '자치기나 사방치기를 하는 아이들의 즐거운 소리'로 표상된 웃음 소리이다. 아이들이 생명의 상징이라는 것[2] 역시 원형 상상력의 일반적 통설임은 다 아는 바와 같지만 특히 인간에게 있어 '웃음소리'란—웃음은 리비도가 충족되는데서 오는 희열인 까닭에—생명력의 표현이기 때문이다. 대체로 인간은 생명의 쇠락이나 훼손에 대하여는 슬픔 혹은 울음을, 그와 반대로 생명력의 신장이나 충족에 대하여는 기쁨 혹은 웃음으로 반응하는 것이다.

③은 춥고 어두운 겨울이 막 가고 이제 봄이 시작되는 날의 어떤 경이감을 시로 쓴 작품이다. 물론 그 경이감이—시의 결말에서 직접 토로되고 있듯—'놀라운 생의 기쁨'임은 두말할 필요가 없다. 시인은 어제 저녁까지도 꽁꽁 얼어붙어 영영 물러갈 것 같지 않던 겨울의 추위가 이 아침 불현듯이 내습한 봄에 의해 한 순간 종적없이 사라지는 것을 추녀 끝에 매달린 고드름의 해빙을 통해 바라보면서 문득 생명력에 대한 경탄의 감을 금치 못한다. 생명이란 아무리 미약한 것이라 하더라도 잠재적으로 세계를 변혁시킬, 위대한 힘을 지니고 있다는 것을 깨달았기 때문이다.

이렇듯 제 3기에 들어 송수권이 자연을 통해서 탐구하고 있는 것은 에니미즘도, 생활 공간도 아니, 생명이 주는 감동 그 자체였다. 따라서 이 시기 그가 궁극적으로 다다른 곳이 생명 옹호 혹은 생명 외경의 세계였던 것은 당연하다. 우리는 이를 형상화시킨 시를 일러 그의 생태환경시(ecological poetry)라 부를 수 있을 것이다. 확실히 제 3기에 와서 송수권은 생태시나 생태시에 준하는 작품을 다수 발표하고 있다.

---

2) 오세영, 『한국현대시 분석적 읽기』(서울: 고려대학교 출판부, 1998), 188쪽 참조.

하단(下端) 갈대 숲에 와서 늘 가슴 울먹였다.
바다 쪽에서 밀리는 잔잔한 노을 속에 내 두 뺨은
복숭아처럼 익어 갔고
철새들의 날개짓이 가슴 가득 무너져 내렸다.
고등학교 시절 한 여류시인이 되겠다던 소녀와
첫사랑을 속삭였고
여름날 갈 숲을 헤쳐 물새알의 따뜻한 온기에 입맞췄다.
바다새의 파란 울음 소리와 모래밭의 모래 무덤 속에서
아나벨리의 죽음을 꿈꾸었다.
재첩 국물에 주막집 술이 밤새도록 익어갔던 곳
철근을 박은 거대한 한 왕국이 오래 전에 이곳에 들어섰다.
비오디 361 피피엠 갈밭의 긴 수로가 끊기고
사상 공단에서 흘러나온 찌꺼기에 갈매기 떼 몰려와
쓰레 무덤을 뒤졌다.
높이 나는 갈매기가 아니라 저 비정한 삶의 갈매기—
독극물에 치었는지 어제는 재갈매기 떼로 죽었다.
인부 둘이 나와 아직도 희망이 있다는 듯이
모래 무덤을 파고 시체들을 안장했다.
………… <뿔>

하단(下端)은 부산 근교 낙동강 하구에 위치한, 거대한 산업 공단의 하나이다. 시인에 의하면 아직 공단이 들어서기 이전의 그곳은 원래 하얀 모래밭과 아름다운 갈대 숲과 파아란 바닷물로 둘러 싸인 철새들의 도래지, 말하자면 생태 환경의 낙원이었고 꿈과 낭만의 요람이었다고 한다. 시인은 이를 시에서 "고등학교 시절 한 여류시인이 되겠다던 소녀와/ 첫사랑을 속삭였고/ 여름날 갈 숲을 헤쳐 물새알의 따뜻한 온기에 입맞추었으며", "바다새의 파란 울음소리와 모래밭의 모래무덤 속에서 / 아나벨리의 죽음을 꿈꾼"장소로 묘사하고 있다. 그런데 이 곳에 산업공단이 생기면서 이 평화스러운 공간은 큰 재앙 속에 빠지게 되었다. 더 이상 생명체가 살 수 없는 죽음의 땅이 되어버린 것이다. 즉 "비오디 361 피피엠 갈밭의 긴 수로가 끊기고 / 사상공단에서 흘러나온 음식찌꺼기에 갈매기 떼 몰려와 / 쓰레 무덤을 뒤졌다. / 높이 나르는 갈매기가 아니라 저 비정한 삶의 갈매기—독극물에 치었는지 어제는 갈매기 떼로 죽어가는" 세계가 바로 그것이다. 시인은 이와 같은 환경 묘사를 통해 생명을 억압하거나 죽이는 이 모든 불순 세력은 이 세상에서 더 이상 발을 붙일 수 없도록 모두 몰아내야 한다고 주장한다. 그것은 한마디로 생명 외경 혹은 생명존중 사상이라 할 수 있다.

이렇듯 송수권이 그의 문학에서 초지 일관 관심을 보인 자연은 시기별로 각각 다르게 표출되어 왔다. 제 1기의 에니미즘, 제 2기의 생활공간, 제 3기의 생명 그 자체 등이다. 이 세 시기의 극단에 각각 동화적 환상세계로서의 자연, 민중의식으로서의 자연, 생태 환경으로서의 자연이 있다는 것은 앞에서 지적한 바와 같다. 그럼에도 불구하고 우리가 간과해서 안 될 것은 그의 시가 일관되게 생명 존중사상을 추구해왔다는 점이다.

3

송수권은 등단 이래 지금까지 또한 전통 세계를 노래해 왔다. 이는 자연인식에서 보여준 시기별 변화와 관계없이 시종여일하게 탐색한 그의 문학적 특성이기도 하다.[3] 그의 시에 반영된 '전통적 세계'는 대략 여섯 가지 영역으로 나뉠 수 있다. 고전, 역사, 민속, 설화, 향토 생활 그리고 무속이나 불교적 세계관 등이다. 송수권은 자연과 더불어

---

3) 참고로 각 시기를 대표하는 시집 한권을 선택하여 거기 수록된 전통탐구의 시들의 목록을 조사해보면 대략 다음과 같다. 이로 미루어 송수권은 그 문단 등단 당시나 현재 시점이나 그의 시 대부분이 전통세계를 지향해왔다는 것을 알 수 있을 것이다.
제 1기: 『산문에 기대어』
고전: <춘향이 생각>, <허생원>
역사: <석주관>, <겨울 강화행>, <회문리의 봄>, <아버지>, <등잔>, <적분>, <노돌나루>
민담: <꼬부랑 할미 옛 이야기>,
민속: <젯날>, <자수>, <모시옷 한 벌>, <떡살> <보리 누름>, <보름제>, <그리움>
향토: <줄포마을 사람들>, <새보기>, <빗접>, <구례구>, <강>, <감꽃>, <환촌>, <방아실 앞>, <점경>, <큰 사랑 옆>
샤머니즘, 불교: <젯날>, <목련설화>, <돌각담에 지는 자주 달개비꽃 한 송이>
제 2기: 『아도』
고전: <통박> <정읍사>
역사: <하얀 목련>, <식민지의 눈>, <평사리 행>, <후가>, <달노래>
민담: <아도>
민속: <오동꽃>, <도깨비 굿>, <추석 성묘>
향토: <마포 갯나루>, <대숲바람소리>, <남도풍> <풀꽃제사>, <풍수자연>, <말노래>, <자목련이 지는 날은>, <우리나라 풀이름 외우기>
샤머니즘 불교: <아그라 마을에 가서>, <멀미>, <망월동 가는 길 4>, <겨울 청량산>, <한국통사초>
제 3기: 『바람에 지는 아픈 꽃잎처럼』
고전: <뜨거운 감자>, <돌 원숭이>
역사: <허준>,
민담: <선운사 동백꽃>, <부활의 노래>, <아우라지 나루터에 와서>, <쥐풍년 대꽃 풍년>
민속: <다시 읽는 토정비결>, <빈집 2>, <용인을 지나며>, <그해의 토정비결>, <유두절>, <집장>, <왕치>
향토: <가래나무 이야기> <바람부는 날>, <내 사랑 가사어>, <빈집 1>, <진달래>, <아침 강>,<열목어 1>, <어초장 시>, <백로마을>, <여름 강>, <전어지를 읽으며 1>, <전어지를 읽으며 2>, <나의 서가(전통)>, < 영산도>, <황해>, <황매기집>
샤머니즘 불교: <구룡문 연꽃밭>, <빈집2>, <업장 내가 살던 마을>, <괘등>, <길>, <산경(山經)>, <홍역꽃>, <산염불>

대부분 이와 같은 전통세계를 토대로 그 지닌 바 의미를 시로 형상화시켜 왔다. 그러한 관점에서 송수권은 당대 시단의 몇 안 되는 전통지향적 시인의 하나이기도 하다.

①고전의 세계: 송수권은 우리 고전문학작품을 변용하거나, 고전문학작품에서 이미지를 빌려오거나, 고전 그 자체를 소재로 하여 많은 시들을 썼다. 언뜻 눈에 띄는 작품들만을 골라보아도 <춘향이 생각>, <허생원>, <향전매(梅)>, <5월의 사랑>, <남원운문>, <통박>, <정읍사>, <뜨거운 감자>, <돌 원숭이> 등이다. <허생원>은 이효석의 소설 <메밀꽃>을, <향전매>는 고전 <배비장전>을, <오월의 사랑>과 <남원운문>은 각각 <춘향전>을, <통박>, <돌원숭이>는 각각 <흥부전>을, <뜨거운 감자>는 <쌍화점>을 소재로 해서 쓴 작품이다. 이 중에서 첫 번째 시집『산문에 기대어』에 수록된 <춘향이 생각>을 인용해 본다.

앞산 머리 자주빛 구름 옥색빛이 섞갈려 휘돌더니
그 빛 연한 솔잎마다 그늘지는 소리
산봉우리들도 수런수런 잔기침을 놓아
보기 좋은 달 하나 해산하고
몸을 푼다.

선한 눈, 코, 입, 짙은 숱, 눈썹
처음 눈맞춘 죄로
옥사장 큰 칼을 쓰고 창틀을
넘어다 볼 줄이야!

진개내 앞 냇가에 개가 짖어 개가 짖어

은장도 날을 갈아
눈물에 띄운
달하

귀기(鬼氣)서린 앞산 그리매
밤부엉이 울어 쌓는데

구리 동전 녹슨 상평통보(常平通寶)
몇 바리쯤 동헌 마루에 져다 부려야
이 몸 하나 평안하겠느냐? 평안하겠느냐? <춘향이 생각>

<춘향전> 가운데서 춘향이 변 사또의 수청을 거부한 죄로 감옥에 갇혀 밤을 지새는 장면을 시로 변용시킨 예이다. 제 3연에서 앞산 머리에 뜬 '달'을 '눈물에 띄운, 날을 간 은장도'로 비유시킨 은유가 탁월하다. 산문 같으면 수 십 쪽의 길이로 서술해야 겨우 전달 될 수 있을 춘향의 정절이 불과 한 줄의 시행으로 압축되어 있기 때문이다. 송수권이 이처럼 고전의 한 에피소드를 묘사하는 방식을 취하면서도 그것을 시로 승화시킬 수 있었던 이유는 그가 그것을 단지 하나의 상황 서술로 끝내지 않고 고전의 전체 내용을 집약적으로 암시할 수 있는, 한 개의 날카로운 이미지를 만들 수 있었기 때문이다. <향전매>의 '동박새'와 '장승', <돌원숭이>의 '돌 원숭이', <뜨거운 감자>의 '뜨거운 감자' 등의 이미지가 바로 그 것이다. 그는 비록 시에서 서술적 요소—이야기체의 요소를 즐겨 차용하고 있음에도 불구하고 시의 본질이 이미지나 은유에 있다는 사실을 잘 알고 있었던 것이다.

②역사의 세계: 송수권은 또한 우리의 역사에서 많은 시적 소재를

얻었다. 그 대표적인 작품으로서는 <석주관>, <겨울 강화(江華)행>, <회문리의 봄>, <아버지>, <등잔>, <적분(赤墳)>, <노돌나루>, <옥비전(玉婢傳)>, <토종범>, <봉선화>, <풀여치>, <귀뜨라미>. <개꿈>, <하얀 목련>, <식민지의 눈>, <평사리 행(行)>, <후가(後歌)>, <한국통사초(韓國痛史抄)> <달노래>, <다산초당(茶山草堂)에서>, <마치산이여 이 종줄을>, <허준> 등이다. 가령 <석주관>에서는 신라와 백제의 교통을, <겨울 강화행>, <등잔>은 병자호란을, <회문리의 봄>은 동학농민혁명을, <아버지>는 일제 강점기의 삶을, <적분>은 이성계의 위화도 회군을, <노돌나루>는 사육신의 절의를 이야기하고 있다. 이중에서 동학혁명을 시로 형상화시킨 <후가(後歌)>를 인용해 본다.

> 역사여 역사여 우리들의 갑오년
> 저 곰나루의 피 맺힌 함성이여
> 피로 얼룩지지 않은 성벽을
> 너는 어디서 보았는가
> 하늘에서 뜻을 얻어
> 땅에다 인내천(人乃天)을 쓰고 죽은 사나이
> 그는 마흔둘의 팔팔한 나이로 갔지만
> 그는 이 땅의 민중을 잘못 가르치고 간 것일까.
>
> 역사여 역사여 우리들의 갑오년
> 저 곰나루의 피맺힌 아우성이여
> 동학정신으로 잔뼈를 굵힌 안중근
> 할얼삔 역두에서 혈서를 쓰고
> 이등박문을 쏘아죽이고

팔봉산 접주 김창수(김구)가 상하이로 튀어
우리는 하나지 둘은 모른다.
하나로 죽을지언정 둘로는 살지 않는다.
....
역사여 역사여
갑오년 저 곰나루의 피맺힌 함성이여
우리도 이제는 제 발로 서고
당당하게 목소리를 높일 때가 되지 않았는가? <후가(後歌)>

송수권은 그의 시에서 <회문리의 봄>, <평사리행>, <달노래> 등 동학혁명을 노래한 작품들을 많이 썼다. 제 2기에 해당하는 시기에는 동학혁명을 주제로 한 권의 서사시 <새야 새야 파랑새야>(1986)를 쓴 바도 있다. 민속적 세계관과 아울러 민중의식이 깊이 자리하고 있다는 증거이다. 인용시 역시 같은 맥락에 속하는 작품인데 이 시의 제목 <후가>는 아마도 동학혁명 이후의 이야기 즉 동학혁명이 후대 한국사(韓國史)에 끼친 영향을 노래한다는 뜻일 것이다. 그리하여 인용시는 그 첫머리와 결론부분에서 먼저 동학 혁명의 지도자 전봉준의 죽음을 애도하고 본문에서는 그 이후 우리 현대사에 끼친 동학의 영향을 기술하는데 바친다. 예컨대 이또오 히로부미를 저격한 안중근 의사, 대한민국 임시 정부의 지도자 김구 선생, 기미독립 운동 33인의 하나인 손병희 선생과 만해 대선사 등이 모두 동학 교도였거나 한때 이에 참여했던 것을 지적한 것 등이다. 문학적 형상화라는 측면에서는 크게 돋보일 것이 없지만 시인의 문학정신을 엿보기에는 합당한 작품이다.

③설화 세계: 송수권의 시는 대체로 설화 세계를 지향하고 있다. 그것은 그의 시 대부분이 서술(narrative) 즉 이야기나 준 이야기체로

되어 있으며 그렇지 않을 경우라도 대부분 이야기적인 요소의 개입에 의해서 쓰여지고 있음을 지적한 말이다. 여기에는 두 가지 유형이 있다. 하나는 재래 민담이나 신화를 원용해서 쓴 경우요 다른 하나는 시인 자신이 창작한 이야기를 쓴 경우이다. 전자로는 <꼬부랑 할미 옛 이야기>, <전설>, <칠불암에서 띄운 편지>, <유화부인(柳花夫人)>, <우리들의 땅>, <매향비(埋香碑)>, < 난 2>, <부활의 노래>, <아우라지 나루터에 와서>, <땡볕>, <낙초집(落草集)>, <개양할미> 등이 있고 후자로는 <여승(女僧)>, <연비(燃譬)>, <창>, <저승꽃>, <장승의 노래 2>, <쥐풍년 대꽃풍년> 등이 있다. 먼저 전래 민담을 시로 쓴 예를 하나 인용해본다.

> 삼한 적 하늘이었는가 고려 적 하늘이었는가
> 하여튼 그 자즈러지는 하늘 밑에서
> 　'확 콩꽃이 일어야 풍년이라는디
> 　원체 가물어놔서 올해도 콩꽃일기는
> 　다 글렀능갑다'
>
> 두런두런거리며 밭을 매는 두 아낙
> 늙은 아낙은 시어머니, 시집 온 아낙은 새댁,
> 그 새를 못 참아 엉금엉금 기어나가는 것은
> 샛푸른 샛푸른 새댁
> 내친 김에 밭둑 너머 그짓도 한 번
>
> 　'어무니, 나 거기서 콩잎 몇장만
> 　따 줄라요?

(오실할 년, 콩꽃은 안 일어 죽겠는디 콩잎은 무슨 콩잎?)

옛다 받아라 밑씻개 콩잎
멋 모르고 닦다 보니 항문에서 불가시가 이는데
호박잎같이 까끌까끌한 게 영 아니라
'이거이 무슨 밑씻개?'
맞받아치는 앙칼진 목소리,
'며느리 밑씻개'
어찌나 우습던지요

그 바람에 까무러친 민들레 홀씨
하늘 가득 자욱하니 흩어져 날았어요
깔깔거리며 날았어요
대명천지, 그 웃음소리 또 멋도 모르고
덩달아 콩꽃은 확 일었어요 <땡볕>

'며느리 밑씻개'라는 이름의 들꽃에 관련된 일종의 설화시이다. 내용이 압축되고 진술이 행과 연의 분절을 통해 음악적으로 배열되어 있다는 것이 독특할 뿐 원 설화와 크게 다를 것이 없다. 다만 독창적이라 할 것은 마지막 연에서 시어머니에게 당한 새댁의 황당함이 우스워 민들레 홀씨가 하늘로 흩어지고 또 그를 본 콩꽃이 활짝 일었다는 통찰 정도인데 우리는 이 대목에서 또한 앞서 지적한 바 인간과 자연, 사물과 사물 사이에 일어난 에니미즘적 영통(靈通)이 아름답게 형상화되어 있음을 발견할 수 있을 것이다. 시야말로—과학으로서는 도달할 수 없는—우주적 질서를 구현하는 힘이며 우리가 이를 상상력이라 부르는 것은 다 아는 바와 같다. 이와 같은 시인의 상상력은 다음과 같은 창작 민담시에서도 유감 없이 발로된다.

어느해 봄날이던가 밖에서는
살구꽃 그림자에 뿌여니 흙바람이 끼고
나는 하루종일 방 안에 누워서 고뿔을 앓았다.
문을 열면 도진다하여 손가락에 침을 발라가며
장짓문에 구멍을 뚫어
토방 아래 고깔 쓴 여승(女僧)이 서서 염불 외는 것을 내다보았다.
그 고랑이 깊은 음색과 설움에 진 눈동자 창백한 얼굴
나는 처음 황홀했던 마음을 무어라 표현할 순 없지만
우리집 처마 끝에 걸린 그 수그린 낮달의 포름한 향내를
아직도 잊을 수가 없다.
나는 너무 애지고 막막하여져서 사립을 벗어나
먼 발치로 바릿대를 든 여승의 뒤를 따라 돌며
동구 밖까지 나섰다.
여승은 네거리 큰 갈림길에 이르러서야 처음으로 뒤돌아 보고
우는 듯 웃는 듯 얼굴상을 지었다.
(도련님 소승(小僧)에겐 너무 과분한 적선입니다. 이젠 바람이 찹사
운데 그만 들어가 보셔얍지요)
나는 무엇을 잘못하여 들킨 사람처럼 마주 서서 합장을 하고
오던 길로 되돌아 뛰어오며 열에 흐들히 젖은 얼굴에
마구 흙바람이 일고 있음을 알았다.
그 뒤로 나는 여승이 우리들 손이 닿지 못하는 먼 절간 속에
산다는 것울 알았으며 이따금 꿈속에선
지금도 머룻잎 이슬을 털며 산길을 내려오는
여승을 만나곤 한다.

> 나는 아직도 이 세상 모든 사물 앞에서 내 가슴이 그 때처럼
> 순수하고 깨끗한 사랑으로 넘쳐흐르기를 기도하며
> 시를 쓴다. <여승>

내용에 대해서는 특별히 설명할 것이 없다. 어느 봄날 방안에서 고뿔을 앓고 있던 화자는 탁발온 여승의 인기척을 듣고 홀린 듯 그녀의 뒤를 밟게 된다. 그리하여 동구 밖까지 이끌려간 그는 갈림길에서 그녀와 눈을 마주치게 되고 그 순간 그녀에게서 무한한 감동을 받았다는 것이다. 문제는 화자가 받은 그 '감동'의 실체이다. 그것은 무엇일까. 우리는 이 대목에서 '영원히 여성적인 것이 우리를 구원한다'는 <파우스트>의 마지막 구절, 80대의 단테가 어린 소녀 비아트리체와의 만남을 통해 그의 문학적 영감을 구할 수 있었다는 예술적 통찰을 떠올리게 된다. 왜냐하면 화자는 이로 인해 "나는 아직도 이 세상 모든 사물 앞에서 내 가슴이 그 때처럼 / 순수하고 깨끗한 사랑으로 넘쳐흐르기를 기도하며 / 시를 쓴다"고 고백하고 있기 때문이다. 따라서 인용시에서 '여승'으로 표현된 존재는 원형상상력에서 흔히 지적하고 있듯 소위 '영원한 여성(eternal female)' 즉 지상의 모순을 구원해줄 수 있는 어떤 절대적 모성(母性)의 여성임을 알 수 있다.[4] 이 시의 여성이 이처럼 특별히 신성한 여인 즉 '여승'인 까닭에 더욱 그러하다. 송수권은 이 작품을 빌어 사실은 자신의 시작(詩作)과 창작 영감에 대해 이야기하고 있었던 것이다.

④민속적 세계: 송수권은 또한 민속적인 세계에서 많은 시적 발상을 얻고 있다. <젯날>, <자수>, <모시옷 한 벌>, <떡살> <보리 누름>, <보름제>, <그리움>, <술래야 나는 요즘 자꾸 몸이 아프단다>,

4) N. Frye, *Anatomy of Criticism*(Princeton: Princeton Univ. Press, 1957), PP. 292~3.

<추석성묘>,) <오동꽃>, <도깨비 굿>, <추석 성묘>, <죽부인>, <탈판에 가서 탈춤을 추고 온 날밤은>, <독을 보며 2>, <장승의 노래 9>, <다시 읽는 토정비결>, <빈집 2>, <용인을 지나며>, <그해의 토정비결>, <유두절>, <집장>, <왕치>, <쪽빛>, <숨비기꽃의 사랑>, <쪽을 뜨며>, <징>, 등을 들 수 있다. 모두 이미 사라져 갔거나 혹은 시골 생활에서만이 일부 남아 있는 우리의 전통 민속을 시화(詩化)한 것들이다. 이중에서 한편을 인용해 본다.

음(陰) 2월 영등달 바람 불면 집에 가리

초하루 삭망엔 오고
보름 사릿물엔 간다고 했지

부뚜껑마다 조왕신이 살고
영등할미 오신 날은
산에서 파온 붉은 흙
대가지에 삼색 헝겊을 달아 꽂았지
보름 동안은 숨막히도록 행동거지도
조신하였지

바람불면
장독대 위 정한수 얼었다 다시 터지고
영등할미 딸을 데리고 온다 했지
비오면 착한 며눌아기 앞세워 비에 젖고
고부(姑婦)간의 갈등이 있긴 있어도
초라하게 오긴 온다 했지

음이월 영등달 바람 불면 집에 가리
초하루 삭망엔 오고
보름 사릿물에 간다고했지

집집이 수수엿 고아 치성들면
옥황상제께 올라가 이 세상 일 고해바치는데
영등할미 입이 오그라 붙어 고변할 수 없다 했지

음이월 영등달 바람 불면 집에 가리

아궁지마다 새로 불지피고
떠돌이 지은 죄 씻고
영등할미 두고 간 수수엿 단지 녹으리 <빈집 2>

영등(靈登)할미는 바람의 신(神)으로, 물의 신인 물할미, 산의 신인 산할미(老姑)와 함께 우리나라 삼대 신할미 가운데 하나이다. 모두 우리 민속의 절대적 신앙 대상이었다. 이 중에서도 영등할미가 중요한 위치를 점했던 것은 바람이 오랫동안 우리 민족의 주업인 농경에 큰 영향을 주어왔기 때문이다. 예컨대 바람은 흉작이나 풍작을 가져올 수 있고 또 어촌에서는 배의 항해와 조업을 결정짓는 절대적 변수로 작용하였다. 그리하여 우리 민족은 오래 전부터 바람을 생명력의 상징으로 보아 영등할미가 지상에 하강하여 잠시 머물다가 다시 승천한다는 음력 2월 1일부터 20일 사이에 각 지방에서 여러 형태의 민속제의(民俗祭儀)를 행했다.[5)]

5) 장덕순 외, 『한국의 풍속지』(서울: 을유문화사, 1974), 47쪽. "하늘에 사는 영등(靈登)할미(혹은 연등(燃燈)할미)는 음 2월 1일에 지상에 내려왔다가 20일

한편 조왕신(竈王神)은 불의 신이다. 불은 한 가정에서 대개 부뚜막에 살아 있음으로 조왕신은 또한 부뚜막을 맡는 부뚜막 신이라고 한다. 민간 신앙에 의하면 조왕신은 부엌의 부뚜막에 거하면서 매년 그믐 밤에는 하늘에 올라 옥황상제에게 그 집안에서 그 해에 일어난 모든 일들을 소상히 고해 바친다고 하여[6] 정성껏 모시는 것이 관행이었다. 가령 매일 아침, 깨끗한 샘물 즉 정화수를 갖다 바침은 물론 명절 때 마다 제사상을 올린 것 등이다. 이 시 역시 내용상 독창적인 것은 없으나 시행과 연 구성에서 독특한 리듬을 살리고 그 서술이 이미지 중심으로 되어 있다는 점에서 주목을 끈다.

⑤향토적인 세계: 송수권의 시에서 가장 빈번하게 등장하는 것이 바로 향토적인 세계를 묘사해 보여주는 작품들이다. 따라서 향토적 세계를 형상화한 작품들의 서지는 굳이 그것을 일일이 밝힐 필요가 없다. 임의로 두 편을 인용해 본다.

기러기집 상여(喪輿) 나는 날은
복(福)도 많아……
살구꽃 복사 꽃이 환히 저승길까지 비추고
십리 안팎 실팍한 아낙들까지 몰려와
생보리밭 마구 무너뜨리고 웃음치레 꽃치레 눈물 범벅치레……

에 승천한다고 한다. 2월 1일 아침에 새 바가지에 물을 담아 장독대, 광, 부엌 등에 올려 놓고 소원을 빈다. 이 때에 여러 가지 음식들을 마련하여 풍년 들 것과 가내의 태평을 빌며 식구 수대로 소지(燒紙)를 올린다. 연등할미가 인간세상에 하강할 때에는 며느리나 딸을 데리고 온다고 하는 바 딸을 데리고 오면 일기가 평탄하지만 며느리를 데리고 올 때에는 비바람이 몰아치고 농가에서는 피해를 입는다고 한다. 인간관계에 있어 친정어머니와 딸과는 의합(宜合)하나 며느리와 시어머니 사이에는 불화와 갈등이 있는 것이니 그에 비유해서 일기의 변화가 생기는 것으로 여겼다."

6) 장덕순 외, 『한국의 풍속지』(서울: 을유문화사, 1974), 76쪽.

석류꽃 석류꽃같은 기러기집 넷째 딸이 나는 그냥 좋으면서
홍갑사 댕기머리가 좋으면서
그 가리마 아랫말로 가는 호숫물처럼
박짝거리면서…… <기러기 집>

시 한구절을 생각하다가
아니 인생을 생각하다가
종일 두 어깨로 벽을 지고
앉았다.

구들목에서 수수깡을 부수는 아이
삭막한 가을 벌판을
수숫대 서걱이는 소리가
흘러간다.

황소 눈보다 더 큰 안경테를
메우는 아이
그 짓을 바라보면 그럴 나이도 아닌데
나는 벌써 시력이
흐려온다.

울밑 누구솥 아내의 장 끓는 내가
코를 치는 날
장맛 같은 시를 생각한다.
장맛 같은 인생을 생각한다.

수수깡 놀음에 맛이 든 아이
다리에 털도 안 난 녀석이
다리 긴 수수깡 학을 만들어
식지(食指) 끝에 올려 안경너머로 학(鶴)을 날린다.

울밑 노구솥 아내의 장 끓는 내가
고를 치는 날
학(鶴)이어 날아라
학이어 날아라. <장 닳이는 날>

'기러기 집'이란 물론 한 마을 전체가 공동으로 사용하는, 나무 기러기나 상여를 보관하는 집을 가리킨다. 시인은 이를 소재로 소년시절의 어느 마을 장례날, 상여 나가는 정경을 매우 화사한 감각으로 묘사해 보여주고 있다. 이 작품의 중심 테마는 물론 그 자신의 사춘기적 이성애이다. 그러나 그에 못지 않게 중요한 것은 그 배경으로 제시된 토속적 삶의 모습들이라 할 것이다. 거기에는 생과 사를 초월해서 자연의 순리대로 살고자 하는 향토민의 소박한 인생관과 희로애락을 공유한 원시 공동체로서의 삶의 태도가—이미지들로 극히 압축된 진술임에도 불구하고—생생하게 제시되어 있다. 그렇지 않다면 한 인간의 죽음을 앞에 두고 "십리 안팎 실팍한 아낙들까지 몰려와/생보리밭 마구 무너뜨리고 웃음치레 꽃치레"를 할 수는 없을 것이며 화자 자신 역시 "석류꽃 석류꽃같은 기러기집 넷째 딸이 나는 그냥 좋으면서/홍갑사 댕기머리가 좋으면서" 뒤따를 수는 없었을 것이다. 죽음의 의식(儀式)이 바로 삶의 축제로 전환될 수 있는 이 같은 인생태도야 말로 자연 속에서 자연과 더불어 살아가는 향토 공영체 이외에는 찾아 볼 수 없는 특성들이다.

<장 닳이는 날> 역시 토속적 삶의 한 장면을 여실히 그려 보여준다. 어느 늦가을 손 없는 날을 택하여 아내는 부엌에서 장을 달인다. 별다른 장난감이나 놀이 기구가 없는 그의 산골아이는—장을 달이기 위해 부엌의 아궁이에서는 끊임없이 장작불이 타오르므로—안방의 뜨끈한 구들장에 앉아서 마른 수수깡으로 안경테나 학 같은 공작물을 만드는데 몰두하고 있다. 방밖에는 "삭막한 가을 벌판을/ 수숫대 서걱이는 소리가/ 흘러간다." 필자 자신도 그러하지만 유년을 시골에서 보낸 사람이라면 누구나 한번쯤 경험했을 우리 향토생활의 생생한 모습들이다.

물론 이 시가 이야기하려는 것은 과거적인 삶의 복원이 아니라 그 시절에 시인이 동경했던 꿈의 상실이다. 그것은 이 시의 아이가 그러한 것처럼 수수깡으로 만든 장난감 학은 결코 하늘을 날을 수 없었다는 진술을 통해 간접적으로 암시되어 있다. 그리하여 그는 시의 말미에서 "학이어 날아라"고 가만히 절규해 보는 것이다. 그 '학의 비상'이란 무엇일까. 아마도 그것은 그가 유년 시절의 향토적 삶에서 경험했던 어떤 인간적 혹은 자연 친근적인 삶이었을지 모른다.

⑥샤머니즘 및 불교적인 세계: 송수권의 시 세계가 대부분 전통적인 삶을 지향하고 있다는 것은 이상의 고찰에서 충분히 설명되었으리라 믿는다. 그런데 이와 같은 삶의 기초를 이루는 것은 물론 샤머니즘과 불교적 세계관이다. 송수권 역시 그러하다. 대부분의 그의 시들이 부분적, 간접적으로 샤머니즘이나 불교에 관련되어 있다는 것은 쉽게 지적되는 터이지만 다음과 같은 시들은 전체적, 직접적으로 그것을 반영하고 있다. <젯날>, <목련 한화>, <돌각담에 지는 자주 달개비꽃 한송이>, <환촌2> <뜬소문>, <예감>, <아그라 마을에 가서>, <멀미>, <망월동 가는 길 4>, <겨울 청량산>, <한국통사초>, <서귀포의 봄>, <월인석보>, <소낙비>, <연비>, <부도들>, <외갓집>, <꿈

꾸는 섬>, <수레바퀴 자국>, <즐거운 선문답>, <가을 운문사>, <장승의 노래 8>, <구룡못 연꽃밭>, <빈집2>, <업장 내가 살던 마을>, <괘등>, <길>, <산경(山經)>, <홍역꽃>, <산염불>, <무량수전의 배흘림 기둥에 기대어>, <대 역사>, <눈내리는 대숲 가에서>, <운문사 운>, <혼자 가는 선재(善財)>, <낙초집(落草集)>, <백담사 운>, <구암리 고인돌 무덤>, <물염정시>, <괘등> 등이다. 이 중 불교적 세계관과 무속적 세계관으로 쓰여진 작품을 각각 하나씩 인용해 본다.

목어(木魚)가 울 때마다 물고기들의 싱싱한 비늘이 떨어지고
운판(雲版)이 자지러 질 때마다 날짐승들마저 숨죽이며 날았다.
어떤 침묵하나가 이 세상을 여행 와서 더 큰 침묵 하나를
데리고 그림자처럼 지난다.
문득 희나리의 불꽃더미 속에서 조실(祖室)스님의 흰 팔뚝
하나가 불쑥 떠올라 왔다. 그 흰 팔뚝에서 아롱진
연비(燃臂) 몇 방울이 생살로 타면서
얼음에 갇힌 꽃잎처럼 나의 감각을 흔들었다.

사람이 죽으면 하늘로 가 구름이 되고 비가 되어
칠칠한 숲을 기르는 물이 되고 햇빛되는 걸까.
그후, 나는 고개를 꺾으며 못된 습에 걸려
무심히 핀 들꽃, 날아가는 새에서도
조실의 흰 팔뚝을 떠 올리며 어린애처럼 자주 길을 잃고
헛기침 끝에 온 몸을 떨었다.
아니다. 아니다. 조실은 가지 않았다.
어떤 믿음의 확신하나가 이 세상에 다시 와서

나는 참으로 몹쓸 병을 꿈에서도 앓았다.
눈보라치는 섣달 겨울 어느날, 그의 방문을 열다가
평상시와 다름 없이 웃목에 놓인 매화분의 둥그럭에서
빨간 꽃망울 몇 개가 벌고 있음을 보았다.
뜨거운 연비 몇방울이 바야흐로 겨울 하늘에서 녹아 흘러
꽃들은 피고 있었다. <연비(燃臂)>

인용시는 두 가지 관점에서 선시(禪詩)라 일컬어 손색이 없을 듯하다. 시의 소재가 모두 선림(禪林)에 관한 것이고 주제 역시 불교의 윤회관을 피력하고 있다는 점 때문이다. 시의 소재는 구체적으로 '연비'이다. 연비란 "불교에서 수행자들이 계를 받고 나서 팔뚝에 불을 놓아 문신처럼 떠내는 의식 또는 그 자국"을 일컫는 것이니 이 시에서 직설적으로 언급되거나(예컨대 "그 흰 팔뚝에서 아롱진 / 연비 몇 방울이 생살로 타서"), 은유적으로 언급된(예컨대 "어떤 침묵 하나가 이 세상을 여행와서 더 큰 침묵 하나를 / 데리고 그림자처럼 지난다") 시행이 모두 연비를 하는 행위와 그 상황의 묘사에 관련되어 있다는 것은 두말할 필요가 없다. 직접적으로 불교 세계를 지시하는 '조실스님', '목어', '운판', '연비', '습'과 같은 용어들의 등장도 이 시의 불교적 필연성을 확실히 해준다.

그러나 보다 중요한 것은 이 시가 불교 윤회관을 반영하고 있다는 점이다. 그것은 제 2연에서 간단히 열반한 조실스님이 매화꽃으로 환생했다는 내용으로 압축된다. 상징적 표현이기는 하지만 "아니다 아니다 조실은 가지 않았다. …… 눈보라치는 섣달 겨울 어느날 그의 방문을 열다가 …… 매화분 둥그럭에서 (조실의)뜨거운 연비 몇방울이 바야흐로 겨울 하늘에서 녹아 흘러 꽃들은 피고 있었다"는 진술이 그것이다. 이 시행의 '뜨거운 연비 몇 방울'이란 바로 조실의 전생

을 의미하는 것이라고 해석할 수 있기 때문이다.

서귀포 오구 대왕님
저의 육신은 너무 때 묻고
저의 혼은 너무질겨서
대왕님 석쇠 위에 이 질긴 고기
잘 익을 수 있을까요
어젯밤 잠 속에서도
검은 상복차림 저승 차사 두놈이
벌컥 문을 열고 들어와 육환장을 내리찍으면서
에쿠야 이 살덤버지 에쿠야 이 살덤버지
킁킁 코를 말더니
에취야 이 비린내에취야 이 비린내
육환장은 고사하고 토악질까지 해대면서
문밖을 튀쳐나가는 것을 보았습니다.

이승바람 한으로 절인 핏기는
늘 이렇습니다요

그러나 오구대왕님
이승에서 저는 이 한을 다 풀고
길뜰 차비를 하는 날에는
서귀포 시인 광협이네 농장에 들려
저의 육신은 마지막 거름이 되고
저의 혼은 봄눈 속에서도
속죄양처럼 익어가는 귤이 되겠습니다.

서귀포 오구대왕님
그 때는 저승차사 두놈 다시 보내주셔요
저녁 시간 당신의 식탁 위에서
저는 불고기 대신 노오란 귤이 되어
당신의 즐거운 디저트가 되어 드리겠습니다. <서귀포의 봄>

'오구굿'은 어떤 사람이 죽음, 특히 사고로 비명횡사(非命橫死)를 했다든지 사인(死因) 모르는 죽음을 당했을 경우 그 원을 풀어 영혼이 저승으로 잘 가도록 오구대왕에게 비는 무속(巫俗)을 말한다. 따라서 '오구대왕'이란 죽은 자의 명복을 비는 굿 즉 오구굿이 섬기는 무속신(巫俗神)이다.[7] 송수권은 이 시에서 이 같은 우리 전통 민간신앙을 빌어 자신의 삶을 다소 희극적으로 성찰하고 있다. 그것은 그 자신의 현재란 추악하고 죄 많은 삶이라는 것("검은 상복차림의 저승차사 두놈이 / …… / 킁킁 코를 말더니 / 에취야 이 비린내 에취야 이 비린내 / 육환장은 고사하고 토악질까지 해대면서 / 문밖을 튀쳐나가는 것을 보았습니다"), 이에 대한 깨달음은 오구대왕이 보낸 저승 차사에 의하여 비로소 가능할 수 있었다는 것("그러나 오구대왕님 / 이승에서 저는 이 한을 다 풀고……"), 따라서 자신의 미래는 보다 순결한 이타행(利他行)의 삶이 되어야 마땅하다는 것("이 육신은 마지막 거름이 되고 / 저의 혼은 봄눈 속에서도 / 속죄양처럼 익어가는 귤이 되겠습니다") 등의 내용으로 설명된다. 즉 기독교 같으면 예수에 의해 도달할 수 있을 삶의 구원이 이 시에서는 오구대왕이라는 무속신(巫俗神)에 의해 이루어지는 것이다.

이상에서 살펴본 것처럼 송수권의 시는 전체적으로 샤머니즘이나

7) 장덕순 외, 『구비문학개설(口碑文學概說)』(서울: 일조각, 1971), 124~7쪽.

불교적 세계관에 토대하여 전통적인 삶 특히 향토적, 민속적인 삶을 지향하고 있다.

4

다른 측면에서 송수권의 시는 두 가지 중요한 특성을 드러내 보여 준다. 하나는 내용적으로 그가 당대의 시사적인 문제에 상당히 민감하게 반응하였다는 점이요 다른 하나는 형식적으로 대부분 '기행시(紀行詩)'와 '민담시(民譚詩)'라 부를 수 있는 유형에 집착하고 있었다는 점이다.

전자의 경우는 제 1장에서 살펴 본 것처럼 그가 비록 등단 무렵(제 1기)에 에니미즘적 자연을 탐구하였음에도 불구하고, 70년대 후반에서 80년대에 이르기까지의 시기(제 2기)에는 당대 한국문단의 일대 회오리 바람이었다고 할 소위 '민중시' 운동에 가담했던 것, 그리고 90년대 이후(제 3기)에 들어 우리 문단에 '생태 환경'에 대한 관심이 고조되자 곧 이에 부응하여 다수의 소위 '생태시'를 썼던 것 등을 예로 들 수 있다. 가령 그의 동학을 소재로 한 시편들은 전자를, 공해문제를 고발한 90년대의 시편들은 후자를 대표한다. 이는 문단과 사회에 대한 그 나름의 고뇌가 반영된 것이라 할 수 있을 것이다.

후자의 경우는 우선 시집의 목차만을 보아서도 짐작할 수 있다. 그것은 그의 시의 제목이 대부분 고유명사 즉 산과 강 혹은 지명(地名)으로 되어 있기 때문이다. 이는 그 수가 너무 많아서 일일이 헤아릴 수 없을 지경으로 송수권의 시 대부분이 기행시의 형식으로 쓰여졌다는 단적 증거가 될 수 있다. 한편 그의 시는 또한 이야기체 형식을 지향하였다. 앞장에서 예를 든 <여승>이나 <연비>, <땡볕> 등이 모두 이야기로 되어 있는 것은 우리가 읽은 그대로이지만 설령 그렇지 않은 경우도 부분적으로나 압축적으로 이야기적인 요소가 내재되어 있기 때문이다. 이와 같은 시 형식은 우리 문학사에서 30년대의 백석(白石)이나 이용악(李庸岳)—그리고 경향이 약간 다르기는 하나 식민지치하 프롤레타리아 시인들과 해방 이후 특히 김수영(金洙暎)이나 서정주에 의해서 널리 보급된 바를 그가 나름대로 개성 있게 소화한 것이라 할 수 있다. 특히 민담적인 내용이나 향토적인 삶을 소재로 한 그의 이야기체 시들은 따로 '민담시(民譚詩)'라는 장르를 설정할 만 것으로 그 역시 기본 골격에 있어서는 서정주(徐廷柱)의 <질마재 신화>의 시들과 크게 다르지 않다. 이 외에도 송수권의 시에 끼친 서정주의 영향은 앞으로 보다 자세히 고찰되어야 할 과제이다.

물론 소재로서 '이야기'라는 것은 그 고유한 문학 양식으로 소설이나 콩트 같은 별도의 장르가 있는 까닭에 시에서 꼭 다루어야 할 이유는 없다. 같은 이야기라면 시 양식보다는 소설이나 드라마 양식으로 표현해야 보다 문학적 성취에 다다를 수 있기 때문이다. 따라서 우리는 송수권의 문학적 평가를 그가 이야기체 시를 썼다는 그 자체가 아니라 그 안에 담겨진 내용 혹은 세계관에서 찾아야 할 것이다. 나는 그것이 그의 자연 인식과 전통적 세계—민속적 향토적 세계에서 논의되어야 할 성격이라고 믿는다. 그러한 전차로 필자는 제 2장에서 그의 자연 인식을, 제 3장에서는 전통적 삶과 샤머니즘 및 불교 세계관을 살펴보았다. 그 결과 송수권의 문학의 핵심을 이루는 것은 한마디로 생명사상이라 부를 만 한 것이었다고 생각한다.

송수권의 자연은 제 1기의 에니미즘으로서의 자연이나, 제 2기의 생활공간으로서의 자연이나, 제 3기의 생태환경으로서의 자연이나 본질적으로 생명에 대한 인식과 생의 존엄성 확립에 귀결된다. 에니미즘은 자연을 생명현상으로 보는 세계관이며, 생활공간은 생명체 그 자체의 삶의 터전이며, 생태환경에 대한 관심은 바로 그 자체가 생명 옹호의 실천적 운동이기 때문이다. 한편 그의 전통세계에 대한 탐구 역시 그 삶의 주체인 민중이 민족 생존의 뿌리이자 종(種) 즉 집단 개념으로서의 생의 원천인 까닭에 그 밑바탕에는 생명 존중 사상이 자리해 있다. 그것은 모든 민속 신앙과 민중 운동이 잠재적으로 이 생명 현상의 종교적, 사회적 표현인 것만을 보아도 알 수 있는 일이다.

찾아보기

인 명

ㄱ

ㄴ

ㄷ

ㄹ

ㅁ

ㅂ

ㅅ

ㅇ

ㅈ

ㅊ

ㅋ

ㅌ

ㅍ

ㅎ

용 어

ㄱ

ㄴ

ㄷ

ㄹ

ㅁ

ㅂ

오세영

전남 영광 출생, 장성, 전주에서 성장. 서울대학교 문리과대학 졸업, 서울대학교 대학원 졸업, 문학 박사, 현재 서울대학교 인문대학 교수, 65~68년 ≪현대문학≫지의 추천으로 문단에 등단. 학술저서로 『한국낭만주의시 연구』, 『한국현대시 분석적 읽기』, 『문학과 그 이해』, 『한국현대시인연구』, 『20세기한국시연구』 등과 시집으로 『아메리카시편』, 『어리석은 헤겔』, 『벼랑의 꿈』, 『적멸의 불빛』, 『봄은 전쟁처럼』 등, 산문집으로 『시의 길, 시인의 길』 등 수십 권이 있음.

20세기 한국시인론

초판 1쇄 인쇄 2005년 2월 15일
초판 1쇄 발행 2005년 2월 25일
지은이 오세영
펴낸이 박성복
펴낸곳 도서출판 월인
등록 제6-0364호(1998. 5. 4)
주소 142-879 서울특별시 강북구 수유2동 252-9
전화 (02) 912-5000
팩스 (02) 900-5036
e-mail worin@hitel.net
homepage http://www.worin.net

ISBN 89-8477-250-X 93810

값 20,000원